C0-AQX-372

«HISTORIAE MUSICAE CULTORES»
CXI
diretta da
Lorenzo Bianconi

ARCANGELO CORELLI

fra mito e realtà storica

Nuove prospettive d'indagine musicologica e interdisciplinare
nel 350° anniversario della nascita

Atti del congresso internazionale di studi
Fusignano, 11-14 settembre 2003

I

a cura di
Gregory Barnett
Antonella D'Ovidio
Stefano La Via

FIRENZE
LEO S. OLSCHKI EDITORE
MMVII

Questo volume viene pubblicato grazie al contributo della C.M. Manzoni Spa
di Fusignano e della Fondazione Cassa di Risparmio di Ravenna

ISBN 978 88 222 5697 3

Alla cara memoria
di Alfredo Belletti e di John Daverio

PROGRAMMA DEL CONGRESSO

Fusignano, Sala Francesconi, 11-14 settembre 2003
(nell'ambito delle celebrazioni per i 350 anni della nascita di Arcangelo Corelli)

Giovedì 11 settembre

ore 10.30

Apertura dei lavori del congresso. Saluto ai congressisti del Sindaco di Fusignano, Paolo Pirazzini, e dell'Assessore alla Cultura della Provincia di Ravenna, Massimo Ricci Maccarini.
Prolusione di Stefano La Via.

ore 11.00

Relazioni preliminari:

Franco Piperno, *Da Orfeo ad Anfione: mitizzazioni corelliane e il primato di Roma.*
Peter Allsop, *"Nor Great Fancy and Rich Invention...". On Corelli's Originality.*

ore 15.00

I. *La musica e le arti a Roma al tempo di Corelli*
Presiede Franco Piperno

Carla De Bellis, *La musica nel sogno arcadico della poesia. Dai testi teorici di Gravina e Crescimbeni.* Tommaso Manfredi, *Il cardinale Ottoboni e l'utopia dell'artista universale.* Gloria Staffieri, *Pietro Ottoboni, il mecenate drammaturgo: strategie culturali e scelte compositive.* Karin Wolfe, *Il pittore e il musicista: il sodalizio artistico fra Trevisani e Corelli.*

ore 21.00

Concerto di Enrico Gatti (violino) e Guido Morini (clavicembalo).

Omaggio ad Arcangelo Corelli (1653-1713). Sei sonate dall'op. V.
Sonata n° 5 in sol minore;
Sonata n° 10 in fa maggiore;
Sonata n° 2 in si bemolle maggiore;

Sonata n° 8 in mi minore;
Sonata n° 4 in fa maggiore;
Sonata n° 12 in re minore, "Follia".

Venerdì 12 settembre

II. *L'Opera Quinta: problemi di critica testuale, esegesi, prassi esecutiva*

ore 10.30

Tavola rotonda sulle questioni sorte intorno all'edizione critica dell'op. V.

Moderatore, PIERLUIGI PETROBELLI.
Relazione di base:
THOMAS GARTMANN, *Research-Report of a Non-Edition: Difficulties in Editing Corelli's Op. 5.*
Partecipanti: MICHAEL TALBOT, PETER WALLS, NIELS MARTIN JENSEN. Con interventi di LEONARDO WAISMAN, PETER ALLSOP, MIGUEL ANGEL MARIN, FRANCO PIPERNO, ENRICO CARERI.

ore 15.00

Relazioni. Presiede RUDOLF RASCH.

NIELS MARTIN JENSEN, *When is a Solo Sonata not a Solo Sonata? Corelli's Op. 5 Considered in the Light of the Genre's Tradition.*
PETER WALLS, *The Arcangel: Corelli as Constructed in Mid- and Late- 18th-century Editions of Op. 5.*
MICHAEL TALBOT, *"Full of Graces": Anna Maria Receives Ornaments from the Hands of Vivaldi.*

ore 21.00

Concerto dell'Ensemble TERRA INCOGNITA.

NATALIE FONTAINE (violino), SOLÈNE GUILBERT (violino), JEAN-CHRISTOPHE MARQ (violoncello),
CAROLINE DELUME (tiorba), LAURE VOVARD (clavicembalo e organo).

Le Sonate a tre di Corelli e la loro influenza sui compositori europei.

ALESSANDRO STRADELLA, *Sinfonia XV in re maggiore*;
ARCANGELO CORELLI, *Sonata Op. I, n° 8*;
CARLO MANNELLI, *Sonata XII "La Piccini"*;
ARCANGELO CORELLI, *Sonata Op. II, n° 6*;
HENRY PURCELL, *Sonata III a due violini e basso, all'organo o clavicembalo*;
ARCANGELO CORELLI, *Sonata Op. III, n° 12*;
FRANÇOIS COUPERIN, *Sonata "L'Astrée" detta "La Piémontaise" dans "Les Nations"*;
ARCANGELO CORELLI, *Sonata Op. IV, n° 6*.

Sabato 13 settembre

III. *Produzione, diffusione e ricezione del modello corelliano*

ore 10.00

Relazioni. Presiede MICHAEL TALBOT.

RUDOLF RASCH, *Improving the Perfect: the Dutch and English Editions of Corelli's Trio-sonatas.*
LOWELL LINDGREN, *Nicola Haym's Work as Editor and Emulator of Corelli.*
MASSIMO PRIVITERA, *"Corelli trasformato": un arrangiamento vocale settecentesco dall'opera III e dall'opera IV.*
LUCA DELLA LIBERA, *Il "concerto" tra Alessandro Scarlatti e Corelli: due modelli a confronto.*
PIERLUIGI PETROBELLI, *Corelli e Bach: a proposito del quarto Brandeburghese.*

ore 15.00

Relazioni. Presiede STEFANO LA VIA.

GREGORY BARNETT, *Topos, affetto e stile nella sonata tardo-secentesca.*
MIGUEL ANGEL MARIN, *La recepción de la música de Corelli en España durante el siglo XVIII.*
JOYCE LINDORFF, *Corelli's Music in 18th-century China: Currency for Cultural Exchange.*
LEONARDO WAISMAN, *Arcadia Meets Utopia: Corelli in the Jesuit Missions of South America.*

Domenica 14 settembre

IV. *Le sonate a tre e la tradizione romana*

ore 9.30

Relazioni. Presiede MIGUEL ANGEL MARIN.

ANTONELLA D'OVIDIO, *Colista, Lonati e Stradella: modelli compositivi della sonata a tre a Roma prima di Corelli.*
ELEANOR MCCRICKARD, *Dance and Stradella's Trio Sonatas: Implications for Corelli's Op. 1 and.Op. 3.*
SANDRA MANGSEN, *[Re-]playing Corelli's Trios.*
FEDERICO VIZZACCARO, *Da Simonelli a Corelli e ritorno: rivisitazione di un topos musicologico.*
ENRICO CARERI, *Le sonate a tre di Bomporti e il modello corelliano.*

ore 15.00

Museo Civico San Rocco.

Visita guidata alla Mostra *Arcangelo nel pentagramma. Corelli e la stampa musicale.*
A cura di RODOBALDO TIBALDI. Progettazione dell'Associazione Culturale "Mirada", realizzazione del Comune di Fusignano.

PARTECIPANTI AL CONGRESSO

Peter ALLSOP, Exeter (UK)
Gregory BARNETT, Houston-TX (USA)
Enrico CARERI, Napoli
Carla DE BELLIS, Roma
Luca DELLA LIBERA, Roma
Antonella D'OVIDIO, Cremona
Thomas GARTMANN, Zürich (CH)
Niels Martin JENSEN, Copenhagen (DK)
Stefano LA VIA, Cremona
Lowell LINDGREN, Cambridge-MA (USA)
Joyce LINDORFF, Philadelphia-PA (USA)
Tommaso MANFREDI, Reggio Calabria
Sandra MANGSEN, London-Ontario (CA)
Miguel Angel MARIN, La Rioja (SP)
Eleanor MCCRICKARD, Greensboro-NC (USA)
Pierluigi PETROBELLI, Roma
Franco PIPERNO, Firenze
Massimo PRIVITERA, Cosenza
Rudolph RASCH, Utrecht (NL)
Gloria STAFFIERI, Roma
Michael TALBOT, Liverpool (UK)
Federico VIZZACCARO, Roma
Leonardo WAISMAN, Córdoba (ARG)
Peter WALLS, Wellington (NZ)
Karin WOLFE, Roma

PREMESSA

Ad Arcangelo Corelli, all'autore di appena sei Opere a stampa – contenenti composizioni di genere esclusivamente strumentale – son già stati dedicati non solo fior di libri e saggi monografici, ma ben cinque convegni musicologici internazionali, animati da un numero via via crescente di studiosi, puntualmente tradotti in altrettanti e sempre più voluminosi atti congressuali. Dopo una simile fioritura di *Studi corelliani*, «rimane ancora qualcosa da dire sul maestro di Fusignano?». Quella che potrebbe sembrare tutt'al più una domanda retorica mi è stata realmente posta, cinque anni or sono, quando mi accingevo ad organizzare «l'ennesimo congresso corelliano». L'occasione, fra l'altro, era ancor più solenne e storicamente importante rispetto a quelle di tutti gli incontri passati: si trattava infatti di celebrare il 350° anniversario della nascita di colui che va senz'altro annoverato come uno dei padri fondatori della musica moderna, d'ambito non certo solo italiano, ma anche europeo e persino intercontinentale.

Che su una figura di tale portata storica ci sia sempre «qualcosa da dire» lo hanno già dimostrato i lavori del congresso, tenutosi nella sede consueta di Fusignano in ben quattro, intensissime giornate di studio (11-14 settembre 2003); e in modo ancor più eloquente e duraturo intende dimostrarlo il presente volume di atti, la cui gestazione, non a caso, si è rivelata assai più ardua e travagliata che in passato, nonostante il preziosissimo aiuto ricevuto dagli altri due curatori: Gregory Barnett e Antonella D'Ovidio. A Greg si deve, fra le altre cose, il paziente controllo – non solo linguistico – di tutti i contributi in inglese, mai così numerosi, nonché eterogenei e complessi; non meno fondamentale è stato l'apporto di Antonella, non solo nella cura redazionale di buona parte dei saggi italiani, ma anche nell'ancor più difficile impresa di decifrare e trascrivere le discussioni seguite a ciascun contributo.

La scelta di continuare ad includere anche i dibattiti in versione integrale (secondo una prassi tipicamente 'fusignanese'), invece di riassumerne i contenuti in modo più sintetico e impersonale (soluzione già attuata solo nei *Nuovi studi corelliani* del 1978), è stata dettata da una ragione semplicissima: preservare ciascuno di quegli interventi estemporanei (talora con minimi ritocchi successivi dei rispettivi autori) significava, per l'appunto, fornire anche ai lettori non partecipanti una cronaca per quanto possibile fedele di quelle che si sono puntualmente rivelate come le fasi più vivaci e coinvolgenti dell'intero congresso. Molte delle idee più stimolanti, in questa edizione come già in quelle passate, sono sorte proprio dal confronto diretto fra studiosi appartenenti alle più disparate scuole di pensiero. Ridurre questi confronti a più succinti e indiretti resoconti, magari con pretese di 'obiettività', avrebbe significato, insomma, spersonalizzarli ed appiattirli, privarli della loro vitalità, se non anche del loro senso originario. Il lettore, naturalmente, sarà invitato a distinguere in modo netto fra la natura estemporanea, a tratti istintiva, di questi interventi ed il carattere più ponderato, se si vuole più 'scientifico', dei contributi veri e propri.

Per un fatale incidente tecnico, proprio la più interessante e prolungata di queste discussioni, la tavola rotonda sull'Opera V seguita alla relazione di base di Thomas Gartmann, è anche l'unica ad essere rimasta priva di registrazione alcuna. Grazie al pronto intervento di Thomas, per fortuna, coadiuvato da alcuni partecipanti e dal sottoscritto, è stato possibile ricostruire tutte le fasi cruciali del dibattito. Chiunque, in un futuro che si auspica non troppo lontano, voglia finalmente decidersi a realizzare l'edizione critica dell'Opera V (a tutt'oggi mancante) dovrà necessariamente ripartire da qui: dal dettagliato quanto problematico resoconto fornitoci nella relazione di base (punto d'avvio di quello che ora costituisce la Parte III del volume), ma anche dalle altrettanto preziose integrazioni e osservazioni critiche offerte via via, nel corso della tavola rotonda, da autorevoli esperti in materia quali Michael Talbot, Niels Martin Jensen, Peter Walls, Pierluigi Petrobelli, Franco Piperno, Leonardo Waisman, ed altri ancora.*

Le restanti quattro sessioni congressuali (Parti I-II e IV-V) ruotano attorno ad altrettanti nuclei tematici e/o problematici fondamentali, fra loro distinti ma non privi di intime e reciproche connessioni. In una prima fase – da cui proviene il titolo stesso del volume – Franco Piperno e Peter Allsop, da punti di vista e con esiti diametralmente opposti, si sono preoccupati di verificare fino a che punto la 'classicità' del 'modello corelliano', nonché la qualità estetica e la 'originalità' stessa delle sue soluzioni compositive, costituiscano una realtà storica effettiva, oppure il frutto di una ben calcolata opera di mitizza-

---

* Chi scrive ha in seguito constatato, ma solo nelle ultime fasi di lavorazione dei presenti Atti, che la tanto attesa edizione corelliana è stata felicemente compiuta ed edita nel novembre del 2006: ARCANGELO CORELLI, *Gesamtausgabe*, Band III: *Sonate a Violino e Violone o Cimbalo*, Op. V; hrsg. von C. URCHUEGUIA, unter Mitarbeit von M. ZIMMERMANN, mit einem Beithag von R. RASCH, Laaber, Laaber Verlag, 2006.

zione, avviata già dalla coeva committenza romana a scopi anche propagandistici. Questa prima parte si chiude con un mio contributo di taglio interdisciplinare, originariamente presentato in altra sede (convegno *Le Arti in gara. Roma nel Settecento*, Roma, 18-22 settembre 2000); per gentile concessione di Carla De Bellis, organizzatrice del convegno romano, si è pensato di inserirlo in questi atti non solo per il suo argomento specificamente corelliano, ma anche perché esso affronta lo stesso tema della prima sessione da una prospettiva ancora diversa, introducendo al contempo problematiche specifiche (come quelle del 'classicismo arcadico' o del ruolo svolto da mecenati quali il cardinale Ottoboni) destinate ad essere riprese nelle sessioni successive. A partire dalla seconda, dedicata a «La musica e le arti a Roma al tempo di Corelli» (Parte II), nella quale l'italianista Carla De Bellis, lo storico dell'architettura Tommaso Manfredi, la storica dell'arte Karin Wolfe, e la musicologa Gloria Staffieri – presente a Fusignano già nei due incontri precedenti – hanno dato vita ad un'autentica 'accademia' interdisciplinare, volta a chiarire ancor più in profondità il ruolo chiave svolto sia dai principali teorici dell'Arcadia, Gravina e Crescimbeni, sia dal già citato cardinale Ottoboni, sempre più emergente non solo come il più importante mecenate romano del tempo, ma anche come entusiastico promotore dell'incontro fra ogni forma artistica, e persino come fertile autore di libretti già orientati verso la cosiddetta 'riforma arcadica'; è sotto la sua ala, e pur sempre sotto il segno dell'Arcadia, come ben illustrato dalla Wolfe (sulla falsariga di un precedente contributo di Mercedes Viale Ferrero), che si è potuto realizzare anche il «sodalizio artistico» fra il pittore musicofilo Trevisani ed il compositore collezionista d'arte Corelli.

Nelle ultime due sezioni si è dato il giusto spazio anzitutto ad una messe di studi recenti dedicati all'universo, tanto vasto quanto ancora in gran parte insondato, della Sonata a tre (Parte IV): grazie ai contributi di Federico Vizzaccaro, Antonella D'Ovidio, Eleanor McCrickard, Gregory Barnett ed Enrico Careri, l'imponente monumento costituito dalle prime quattro Opere di Corelli – analizzato da Sandra Mengsen anche sul piano pratico-esecutivo e discografico – è stato qui posto a confronto soprattutto con i modelli antecedenti e contemporanei forniti via via da Simonelli, Colista, Lonati, Stradella, e infine con quello posteriore di Bonporti. Ancor più ampia e diversificata, com'è inevitabile, è stata la risposta degli studiosi chiamati a riflettere sul tema «Produzione, diffusione e ricezione del modello corelliano» (Parte V): dall'esame sistematico delle edizioni corelliane stampate in Olanda, e in particolare ad Amsterdam (Rudolf Rasch), oppure in Inghilterra per opera dell'emulo Nicola Haym (Lowell Lindgren), si è passati al confronto analitico dell'opera corelliana (in particolare dei Concerti Grossi e delle Opp. III, IV) con i modelli alternativi e non meno autorevoli rappresentati da Alessandro Scarlatti (Luca

Della Libera), il Bach del quarto Brandeburghese (Pierluigi Petrobelli), fino ad approdare al davvero inedito «arrangiamento vocale settecentesco» riportato alla luce da Massimo Privitera. Lo spagnolo Miguel Angel Marin, l'americana Joyce Lindorff e l'argentino Leonardo Waisman, infine, hanno ulteriormente allargato gli orizzonti, anche geografici, della ricerca, illustrando quanto vasto e profondo sia stato già nel Settecento l'impatto del modello corelliano non solo in Europa, e nella fattispecie in Spagna, ma anche nelle terre davvero remote del Sudamerica e della Cina.

La realizzazione di questo volume, come già del convegno di cui riporta gli atti, si deve ancora una volta al tenace impegno civile e culturale mostrato anzitutto dal Comune di Fusignano, dalla Provincia di Ravenna e dalla Regione Emilia Romagna (in particolare dal suo Assessorato alla Cultura), che con il consueto entusiasmo hanno sostenuto, promosso e finanziato l'intera manifestazione. A tutte queste istituzioni ed ai loro rappresentanti – in particolare al sindaco di Fusignano Paolo Pirazzini, all'assessore provinciale di Ravenna Massimo Ricci-Maccarini e all'assessore comunale di Fusignano Lino Costa –, nonché a tutti i cittadini fusignanesi che come sempre hanno generosamente accolto nelle loro abitazioni molti dei convegnisti, rinnoviamo l'espressione della nostra più viva gratitudine.

Il presente volume è dedicato a due cari amici, entrambi legati a Corelli, purtroppo accomunati anche dal destino di poter assistere solo alle fasi organizzative del presente lavoro: a John Daverio, grande musicologo americano, fra i principali studiosi del Romanticismo tedesco, che con tanto entusiasmo aveva accettato di partecipare al congresso corelliano; ad Alfredo Belletti, già Bibliotecario comunale di Fusignano, figura unica e indimenticabile per lo spessore umano come per la vastità degli interessi culturali, primo artefice e vera anima di tutti i passati incontri fusignanesi.

STEFANO LA VIA

SALUTO DEL SINDACO DI FUSIGNANO, PAOLO PIRAZZINI

Porgo innanzitutto a tutti voi il più cordiale benvenuto della città di Fusignano, dell'Amministrazione Comunale e mio personale, unitamente al migliore augurio di un proficuo lavoro e di un gradevole soggiorno nella nostra città. Un saluto e un ringraziamento particolare voglio rivolgere all'Assessore alla cultura della Provincia di Ravenna, l'Avvocato Massimo Ricci Maccarini, che, oltre a concedere il patrocinio alla nostra iniziativa – unitamente alla Regione Emilia-Romagna – ci onora della sua presenza in questa sessione inaugurale. Un ringraziamento particolare voglio poi rivolgere al Prof. Stefano La Via che con la consueta competenza ha ideato il programma di questo sesto congresso, al M° Enrico Gatti che, oltre ad onorarci anche in questa occasione della sua presenza, ha ideato il programma concertistico delle celebrazioni corelliane, e a tutti i relatori, molti dei quali hanno dovuto sobbarcarsi il disagio di un viaggio non semplice per raggiungere la nostra cittadina, e a quanti si sono impegnati e continuano a lavorare in questi giorni per rendere possibile lo svolgimento di questa edizione e per mettere tutti gli ospiti nella migliore condizione possibile.

Consentitemi inoltre di testimoniare la soddisfazione e l'orgoglio di presiedere all'apertura di questa nuova edizione del Congresso Internazionale di Studi Corelliani. È una soddisfazione e un orgoglio che hanno diverse motivazioni. La prima ragione è di aver mantenuto fede all'impegno che assunsi in occasione del Quinto Congresso – nell'ormai lontano 1994 – di assicurare continuità a questo appuntamento. Questo nostro sesto congresso si svolge esattamente nell'anno delle celebrazioni per i trecentocinquanta anni della nascita di Corelli e a trentacinque anni dal 5 settembre 1968, quando si aprirono i lavori del I Congresso Internazionale di Studi Corelliani. Possiamo appunto con soddisfazione ed orgoglio affermare che le ragioni di fondo che spinsero gli ideatori dei congressi ad avviare questa straordinaria esperienza sono state fin qui ampiamente realizzate. I congressi fusignanesi continuano a riunire le figure più rappresentative a livello internazionale della musicologia e della musica che si sono occupate dell'opera di Corelli. I congressi continuano a svolgersi a cadenza quasi regolare, nonostante il moltiplicarsi di appuntamenti e di impegni che coinvolgono gli studiosi. Possiamo infine affermare, come ha scritto Pierluigi Petrobelli, che è un po' il padre di questo nostro appuntamento, che anche grazie ai nostri congressi, Corelli è uscito dalla cornice dorata estraniante entro cui era stato relegato, e si è rivelato e si rivela sempre più una delle figure principali della storia della musica. Proprio per quest'ultima considerazione, abbiamo proclamato il 2003 anno corelliano, organizzando insieme alla sesta edizione del congresso, altri eventi destinati a rafforzare l'attenzione e l'interesse, oltre che degli studiosi, anche del grande pubblico e delle istituzioni verso l'opera del nostro illustre concittadino. Mi riferisco al programma dei concerti cui già accennavo prima ringraziando il M° Gatti, e alla mostra «Arcangelo nel pentagramma», curata dal Prof. Rodobaldo Tibaldi e progettata dall'Associazione Culturale Mirada che potrete visitare nei locali del Museo Civico San Rocco.

Non posso nascondervi una certa amarezza per non essere riusciti a convincere, fino ad ora almeno, le amministrazioni di Bologna e Roma, città fondamentali, come ben sappiamo, nella formazione e nell'affermazione di Corelli, a celebrare con il giusto e doveroso rilievo l'anno corelliano, ma anche questa circostanza ci rafforza nella determinazione di proseguire il nostro impegno. L'altra ragione di soddisfazione e di orgoglio è che rimasto sostanzialmente intatto il legame tra la comunità e l'appuntamento dei congressi. È solo grazie al corale impegno degli studiosi, delle istituzioni locali e di moltissimi cittadini che i congressi possono continuare a vivere e che possiamo continuare a proporre nuovi e qualificanti eventi. Certo, anche in questo caso, non posso nascondere una punta di amarezza per non aver potuto ancora concretizzare l'idea di realizzare a Fusignano un'Accademia di Musica Antica, ma chi conosce lo stato delle istituzioni musicali e culturali del nostro paese può ben comprendere quanto possa essere difficile per un Comune di 7.500 abitanti conseguire un simile risultato. Tuttavia, come potranno rendersi ben conto quanti di voi hanno partecipato alle precedenti edizioni dei congressi, nei nove anni che ci separano dal Quinto Congresso abbiamo cercato di lavorare intensamente per far crescere il patrimonio culturale della nostra comunità, per moltiplicare gli spazi, gli strumenti e le occasioni per migliorare la qualità sociale e il livello culturale di tutti i cittadini.

La città che oggi vi accoglie è sensibilmente diversa a partire dalla piazza centrale, intitolata ad Arcangelo Corelli, da quella di nove anni fa. Mi auguro che anche voi la troviate più gradevole e migliore rispetto a prima. Ma la ragione che ci ha spinto a realizzare tanti interventi di ristrutturazione e organizzazione dello spazio urbano non è principalmente di natura estetica. La costruzione della nuova ala della biblioteca ha consentito di migliorare ulteriormente e di rafforzare il servizio culturale più qualificato della nostra città e che presenta standard di utilizzo tra i più elevati del sistema bibliotecario provinciale. All'interno di quegli spazi nuovi abbiamo potuto rafforzare alcune attività particolari, compreso la fonoteca, all'interno della quale, già in occasione del Quinto Congresso, inaugurammo una sessione specialistica sulla musica antica. La realizzazione nei locali dell'ex ospedale del Museo Civico San Rocco ha consentito di accogliere e rendere fruibile un'importante donazione di targhe devozionali e di ospitare eventi espositivi, nonché due importanti appuntamenti musicali: la rassegna sul suono antico che si svolge ogni anno nel mese di maggio e il concorso per giovani musicisti organizzato dalla locale scuola di musica. Nei prossimi mesi abbiamo poi in programma, se la Regione confermerà il proprio sostegno, di avviare i lavori per completare il nuovo auditorio. Si tratta di una sala di centonovanta posti appositamente progettata anche nella parte acustica per ospitare concerti di musica da camera. Con questa nuova struttura, che pensiamo di avere in funzione entro il prossimo anno, contiamo di inserire stabilmente Fusignano, la città di Corelli, negli eventi musicali che la Provincia di Ravenna sostiene e coordina e in particolare di poterci candidare ad ospitare una sezione dedicata a Corelli e alla musica antica che potrebbe arricchire stabilmente il programma del Ravenna Festival che, come avete visto, è tra le istituzioni che hanno patrocinato le iniziative dell'anno corelliano, compreso il nostro congresso. La nostra amministrazione, come già in passato, questi programmi intende sostenerli e realizzarli davvero; per questo mi auguro che a partire da oggi, nel corso del congresso, tutti voi possiate raccogliere le vostre impressioni e tradurle in suggerimenti concreti.

Vi rinnovo, infine, i migliori auguri di buon lavoro e di buon soggiorno nella nostra città. Grazie.

SALUTO DELL'ASSESSORE ALLA CULTURA DELLA PROVINCIA DI RAVENNA, AVV. MASSIMO RICCI-MACCARINI

Sono veramente lieto di portare a voi tutti il saluto dell'Amministrazione Provinciale di Ravenna e del suo Presidente Francesco Giangrandi. Questo Sesto Congresso di Studi Corelliani coincide infatti, come è stato ricordato, con il 350° anniversario della nascita di Corelli, ed è anche per questo un'occasione estremamente significativa.

In questa sede vorrei però soffermarmi su un concetto che mi sta particolarmente a cuore: la cultura, nella nostra Provincia, ha una tale rilevanza da coinvolgere direttamente anche l'ambito dell'economia, e da costituire dunque una vera e propria risorsa, direi quasi il 'petrolio' del nostro territorio. Per nostra fortuna, i nostri beni più preziosi sono quelli forgiati e consegnatici dalla Storia stessa dell'umanità: mi riferisco ai bellissimi mosaici della città di Ravenna, che vengono dal tardo Impero Romano, o ad altri tesori d'epoca più recente, come la ceramica d'origine rinascimentale del territorio faentino. Ma mi riferisco anche ad iniziative importanti, sempre in ambito culturale, che vengono portate avanti ormai da diverse generazioni, come il «Ravenna Festival» e tutti gli altri grandi eventi musicali e le grandi mostre allestite negli ultimi anni. Ci sono poi dei personaggi che con la loro opera hanno dato uno spessore rilevantissmo alla cultura mondiale e che sono anch'essi, in qualche modo, riconducibili alla nostra Provincia. Qui potrei partire dal tardo impero romano, per alcuni personaggi che hanno addirittura regnato sul mondo di allora; potrei parlare di Dante Alighieri, che ha scelto alla fine la città di Ravenna come sua città d'adozione; ma chi ho in mente è anche, e soprattutto, Arcangelo Corelli, un personaggio che in campo musicale è sicuramente tra i dieci compositori più importanti del mondo.

L'identità culturale della nostra Provincia dipende in gran parte anche da Arcangelo Corelli, ed è per questo che noi consideriamo importante il ricordo, la valorizzazione e lo studio della sua opera. Ecco perché l'iniziativa che è stata assunta dal Comune di Fusignano per questa occasione – dal congresso ai concerti e alla mostra – ha incontrato tutto il nostro entusiasmo. Abbiamo infatti condiviso questo tipo di politica oculata per far sì che la musica, in questo caso la musica barocca, sappia ritagliarsi uno spazio importante nella vita culturale della nostra Provincia. Per questo direi che davvero l'Amministrazione Comunale di Fusignano oggi ci mette a disposizione iniziative importanti che sono determinanti per la vita culturale della nostra Provincia, anche se ciò vuol dire affrontare sforzi finanziari non indifferenti. Però io ritengo che gli investimenti fatti in questo campo siano investimenti fruttuosi, che avranno esiti importanti per la collettività non solo di questo Comune ma anche dell'intera Provincia. Grazie, infine, a tutti voi, e buon lavoro.

SIGLE R.I.S.M. E ABBREVIAZIONI

Bo-AMCh	Bolivia, Concepción (Prov. Ñuflo de Chavez, Dep. Santa Cruz), Vicariado Apostolico, Archivio Musical Chiquitos
E-Ast	España, Avila, Monasterio de Santo Tomás
E-Bc	España, Barcelona, Biblioteca de Catalunya
E-Boc	España, Barcelona, Orfeó Catalá, Biblioteca
E-Bu	España, Barcelona, Biblioteca Universitat Autónoma
E-CE	España, Cervera (Lleida), Archivio Histórico Comarcal
E-J	España, Jaca, Catedral, Archivo Musical
E-LLs	España, Lluc (Mallorca), Santuario
E-MA	España, Málaga, Catedral, Archivo Capitular
E-Mn	España, Madrid, Biblioteca Nacional
E-Mpb	España, Madrid, Biblioteca del Palacio Real
E-MO	España, Montserrat, Abadía de Santa María
E-SE	España, Segovia, Catedral, Archivio Capitular
E-VIGsm	España, Vilanova i la Geltrú (Barcelona), Iglesia Parroquial de Santa María
E-Zac	España, Zaragoza, Archivio de la Catedrales
GB-Lbl	Great Britain, London, British Library
GB-Lv	Great Britain, London, Victoria and Albert Museum, Theatre Museum
GB-Ob	Great Britain, Oxford, Bodleian Library
I-Bc	Italia, Bologna, Civico Museo Bibliografico Musicale
I-Fas	Italia, Firenze, Archivio di Stato, Biblioteca
I-MOe	Italia, Modena, Biblioteca Estense
I-Rf	Italia, Roma, Congregazione dell'Oratorio di San Filippo Neri
I-Rsm	Italia, Roma, Basilica di S. Maria Maggiore, Archivio Capitolare [in I-Rvat]
I-Rvat	Italia, Roma, Biblioteca Apostolica Vaticana
I-Tn	Italia, Torino, Biblioteca Nazionale Universitaria, sezione Musicale
US-CAh	United States of America, Harvard University, Houghton Library
US-Wlc	United States of America, Washington, Library of Congress
US-Ws	United States of America, Washington, Folger Shakespeare Library

* * *

CoWV = HANS JOACHIM MARX, *Die Überlieferung der Werke Arcangelo Corellis: Catalogue raisonné*, Cologne, Arno Volk Verlag, 1980 (abbr. MARX nel contributo di Lowell E. Lindgren).

DEUMM = *Dizionario Enciclopedico Universale della Musica e dei Musicisti*, diretto da A. Basso, Torino, UTET, 1980.

Lesure = FRANÇOIS LESURE, *Bibliographie des éditions musicales publiées par Estienne Roger et Michel-Charles Le Cène (Amsterdam, 1696-1743)*, Paris, Heugel, 1969.

MGG 2000 = *Die Musik in Geschichte und Gegenwart*, hrsg. von L. Finscher, Kassel, Bärenreiter, 2000.

New Grove 2001 = *The New Grove Dictionary of Music and Musicians*, Second Edition, ed. by S. Sadie, London-New York, Macmillan, 2001.

Sartori = CLAUDIO SARTORI, *Bibliografia della musica strumentale italiana stampata in Italia fino al 1700*, I-II, Firenze, Olschki, 1952-1968.

Smith = WILLIAM C. SMITH, *A Bibliography of the Musical Works published by John Walsh during the Years 1695-1720*, Oxford, The Bibliographical Society, 1948; 2nd ed., Oxford, 1968.

Studi corelliani = *Studi corelliani. Atti del primo congresso internazionale* (Fusignano, 5-8 settembre 1968), a cura di A. Cavicchi, O. Mischiati, P. Petrobelli, Firenze, Olschki, 1972 (*Quaderni della Rivista Italiana di Musicologia*, 3).

Nuovi studi corelliani = *Nuovi studi corelliani. Atti del secondo congresso internazionale* (Fusignano, 5-8 settembre 1974), a cura di G. Giachin, Firenze, Olschki, 1978 (*Quaderni della Rivista Italiana di Musicologia*, 4).

Nuovissimi studi corelliani = *Nuovissimi studi corelliani. Atti del terzo congresso internazionale* (Fusignano, 4-7 settembre 1980), a cura di S. Durante e P. Petrobelli, Firenze, Olschki, 1982 (*Quaderni della Rivista Italiana di Musicologia*, 7).

Studi corelliani IV = *Studi corelliani IV. Atti del quarto congresso internazionale* (Fusignano, 4-7 settembre 1986), a cura di P. Petrobelli e G. Staffieri, Firenze, Olschki, 1990 (*Quaderni della Rivista Italiana di Musicologia*, 22).

Studi corelliani V = *Studi corelliani V. Atti del quinto congresso internazionale* (Fusignano, 9-11 settembre 1994), a cura di S. La Via, Firenze, Olschki, 1996 (*Quaderni della Rivista Italiana di Musicologia*, 33).

Parte prima

CLASSICITÀ E ORIGINALITÀ DI CORELLI FRA MITO E REALTÀ STORICA

Franco Piperno

DA ORFEO AD ANFIONE: MITIZZAZIONI CORELLIANE E IL PRIMATO DI ROMA

ripensando la classicità di Corelli *

Arcangelo Corelli è uno dei musicisti oggi più e meglio indagati ma, ad onta di ciò, ancora circondato da una certa aura di enigmaticità; l'impressione è che più si studia Corelli e meno se ne sappia. Gli approcci analitici di alcuni dei precedenti convegni o gli studi storici, documentari, critici, comparatistici fin qui prodotti, più che definire verità hanno dissipato certezze, le poche che credevamo di possedere. Dove risiede la classicità di Corelli, se nella sua musica il disordine sembra prevalere sull'ordine? Quali le regole della sua personale grammatica compositiva, se essa sfugge ad ogni volenteroso tentativo di classificazione? Quali le effettive influenze (tecniche, formali, stilistiche) sulla posterità? L'immagine di *exemplum ad usum imitationis* che la storiografia settecentesca ci aveva consegnato si è sfaldata alla prova dei fatti: Corelli è imitato, studiato e raccomandato ma solo per finalità didattiche; i suoi modelli formali sono ammirati in teoria ma vengono preferiti, e di fatto si affermano nella pratica, quelli di Giuseppe Valentini o di Antonio Vivaldi; il gusto, l'equilibrio e la politezza da sempre riconosciuti alla musica corelliana sono sopraffatti dalle esigenze del virtuosismo solistico alla moda; la strumentazione del 'concerto grosso' sopravvive nella pratica di soli pochi anni all'edizione dell'opera VI; numerosi sono i musicisti indicati quali allievi di Corelli, pochissimi quelli per i quali il discepolato è certo su base documentaria o grazie a riscontri sulle rispettive pagine musicali: l'unico che sicuramente ha vissuto per decenni accanto al fusignanese, Matteo Fornari, non è che un fantasma. Corelli rappresenta, dunque, una sfida musicologicamente tutt'altro che vinta?

Ritengo sia possibile – ed è quanto tenterò di fare – chiarire e magari modificare questo stato di cose riconsiderando e diversamente contestualizzando

* A Luigi Beschi per il suo settantacinquesimo compleanno.

aspetti arcinoti della vita e dell'opera di Corelli. Prendiamo le mosse dal dato certo della sua fama monumentale e indiscutibile. Non solo già in vita esaltato come «Orfeo de' nostri giorni» (Berardi 1689) o «Anfione de' nostri tempi» (Ghezzi 1702), Corelli dopo la morte venne fatto oggetto di riferimenti mirati ad esaltare l'universalità, la perennità e la classicità della sua figura e della sua arte: dalla celebrazione musicale offertagli da François Couperin con *Le Parnasse ou l'Apothéose de Corelli* (1724) alla memoria sepolcrale dedicatagli da Filippo Juvarra nel 1735, dall'omaggio manieristico, sanzionante la perfezione del modello, elaborato da Telemann nelle *Sonates corellisantes* (1737), a quello estetico di un convinto classicista come Raphael Mengs che dipinge una *Annunciazione* «nello stile di una Sonata di Corelli».[1] Cosa ha fatto di Corelli un musicista così centrale ed esemplare, quale nessun altro prima se non Giovanni Pierluigi da Palestrina e, in parte, Girolamo Frescobaldi?

I due altri nomi appena evocati, accanto a Corelli, circoscrivono un contesto geografico, politico e ideologico ben preciso: Roma, lo Stato pontificio; ed è entro questo contesto che andranno trovate le risposte che andiamo cercando. Ma intanto sorgono altre domande: se la Roma pontificia di primo Settecento doveva indicare e consacrare un musicista di esemplare classicità,[2] perché il prescelto fu proprio Corelli e non piuttosto uno dei suoi grandi contemporanei e 'concittadini' Bernardo Pasquini e Alessandro Scarlatti? Dominatori della scena musicale romana a cavallo fra Sei- e Settecento, furono tutti e due, assieme a Corelli, ammessi in Arcadia nel 1706; Scarlatti e Pasquini, tuttavia, come «maestri di musica», Corelli come «maestro di violino».[3] Nei documenti di affiliazione i tre musicisti vengono detti «insigni» e «famosi nelle loro professioni» ma solo Corelli viene gratificato del superlativo «famosissimo» («maestro famosissimo nelle sinfonie musicali»): non si tratta, tuttavia, di una significazione della superiorità del fusignanese rispetto agli altri due, bensì di aggettivazione compensativa della assodata inferiorità della condizione di strumentista rispetto a quella di cantore e compositore (così ad esempio negli

---

[1] Cfr. G. MORELLI, *Il culto di Corelli: falsi, apoteosi e reliquie*, in *L'invenzione del gusto: Corelli e Vivaldi. Mutazioni culturali, a Roma e Venezia, nel periodo post-barocco*, a cura di Giovanni Morelli, Milano, Ricordi, 1982, pp. 67-76: 72.

[2] Non si travisi in senso idealistico questo «*dover* indicare e consacrare»: si rammenti che la Roma del Settecento, Roma custode del Vero e del Bello, mantiene saldamente nelle proprie mani «il suo duplice ruolo di città madre del cattolicesimo universale ed insieme di centro di trasmissione della cultura classica dall'antichità ai tempi moderni», il secondo aspetto – che qui più interessa – essendo finalizzato ad assecondare e potenziare il primo (L. BARROERO - S. SUSINNO, *Roma arcadica capitale delle arti del disegno*, «Studi di Storia dell'arte», X, 1999, pp. 89-178: 89).

[3] Sulla presenza di musica e musici in Arcadia cfr. F. DELLA SETA, *La musica in Arcadia al tempo di Corelli*, in *Nuovissimi studi corelliani*, pp. 123-150 (in particolare sui musicisti ammessi al Bosco Parrasio pp. 124-128 e sui relativi documenti p. 142).

statuti della Congregazione di S. Cecilia, 1716, ed in quelli della bolognese Accademia Filarmonica, 1724). Perché dunque è toccato allo strumentista Corelli divenire il musicista esemplare e monumentale che fu e non agli altri due «compastori» della prim'ora, maestri di cappella a tutto tondo? E perché non a Francesco Gasparini, arcade dal 1718, non meno dei precedenti legato all'aristocrazia romana (Pamphili, Ruspoli) nonché maestro di cappella in S. Giovanni in Laterano?

Corelli, infatti, fu indiscutibilmente solo e soltanto uno strumentista: violinista, compositore di musiche strumentali, «regolatore» di orchestre. Lo fu dalle prime attestazioni documentarie al necrologio dedicatogli dal Crescimbeni: «uomo insigne nell'arte del suono del violino». Allievo violinista a Bologna, violinista di fila nelle orchestre romane degli anni '70, autore di brani atti a «far campeggiare il violino»,[4] acclamato virtuoso («Arcangelo detto il Bolognese che è il primo uomo di questo Istromento al tempo d'oggi» nelle parole del residente modenese a Roma, 1686);[5] il violino identifica Corelli non meno della qualifica «il Bolognese»: «Arcangelo Corelli del violino» si legge nell'elenco di ritratti richiesti dal cardinale Ottoboni al pittore Francesco Trevisani nel 1692.[6] Se Corelli fu 'il primo suonator d'Arcadia' – parafrasando la nota locuzione con cui Crescimbeni definì il «dipintore» Carlo Maratti –, se grazie a lui lo strumentalismo, dalla originaria umile condizione di attività meccanica, materiale e artigianale, conseguì piena dignità artistica, in virtù di quali doti questo primato toccò – fra gli strumentisti 'romani' – a lui e non, ad esempio, a Lelio Colista, ad Alessandro Stradella, a Carlo Mannelli, al virtuoso violoncellista Filippo Amadei, o a Giuseppe Valentini che più di Corelli fu strabiliante esecutore, come Corelli diresse, compose e venne ammesso in Arcadia, ma diversamente da Corelli scrisse anche musiche vocali, poetò e dipinse?[7]

Ludwig Finscher trent'anni fa parlò della «außerordentliche Qualität» dell'*opus* corelliano consegnato tramite la stampa alla posterità[8] ma il confronto, oggi, fra pagine di Corelli e dello stesso Valentini o di altri coevi strumentisti romani (Carlo Mannelli, Giovani Pietro Franchi, Ippolito Boccaletti, Antonio Luigi Baldassini) non consente di palesare in modo totalmente convin-

---

[4] Cfr. la lettera di Corelli a Fabrizio Laderchi del 13 maggio 1679, in A. CAVICCHI, *Corelli e il violinismo bolognese*, in *Studi corelliani*, pp. 33-47: 39.

[5] *Notizie biografiche su Arcangelo Corelli*, in *Studi corelliani*, pp. 131-139: 134.

[6] H.J. MARX, *Probleme der Corelli-Ikonographie*, in *Nuovi studi corelliani*, pp. 15-21: 16.

[7] Sulle molteplici prerogative artistiche di Valentini cfr. E. CARERI, *Giuseppe Valentini (1681-1753): documenti inediti*, «Note d'archivio per la storia musicale», n.s., V, 1987, pp. 69-125.

[8] L. FINSCHER, *Corelli als Klassiker der Triosonate*, in *Nuovi studi corelliani*, pp. 23-31: 25.

cente e netto la superiore qualità del primo. Se, ad esempio, è evidente la trasandatezza e la confusa strategia compositiva delle sonate dell'op. II di Mannelli (1682), a fronte della coeva op. I di Corelli,[9] destano ammirazione, almeno in me, gli estesi, solidi ed idiomatici fugati delle sonate della *Cetra sonora* di Franchi (1685), l'intensa vena lirica delle *Sonate* di Baldassini (1691) o la brillante inventiva delle *Sonate* di Boccaletti (1692); e Valentini ha ormai da tempo i suoi convinti e convincenti ammiratori. In ogni caso, le differenze di qualità fra le musiche di Corelli e quelle degli altri strumentisti romani ora menzionati non si rivelano di evidenza ed entità corrispondenti alle differenze di fama e fortuna, queste sì abissali, che distinguono Corelli dai suoi contemporanei.[10] Forse la qualità superiore della composizione musicale di Corelli risultò più immediatamente e più chiaramente evidente agli ascoltatori contemporanei che a noi oggi? Erano in lui più che in altri marcati ed efficaci gli elementi di stile atti a corrispondere al gusto della committenza? Oppure le ragioni del differente destino arriso a Corelli rispetto ai colleghi coevi vanno cercate al di fuori della nuda pagina musicale? Venne il suo successo strategicamente assecondato da membri di un ambiente che 'scelse' Corelli quale esponente musicale della propria estetica e della propria politica culturale? Quando gli altri musicisti comparvero sulla scena romana, i giochi erano ormai fatti? E se fu così, quanti di coloro che esaltarono Corelli basarono il loro giudizio sulla lettura delle sue pagine musicali? E se lo fecero, furono convinti dalla funzionalità esecutiva di quelle pagine, o dal loro valore compositivo (ideale, intellettuale)? La questione delle 'quinte', su cui dovremo tornare, ci dice che il pensiero musicale corelliano e la sua capacità compositiva non erano per nulla esenti da critiche. Né, del resto, lo era la sua tecnica esecutiva: noti sono diversi episodi che segnalano *défaillances* del Corelli esecutore, dal confronto perdente coi violinisti Strungk e Petrillo, all'incapacità a rendere la complessa ritmica di certe pagine haendeliane, alla presunta depressione contratta a seguito dell'apparizione della meteora Valentini. Non credo affatto (e, in ogni caso, non è dimostrabile) che si tratti di aneddoti malevoli, come alcune biografie corelliane intendono accreditare: Corelli può benissimo esser stato esecutore talora manchevole e concertatore occasionalmente insicuro, il punto è che le ragioni del suo primato e dell'immenso credito riconosciuto-

---

[9] Per alcune indicazioni in proposito cfr. il mio *Cristina di Svezia e gli esordi di Arcangelo Corelli: attorno all'*Opera I *(1681)*, in *Cristina di Svezia e la musica*, Atti dei Convegni Lincei, 138, Roma, Accademia Nazionale dei Lincei, 1998, pp. 99-132.

[10] Per un panorama sugli strumentisti attivi a Roma negli anni di Corelli, loro impegni, attività e compensi vd. G. ROSTIROLLA, *La professione di strumentista a Roma nel Sei e Settecento*, «Studi musicali», XXIII, 1994, pp. 87-174: 104-123.

gli dai contemporanei e dai posteri stanno altrove, un altrove, che ora cercherò di identificare, in cui più delle ragioni strettamente musicali contarono ragioni di natura ideologica, sociale e di politica culturale.

Corelli, l'ho già ricordato, venne più volte mitizzato già in vita. Osserviamo innanzitutto la duplicità di questa mitizzazione: egli è identificato con Orfeo all'inizio della parabola artistica e con Anfione al termine di essa. Il valore simbolico del mito, nella cultura umanistica come in quella controriformistica, è sempre stato molto forte; dietro il personaggio mitico evocato c'è una storia paradigmatica, esemplare, a prescindere dal fatto che uno stesso mito possa essere stato variamente interpretato nel corso delle epoche e del succedersi delle culture e delle ideologie. Dunque va evitato di interpretare sbrigativamente lo slittamento da Orfeo ad Anfione come la doppia faccia della stessa medaglia.

Corelli è 'ufficialmente' Orfeo a partire dal 1689, quando Angelo Berardi lo chiama in causa quale principale esponente della coeva musica strumentale illustrando il significato del lemma «sinfonia», che per lui è «temperamento di modulazione, di grave e acuto» (dunque un effetto di tipo esecutivo, non una forma musicale).[11] Ma si può risalire anche più indietro. Nel 1685 lo stampatore olandese Antoine Pointel pubblica un'edizione apocrifa corelliana, *Sonate a 2 violini con suo basso continuo per l'organo del Signora* [sic!] *Corely*, fregiandola di un ricco frontespizio raffigurante Orfeo, che Thomas Walker ha dimostrato esser tratto da una serie di quattro incisioni dedicate a quattro mitici musici (Orfeo, Arione, Anfione e Apollo) realizzate nel 1602 da Crispin de Passe de Oude;[12] di questa edizione sopravvive la sola parte del primo violino ma è del tutto probabile che Pointel, per i quattro libri-parte da lui certamente stampati, usasse quattro volte il medesimo frontespizio orfico – che, si noti bene, non reca l'indicazione 'violino primo', dunque si predispone a questo uso – e non tutte le quattro incisioni originali di de Passe. Inoltre Georg Muffat, che fu a Roma nel 1682, nella ben nota prefazione alla sua *Ausserlesene mit Ernst- und Lust-gemengte Instrumental-Musik*, pubblicata nel 1701, si riferisce a Corelli come all'«Orfeo dell'Italia per il violino», espressione che a buon diritto egli può aver mutuato dal lessico corrente nel periodo in cui frequentò Corelli.[13] Tutto ciò per dire che la mitizzazione orfica di Corelli è databile e circoscrivibile al decennio degli '80 del 1600 ed è riconducibile ad elementi di natura sonoriale

[11] A. Berardi, *Miscellanea musicale*, Bologna, Monti, 1689, p. 45.

[12] T. Walker, *Due apocrifi corelliani*, in *Nuovissimi studi corelliani*, pp. 381-401: 381.

[13] La *Prefatione* di Muffat si legge nell'edizione moderna della *Instrumental-Musik*, a cura di Erwin Luntz, Graz, Akademische Druck- u. Verlaganstalt, 1959 («Denkmäler der Tonkunst in Österreich, 23»), pp. 12-14.

dell'arte di Corelli (in quanto novello Orfeo, Corelli succede a Lelio Colista che come tale era stato esaltato a Roma negli anni '50 e '60).

Al contrario l'identificazione con Anfione è del primo decennio del 1700. Giuseppe Ghezzi, segretario della romana Accademia del Disegno di San Luca, definisce Corelli «Anfione de' nostri tempi» nel registrare il diletto generato dalla «armoniosa sinfonia» da lui «regolata» in occasione della cerimonia di premiazione del primo concorso artistico indetto dall'Accademia stessa, svoltasi in Campidoglio.[14] Ma l'anno precedente uscivano a stampa le «primizie» del talento di Giuseppe Valentini, le *Sinfonie a tre* (Roma, Komarek 1701), della cui debolezza l'autore si schermiva scusandosi di non «avere al certo l'eccellenza, che riconobbero gli Antichi nel cotanto celebre Anfione»:[15] e in quel momento la *captatio benevolentiae* dell'esordiente Valentini non poteva non alludere all'eccellenza del vivente Anfione. Il quale è chiamato in causa in relazione all'azione del «regolare» (dirigere, concertare) un'esecuzione strumentale o, nel caso di Valentini, alla composizione strumentale.[16]

Cosa possiamo dedurre da questo slittamento simbolico da Orfeo ad Anfione? E perché si è passati proprio ad Anfione e non ad Apollo o Arione o altri? Teniamo ben presente che Anfione è figura dall'assai modesto successo nella mitografia di ogni tempo come anche nella soggettistica pittorica, poetica o teatrale; Anfione è assente dal *Dictionnaire des mythes littéraires* di Pierre Brunel (1988), ha solo una piccola voce in *The Oxford Guide to Classical Mythology in the Arts, 1300-1900*,[17] ha raramente attratto poeti, artisti, musicisti ed i loro committenti: non è, insomma, un'icona così presente e comune come

---

[14] Cfr. il mio *«Anfione in Campidoglio». Presenza corelliana alle feste per i concorsi dell'Accademia del Disegno di San Luca*, in *Nuovissimi studi corelliani*, pp. 151-208: 168.

[15] Cfr. E. CARERI, *Giuseppe Valentini (1681-1753): documenti inediti*, cit., p. 77.

[16] Corelli torna ad essere accostato ad Orfeo nel trattato di basso continuo di F. GASPARINI, *L'armonico pratico al cimbalo* (Venezia, Bortoli, 1708: il passo è riportato in L.F. TAGLIAVINI, *L'armonico pratico al cimbalo. Lettura critica*, in *Francesco Gasparini (1661-1727)*, Atti del primo congresso internazionale (Camaiore, 29 settembre-1 ottobre 1978), a cura di Fabrizio Della Seta e Franco Piperno, Firenze, Olschki, 1981, pp. 133-155: 136) ma la funzione tecnica e professionale del trattato, rivolto ad un'utenza non solo romana, invitava ad un impiego generico e non ideologizzato del riferimento mitico, diversamente da come accade, si vedrà, in Ghezzi.

[17] *The Oxford Guide to Classical Mythology in the Arts, 1300-1900*, a cura di Jane Davidson Reid, New York-Oxford, Oxford University Press, 1993, vol. I, pp. 93-95: nessuna delle poche opere letterarie, pittoriche o musicali qui menzionate è riferibile all'ambiente romano e corelliano; l'*Oxford Guide* non cita – ma trattasi di selva nella quale è pressoché impossibile districarsi – attestazioni di Anfione nel settore dell'incisione: oltre a quella dovuta a Crispin de Passe de Oude menzionata da Thomas Walker (vedi sopra) sono a conoscenza di una modesta incisione da un quadro di Georges Reverdy (Francia, metà XVI sec.) raffigurante *La costruzione di Tebe* (gentile comunicazione di Enrica Neri; Anfione suona un liuto) e di un'assai più bella immagine di Anfione con in mano una viola da braccio opera di Abraham Diepenbeeck (1596-1675), incisa da anonimo (o forse da lui stesso), già conservata nella collezione privata di Luigi Beschi.

Orfeo. Nella classicità (ad esempio nelle tragedie di Seneca) e nella cultura umanistica – ma anche nella cultura arcadica – Orfeo e Anfione sono spesso associati nel ruolo di musicisti capaci di incidere sulla realtà circostante: entrambi vanno annoverati fra gli eroi civilizzatori, capaci di sollevare l'umanità da una condizione di primitività e di barbarie, non solo seduttori (con le malìe della loro arte), ma anche educatori.[18] Tuttavia con alcuni importanti distinguo; scrive Gianvincenzo Gravina (*Della ragion poetica*, I, 7):

> È ben noto quel che gli antichi favoleggiarono d'Anfione e d'Orfeo, dei quali si legge che *l'uno col suon della lira trasse le pietre e l'altro le bestie*; dalle quali favole si raccoglie che i sommi poeti con la dolcezza del canto *poteron piegare il rozzo genio degli uomini* e ridurli alla vita civile.[19]

La funzione civilizzatrice condivisa dai due mitici musici è *ab origine* distinta nel diverso ruolo di incidere o sulla materia o sulla psiche dei viventi; diversamente da Orfeo, Anfione ha il potere di dar vita alla materia inerte, di sollevare le pietre, di costruire con ordine e razionalità (ancora Gravina, *loco cit.*: «con quest'arte Anfione ed Orfeo *risvegliarono* nelle rozze genti *i lumi ascosi della ragione*»): Anfione (dunque Corelli) è musico-*architetto* e la rarità dell'uso simbolico o artistico di quel mito ne rende strategica e mirata la riesumazione a proposito di Corelli. A quale scopo? Che senso ha, nel contesto culturale che lo ha generato, questo accostamento fra musica e architettura, questa esaltazione di virtù architettoniche nell'operato professionale corelliano?

Qui è necessaria una digressione volta a richiamare caratteri e finalità delle politiche culturali nella Roma di Corelli (meglio: nella Roma di papa Clemente XI Albani, 1700-1721) dove l'architettura conobbe grande espansione e rilievo inusitato. Papa Albani più dei predecessori si trovò a fronteggiare il problema della crescente erosione del potere papale e della progressiva marginalizzazione della politica e della diplomazia pontificie nel consesso delle potenze europee; il ruolo di mediatore fra gli stati, malamente gestito dallo stesso Clemente XI nel caso della successione spagnola, si era fortemente ridimensionato e le sempre più potenti pressioni dei cardinali rappresentanti Francia, Spagna e Austria immobilizzavano la politica pontificia entro i limiti di un piccolo cabotaggio di trascurabile rilevanza. Consapevole di questa si-

---

[18] Cfr. C. SEGAL, *Sintonie e dissonanze. Il canto, Orfeo e l'Età dell'Oro nelle tragedie di Seneca*, in ID., *Orfeo. Il mito del poeta*, Torino, Einaudi, 1995, pp. 131-161: 133.

[19] G.V. GRAVINA, *Scritti critici e teorici*, a cura di A. Quondam, Bari, Laterza, 1973, pp. 195-327: 208 («Scrittori d'Italia», 255). Il passo citato appartiene ad una porzione della *Ragion poetica* (1708) già apparsa in *De le antiche Favole*, Roma, De' Rossi, 1696.

tuazione di sostanziale impotenza, Clemente XI giocò la carta del mecenatismo culturale ed artistico, della cui utilità politica egli era assolutamente convinto: la sua committenza artistica e la sua politica culturale mirarono alla glorificazione del papato come entità politica, spirituale e culturale e all'esaltazione della centralità di Roma.[20]

Le iniziative culturali e di patronato delle arti intraprese da papa Albani, *Restitutor bonarum artium*, furono numerosissime e tutte segnate da questa volontà di rilancio d'immagine e di collegamento con la realtà politica del momento:

> Any discussion of the papal art in the early eighteen century must be informed by an understanding of the political postures assumed by the Holy See and official policies adopted by the Popes in response to particular situations.[21]

A livello istituzionale Clemente XI potenziò l'Accademia del Disegno dotandola di generosi finanziamenti, patrocinò le fortemente ideologizzate premiazioni capitoline dei concorsi artistici a lui intitolati, favorì, lui arcade, interscambi fra la predetta accademia e l'Arcadia, emanò (1716) i nuovi statuti della Congregazione dei musici di Santa Cecilia allo scopo di regolamentare l'accesso alle professioni musicali e la pratica della musica sacra; le tre istituzioni dovevano custodire e irradiare il 'verbo' estetico relativo alle rispettive discipline elaborato in Roma, norma e modello per qualunque artista, letterato o musicista del mondo civilizzato, assumendosi il compito di istituzioni accentratrici, unificatrici e creatrici di tradizione.[22] In particolare papa Albani assecondò e avallò l'affermarsi di un indiscutibile e assoluto primato degli artisti romani, Carlo Maratti e Carlo Fontana su tutti[23] – veri eredi di Raffaello,

---

[20] Sulla committenza artistica di papa Albani cfr. Ch. M.S. Johns, *Papal art and cultural politics: Rome in the age of Clement XI*, Cambridge-New York, University of Cambridge Press, 1993 ed il volume collettaneo *Papa Albani e le arti a Urbino e a Roma, 1700-1721*, catalogo della mostra a cura di Giuseppe Cucco, Venezia, Marsilio, 2001.

[21] *Ivi*, p. 3.

[22] Sull'ambiente accademico romano negli anni di papa Albani e sui sostegni finanziari da lui forniti alle accademie cfr. M.P. Donato, *Accademie romane. Una storia sociale, 1671-1824*, Roma, Edizioni Scientifiche Italiane, 2000 (in part. pp. 69-72).

[23] Carlo Maratti (1625-1713) fu dominatore del gusto artistico romano nel primo Settecento; principe dell'Accademia di San Luca (1698-1713), stimolò una produzione pittorica di indirizzo accademico caratterizzata da complesse soluzioni prospettiche e architettoniche. Carlo Fontana (1634-1714) occupò una posizione dominante nelle fabbriche architettoniche romane in qualità di architetto pontificio; principe dell'Accademia di San Luca (1694-1698), si dedicò al recupero dell'architettura classica romana ed adottò soluzioni architettoniche segnate da rilievi chiaroscurali di matrice pittorica. Sulle strette intese artistiche fra Clemente XI e Carlo Maratti cfr. S. Rudolph, *La direzione artistica di Carlo Maratti nella Roma di Clemente XI*, in *Papa Albani e le arti a Urbino e a Roma, 1700-1721*, cit., pp. 59-61.

Michelangelo, Carracci e Bernini –, «assunto che sottenderà la *restauratio* nonché la *renovatio* dell'Urbe come capitale delle Arti promosse da Clemente XI».[24] Convocare in udienza Maratti e Fontana per concordare con loro un fitto programma di iniziative artistiche fu il primo atto ufficiale del neoeletto papa, il 27 novembre 1700, quattro soli giorni dopo l'elezione in conclave e prima dell'insediamento.[25] Affermare il primato di Roma significava esaltarne le glorie passate (antiche e medievali), prenderne a modello i monumenti e attorno ad essi ricostruire una vincente *imago Urbis*; di qui il vasto interesse per il restauro delle basiliche paleocristiane, per gli studi di storia del papato, per l'apertura di musei (il Museo ecclesiastico affidato alle cure di Francesco Bianchini, astronomo, storico ed archeologo, l'intellettuale più influente nella Roma del tempo)[26] ed anche l'avvio di imponenti iniziative urbanistiche e architettoniche: sotto papa Albani importanti lavori modificarono l'assetto strutturale e visivo di S. Giovanni in Laterano e di S. Maria maggiore, sotto di lui Carlo Fontana progettò un'imponente «galleria della fama» nel Palazzo vaticano,[27] sotto di lui vennero eretti, ampliati o completati molti illustri palazzi (De Carolis, Ruspoli, Spada, Borghese) tanto che Roma divenne proprio in quel momento la più stupefacente capitale europea.[28] L'architettura, più di ogni altra disciplina artistica, significava per Clemente XI la visibile, solida e durevole espressione del primato artistico romano e la concreta realizzazione dei valori di ordine e razionalità della cultura arcadica di cui egli era profondamente imbevuto.

La supremazia dell'architettura nelle committenze pontificie compensa significativamente la sua collocazione instabile e incerta nel consesso delle arti belle nell'epoca di cui ci stiamo occupando, collocazione condivisa anche dalla musica. Nella Roma di Maratti e Fontana, di Gravina e Crescimbeni, di Benedetto Pamphili e Pietro Ottoboni, il classicismo arcadico romano propugnò l'ideale sorellanza e l'armoniosa convivenza delle arti, l'*aequa potestas* (motto oraziano scelto nel 1704 per l'impresa dell'Accademia del Disegno) delle discipline artistiche coinvolte nel progetto di rilancio del primato culturale della

---

[24] S. RUDOLPH, *La direzione artistica di Carlo Maratti nella Roma di Clemente XI*, cit., pp. 59-61: 59.

[25] ID., *loc. cit.*

[26] Ch. M.S. JOHNS, *Papal art and cultural politics*, cit., pp. 32-37.

[27] *Ivi*, p. 6.

[28] Effetto di queste iniziative fu anche il riacutizzarsi delle polemiche e delle rivalità con gli ambienti accademici bolognesi; alla fine il compromesso fu: primato delle arti e della cultura a Roma, primato delle scienze a Bologna (che però ebbe anche una sua Accademia clementina per le arti).

città e dello Stato pontificio.[29] *Obtorto collo* e ad onta di pregiudizi sociali e culturali radicati, anche la musica doveva esser parte di questo consorzio; ne è prova tangibile la rammentata ammissione in Arcadia di Corelli, Pasquini e Scarlatti nel 1706. L'idea di una effettiva sorellanza delle arti sollecitò le frequenti intersezioni fra Arcadia e arti figurative (poeti e oratori chiamati ad esaltare le arti in occasione delle premiazioni dei 'concorsi clementini', quadri come *La tintura della rosa* di Maratti definiti 'poesia'),[30] fra Arcadia e musica («ragunanze» con esecuzioni musicali, rime in lode di eventi musicali,[31] musiche per testi e situazioni arcadiche: ricordo che il corelliano *Concerto fatto per la notte di Natale* va posto in relazione con le feste poetiche per la solennità del Natale celebrate dall'accademia d'Arcadia in casa Ottoboni con contorno di «Sinfonia d'Instrumenti musicali» e cantata fornite e finanziate dall'Ottoboni stesso),[32] nonché l'incremento di commissioni pittoriche aventi per soggetto l'allegoria delle arti, l'allegoria essendo, per Gravina, la forma più autentica e più tipicamente arcadica di espressione poetica: ad esempio nel 1712 Giuseppe Bartolomeo Chiari dipinge *Apollo e le Muse del Parnaso* a palazzo De Carolis (Roma, ora Collezione Banca di Roma) ponendo Apollo in atto di suonare ispirato il violino al centro delle muse che lo ascoltano pensose[33] (tuttavia resta prevalente la prassi di proporre allegorie della musica in composizioni pittoriche distinte da quelle destinate alle allegorie delle altre arti: ad esempio Sebastiano Conca, commissionato dal cardinal Spada di allegorie della musica e delle arti figurative per il proprio palazzo, dipinge due distinti quadri).[34] Vi fu anche chi, come l'allievo spagnolo di Maratti Vincenzo Vittoria, vagheggiò sul finire degli anni '80 del 1600 un'accademia privata in cui poesia, musica e arti del disegno utilmente convivessero sotto lo stesso tetto (ciascuna

---

29 Sull'argomento cfr. J. GARMS, *Le peripezie di un'armoniosa contesa*, in *Aequa Potestas. Le arti in gara a Roma nel Settecento*, catalogo della mostra a cura di Angela Cipriani, Roma, De Luca, 2000, pp. 1-7.

30 S. RUDOLPH, *Una visita alla capanna del pastore Disfilo*, in *Arcadia. Accademia letteraria italiana. Atti e memorie*, serie 3ª, vol. IX, fasc. 2-4, Roma, 1994 (Atti del Convegno di studi per il III centenario, Roma, 15-18 maggio 1991), pp. 387-415: 393-394.

31 Per qualche esempio cfr. il mio *Crateo, Olinto, Archimede e l'Arcadia: rime per alcuni spettacoli operistici romani (1710-1711)*, in *Haendel e gli Scarlatti a Roma*, a cura di N. Pirrotta e A. Ziino, Firenze, Olschki, 1987, pp. 349-365.

32 Per un simile evento del 1722 ben documentato cfr. S. LA VIA, *Il cardinale Ottoboni e la musica: nuovi documenti (1700-1740), nuove letture e ipotesi*, in *Intorno a Locatelli. Studi in occasione del tricentenario della nascita di Pietro Antonio Locatelli (1695-1764)*, a cura di A. Dunning, vol. I, Lucca, Libreria Musicale Italiana, 1995, pp. 319-526: 333 e 427-428.

33 Vedilo in G. SESTIERI, *Repertorio della pittura romana della fine del Seicento e del Settecento*, vol. II, Torino, Allemandi, 1994, tav. 266.

34 *Sebastiano Conca (1680-1764)*, catalogo della mostra (Gaeta, luglio-ottobre 1981), Gaeta, Centro storico-culturale «Gaeta», 1981, pp. 98-99.

aveva a disposizione una stanza per i propri esercizi; in quella per la musica erano collocati cembalo, arciliuto, chitarra, «dos violones, con otros dos violones, y un contrabasso»).[35]

L'illusione dell'*aequa potestas* durò lo spazio d'un mattino; essa fu coerentemente applicata soprattutto nell'ultimo decennio del Seicento,[36] poi iniziò gradatamente a sfaldarsi producendo un nuovo ordine gerarchico fra le diverse arti. Non si trattò delle resistenze ad ammettere nell'elitario sodalizio anche la musica, disciplina ritenuta meccanica e non intellettuale, quanto piuttosto della difficoltà a ratificare praticamente l'analogia estetica e tecnica dell'architettura rispetto a pittura e scultura. Se Federico Zuccari, fondatore dell'Accademia di San Luca, aveva fornito ai teorici delle arti la formula vincente per affermare la sostanziale sorellanza delle tre arti belle, tutte appartenenti all'unica categoria delle 'arti del disegno' (1594), la più recente (1672) riflessione teorica di Giovan Pietro Bellori sul concetto di 'idea'[37] aveva ineluttabilmente posto il dito sulla piaga di una costituzionale estraneità dell'architettura alle superiori istanze espressive, estetiche e tecniche che caratterizzavano pittura e scultura. Il pittore e lo scultore (e con essi il poeta) rapportano le immagini naturali ad un'idea perfetta, «eccellente esempio della mente, alla cui immaginata forma imitando, si rassomigliano le cose che cadono sotto la vista»;[38] per cui la loro arte non è realistica ma fantasiosa mediazione fra realtà e modello ideale. L'architetto ha un compito più modesto e concreto: la sua «idea» gli deve servire «di legge e di ragione, consistendo le sue invenzioni nell'ordine, nella disposizione, e nella misura, ed euritmia del tutto e delle parti».[39]

Isolata, relegata sullo sfondo, rispetto al protagonismo 'filosofico' delle altre due belle arti che vantavano esplicite affinità di ideali e di estetiche con la poesia, teoricamente inquadrabile con difficoltà (quali le ragioni del suo statuto estetico, l'origine delle suggestioni che sa suscitare?), l'architettura si trovò a condividere il ruolo di avventizia in quell'illustre consesso proprio con la

---

[35] S. RUDOLPH, *Vincenzo Vittoria fra pitture, poesie e polemiche*, in *Studi in memoria di Fabia Boroni Salvadori*, «Labyrinthos», VII-VIII, 13-16, 1988-1989, pp. 223-266 (si fa riferimento al ms. Corsiniano 44 A5 (*olim* 660), c. 1687, già descritto da A. PRANDI, *Un'Academia de Pintura della fine del Seicento*, «Rivista del R. Istituto d'Archeologia e Storia dell'Arte», VIII, 1941, pp. 201-216, in cui è conservata la descrizione dell'accademia del Vittoria).

[36] Cfr. J. GARMS, *Le peripezie di un'armoniosa contesa*, cit., p. 3.

[37] G.P. BELLORI, *L'idea del pittore, dello scultore, e dell'architetto*, in ID., *Le vite de' pittori, scultori e architetti moderni*, Roma, successori Mascardi, 1672. Le citazioni del trattato di Bellori utilizzate nel testo sono tratte dall'edizione moderna curata da Elena Caciagli, Genova, Istituto di Storia dell'arte dell'Università di Genova, s.d.

[38] *Ivi*, p. 20.

[39] *Ivi*, p. 29.

musica. La situazione è emblematicamente raffigurata in un noto quadro di Pompeo Batoni che, datato 1740, sintetizza la situazione culturale ed estetica del 'classicismo arcadico' romano dei decenni precedenti: in esso «il dialogo tra Pittura e Poesia si fa diretto, s'associa la Scultura, mentre Architettura e Musica sono relegate in secondo piano».[40]

La condizione comune di architettura e musica rispetto al consorzio delle arti, l'una tendenzialmente emarginata, l'altra accolta con riluttanza, trova riscontro e conferma nelle affinità di estetica e di prassi fra le due discipline alla luce della mentalità dei contemporanei di Corelli. Torniamo alla definizione di Architettura fornita dal Bellori: «consistendo le sue invenzioni nell'ordine, nella disposizione, e nella misura, ed euritmia del tutto e delle parti»: non sono queste parole del tutto appropriate ad una sonata, ad un concerto o ad un'esecuzione di Corelli? L'architetto è un «regolatore», esecutori di rango tecnico e artistico inferiore dipendono da lui e solo tramite lui si raccordano al committente[41] così come accade a Corelli nel rapporto fra lui stesso, le orchestre da lui assemblate e dirette, i committenti per cui allestisce e «regola» l'esecuzione. L'Architettura ha un compito ordinatore, sottomette alla razionalità e all'ordine la fantasia e l'invenzione, tempera e accorda stili e soluzioni diverse. Carlo Fontana architetto è stato recentemente definito «maestro d'orchestra», perché «nei suoi progetti disegna tutto» come in una partitura d'orchestra;[42] egli ordina e pianifica, dal disegno all'esecuzione, la realizzazione del progetto architettonico dirigendo gli interventi delle maestranze a lui sottoposte: non sono queste prerogative analoghe a quelle del Corelli direttore d'orchestra e autore di concerti grossi, del quale Alessandro Scarlatti lodava, secondo Burney, il «nice management of the band», lo «uncommon accuracy of the performance», la ricerca sorprendente di un'esecuzione simultanea da parte del corpo degli archi («the bows should all move exactly together»),[43] del quale Crescimbeni apprezzò la gestione di «sinfonie di tal copioso numero, e varietà di strumenti, che si rende quasi impossibile a credere, come si potessero regolare senza timor di sconcerto, massimamente nell'accordo di

---

[40] J. GARMS, *Le peripezie di un'armoniosa contesa*, cit., p. 2; il quadro di Batoni si vede in A.M. CLARK, *Pompeo Batoni, a complete catalogue of his works with an introductory text*, Oxford, Phaidon Press, 1985, p. 220, scheda n. 41.

[41] Con riferimento a Carlo Fontana cfr. G. CURCIO, *La città degli architetti*, in *In Urbe Architectus. Modelli, Disegni, Misure. La professione dell'architetto, Roma 1680-1750*, a cura di Bruno Contardi e Giovanna Curcio, Roma, Argos, 1991, pp. 143-153: 150.

[42] J. GARMS, *Le peripezie di un'armoniosa contesa*, cit., p. 3.

[43] C. BURNEY, *A General History of Music*, a cura di Frank Mercer, vol. II, New York, Dover, 1957², p. 443.

quei da fiato con quei da arco»,[44] del quale Muffat ammirò l'«ingeniosa mescolanza» di stili «abbondanti di gran varietà di cose» armonicamente coordinate e composte?[45] L'architetto è anche restauratore delle deperite vestigia del passato (in tale veste esercitò a lungo il proprio mestiere lo stesso Fontana) e come restauratore e perfezionatore di uno stile esecutivo preesistente ancora Burney ammirò Corelli.

Si osservi inoltre: l'architetto di primo Settecento sintetizza l'evoluzione sociale della professione in modo simile a quella di un musicista: egli è l'erede del capomastro muratore «via via elevatosi al rango di architetto in virtù soprattutto dell'esercizio di una funzione di intermediazione fra committenti e maestranze»,[46] così come Corelli è il semplice suonatore elevatosi al rango di «regolatore» in virtù delle capacità di coordinatore delle compagini strumentali e di realizzatore di progetti e architetture sonore su misura delle esigenze della committenza (dalle serenate in casa Ottoboni, alle sinfonie condecoranti eventi dinastici, cerimonie religiose, occasioni protocollari come le premiazioni dei concorsi clementini). Carlo Fontana «fonda il proprio prestigio personale sull'affermazione dell'autonomia e peculiarità della professione di architetto»[47] come Corelli si dedica senza ripensamenti esclusivamente allo strumentalismo; dalla metà degli anni '60 del 1600 Fontana attende alla pubblicazione sistematica dei propri progetti più rilevanti, operazione «che ha un primo, immediato scopo nell'autopromozione, ovvero nella diffusione del suo operato» ed inoltre quello di «delineare i termini fondativi della disciplina»,[48] attività e scopi del tutto corrispondenti a quelli perseguiti, dal 1681, da Corelli con le sue raccolte di sonate che ne fanno, fino all'avvio del nuovo secolo, non il più prolifico, ma il più stampato fra gli strumentisti romani. Ma l'architetto presta la sua opera anche per apparati effimeri e scenografie di efficacia pari alla loro volatilità: le ingegnose macchine e le seducenti scenografie di Filippo Juvarra per il teatrino Ottoboni non sono a tutti gli effetti il corrispondente architettonico delle non meno ingegnose, seducenti nonché volatili 'sinfonie di concerto grosso' composte, «regolate» e 'bruciate' come un fuoco d'artificio da Corelli per una miriade di occasioni cerimoniali nel corso della sua carriera? La partitura della *sinfonia* per l'oratorio *S. Beatrice d'Este* non funge da esatto *analogon* musicale di uno dei *pensieri* o disegni preparatori di Juvarra per le predette

[44] G.M. Crescimbeni, *Notizie istoriche degli Arcadi morti*, Roma, De' Rossi, 1720, p. 251.
[45] *Prefatione* alla cit. *Instrumental-Musik*, ediz. cit., p. 12.
[46] G. Curcio, *La città degli architetti*, cit., p. 144.
[47] *Ivi*, p. 145.
[48] *Ibidem*.

scenografie, l'una e gli altri fortunosamente sopravvissuti a testimonianza pallida e parziale dell'effimero evento?[49]

Alla verifica di tutte queste significative corrispondenze consegue la presa d'atto che, nella coscienza dei contemporanei di Corelli, l'operato del musicista (ma è il caso di precisare: dello strumentista, del Corelli direttore d'orchestra *ante litteram*) era, come dire, accostabile alle belle arti dal lato e al livello dell'architettura; e alla musica strumentale venivano riconosciuti uno statuto estetico e tecnico ed una dignità intellettuale se non ancora per dimostrazione teorica, per empirica percezione delle sue affinità operative e comunicative con la più tecnica, geometrica e razionale delle tre arti del disegno. Assimilare la musica strumentale all'architettura (alle sue prassi, alle sue tecniche) rappresenta un tentativo di spiegarne natura ed effetti, di razionalizzarla, di sottrarla alla originaria condizione di bizzarro esercizio meccanico. Non sarà il caso di andare molto oltre le indicazioni di affinità di metodo, prassi ed effetto fra musica e architettura sopra ricordate perché, sempre in linea con la sensibilità dei contemporanei di Corelli, la 'sorellanza' fra queste due discipline risulti meglio illustrata: nessun Gravina o Crescimbeni, Bellori o Ghezzi (ma neanche un Pitoni, un Simonelli, un Adami) avrebbe mai pensato di andare a cercare *dentro* il testo musicale di un brano corelliano la ragioni tecniche e linguistiche della sua efficacia architettonica; e conviene ribadire che le predette affinità riguardano non tanto la retorica o la grammatica della musica, quanto l'atto performativo e l'agire professionale dello strumentista e, in particolare, del direttore d'orchestra. Non dimentichiamo, poi, che le parole, poche e vaghe, spese sulla musica dagli intellettuali contemporanei di Corelli, sono esclusivamente frutto di reazioni all'ascolto ed alla *visione* dell'esecuzione di Corelli, perché la musica era primieramente un'arte da ascoltare, non da leggere o da analizzare (naturalmente mi riferisco ai committenti, ai fruitori, al pubblico, non agli 'addetti ai lavori' della composizione e della produzione sonora; e si rammenti che quando lettura e analisi ci fu, come nel caso dei musici bolognesi cimentatisi con la messa in partitura di sonate corelliane o delle osservazioni di Lecerf de la Vieville,[50] il musicista fu piuttosto oggetto di critiche e censure che di elogi). Questo vuole anche essere un richiamo all'esigenza di sintonizzarsi sulla lunghezza d'onda della percezione e della recezio-

[49] Su Juvarra e Ottoboni, oltre ai ben noti studi di Mercedes Viale Ferrero, vedi L. SALVIUCCI INSOLERA, *La committenza del cardinale Pietro Ottoboni e gli artisti siciliani a Roma*, in *Artisti e Mecenati. Dipinti, disegni, sculture e carteggi nella Roma curiale*, a cura di Elisa Debenedetti, Roma, Bonsignori, 1996, pp. 37-57 («Studi sul Settecento romano, 12»).

[50] S. MAMY, *Le triomphe des mélophilètes. Congiunzioni di Parnaso*, in *L'invenzione del gusto. Corelli e Vivaldi*, cit., pp. 93-101: 94.

ne di Corelli da parte dei contemporanei, sul reale significato che per essi aveva la sua musica e sull'uso che ne facevano, prima di affilare gli strumenti analitici e di vivisezionare la pagina musicale corelliana alla ricerca dei segreti del mestiere, delle ragioni grammaticali di una perfezione che i contemporanei coglievano, invece, per linee esterne e per aspetti soprattutto di natura performativa.

Altra conseguenza è la necessità di riconoscere che la musica e le prestazioni professionali di Corelli, proprio in quanto 'architetto musicale' («Anfione del nostro tempo»), partecipano attivamente alla glorificazione di Roma ed alla restaurazione del suo primato culturale: Corelli dunque si trova ad essere un'importante pedina nel progetto clementino di *renovatio Urbis*, un elemento attivo nel processo di rilancio della centralità della capitale dello Stato pontificio. Di qui la sua mitizzazione in quanto Anfione: musico-architetto per la solidità ed euritmia della sua musica, per la capacità di «regolare» in equilibrato disegno i suoni e l'atto stesso di produrli, perché con essi non blandisce i sensi bensì mira a soddisfare la ragione e l'esigenza di politezza del classicismo arcadico, perché la solidità architettonica ravvisata nelle sue prestazioni rende il suo apporto professionale pienamente conforme al rango ed agli scopi della committenza pontificia. Le belle arti e la poesia avevano i loro modelli antichi cui rifarsi e donde trarre legittimazione, la musica strumentale ne era priva; Corelli viene elevato a ruolo di modello e la mitizzazione quale «Anfione de' nostri tempi» lo legittima in chiave classicista. Egli, dunque, è reso modello prima ancora che dalla natura esemplare della sua musica (questa è una conseguenza) dalla sua partecipazione al progetto di rilancio del primato romano nell'età clementina, dal fatto che venne additato ad emblema musicale del gusto e dello stile propugnati dal classicismo arcadico; come tale Corelli è a pieno titolo al fianco di Carlo Maratti e Carlo Fontana e come tale il suo contributo alla cultura del tempo va in prima istanza interpretato. Come per Maratti e per numerosi altri artisti, l'apporto alla cultura ed all'immagine dell'Urbe comportò per Corelli l'acquisizione di titoli nobiliari (quello di marchese, concesso – sia pure *post mortem* e soprattutto ad istanza del cardinale Ottoboni – dall'elettore palatino del Reno a fronte della dedica dell'*Opera VI*, non a caso la silloge più rappresentativa del Corelli-architetto),[51] vale a dire accoglienza e cooptazione nelle *élites* sociali e culturali ma anche sanzione della 'nobiltà' della propria professione: ciò consentiva, sul piano sociale, l'affran-

---

[51] M. RINALDI, *Arcangelo Corelli*, Milano, Curci, 1953, pp. 357-362; per onorificenze conferite ad artisti figurativi vd. L. BARROERO - S. SUSINNO, *Roma arcadica capitale delle arti del disegno*, cit., p. 121.

camento delle arti e degli artisti «da una condizione 'meccanica' ancora insita nella sua ineludibile manualità».[52]

Per concludere occorre fornire delle risposte e delle spiegazioni agli interrogativi formulati all'inizio di questo discorso: perché Corelli e non altri? Cosa venne trovato in Corelli che non fu possibile trovare in altri suoi colleghi? Perché un compositore di musica strumentale (non esente da errori, inadeguatezze, imperfezioni tecniche) e non un solido maestro di cappella di una basilica romana fu additato a simbolo (musicale) della rinnovata grandezza di Roma? Non venne scelto un autore di musica sacra perché in questo contesto il modello esisteva già: Palestrina, indicato e imposto da più d'un secolo restava l'insostituibile punto di riferimento dello stile puro della polifonia ecclesiastica. Non venne scelto un organista (ad esempio Pasquini) perché anche in questo contesto un modello era già stato consacrato, Frescobaldi, e nello specifico momento storico la 'pubblicità' e l'impatto estetico della musica organistica erano di gran lunga inferiori rispetto ad altri settori della composizione musicale. Non venne scelto uno Scarlatti o un Gasparini, maestri di cappella nella cattedrale di Roma, S. Giovanni in Laterano, perché essi, come tanti altri illustri compositori coevi, si erano 'sporcati le mani' col profano e mercenario repertorio operistico, peccato ampiamente perdonato nella pratica quotidiana ma macchia indelebile in relazione alla possibilità di essere elevati al rango di musici per eccellenza di Roma e della cristianità. Corelli rispondeva a tutti i requisiti richiesti: strumentista, non compromesso con l'opera, celibe (dunque casto, come casta era la sua musica), colto ed amante delle arti, architetto dei suoni. Le sue imperfezioni? Non si tratta di aneddoti malevoli, bensì di mende effettive ma relative ad aspetti marginali della sua arte, rispetto a quelli che costituivano primario interesse per coloro che intendevano additarlo a modello. L'inadeguatezza del Corelli esecutore non intacca le sue capacità di «regolatore», di costruttore e concertatore di eventi sonori complessi quanto ordinati. L'insufficienza del Corelli compositore, che egli efficacemente rigetta in nome della razionalità del proprio comporre finalizzato ad ottenere determinati effetti, è agevolmente ridimensionabile se inserita nel contesto delle dispute teoriche e culturali (non solo musicali) fra Bologna e Roma: i musici bolognesi attaccano Corelli sul piano della scientificità (le regole) del comporre perché compete a Bologna mantenere il primato nel campo delle scienze; Corelli si difende sul piano del gusto e la polemica, prima che una denuncia dell'incompetenza di Corelli, è indice dei distinti contesti culturali che caratterizzano le due città.

---

[52] *Ivi*, p. 122.

Merita di essere sottolineata l'eccezionalità dell'elevazione di uno strumentista a sì alto e simbolico rango. L'assenza di testi letterari nella musica di Corelli, a lungo un 'difetto', un disvalore estetico ed un problema interpretativo della musica strumentale, si traduce in un inopinato vantaggio: l'attenzione è immediatamente veicolata verso le pure strutture sonore, ritmiche e agogiche, in grado di dispiegare liberamente le loro potenzialità metalinguistiche e strutturali. L'architettura del pezzo, l'equilibrio formale, l'ordine compositivo, l'esattezza e la compostezza esecutiva risaltano tanto più proprio perché l'ascoltatore non è distratto da un testo letterario ma è attratto dall'ordinato disegno dell'invenzione sonora di cui percepisce e cerca di decifrare la razionale strategia dispositiva. Il classicismo arcadico della Roma di Clemente XI fornì le coordinate culturali per intuire la razionalità e l'autonomia linguistica della musica strumentale che solo settant'anni più tardi con Adam Smith verrà sistemata e spiegata filosoficamente;[53] le esecuzioni e le composizioni strumentali di Corelli, con le loro doti di esattezza e nitore, hanno corrisposto pienamente alle esigenze estetiche del committente e del fruitore seguace o propugnatore della predetta temperie culturale. E con Corelli la cultura romana poteva finalmente indicare anche per lo strumentalismo il proprio modello universale.

Ma fu Corelli l'artefice unico di questo risultato? Se non fosse stato per il suo apporto professionale, non si sarebbe verificato questo felice incontro fra musica strumentale e classicismo arcadico? Cosa impedì a Mannelli, a Lulier, a Valentini di essere investiti del medesimo ruolo esemplare? Minori capacità di sintonizzarsi col 'buon gusto' del classicismo arcadico? Inferiori doti architettoniche nelle loro musiche e nelle loro esecuzioni (e questo è un campo, per quanto detto sopra, bisognoso di necessarie e forse rivelatrici verifiche)? È in questo contesto, e solo in questo, che può essere recuperato e ripensato il concetto finscheriano di «außerordentliche Qualität» per sottoporlo ad opportuna riprova; mi occorrerebbe troppo spazio per procedere ora in questa direzione, anche se qualche idea in proposito credo di averla già esposta altrove.[54] In sintesi il mio pensiero è questo: se limitiamo la nostra attenzione alle fonti pervenuteci è arduo indicare con chiarezza e piena evidenza, lo si è visto nei passati convegni e l'ho sopra accennato, la ragioni precise sia della presunta classicità di Corelli, sia della sua superiorità artistica rispetto ai contemporanei, anche se la segnalazione del 'parametro architettonico' invita ad una rilet-

---

[53] W. SEIDEL, *La musica va annoverata tra le arti mimetiche? L'estetica dell'imitazione riveduta da Adam Smith*, «Il Saggiatore musicale», III, 1996, pp. 259-272: 268-269.

[54] Cfr. il mio *Cristina di Svezia e gli esordi di Arcangelo Corelli*, cit.

tura dei testi musicali da questa specifica prospettiva. In ogni caso, sono convinto che la partita, se mi si passa questa locuzione sportiva, si giocò su piani e in contesti effimeri e impalpabili quali il vivo delle esecuzioni pubbliche (Corelli diresse più e meglio degli altri strumentisti suoi contemporanei?), le relazioni sociali e interpersonali, il più o meno profondo inserimento negli ambienti culturalmente e politicamente decisivi. Accanto all'oggettiva qualità della musica corelliana ed all'ampiamente testimoniata efficacia delle sue prestazioni in qualità di «regolatore» di numerose compagini orchestrali e di fornitore di decorazioni sonore a manifestazioni pubbliche in cui Roma rispecchiava se stessa, un ruolo primario e decisivo lo giocarono committenti e patroni come Benedetto Pamphili e Pietro Ottoboni, 'mecenati politici' che 'scelsero' Corelli, investirono in lui, lo stipendiarono, ne condivisero i gusti (rammentiamo il Corelli collezionista d'arte in competizione coll'Ottoboni) e ne promossero la carriera fino alla consacrazione arcadica e classicistica quale moderno Anfione (promozione e consacrazione che, naturalmente, ricadevano autocelebrativamente sugli stessi promotori e, in senso lato, sull'ambiente politico-culturale di riferimento): Corelli fu l'uomo giusto che si trovò nel posto giusto al momento giusto. Per questo insieme di fattori, non solo strettamente tecnici e professionali, a Corelli-Anfione toccò di contribuire da protagonista alla costruzione dell'edificio culturale che simboleggiava il riacquisito primato della Città eterna.

Discussione

Enrico Careri: Piperno è partito da una questione importante: è stato Corelli un modello per schiere di musicisti della generazione successiva? È stato un modello esecutivo (come nel caso dell'Op. V) e non compositivo. Vorrei a questo proposito, sottolineare un fatto emerso anche da una mia ricerca, svolta qualche anno fa su un *corpus* piuttosto consistente di sonate per violino pubblicata sul Saggiatore Musicale ed è una indagine sistematica su 23 raccolte di sonate per violino, pubblicate tra il 1700 e il 1750).[1] Ventitré raccolte sono circa un quarto di tutte le raccolte di sonate per violino pubblicate nell'arco di questo mezzo secolo per complessivi 914 movimenti, dunque costituiscono uno specchio abbastanza attendibile delle norme compositive del tempo. Ebbene, ho scoperto che, dopo l'Op. V, per quanto riguarda le principali scelte macro-strutturali, nella maggior parte dei casi, i compositori successivi non seguono il modello corelliano. Per scelte strutturali di base si intende, ad esempio, nei movimenti in forma bipartita, l'uso della conclusione alla tonica, che è frequente in Corelli, ma che non si ritrova nei compositori successivi. Credo dunque che da questo punto di vista la tesi espressa nell'intervento di Franco Piperno sia assolutamente condivisibile.

Michael Talbot: Vorrei tornare anch'io sulla tesi sostenuta da Franco Piperno: suggerirei che il primato di Corelli nel campo della musica strumentale, si deve anche ad un fattore ulteriore e cioè la sua "buona nascita", quasi paragonabile a quella di Benedetto Marcello, veneziano, principe della musica vocale.

Franco Piperno: Sì, concordo. Anche se questo dovrebbe essere stato uno dei motivi del suo facile inserimento agli alti livelli della società romana, e di conseguenza, anche di un *imprimatur* all'origine della bontà del suo lavoro, perché un nobile – anche se Corelli forse non era propriamente nobile (in questo caso l'espressione 'buona nascita' usata da Talbot mi sembra perfetta) – è garanzia per sé di buona riuscita compositiva. Certamente ciò ha giovato molto al suo inserimento, al suo lancio come modello, che io continuo a pensare, voluto da ambienti esterni.

Carla De Bellis: Ho apprezzato molto la relazione di Franco Piperno. Ho riconosciuto immediatamente l'operazione di propaganda e di auto-promozione che la politica clementina ha sempre perpetrato. Per quanto riguarda i rapporti tra musica e architettura ci sono alcune cose che io stessa oggi dirò partendo da un'altra ottica, ma sono contenta di avere già il tuo contributo a mo' di premessa e di partire da queste basi.

---

[1] E. Careri, *Dopo l'opera quinta. Evoluzione stilistica della sonata per violino nella prima metà del Settecento*, «Il Saggiatore Musicale», Anno VII, 2000, n. 2, pp. 243-279.

FRANCO PIPERNO: Grazie. Aspetto con estremo interesse il parere degli storici dell'arte e dell'architettura.

TOMMASO MANFREDI: Vorrei sottolineare alcuni aspetti a proposito di Carlo Fontana che è stato citato da Piperno come *alter ego* di Corelli riguardo alla progettazione e alla strutturazione (trama del disegno comparata con la struttura compositiva). Certamente l'osservazione mi pare pertinente poiché in Carlo Fontana possiamo riscontrare la purificazione dell'architetto tecnico, erede della tradizione ticinese, e la sua trasmigrazione in ambito accademico.

Una cosa che mi lascia un po' perplesso e in cui il paragone viene un po' meno è quando si paragona il genio corelliano al genio di Carlo Fontana, architetto molto regolato, ineccepibile sotto molti punti di vista, ma meno paragonabile, sotto questo aspetto, rispetto per esempio a Filippo Juvarra.

FRANCO PIPERNO: Grazie per questa precisazione. Non ero in grado di valutare l'intensità della genialità di Fontana rispetto ad altri. Ma non lo considero un problema urgente, anche perché nel contesto e negli ambienti che hanno preparato questo ruolo di modello di Corelli non è che la genialità venisse utilizzata come un termine di riferimento. La questione del genio di Corelli si pone semmai in un periodo successivo. A me interessa il progetto nel momento del suo farsi e in quel momento il problema di una qualificazione di Corelli come un genio non si pone e quindi da questo punto di vista Fontana e Corelli possono essere visti in modo del tutto parallelo.

Peter Allsop

«NOR GREAT FANCY OR RICH INVENTION»: ON CORELLI'S ORIGINALITY

The 300 anniversary of Corelli's birth was marked by the timely publication of two full-length studies of the composer – Mario Rinaldi's *Arcangelo Corelli* and Marc Pincherle's *Corelli et son temps*.[1] Rinaldi's invaluable contribution was the transcription of the body of source material included in his appendices, while Pincherle inititated a far-reaching process of deconstruction in separating fact from fantasy among the mass of Corelli memorabilia accumulated over the centuries, much of which was largely anecdotal. 1953, however, was a less auspicious time for a re-evaluation of Corelli's works within their own context, since it predated the surge of interest in this period soon to produce not only a number of important scholarly studies, but also the publication of a more representive sample of seventeenth-century instrumental music. Lacking this essential basis, Pincherle fell back on judgements already firmly established in the late eighteenth century notably by the English historians Burney and Hawkins, who were themselves not in possession of any better resources than he. It was the more disparaging Burney, ever susceptible to Gemininiani's jaundiced opinions, who passed the verdict that Corelli lacked «great fancy, or rich invention», and that «he was not the inventor of his own favourite style, although it was greatly polished and perfected by him».[2] These views were by no means shared by many of his contemporaries. It was precisely on the grounds of originality that Corelli was singled out over the other 24 famous composers in the «Scale to Measure the Merits of Musicians» from the *Gentleman's Magazine* for December

[1] M. Rinaldi, *Arcangelo Corelli*, Milan, Edizioni Curci, 1953; M. Pincherle, *Corelli et son temps*, Paris, Plon, 1954, trans., H.E.M. Russell, *Corelli, His Life, His Work*, New York, Norton, 1956.

[2] C. Burney, *A General History of Music from the Earliest Ages to the Present Period* (1789), ed. by F. Mercer, London, G.T. Foulis, 1935; rpnt. New York, Dover, 1957, II, pp. 443, 442.

1777. How distant were Burney's estimations from the eulogies of Corelli's colleagues,

> This great virtuoso, son of the Roman School, has demonstrated his miraculous talent in the choice and absorption of its vivid and precious canons, with which he selected and made a style for the most part delightful and unrivalled, and full of every loveliness and beauty that can issue from the mind of man [...].[3]

Burney's evaluation that «true pathetic and impassioned melody and modulation seem wanting in all his works» was based, not on the music of Corelli's age of which he could have known little, but by direct comparison with that of his own times, with its «general improvement of melody, knowledge of the bow, and boldness of modulation».[4] It may seem self-evident that accusations of lack of originality can only be made in relationship to past, not future practice, yet with amazing tenacity these same value judgements were paraphrased by Pincherle who declared that «it remains impossible to accept Corelli as an innovator»,

> Corelli's greatest claim to the gratitude and admiration of musicians lies not so much in his novelty or creative power as in the opportuneness of his appearance and the steadfastness of his influence just at a time when there was needed a leader of a "School" around whom to rally.[5]

This 'School', needless to say, was the Bolognese, upon which his style was supposedly founded and on which he set the 'seal of achievement'. Corelli, Pincherle declared, had «found numerous and varied prototypes of a firmly established genre with his teachers, and especially with that Bolognese school whose influence Vatielli has so clearly delineated».[6] Frankly, we still have little concept of any indigenous Bolognese instrumental style at the time of Corelli's studentship, despite the longevity of its school of violin playing reaching back well into the sixteenth century. We know nothing of the nature of his training as a violinist, nor indeed if he underwent any formal instruction in composition at Bologna. Like most commentators, Vatielli traced the origins of the Bolognese idiom to Cazzati, but it was the very fact that he was a foreigner which bore so heavily in the polemic with the Bolognese composer Giulio Ce-

---

[3] Letter of Antimo Liberati to Giovanni Paolo Colonna, Rome, 1 December 1685. Doc XIII in M. Rinaldi, *Corelli*, cit., p. 437.

[4] C. Burney, *History of Music*, cit., pp. 443, 441.

[5] M. Pincherle, *Corelli*, cit., p. 184.

[6] *Ibid.*, pp. 57-58.

sare Arresti, whose own sonatas show few resemblances with those of Corelli. Of the Bolognese, it was Cazzati's pupil, Giovanni Battista Vitali with whom Corelli found most affinity, but Vitali's *Sonate da chiesa* of 1684, written after his removal to Modena, suggests a divergence rather than convergence of styles between the two composers. For over twenty years until 1665 the Modenese court had been served by Marco Uccellini whose own sonatas followed a fundamentally different line of development from that of Cazzati and Corelli, and it is hardly surprising that this influence is still to some extent apparent in the works of the younger generation of Modenese, especially Giovanni Maria Bononcini.[7]

Corelli, of course, only acknowledged his indebtedness to the «most valorous masters of Rome».[8] It is a simple but compelling fact that Pincherle could not have had the vaguest notion of the state of Roman instrumental music at the time of Corelli's arrival there, since virtually none was available to him. Nor indeed was the situation much improved ten years later at the publication of *The Sonata in the Baroque Era* since Newman knew no compositions of Colista and did not even identify him as a Roman but placed him in England![9] It was contact with the Roman sinfonia, much more ample in its proportions than the relatively slight Bolognese sonata of the 1660s, which opened new horizons for Corelli. Crucially, the Romans cultivated the *a 3* ensemble rather than the duo popular around Bologna: of the sixty-five sonatas of the two Philarmonic academicians G.B. Vitali and G.M. Bononcini only nine are *a 3*. Traditionally, the trio medium favoured a more contrapuntal texture, and the Roman 'canzona' movements included in their sinfonias are among the most ambitious fugues in any ensemble music of the period. Further, the enormous expansion of the finale in Corelli's free sonatas over the often purfunctory Bolognese finale must be directly attributable to the influence of the Romans. Their works encompassed a far wider range of styles, including toccata-like first movements and a much more overt use of actual dances, features upon which Corelli drew. Yet in numerous respects his works differ substantially from those of his Roman associates such as Colista and Stradella precisely because they freely amalgamated elements brought with him from Bologna. Corelli's sonatas are an entirely unique blend of two distinct regional practices.

---

[7] On Uccellini see P. ALLSOP, *Cavalier Giovanni Battista Buonamente, Franciscan Violinist*, Sabon, Ashgate, 2004, pp. 178-191.

[8] Letter of Corelli to Matteo Zani, Rome, 17 October 1685, Doc. VII in M. RINALDI, *Corelli*, cit., p. 430.

[9] W.S. NEWMAN, *The Sonata in the Baroque Era*, 4th ed., New York, Norton, 1983, p. 307.

The root of many of these misconceptions lies in the belief so cogently expressed by Newman that in Corelli we see «the convergence of past trends», that Corelli was the Rome to which all the many strands of seventeenth-century instrumental music were inexorably drawn and through whom they were destined to pass.[10] By 1681, however, there was no such uniformity in Italian sonatas. No sonata in Legrenzi's *La Cetra* of 1673 bears more than a passing similarity with any of Corelli's, and however much he learnt from the Roman sinfonia, neither Stradella's highly idiosyncratic works or those of Carlo Mannelli could ever be mistaken for a sonata in the Corellian mould. The sonatas and concertos of Torelli confirm that, even in Bologna, there was no sudden slavish adoption of the Corellian idiom, while Corelli's own Italian students such us Haym and Mascitti are far less derivative than is often suggested. Sedulous imitation was left to Englishmen such as Ravenscroft. Over the past fifty years, with varying degrees of success, a primary task has been to provide the contextual framework to enable Corelli's historical position to be viewed not only with hindsight but with foresight, setting aside a preconceived historical perspective inculcated over many generations.

A case in point has been the pressing need to explain the advent of his two sets of *Sonate da camera a 3*.[11] The main debate has focused on the enigma of the non-appearance of the suite in Italy at a time when it was cultivated elsewhere, but the burning and as yet unanswerable question is not why the Italians seemed unaware of it but why they consciously rejected it for generations. The endeavour to seek out models for the Corellian suite, it must be owned, has yielded a meagre harvest in Italian printed editions before 1685. Furthermore, a closer examination of these few instances reveals that they often have little connection with Corelli's *sonate da camera* beyond the most superficial, perhaps being records of actual danced events,[12] or are not infrequently by composers such as Buonamente and Marini who have a Germanic connection. This lack of interest could not have been from ignor-

---

[10] *Ibid.*, p. 157.

[11] See J. DAVERIO, *In search of the Sonata da Camera before Corelli*, «Acta Musicologica», LVII, 1985, pp. 195-214; S. MANGSEN, *Instrumental Duos and Trios in Printed Italian Sources, 1600-1675*, 2 vols., Ph.D. diss., Cornell University, 1989 and S. MANGSEN, *The "Sonata da camera" before Corelli: a renewed search*, «Music & Letters», LXXVI, 1995, pp. 19-31.

[12] Antonio Brunelli's *Scherzi, Arie, canzonette, e madrigali* (1616) are simply optional instrumental performances of sung dances performed by the «Serenissimi di Toscana» and the «Gentildonne Pisane», forming *Ballo, seconda parte gagliarda* and *terza parte corrente*, all related thematically. Similarly, Lorenzo Allegri's *Primo libro delle Musiche* (1618) identifies by name the dancers of the eight ballets each of which commences with a *ballo*, followed by *gagliarde*, *correnti*, and an occasional *brando*. This was the case as late as Maurizio Cazzati's *Trattenimenti per camera* (Bologna, 1660), which includes *balli* for Ladies, Knights, Peasants, Satyrs, Nymphs, etc.

ance since all Italian melody instrumentalists would have been aware of the practice of their fellow lutenists and guitarists from at least the middle of the sixteenth century. As early as 1546, Dominico Bianchini's lute tablature has *passamezzo - la sua padoana - il suo saltarello*, and such triple groupings were by no means uncommon. In the first half of the seventeenth century, this dichotomy is well demonstrated by the famous chitarrone player, Johann Hieronymus Kapsberger in Rome whose ensemble collection, the *Libro primo de balli, gagliarde, correnti [...]* (Rome, 1615m) groups by type of dance, beginning with paired *uscita - ballo* while his *Libro quarto d'intavolatura di chitarone* (Rome, 1640) forms into suites of *uscita - ballo - gagliarda - corrente*. Had there been any signs of a growing indigenous interest, this would surely have emerged after the publication of Buonamente's Book 7 in 1637 with its eight fully-fledged examples, but even his pupil, Marco Uccellini, a keen disciple in most other spheres, showed not the least concern for it at that time. When at last he included two suites in his *Sinfonici concerti* of 1667, these were not after the model of his master but are French *brando* suites clearly marked «alla francese per ballare».[13] 1667 was also the year of the Venetian publication of Johann Rosenmüller's *Sonate da camera* dedicated to the Duke of Brunswick, but once more, these substantial suites seem not to have sparked off a rash of similar publications. The only conclusion to be drawn is that most composers of instrumental ensemble music in Italy considered the arrangement of dances into suites as largely irrelevant.

More recent research, however, has shown that certain composers in Emilia, notably G.M. Bononcini and G.B. Vitali, showed signs of an incipient interest in the decade or so leading up to the publication of Corelli's Op. II, but to claim any of these as his models would be a gross application of the *post hoc* fallacy. It was only after his removal to Modena that Vitali produced his own collections – long after Corelli's departure from Bologna – and a comparison between the contents of the latter's Op. II and Vitali's *Balli in stile francese* both published in 1685 again reveals totally different orientations (Table 1). Bononcini, on the other hand, had brought out his *Sinfonia, allemande, correnti,e sarabande* as early as 1671, and on the surface, the content would seem to have more in common with Corelli's Op. II – apart from the use of the *sarabanda* as a finale and the complete absence of *gighe*. However, any similarity between them soon proves to be more apparent than real. The single «Sinfonia per introduzione» which heads Bononcini's set (the only introductory movement in all his dance collections) consists of a four-bar adagio followed

[13] These contain *allegro e presto - gaii - Amener - Gavotta.*

TABLE 1

G.B. VITALI, *Balli in stil francese*, Op. XII (1685)

I	*Balletto*	*Giga*	*Minuet*	*Borea*		
II	*Balletto*	*Giga*	*Gavotta*	*Minuet*		
III	*Balletto*	*Giga*	*Minuet*	*Borea*		
IV	*Balletto*	*Giga*	*Minuet*	*Borea*		
V	*Balletto*	*Giga*	*Borea*	*Sarabanda*	*Gavotta*	*Minuet*
VI	*Balletto*	*Giga*	*Borea*	*Minuet*		
VII	*Balletto*		*Borea*	*Minuet*		
VIII	*Brando 1⁰ [Gaij/Amener/Gavotta]*		*Corrente*	*Gagliarda figurata*	*Gavotta*	*Minuet*
IX	*Brando 2⁰ [Gaij/Amener/Gavotta]*					

A. CORELLI, *Sonate da camera*, Op. II (1685)

I	*Preludio*	*Allemanda*	*Corrente*	*Gavotta*
II	*Allemanda*	*Corrente*	*Giga*	
III	*Preludio*	*Allemanda*	*Adagio*	*Allemanda*
IV	*Preludio*	*Allemanda*	*Grave-Adagio*	*Giga*
V	*Preludio*	*Allemanda*	*Sarabanda*	*Tempo di Gavotta*
VI	*Allemanda*	*Corrente*	*Giga*	
VII	*Preludio*	*Allemanda*	*Corrente*	*Giga*
VIII	*Preludio*	*Allemanda*	*Tempo di Sarabanda*	*Tempo di Gavotta*
IX	*Allemanda*	*Tempo di Sarabanda*	*Giga*	
X	*Preludio*	*Allemanda*	*Sarabanda*	*Corrente*
XI	*Preludio*	*Allemanda*	*Giga*	
XII	*Ciaccona*			

by an allegro – worlds apart from the Corellian *preludio*. The slow prelude, a movement defined by Brossard as «a preparation for all the others»[14] epitomises our quandary: because it became such a standard feature of the suite in the eighteenth century it must always have been so, but the fact remains that it was hardly ever used before Corelli popularised it. If Bononcini's sinfonia bears little comparison, then the multisectional sinfonias that introduce each

[14] S. DE BROSSARD, *Dictionaire de musique* (1703); Engl. trans. by A. GRUBER as *Dictionary of Music*, Henryville, PA, Institute of Mediæval Music, 1982, p. 121.

of Rosenmüller's suites bear even less, and equally, Buonamente's Sinfonias to his ten suites can scarcely be considered as belonging to the same genre. Corelli's Op. II, no. 1 begins with a 14-bar slow *preludio* in his usual «elegant and pathetic» manner,[15] acting as an introduction to the dances. The binary Sinfonia with which Buonamente's «La Molli» (1637) begins is 83 bars long and it functions in the suite as a whole more like the fantasia of an English suite than a purely introductory Corelli *grave*. None of these could possibly have acted as models for Corelli.

Not until Op. IV did he finally settle on the prelude as the opening movement of a *sonata da camera*, since three sonatas of Op. II commence with an *allemanda*, actually quite rare in ensemble collections. As it happens, an *allemanda* is also the first dance in six of the suites of Bononcini's Op. V, but once more these bear few similarities since they are all fast whereas Corelli's are slow, as is the first of the two *allemande* in Vitali's Op. IV (1668). The vital significance of these three *allemande* of Op. II is that they stand in place of the slow prelude, since his strong, and at that time most unusual, preference is to start the suite with a slow movement. This is symptomatic of his general enlargement of the affective element within his trio sonatas as a whole, as also seen in the inclusion of free slow movements such as the 30-bar 3/2 adagio in the ill-fated Op. II, no. 3, again exceedingly rare at this period. Surely, confronted with the slow *Allemanda* of Sonata 2, with its intertwining violin parts, its air of lingering melancholy conveyed by the subtle affective intervals in the melody and evocative dissonant harmonies, the first reaction would have been to evoke those protestations of incomparable beauty which were so freely bestowed on the composer during his lifetime. A musician in 1685 opening Corelli's Op. II for the first time would have had few expectations of its content except that it would contain dances. Lacking Burney's gift of hindsight these suites would not have appeared as hackneyed formal stereotypes made familiar by constant imitation, but as novel contributions in an as yet little cultivated genre. Corelli's *sonata da camera* transformed this functional medium into profound artworks: there would be no reason to suppose that such a transformation would have taken place without him. Bononcini's Op. V was never reprinted while Marx lists 41 editions of Corelli's Op. II.[16]

---

[15] J. HAWKINS, *A General History of the Science and Practice of Music* (1776), 2nd edition, London, Novello, 1853; rpnt. New York, Dover, 1963, II, p. 675.

[16] H.J. MARX, *Die Überlieferung der Werke Arcangelo Corellis: Catalogue raisonné*, Cologne, Arno Volk Verlag, 1980, pp. 106-119.

One of the most specific of all the eighteenth-century criticisms of Corelli concerned his harmonic practice. Hawkins concurred with Geminiani that

> there seems some justice in Geminiani's opinion, that Corelli's continual recourse to certain favourite passages betrays a want of resource. They were so many bars rest for his invention. All the varieties of Corelli's harmony, modulation, and melody, might perhaps be comprised within a narrow compass.[17]

This once more seems far removed from the contemporary judgement expressed by Francesco Gasparini in his treatise, *L'armonico pratico al cimbalo* (Rome, 1708) that Corelli «invented the perfection of a harmony that enraptures».[18] The familiar harmonic formulas over stock bass patterns to which Hawkins no doubt refers did not of course originate with Corelli but were current throughout the whole of the seventeenth century. It was the consistency of their application in the Sonatas of Op. I which allowed their easy codification by Gasparini, but ironically, by Op. III Corelli himself had largely abandoned them in his free sonatas. The ubiquitous chains of suspensions still form the backbone of his harmonic idiom, but are no longer tied to these standard bass patterns with their stereotyped harmonic sequences.

These devices may have become the *lingua franca* of sonatas in the eighteenth century but were by no means universal in 1681. Before then, their use had been largely restricted to slow sections, and their wholesale application to fast movements represents a change in harmonic practice far more radical than either Hawkins or subsequent generations had realised. This is graphically illustrated by the second movement of Corelli's Op. I, no. 1 since it reuses material from Cazzati's «La Casala» from the *Sonate* of 1665. In the latter, there is not a single struck dissonance in the entire 32 bars until the final cadence, but instead, the rising scale in the bass is consistently harmonised with 5/3-6/3 progressions (Ex. 1). Corelli works in a suspension in the very first bar, treats the rising scale in the bass with much more varied harmonies incorporating 9-8 and 7-6 suspensions, and inverts the bass scale to provide for a 7-6 chain (Ex. 2). These may seem obvious enough to those brought up on Gasparini, but the predominantly consonant harmonisation of fast movements prevails not only in the majority of Cazzati's works but also in many of his contemporaries. Bononcini's Op. VI, no. 3 similarly harmonises the scalic bass, both ascending and descending, with a series of 5/3-6/3 chords (Ex. 3). Nor is

---

[17] J. Hawkins, *General History*, cit., I, p. 43.

[18] Engl. trans. F.S. Stillings and D.L. Burrows as *The Practical Harmonist at the Keyboard*, New Haven, CT, Yale University Press, 1963, p. 62.

Ex. 1 – M. Cazzati, *'La Casala'* (1665).

Ex. 2 – A. Corelli, *Op. 1, Sonata 1* (1681).

Ex. 3 – G.M. Bononcini, *Op. 6, Sonata 3* (1672).

this confined to northern Italian sonatas, but is common in those of Roman composers such as Colista. Undoubtedly, Corelli owed a debt to Vitali in the decision to cultivate this far more dissonant harmonic idiom, but its application to all types of movement is much more thorough-going. This is apparent in Vitali's slow *Allemanda prima*, since, despite its expressive melodic line, it, too, confines its dissonance almost entirely to the cadential formulas (Ex. 4). Corelli's *Allemanda* 2, however, is remarkably adventurous in its free treatment of unresolved dissonance (Ex. 5, bar 3). From the standpoint of a generation whose music had become saturated with his practice, such harmonies may have seemed unadventurous, but measured against his own age he was in the vanguard of a fundamental transformation in harmonic idiom. Hawkins came far closer to the truth than Burney in his assessment of Corelli as «the author of new and original harmonies».[19]

Among the commonest of all these later prejudices is the belief in the inevitability of the S(low)-F(ast)-S-F sequence of movements which Newman claimed «established once and for all the most characteristic cycle of the Baroque sonata».[20] The 'classical' ordering may have become second nature in the eighteenth century, but it is remarkably rare in Italy before 1681. Movement-based sonatas of Northern Italy had traditionally begun with a quick imitative movement, followed by a fast tripla – as exemplified by eleven of the twelve sonatas of G.M. Bononcini's *Sonate da chiesa* (1672a). Cazzati's most popular collection, the *Suonate a 2 violini* (1656c), pioneered a F-S-F-F

Ex. 4 – G.B. VITALI, *Op. 4, Allemanda prima* (1668).

[19] J. HAWKINS, *General History*, cit., II, p. 675.

[20] W.S. NEWMAN, *Sonata*, cit., p. 69.

Ex. 5 – A. Corelli, *Op. 2, Sonata 2, Allemanda* (1685).

ordering, while his Bolognese *Sonate* (1665) added a short slow introduction to the finale – 'Fugal', Grave, 3/4 Presto, Grave – Presto, a pattern adopted by G.B. Vitali in his *Sonate* of 1669. Of the twelve sonatas in Giacomo Monti's Bolognese anthology *Scielta delle suonate* (1680a) only one employs the alleged «most characteristic cycle».[21] Furthermore, it is even less frequent within the Roman sinfonia, with its tendency to place the fugue (canzona) as the penultimate movement, while the second movement is most likely to be a tripla. Nor is a four-movement format by any means firmly established as the norm in either centre since Colista's *simfonie* may include up to six movements, while Arresti's sonatas as often comprise three and Gioseffo Maria Placuzzi's *Suonate* (Bologna, 1667) between five and seven movements.

As with the sonata da camera, the introductory slow movement in duple metre seemed indispensable to the post-Corellian era, as confirmed by Roger North who considered that «the beginning ought to be serious, and as much as may be majestick; [...] and it is so for the most part, if not always, in Corelli».[22] Of the eighty-three 'trio' sonatas of Cazzati, Vitali and Bononcini published before 1681 only eighteen have slow introductions, and furthermore these are actually on the decline in Vitali's two sets from the 1660s for those of Op. II have four and of Op. V only one. Such slow gambits are even less frequent in Roman sinfonias, since their first movements are rarely purely introductory but are often very extensive covering a diversity of styles in both slow and fast tempi, or indeed both. The first movement of Colista's *Simfonia a 3* (W-K. 32) is 56 bars long. Corelli's slow introduc-

---

[21] Petronio Franceschini, «Sonata terza»: *Grave* (7 bars) - *Allegro* (fugal) - 3/2 *Adagio* - 3/8 (fugal).

[22] J. Wilson, *Roger North on Music*, London, Novello, 1959, pp. 259-260, n. 5.

tions are yet another symptom of his desire to increase the affective element within the sonata a 3, and this exploitation of expressive potential must be regarded as one of his most outstanding contributions to the development of the sonata. The same objective also led to a thorough reformulation of the role of the tripla. In the sonatas of his contemporaries, whether Bolognese or Roman, these were most often vigorous fast movements with dashing syncopations, but Corelli's slow triplas often become the high-point of emotional intensity within the sonata and as such may achieve considerable proportions. It was this re-defining and re-ordering of the basic elements within the sonata that fundamentally altered the whole dynamic of its structure.

Over the past fifty years, archival research has allowed considerable insights to be gained into the circumstances of Corelli's life in Rome. We are now armed with keen research tools such as Marx's invaluable *Catalogue raisonné* and the new editions of Corelli's works in the *Gesamtausgabe*, including the more reputable of the apocrypha. We also have the luxury of numerous outstanding recordings of Corelli's published works. If our knowledge of the prehistory of the concerto is still sketchy, and there remain insuperable problems in assessing Corelli as a violinist, the trio sonata now offers us a broad perspective encompassing both its past and what it was to become, in many respects one would argue because of Corelli. Yet his music has never ceased to be regarded from an eighteenth-century perspective, and his popular status would perhaps not be so far removed from that accorded him by Pincherle: of immense historical importance for the unprecedented scale of his influence, yet nevertheless somewhat limited in scope, at times lacking in imagination, and rarely venturing beyond the norms of his day. Such evaluations, however, have been fundamentally distorted through the perpetual habit of viewing him with hindsight instead of measuring him against the yardstick of his own times. Paradoxically, Corelli's alleged lack of originality has been judged against the norms that he himself created. Only by setting aside these post-Corellian pre-conceptions is the unique inventiveness and originality of his music fully revealed. What was later to become commonplace was in his hands of such freshness and vitality as to be hailed the «meraviglia del mondo».[23]

[23] A. Adami, *Osservazioni per ben regolare il coro dei cantori della cappella pontificia*, Rome, De' Rossi, 1711, p. 209.

Discussione

BARNETT: I don't think one could demonstrate Corelli's originality more effectively than you have done here in your presentation. However, I would distinguish between two historiographic traditions concerning Corelli's creativity. On the one hand, there is the observation of Corelli's want of originality from Geminiani and Burney. On the other hand, there is Corelli's reputation as the codifier of a tradition. I think you have effectively refuted this latter interpretation of his oeuvre, but despite the fact that the great composer is looking down right now, I'd like to examine that element of Corelli's oeuvre that probably inspired Geminiani and Burney to accuse him of a lack of originality. An example I have in mind is a movement type that is characterized by a rhythm of dotted crochets plus quavers in the upper voices over a running bass line in either quavers or semiquavers. Corelli uses it in his Op. I church sonatas (no. 11, final movement), his Op. IV chamber sonatas (no. 8, as an Allemanda type), and his Op. VI concerti grossi (no. 3, *Vivace* and, in modified form, no. 11, Allemanda): it is essentially the same movement type used several times over. I suspect that Geminiani or Burney, and perhaps others looking at Corelli's music criticized him for want of originality because of his reliance on this and other formulae. This is not to say that Geminiani (and Burney after him) were entirely fair in their assessment. Indeed, if Corelli used certain formulae several times over, they were of his own invention.

ALLSOP: I don't think that Geminiani's statement has anything to do with Corelli's music. Rather, I believe his comments may have more to do with his professional status vis-à-vis Corelli's. In short, Geminiani took every opportunity to denigrate his former teacher because that is what he needed to do. With regard to your example, I think probably all composers have formulas. It is surprising how many people don't actually know much Corelli. They don't know the sonate da camera which are just wonderfully original. They take things for granted, like the quaver basses that hardly ever happen in Op. I. Then, if you look at Op. I, I think that Hawkins put his finger on it when he said that this was just an essay towards the perfection he eventually attained. I think that this is true. I think Op. I has a fair bit of formulaic treatment of harmony in particular, but by the time of Op. II and Op. III it's just not true. The harmonies are Amazingly original! How little he uses those formulas is striking. But the point is: you may believe them to be formulaic, but they retely happened before him. In Bologna they were hardly used. What he actually did there was very important.

WALLS: I would just like to follow up on what Allsop said about the status of the Geminiani anecdotes. Geminiani's attitude toward Corelli was quite mixed up and twisted. His Op. I (from the time of his arrival in England) is clearly indebted to Corelli, and his first efforts in concerto grosso writing were his arrangements of Corelli's

Op. V. And yet, what you get in later Geminiani is an idiosyncratic style that seems to have a lot to do with his growing interest in French music. So many of Geminiani's stories seem to originate in the deficiencies in Corelli's playing, and yet there is a parallel of anecdotes that seem to suggest, too, that Geminiani's playing was incredibly fallible.

CARERI: Quando Geminiani e Burney si incontrano o scambiano le loro idee su Corelli, Geminiani non ha più bisogno di dimostrare la sua superiorità rispetto al maestro (come dovette fare all'inizio nel 1716, e per una buona decina di anni, dovrà fare) perché egli è completamente inserito nell'ambiente musicale inglese. Io credo nella buona fede di Geminiani e credo che la sua critica a Corelli sia stata dettata da ragioni di ordine musicale.

PRIVITERA: Nella polemica delle quinte, tanto Corelli quanto Antimo Liberati rivendicano con forza l'appartenenza di Corelli alla scuola romana. La presenza della scuola bolognese è stata molto evidenziata negli atti del primo convegno in cui appare, infatti, fortissima l'idea di una influenza bolognese su Corelli. Questa idea però si è andata stemperando negli anni, forse anche perché gli studiosi che se ne sono occupati sono specialisti soprattutto di area romana. Allora mi chiedo anche tenendo conto della relazione di Allsop: davvero non c'è nella musica corelliana una influenza palpabile, forte di Vitali, di Cazzati?

ALLSOP: Credo anch'io che ci sia. Soprattutto nell'armonia è forte l'influenza di Vitali, ma Vitali non ha scritto sonate a tre (si tratta di sonate a due, è un altro genere).

PRIVITERA: È giusto, ma per esempio la raccolta che Vitali pubblica di sonate per violino con il secondo violino a beneplacito sono proprio sonate a tre anche se non esplicitate. Quando le ho studiate sono rimasto molto sorpreso perché esse mostrano un'anticipazione netta dello stile corelliano.

PIPERNO: A me pare comunque che il ruolo, difficilmente indagabile delle fonti delle pratiche romane (sarà perché sono stati quasi tutti romani gli studiosi che si sono occupati di questo aspetto), sia comunque notevole come impatto sull'attività compositiva di Corelli. Noi possiamo guardare Vitali, Cazzati, etc., e poi guardare Corelli e vedere sulla carta cosa coincide e cosa non coincide. Purtroppo non sappiamo esattamente cosa Corelli abbia conosciuto e praticato in quel di Bologna. A Roma sicuramente la formazione professionale di Corelli si svolse soprattutto grazie ad un contatto quasi quotidiano con la prassi esecutiva strumentale del tempo e soprattutto grazie al contatto diretto con musicisti quali Colista, Mannelli e, probabilmente – ma bisogna verificare fino a che punto – con Simonelli. Dovendosi monitorare sull'orizzonte di attesa della società romana, era evidente per Corelli coordinarsi con quel tipo di abitudini compositive. Su queste avrà quindi anche potuto innestare il suo grado di 'bolognesità' che, a sua volta, si sarà anche tradotto in una certa originalità rispetto alla situazione romana. In ogni caso quando egli arrivò a Roma era sostanzialmente un musicista non ancora formato, soprattutto sul piano compositivo. Proprio a Roma, a contatto con ambienti molto stimolanti e in cui l'attività quotidiana doveva essere assai più intensa di quella bolognese, prevalentemente limitata ad ambienti accademici e istituzionali, Corelli ebbe l'opportunità di imparare ad adattarsi alla realtà locale, nonché ad adattare la sua pregressa esperienza bolognese sulla realtà romana. Di qui anche la sua originalità nell'essere un po' una sorta di via di mezzo, in grado di rinnovare una situazione stantia nel campo della musica strumentale, come quella romana, con questa immissione di una professionalità proveniente dal Settentrione.

TALBOT: Penso che sia ancora utile distinguere tra due tipi di originalità. Il primo consiste nel non ripetere ciò che gli altri (i coevi, i predecessori) hanno fatto. Il secondo consiste nel non ribadire ciò che si è fatto prima e se Corelli pecca, pecca nel secondo senso come pure Mendelssohn nei suoi Scherzi o Martinu nelle sue Sinfonie.

JENSEN: Perhaps we have to accept that with respect to musical genres there was a shift in the view of them in the last decades of the XVII century. It would be very nice to continue with an idea of consistent genre categories of 'a due', 'a tre', but I think the closer we come to the end of the XVIIth century, the more *ad libitum* a practice we find (I refer, for example, to Vitali's sonatas with *violino secondo a beneplacito*). There are numerous similar examples, and perhaps we should not have too narrow a perspective based upon the fixed categories of the 'sonata a due' and 'sonata a tre' when we are dealing with repertoire from the second half of the seventeenth century.

WAISMANN: I am not a Corelli specialist, and I am a curious about other issues. It seems to me that this morning we talked mostly about the process of canon formation, of how and why Corelli got into a canon of great music. Piperno has explained very convincingly why he got there on the first place, why certain people in Rome joined him; Allsop has outlined what seem to be the requisites of originality for getting into a canon. But what I am still curious about is why did he really get in, why he did persist, why he is now in the canon. One suggestion might connect with what we have heard about the second kind of originality in which, to a certain degree, Corelli might have been lacking in the repetition of musical schemes. I would hypothesize that he might have been the right person at the right time early in the 18th century, which might have needed the saving of schemes such as *aria col da capo* and the like, by means of which so many genres were solidified at that time.

PIPERNO: Sono d'accordo con le osservazioni di Waismann. Ritornando a ciò che diceva Talbot: se è un peccato il fatto che Corelli si ripeta, io credo che ciò dipenda anche dal fatto che lui abbia voluto – o forse dovuto – costituire un modello. Corelli poteva costituire un modello solamente ribadendo la certezza in quel modello. Quindi io convengo sul fatto che da un punto di vista ottocentesco dell'idea di 'genio', Corelli potrebbe essere accusato di non essere originale. Ma bisogna considerare che nel contesto della produzione culturale alla quale lui si è assoggettato, non poteva fare che questo: Corelli era il portatore di un messaggio, per esempio formale, per esempio architettonico e doveva dichiarare con le sue stampe (bellissime anche dal punto di vista visivo) che quel modello era quello giusto. E come fare se non ripetendolo più di una volta? Quindi è giusto dire che ha peccato, ma è anche vero che non poteva fare forse altro che questo.

ALLSOP: There are some commercial reasons for this. But I would add another question: why did Corelli become so popular? This is tied up with the presses of northern Europe. And why was he so widely distributed? No doubt for very sound reasons, but not for one simple reason and not even necessarily for purely aesthetic reasons.

RASCH: Corelli's music played an important role in the score market, but we must not forget that before that time in Italy his music was printed more often than any other, so Corelli receives exposure both in and out of Rome. Corelli's music was disseminated more intensively than any other music. I think that this is only to be explained by musical reasons – not political, but just musical reasons. In sum, I think that musical reasons were the basis for the commercial exportation of his music.

Stefano La Via

DALLA «RAGION POETICA» DI GIANVINCENZO GRAVINA AI «BEI CONCETTI» MUSICALI DI ARCANGELO CORELLI

TEORIE E PRASSI DEL «CLASSICISMO» ROMANO OLTRE L'ARCADIA

Premessa. Opico ed Arcomelo in Erimanto

Non si può dire che la musica abbia svolto un ruolo di primissimo piano in seno all'Arcadia, almeno a giudicare dalle testimonianze documentarie riguardanti il periodo compreso tra la fondazione dell'Accademia (1690) e gli anni della storica scissione (1710-1711). In quello che a tutt'oggi rimane il più rigoroso studio musicologico dedicato all'argomento, Fabrizio Della Seta ha messo in rilievo proprio l'atteggiamento di chiusura assunto dai letterati arcadi nei confronti tanto della musica come disciplina artistica quanto dei suoi più insigni rappresentanti.[1] Nonostante i ripetuti interventi di un mecenate illuminato e potente quale il cardinale Pietro Ottoboni, sembra proprio che l'Arcadia abbia continuato a mantenere le distanze nei confronti dell'ambiente musicale romano tanto da impedire che fra le due sfere, fra le due realtà culturali, si instaurasse un qualsiasi rapporto di interscambio o, men che meno, di reciproco influsso.

[1] Cfr. F. Della Seta, *La musica in Arcadia al tempo di Corelli*, in *Nuovissimi studi corelliani* (1982), pp. 123-148, e relativa *discussione*, pp. 149-150. Ciò spiegherebbe, fra le altre cose, il fallimento del progetto di istituire una speciale sezione musicale, o «Coro d'Arcadia», a partire dal 1696, cosiccome la tardiva ammissione, nel 1706, in via del tutto eccezionale, dei tre più prestigiosi musicisti allora attivi sulla scena romana: Arcangelo Corelli, Alessandro Scarlatti, Bernardo Pasquini. Simili iniziative non sarebbero da ascriversi tanto agli arcadi stessi quanto ai mecenati loro protettori, primo fra tutti il cardinale Pietro Ottoboni, assai più interessati all'incontro e alla fertile interazione fra le arti che alla loro separazione e livellazione gerarchica. E così, se i letterati dell'Accademia – almeno alla luce degli scritti e dei documenti esaminati da Della Seta – sembrano aver considerato la musica alla stregua di un'arte ancora non autonoma, utile tutt'al più come supporto di un testo poetico o come sfondo sonoro di riunioni e intrattenimenti mondani, i musicisti, dal canto loro, appaiono interessati ad accedere al Bosco Parrasio non tanto per un'affinità di ideali artistici quanto per un'atavica ansia di nobilitazione artistica ed intellettuale.

Tutto ciò non esclude, naturalmente, la possibilità di individuare nell'opera stessa di alcuni musicisti romani – e in particolare di quelli ammessi nel Bosco Parrasio – princìpi formali e compositivi che suggeriscano «perlomeno un'analogia d'intenti» e che riflettano – per citare Sergio Durante – «una direzione di lavoro in linea con le istanze razionalistiche ed antisecentiste dell'Arcadia».[2] Se non è certo possibile «provare», documenti alla mano, che questi musicisti siano stati in alcun modo influenzati dai letterati arcadi,[3] è comunque lecito verificare in profondità l'esistenza di eventuali punti di contatto fra le due sfere, o almeno fra alcuni suoi rappresentanti di spicco, dando uguale spazio all'indagine teorico-estetica e all'analisi musicale, senza trascurare neanche l'apporto altrettanto prezioso delle fonti iconografiche.

Nel mio contributo cercherò di illustrare alcuni fra i più rilevanti di questi punti di convergenza, soffermandomi soprattutto – ma non esclusivamente – su due casi altamente emblematici: quello di Gianvincenzo Gravina (1664-1718), forse il più autorevole ma anche il più controverso fra i pensatori e teorici letterarii attivi in Arcadia nel suo primo ventennio di vita;[4] e quello di Arcangelo Corelli (1653-1713), altrettanto carismatico rappresentante, fuori e dentro il Bosco Parrasio, dell'arte musicale allo stato puro.[5]

Nonostante l'assenza di precise testimonianze documentarie a riguardo, è difficile pensare che Gravina e Corelli, pur operando nello stesso ambiente, e persino imparentati fatalmente dal cognome arcadico «Erimanteo»,[6] siano ri-

---

2 *Ivi* (*discussione*), p. 150, intervento di S. Durante.

3 *Ibid.*, replica di Della Seta: «Sono d'accordo nel vedere queste analogie, ma mi sembra necessario partire dai dati concreti, [...]. Se, d'altra parte, è vero che si riscontra in Corelli un 'necessità di ordine' è difficile provare che sia determinata dall'influenza dell'Arcadia piuttosto che da altri fattori».

4 Sul Gravina, sul suo ruolo in seno all'Arcadia, e sulle vicende che condussero alla storica scissione tra accademici dell'Arcadia e accademici dei Quirini (1710/1711), cfr. in particolare: A. Quondam, *Cultura e ideologia di Gianvincenzo Gravina*, Milano, Mursia, 1968; Id., *L'Istituzione Arcadia. Sociologia e ideologia di un'Accademia*, in *Intellettuali e centri di cultura*, «Quaderni Storici», XXIII, 8, 1973, pp. 389-435; Id., *Nota critica* e *Apparato critico* in appendice all'edizione moderna di G.V. Gravina, *Scritti critici e teorici*, a cura di A. Quondam, Roma-Bari, Laterza, 1973, pp. 593-605, 628-632, 646-658, 677-684. Interessanti riflessioni sono contenute anche in F. Santovetti, *Nella città d'Arcadia. Cultura fluviale e extra-territorialità nella poesia di occasione di Paolo Rolli*, Pisa, Edizioni ETS, 1997, capp. I.2 (*"Et in Arcadia ego": accademia e vizi di forma)* e II.2 (*Il Tevere e la città: "L'arcadia liberata" e Rolli, personaggi tra disputa e diaspora)*, pp. 39-58, 73-91.

5 Nella selva degli studi dedicati al musicista fusignanese, cfr. soprattutto M. Rinaldi, *Arcangelo Corelli*, Milano, Curci, 1953, e gli Atti dei rispettivi congressi internazionali a lui dedicati: *Studi corelliani* (1972), *Nuovi Studi corelliani* (1978), *Nuovissimi studi corelliani* (1982), *Studi corelliani IV* (1990), *Studi corelliani V* (1996). Un primo, stimolante tentativo di accostare l'estetica graviniana e la produzione musicale corelliana – in ambito arcadico, ma con riferimenti anche agli anni del soggiorno romano di Cristina di Svezia – si deve a G. Morelli, curatore de *L'invenzione del gusto: Corelli e Vivaldi. Mutazioni culturali, a Roma e Venezia, nel periodo post-barocco*, Milano, Ricordi, 1982, ed autore dei saggi ivi contenuti alle pp. 9-31 (in collaborazione con V. Ferrari) e alle pp. 32-41, 67-76.

6 Come ci spiega F. Della Seta, *La musica in Arcadia*, cit., p. 142, nota 39, «Arcomelo

masti dei perfetti estranei. Anche ammettendo, quasi per assurdo, che i due non si siano incontrati neanche nel delicato periodo compreso fra il 1706 (ammissione di Corelli in Arcadia) e gli anni 1710-1712/13 (scissione ed espulsione del Gravina, parallela malattia e morte di Corelli), un primo indizio di una qualche sintonia intellettuale si può scorgere già nel rispettivo rapporto intessuto con questa istituzione.

Il letterato Gravina, da un lato, pur essendo uno dei padri fondatori dell'Arcadia, con l'inequivocabile nome sannazariano di Opico Erimanteo,[7] e pur avendo contribuito più di ogni altro a delinearne l'originario progetto estetico e politico-culturale, entrerà ben presto in conflitto con la fazione più autoritaria e conservatrice dell'Accademia, incarnata soprattutto nella figura del gran custode Giovanni Mario Crescimbeni (1663-1728); un conflitto che culminerà nello scisma del 1710/1711, e, con esso – com'è stato ampiamente illustrato da Amedeo Quondam, più di recente anche da Francesca Santovetti – nell'inevitabile emarginazione del Gravina stesso e nel fallimento del suo programma di rinnovamento «classicistico».[8]

Dal canto suo il musicista Corelli, alias Arcomelo (Erimanteo solo dall'ottobre del 1712), a quanto pare non direttamente coinvolto in quelle dispute,[9] potè

[= nome pastorale di Corelli] divenne Erimanteo solo il 12 ottobre 1712, quando fu espulso Gian Vincenzo Gravina (Opico Erimanteo) per cui a pagina 3 del terzo volume del *Racconto de' fatti degli Arcadi* si legge che in seguito al cancellamento degli scismatici "vacano le loro possessioni, [...] e sono [:] Erimanto Monte, onde Erimanteo. Il luogo suddetto fu conferito ad Arcomelo [...]"». Probabilmente a sua insaputa, dunque, appena tre mesi prima della sua morte (avvenuta l'8 gennaio 1713), e a due anni di distanza dal suo ritiro ufficiale da ogni attività pubblica (dovuta probabilmente alla grave malattia contratta già a partire dal 1710), Corelli ereditò dal Gravina – proprio dal leader degli scismatici, non da altri suoi seguaci espulsi nella stessa occasione – tanto il possedimento di campagna noto come Monte Erimanto (dall'omonima catena montuosa arcadica, nel Peloponneso nord-occidentale, nota ai mitografi per essere stata devastata da un feroce cinghiale) quanto il relativo secondo nome pastorale.

[7] Opico è infatti il capo dei pastori immortalati nel fortunato prosimetro di J. SANNAZARO, *L'Arcadia* (1ª ed. Napoli, Pietro Summonte-Sigismundo Mayr, 1504) ed. a cura di E. Carrara, Torino, UTET, 1926: è lui, «più che altri vecchio e molto stimato», a guidare i pastori proprio ai piedi del monte Erimanto, sulle rive dell'omonimo fiume, il luogo dove aveva passato «quasi tutta la giovenezza [...] tra suoni e canti felicissimamente» (Prosa V, pp. 37-38); a lui viene affidato anche un intervento canoro (Prosa VI e Poesia VI, pp. 46-52), nonché – in qualità di «capo» – l'ultimo discorso ivi pronunciato da pastore arcade (Prosa XII, p. 128).

[8] In merito, cfr. gli scritti già citati più sopra nella nota 4.

[9] A differenza del suo collega e compastore Terpandro, ovvero Alessandro Scarlatti, che in qualità di poeta si schierò apertamente (forse anche per ragioni opportunistiche) a favore della fazione crescimbeniana, «evidentemente rispondendo ad insinuazioni che lo accusavano d collusione coi "ribelli"»: F. DELLA SETA, *La musica in Arcadia*, cit., pp. 127-128, in riferimento al sonetto ivi pubblicato a p. 145 (Documento III b). Nel caso di Corelli, a quanto mi risulta, nessun documento del genere attesta che egli sia «rimasto» un «fedele crescimbeniano», come invece sembra sostenere G. MORELLI, *L'invenzione del gusto*, cit., p. 40. Dietro qualsiasi schieramento personale – vero o presunto che sia – è comunque lecito scorgere l'interesse del cardinale Ottoboni a garantire la permanenza in Arcadia di entrambi i suoi protetti.

conquistarsi in vita tanto gli elogi formali dello stesso Crescimbeni – per le sue universalmente note qualità di violinista e direttore d'orchestra *ante litteram* –[10] quanto la stretta amicizia di pittori arcadi quali Francesco Trevisani e Angelo De Rossi.[11] Eppure la sua consacrazione di musico intellettuale e collezionista d'arte sembra essere avvenuta non tanto in Arcadia – come suggerisce anche il costante silenzio delle fonti – quanto semmai a Palazzo della Cancelleria, residenza del cardinale Ottoboni e della sua nutrita «famiglia» artistica, in cui spicca proprio l'assenza di letterati arcadi militanti.[12] Questi ultimi – con un'importante eccezione di cui si dirà più avanti – non saranno in grado di riconoscere le conquiste del Corelli compositore, del musico poieta, del razionale ed inventivo artefice di «concetti» sonori, neanche dopo la sua scomparsa nel 1713.[13]

Né Gravina, né tanto meno Corelli, in sintesi, pur operando in ambiti disciplinari ben distinti e svolgendo un ben diverso ruolo nella cultura romana del tempo, sembrano aver tratto un reale beneficio dalla rispettiva frequentazione arcadica. Entrambi, paradossalmente, pur facendosi portatori di princìpi e valori estetici comuni – se si vuole «classici» o «classicistici», comunque in sintonia con le istanze stesse da cui è sorta l'Arcadia – verranno ufficialmente

---

[10] G.M. CRESCIMBENI, *L'Arcadia*, Roma, Antonio de' Rossi, 1708, Libro VII, Prosa V, p. 288 sgg., riportato in M. RINALDI, *Arcangelo Corelli*, cit., pp. 270 sgg.: «Avendo Terpandro, con i suoi compagni, ordinato quanto era d'uopo alla bisogna, incominciò Arcomelo la Musical festa [Accademia di Musica fatta dalle ninfe] con una di quelle bellissime Sinfonie fatte nella nobil Capanna [palazzo della Cancelleria] dell'Acclamato Crateo [Ercinio, il cardinale Ottoboni], e poi pubblicate al mondo con tanta gloria. Meraviglioso in questo adoperamento si fu l'esatto accordo degli Strumenti da fiato con quelli da arco, che ben molti erano e di diversi generi, ed ora nell'acuto, ora nel grave toccati; ma ciò che egli fece col suo strumento eccedè la meraviglia stessa, e diede a conoscere che nell'arte sua il titolo d'unico ben meritava».

[11] Cfr. M. VIALE FERRERO, *Arcangelo Corelli collezionista*, in *Nuovissimi Studi Corelliani*, pp. 225-240: 227-231 sgg. Sul rapporto tra arti figurative e «classicismo arcadico» nella Roma del settecento – con frequenti riferimenti anche a Gravina e Crescimbeni – cfr. l'ampio panorama offerto da L. BARROERO e S. SUSINNO, *Arcadian Rome, Universal Capital of the Arts*, in *Art in Rome in the Eighteenth Century*, ed. by E. Peters Bowron & J.J. Rishel, Philadelphia, Merrel-Philadelphia Museum of Art, 2000, pp. 47-75.

[12] Cfr. M. VIALE FERRERO, *loc. cit.*; H.J. MARX, *Die Musik am Hofe Pietro Kardinal Ottobonis unter Arcangelo Corelli*, «Analecta Musicologica», V, 1968, pp. 104-187; S. LA VIA, *Il cardinale Ottoboni e la musica: nuovi documenti (1700-1740), nuove letture e ipotesi*, in *Intorno a Locatelli*, a cura di A. Dunning, Lucca, LIM, 1995, pp. 319-526 (i particolare i Ruoli famigliari riassunti a p. 372 sgg.), e ID., *L'ambiente musicale ottoboniano. Il "Mondo novo" e la "Computisteria Ottoboni" a confronto*, in *Il Mondo Nuovo musicale di Pier Leone Ghezzi*, a cura di G. Rostirolla, Milano, Skira, 2000, pp. 55-79: 55-56, 70-71 (note 11-16).

[13] Così ad esempio, ancora sette anni dopo, nel primo profilo biografico ufficiale mai dedicato a Corelli, il Crescimbeni continua a lodarne le doti di violinista, direttore d'orchestra e compositore di «bellissime sinfonie» (negli stessi termini stereotipati già citati in nota 10, risalenti al 1708), limitandosi ad aggiungere, da buon letterato petrarchista, che in quelle sinfonie «l'allegro non mai offese il grave, e tutte egualmente uscivano dilettevole e maestose»: G.M. CRESCIMBENI, *Notizie historiche degli Arcadi morti*, Roma, Antonio de' Rossi, 1720, vol. I, p. 259 sgg. (cap. 82), riportato in M. RINALDI, *Arcangelo Corelli*, cit., pp. 427-428.

riconosciuti come tali, ed eletti a modello normativo, solo in un secondo tempo e al di fuori dell'Accademia di Crescimbeni.[14]

Ma quali sono poi, esattamente, questi 'princìpi e valori estetici'? E si può davvero considerarli 'comuni' ai due compastori Erimantei? Tanto da consentirci di gettare un ponte ideale fra il pensiero di Opìco e la musica di Arcomelo, fra la formulazione teorica del Gravina e la mentalità compositiva corelliana?

I. Fondamenti estetici del «classicismo» romano: le poetiche di Menzini e Gravina a confronto

I precetti riassunti nella Tabella I, colonna destra, sono desunti dai tre più importanti scritti teorici del Gravina, almeno fra quelli concepiti in epoca anteriore tanto allo scisma arcadico quanto alla morte di Corelli: rispettivamente, il *Discorso sopra l'Endimione* (1692), il *Delle antiche favole* (1696) e l'ancor più celebre *Della ragion poetica* (1708).[15] La colonna sinistra della tabella sin-

---

[14] Nel caso del Gravina, l'emarginazione e la conseguente fuoriuscita dal Bosco Parrasio non gli impedirono certo di continuare ad esercitare un profondo influsso su figure chiave quali Paolo Rolli e Pietro Metastasio, suoi fedeli seguaci, né di divenire più tardi uno dei principali punti di riferimento tanto della cultura illuministica settecentesca quanto del neoclassicismo winckelmanniano. In merito, oltre ai saggi di A. Quondam, F. Santovetti (cit. in nota 4) e L. Barroero - S. Susinno (cit. in nota 11), cfr. anche il più ampio panorama offerto da D. Consoli, *Dall'Arcadia all'illuminismo*, Bologna, Cappelli, 1972. Nel caso di Corelli, con le eccezioni di cui si parlerà più avanti, tanto la 'classicità' delle sue opere quanto il loro valore normativo (relativo alla sfera intellettuale e poietico-compositiva prima ancora di quella pratico-esecutiva) – già riflessi nell'eccezionale diffusione delle sue stampe musicali e nella loro altrettanto estesa divulgazione e imitazione da parte di innumerevoli allievi, emuli, ammiratori e seguaci indiretti – verranno riconosciuti dagli storiografi, anche in ambito extramusicale, soprattutto a partire dalla seconda metà del settecento, soprattutto per opera di esegeti stranieri quali ad esempio gli inglesi John Hawkins e Charles Burney, o il pittore neoclassico boemo Anton Raphael Mengs. Cfr. in particolare quanto osservato in G. Morelli, *L'invenzione del gusto*, cit. e *ivi*, pp. 126-129; una sintesi della fortuna settecentesca di Corelli è offerta rispettivamente in M. Pincherle, *Corelli*, Paris, Alcan, 1933, pp. 155-193, in M. Rinaldi, *Corelli*, cit., pp. 237-242, e in M. Privitera, *Arcangelo Corelli*, Palermo, L'Epos, 2000, pp. 76-94.

[15] *L'Endimione di Erilio Cloneo [Alessandro Guidi] pastore arcade, con un Discorso di Bione Crateo, all'eminentissimo signor Cardinale Albano*, Roma, Giacomo Komarek, 1692 (citato d'ora in poi come *DSLE* in riferimento al titolo della 2ª edizione, *Discorso sopra l'Endimione*); *Delle antiche favole, Discorso di Vincenzo Gravina tra gli Arcadi Opico Orimanteo [sic], all'eminentissimo e reverendissimo signor Cardinale Boncompagni Arcivescovo di Bologna*, Roma, Antonio de' Rossi, 1696 (d'ora in poi: *DAF*); *Di Vincenzo Gravina giurisconsulto Della Ragion poetica libri due*, Roma, Francesco Gonzaga, 1708 (d'ora in poi: *DRP*). I tre *Discorsi* sono inclusi nell'edizione critica a cura di A. Quondam, già citata in nota 4, a cui si rimanda nelle note successive. È curioso che già nel 1692 (*DSLE*) il Gravina fosse noto anche con lo stesso nome pastorale (Bione Crateo, alternativo a quello arcadico ufficiale?) che avrebbe poi acquisito definitivamente, dopo la scissione, in veste di accademico quirino, e che ricompare infatti nel titolo della postfazione al *Gianmaria o L'Arcadia Liberata* di Domenico Ottavio Petrosellini (redatto fra il 1711 e il 1730): *Discorso di Bione Crateo ossia Gianvincenzo Gravina*, citato in F. Santovetti, *Nella città d'Arcadia*, cit., p. 80, nota 18.

tetizza invece gli analoghi precetti «classicisti» formulati in epoca ancor precedente da Benedetto Menzini (1646-1704) nella sua non meno fortunata *Arte poetica* (1688),[16] forse il trattato che meglio rappresenta l'orientamento estetico di marca razionalista, cartesiana ed antisecentisca sorto già in seno all'Accademia Reale di Cristina di Svezia – altra importante protettrice di Corelli – e da lei instancabilmente promosso nell'intero arco del suo soggiorno romano, fra il 1655 e il 1689 (cfr. Tabella I).[17]

Il confronto preliminare fra Menzini e Gravina consente di mettere in luce proprio la continuità esistente fra le due Accademie – Reale ed Arcadica – prima di tutto sul piano teorico-letterario ed estetico. Vale la pena ricordare non solo che l'Arcadia romana nasce subito dopo la morte di Cristina, «a chiarimento e continuazione delle dispute tenutesi nel suo salotto»,[18] ma che il Menzini, fra i più autorevoli protagonisti di quelle dispute, figura anche fra i primi letterati ammessi nel Bosco Parrasio. Una sorte condivisa dal poeta Alessandro Guidi, già protetto di Cristina e in seguito arcade più o meno «convinto»,[19] ma soprattutto, autore della controversa tragedia *Endimione*; proprio intervenendo in difesa di questa «favola» – da lui stesso definita «sublime disegno nato nella mente della incomparabil Cristina» –,[20] il Gravina ebbe modo di formulare la sua primissima «proposta di poetica arcadica»;[21] nei suoi due scritti successivi, *Delle antiche favole* e *Della ragion poetica*, egli non farà altro che approfondire e sviluppare in più di-

---

16 Di questo trattato in versi – scritto in terza rima anche in risposta all'*Art Poétique* di Nicolas Boileau – ho potuto consultare la ristampa arcadica curata da Carlo Barbiellini e sottoscritta dall'allora Custode Generale Michele Giuseppe Morei: *L'arte poetica di Benedetto Menzini*, Roma, Generoso Salomoni, 1748 (d'ora in poi citato come *LAP*).

17 Cfr. ad esempio D. Consoli, *Dall'Arcadia all'illuminismo*, cit., pp. 30-31; L. Felici, *Introduzione* a *Poesia italiana del seicento*, Milano, Garzanti, 1978, pp. VII-XXXII: XXXII; A. Quondam, *Cultura e ideologia*, cit., pp. 67-94. Il libro quinto del trattato di Menzini (*LAP*, p. 53) inizia proprio con un elogio rivolto «al chiaro sol dell'immortal Cristina» (verso 8). Sul mecenatismo di Cristina di Svezia, e sui suoi rapporti con Corelli – che fra l'altro le dedicò la sua opera prima – cfr. *Cristina di Svezia e la musica*, Atti del convegno internazionale (Roma, 5-6 dicembre 1996), Roma, Accademia Nazionale dei Lincei, 1998, in particolare i contributi di F. Piperno, *Cristina di Svezia e gli esordi di Arcangelo Corelli: attorno all'Opera I (1681)*, pp. 99-132, e di A. Morelli, *Il mecenatismo musicale di Cristina di Svezia. Una riconsiderazione*, pp. 321-346.

18 D. Consoli, *loc. cit.*

19 Cfr. *ibid.*

20 G.V. Gravina, *DSLE*, p. 61.

21 Così A. Quondam nell'apparato critico dell'edizione del *DSLE* cit. (v. note 4, 15), p. 628, in cui fra l'altro si legge: «il nucleo ispiratore è più volte indicato in certe dirette motivazioni offerte da Cristina di Svezia, e tutto sommato si finisce per avvertire [...] una certa distanza tra la favola guidiana, ancora legata a certe istanze riformatrici del salotto letterario di Cristina [...] e il discorso del Gravina, che pone con lucidità le coordinate di una nuova impostazione culturale ed estetica in senso generale, cioè filosofico, del fatto poetico, in un netto superamento e rifiuto dei residui barocchi».

rezioni un nucleo ideologico e concettuale di base che rimane, nella sostanza, immutato.[22]

Tornando alla Tabella I, ciò che accomuna le due pur distinte poetiche del Menzini e del Gravina – tanto da contrapporle a quello che è stato definito addirittura l'«anticlassicismo» crescimbeniano –[23] è innanzitutto il rapporto col passato, e in particolare con i modelli forniti dall'antichità greca e romana: quel che entrambi i teorici chiamano «la foggia» – o anche la «maniera» – «degli antichi» dev'esser sottoposta non tanto a una pedantesca imitazione, quanto semmai ad una rivisitazione creativa, originale, fantasiosa.[24] Quel che bisogna ripristinare nella prassi moderna non sono tanto i modelli formali e stilistici dell'antichità in sé e per sé, quanto le «regole» o «fondamenti» universali che quei modelli – per la prima volta – sono riusciti a codificare e ad esemplificare compiutamente: tutti princìpi poetici ben conosciuti, dibattuti e praticati fino a Cinquecento inoltrato, ma apparentemente rinnegati, o anche solo trascurati, nel corso del secolo successivo.[25]

Simile è anche la rispettiva definizione, su basi platoniche e aristoteliche prima ancora che cartesiane, di quelli che il letterato Menzini chiama «precetti» o «fondamenti di bene scrivere»,[26] e il filosofo Gravina «regole» dettate da

---

[22] Come rileva A. Quondam nei rispettivi apparati critici (*ivi*, pp. 631 sgg., 647 sgg.), il testo di *DAF* (1696) verrà a sua volta riproposto in forma pressoché immutata dodici anni dopo, a costituire il libro primo, capp. 1-20, del *DRP* (1708).

[23] Cfr. F. Santovetti, *Nella città d'Arcadia*, cit., pp. 52-56, sul «classicismo» del Gravina in opposizione al «rifiuto crescimbeniano dell'esemplarità classica», con riferimenti a G.M. Crescimbeni, *Istoria della volgar poesia*, Roma, Buagni, 1698, e Id., *Bellezza della volgar poesia*, Roma, Buagni, 1700.

[24] B. Menzini, *LAP*, I, p. 11: «Lodo talor che muti, e che rinnuovi / la foggia antica; ma vedrai che in peggio / quella poscia mutata non si trovi»; III, p. 33: «Talvolta, ancora sconsolata in pianto, / l'uso antico ripiglia [...]». G.V. Gravina, *DSLE*, p. 72: «Sicché [Guidi] non potea con miglior numero condur questa favola [*L'Endimione*], né con miglior abito vestirla che con la foggia e maniera degli antichi [...]»; *DRP*, I, pp. 199-200 (introduzione con dedica «a Madame Colbert principessa di Carpegna»): fra gli scopi dichiarati del trattato vi è proprio quello di «troncare i vizi che si sono introdotti tanto dal negletto quanto dal superstizioso studio delle regole, il quale traendoci ad ordinare la finzione delle cose presenti secondo le regole fondate sui costumi antichi già variati, ci disvia dal naturale, poco meno che l'intero negletto loro: in modo che abbandoniamo la traccia di quella ragion comune ed idea eterna alla quale ogni finzione dee riguardare».

[25] Innumerevoli, negli scritti di entrambi gli autori, sono i luoghi in cui ricorre tanto la critica più o meno esplicita alla «barbarie» degli autori seicenteschi, quanto l'elogio dei modelli classici antichi e moderni: fra questi, Menzini sembra prediligere Virgilio, Pindaro, Lucrezio e Plauto, nonché Petrarca, Ariosto, Tasso, Sannazaro, Della Casa e Chiabrera; assai più ampio è il repertorio del Gravina, che dà uguale spazio ai rappresentanti greci, latini e italiani di ogni genere letterario: in particolare Omero, Esiodo, Dante ed Ariosto (già in *DSLE)*, a cui poi si aggiungono (in *DAF* e *DRP)*, soprattutto i tragici greci, i lirici ed epici latini, oltre naturalmente a Petrarca, Tasso e i petrarchisti cinquecenteschi.

[26] B. Menzini, *LAP*, I (*Argomento del libro primo)*, p. 2, e V, p. 59.

TABELLA I – *Sintesi dei precetti 'classicisti' di Menzini e Gravina* (per la rifondazione di una perduta *arte/ragione poetica*)

Menzini (1688)		**Gravina** (1692-1696-1708)
Imitazione de' buoni: antichi (*foggia antica*) e italiani;	=	*Vestire* la *favola* moderna *con la foggia e maniera degli antichi*;
non imitazione pedante, ma rinnovamento, originale e fantasiosa ri-creazione.	=	cambiano i *costumi*, non le *regole*, da rinnovare con la *fantasia*.
<u>*Fondamenti*</u> universali del *bene scrivere*:	=	<u>*Regole*</u> universali, dettate da una *ragione comune*, vera e immutabile:
(1) *perspicuitas*, immediata evidenza, *claritas*, intelligibilità;	=	*idem;* popolarità, accessibilità anche al volgo;
(2) *verosimiglianza*, imitazione della natura, semplicità disadorna e spontanea, serenità;	=	*idem* (su basi aristoteliche, cartesiane, petrarchiste);
(3) *ordine* formale 'architettonico', controllo della materia, *misura*, giusta proporzione, simmetria, equilibrio delle parti;	=	mettere *ordine* nella confusione, ridurre il parlare a *ordinata ragione giusta misura, proporzione*: norma principale della *scienza umana*;
(4) *unità* nella varietà, coerenza: *ogni parte risponda al tutto*; *varia sia la materia, un l'argomento*;	=	*idem* (su basi aristoteliche e tassiane): *varietà, perché la verità è varia*;
(5) *gravità*, *decorum*, *politezza di stile*, espressione di *modesta e nobile beltà*;	><	*gravità* e *piacevolezza: varietà* degli affetti = *verità:* potere etico della poesia;
(6) *brevitas*, concisione, essenzialità;	=	*idem* (su basi petrarchiste);
(7) originalità, *immaginazione, fantasia, vivacità d'ingegno.*	=	*immaginazione*, *novità*: eccita la *maraviglia* > *riflessione* + *diletto.*
<u>*Fini della poesia*</u>: (Platone e Aristotele):	=	*idem* (+ Petrarchismo e Cartesio):
(1) *Diletto*: *ch'in noi discende dalla beltade e commuove l'animo* + *decoroso e virtuoso:* fine etico-il *senso* è suo mezzo, non fine;	=	*Diletto interno* della *ragione* attraverso il *senso*, *commozione dell'animo*, ricognizione di una *verità in noi nascosta* > potere etico, purgativo > poesia = maga, ma salutare (miti di Anfione e Orfeo);
(2) *entusiasmo*;	=	*maraviglia*;
(3) *buon giudizio*: *interna alta armonia da pochi intesa* > *sublime.*	= /	*sano giudicio, ragione, scienza umana = pura armonia*; *poesia = sopraveste della filosofia*; suo fine: *bene dell'intelletto*, sua base: *fantasia*; fine del poeta: *convertire in figura sensibile le contemplazioni dei filosofi sulla natura dei nostri affetti.*

Menzini (1688)		**Gravina** (1692-1696-1708)
Riferimenti alle altre arti e alla musica: Architettura latina = modello di *ordine* ed *equilibrio* formale;		
pittura rinascimentale (Raffaello, Tiziano), architettura secentesca (Pietro da Cortona),	=	La natura può essere *imitata* anche *coi colori: pittura* (e scultura);
musica (*concento* che incanta Rinaldo): Modelli di espressione del *diletto*: potere *magico* (ed etico) del *dolce suon*.	=	*idem:* ess. mitografici del potere magico / etico della *poesia:* Anfione e Orfeo che *risvegliarono nelle rozze genti i lumi ascosi della ragione.*
Rapporto poesia musica: loro intima fusione e inseparabilità; *sorelle* che *camminano insieme*, sullo stesso piano: l'una non *serve* l'altra, né viceversa.	=	*idem*; *istrumenti della poesia*: *parole, canto, suono*; *genere 'lirico'*, perché *accompagnato dal canto e suono della lira*; principali modi di *imitare la natura*: *col suono = musica*; *col gesto = ballo*, mimica; *con le parole = poesia*: *il poeta trasforma col numero dei versi il suono e l'armonia delle parole... proprio come il suonatore delle corde della cetra.*
Critica alla *corruttela* di *arie* e *canzonette da ballo* (in *Commedie*, nell'Opera), dove la parola si piega alle esigenze della musica;	=	Denuncia dell'attuale decadenza della musica (così importante nell' antichità che *in poetico suono si poergean anche le leggi*);
critica all'*alto rimbombo, strepitoso suono, ornamenti* (in poesia come in musica). Elogio della *interna alta armonia da pochi intesa.*	=	critica all'odierna poesia, che, con *avidi ornamenti*, cerca di *dilettare solo gli orecchi* e di esprimere solo *strepito e romore di ben risonanti vocaboli*; contro l'imperante *stile* eccessivamente *florido, pomposo, ornamentale.*

una «ragione comune», vera e immutabile.[27] A partire, naturalmente, dal principo della chiarezza, intimamente connesso a quelli di perspicuità e con-

[27] G.V. GRAVINA, *DRP*, I, p. 199: «ad ogn'opera precede la regola, e ad ogni regola la ragione [...] Or quella ragione che ha la geometria all'architettura, ha la scienza della poesia alle regole della poetica», da cui la definizione di «ragione comune»; così «la ragion poetica [...], secondo la quale i greci poeti e le regole loro rivochiamo ad un'idea eterna di natura, può concorrere ancora alla formazione d'altre regole sopra esempi e poemi diversi, che rivolgansi alla medesima idea e ragione la quale ai greci autori e regole sopra loro fondate conviene»; cfr. anche più sotto, il passaggio a cui si riferisce la nota 29. Gli scritti di Gravina, in parte anche quelli del Menzini, dimostrano ancora una volta come pensiero platonico e pensiero aristotelico – così spesso rigidamente contrapposti dagli studiosi moderni – potessero pacificamente convivere in un'unica visione estetica.

cisione: l'arte poetica, come ogni altra forma d'arte, dev'essere in grado di esprimersi con la massima chiarezza, essenzialità, economia di mezzi, in modo tale da rendere i propri contenuti facilmente percepibili, anzi subito evidenti – almeno per Gravina – non solo ad una ristretta cerchia d'intenditori ma anche al «popolo».[28] Intelligibilità e concisione significano anche semplicità disadorna, spontaneità ed immediatezza d'espressione, assenza di ogni artificio, nel pieno rispetto delle leggi aristoteliche di *mimesis* e verosimiglianza: da cui l'auspicio graviniano «che tanto l'antiche quanto le nuove regole rimangano comprese in un'idea comune di propria, naturale e convenevole imitazione e trasporto dal vero nel finto, che di tutte l'opere poetiche è la somma, universale e perpetua ragione».[29]

Essendo variegato e molteplice tutto ciò che esiste in natura, altrettanto varia sarà la materia rappresentata in poesia così come la sua organizzazione formale: varietà, insomma, perché la verità è varia; e dunque – ancora una volta in Gravina più lucidamente che in Menzini – anche varietà d'affetti, opposizione di passioni contrarie,[30] alternanza e interazione anche stilistica fra le categorie petrarchiste di «gravità» e «piacevolezza».[31] Il rischio, naturalmente,

---

[28] B. MENZINI, *LAP*, I, p. 6: «Tronca ciò che ridonda, e la Chiarezza / sia compagna a' tuoi scritti; oscuro carme / talor si aborre, e poco ancor si apprezza. / Combatte con la polve e con le tarme / Libro che non s'intende; e da sì acerbo / fato sol può perspicuitade aitarme. / Ben vedi come in un congiungo e serbo / Nobilitade e Chiarezza: ambo son poli / d'un scritto illustre: or fa di ciò riserbo. Purché all'oscurità, mentre t'involi, / non dia nello smaccato [...], / e con l'oscurità ben spesso giostra / chi vuol'esser conciso, & il diffuso / nel contrario talor troppo si prostra»; cfr. anche il cap. 2 (p. 16, capacità del Tasso di «circoscrivere in breve / l'ampia materia») e il cap. 4 (pp. 48-49, sul Sonetto). G.V. GRAVINA già in *DSLE*, p. 52: «la cognizione del vero congionta col sano giudicio non sorge tanto dal numero e dalla varietà delle idee, quanto dall'intelligibil sito ed ordinamento di esse»; p. 59: «[a Dante] riuscì di esprimere al vivo con incredibil brevità ed evidenza tutti i costumi»; p. 70: «in metri sì corti e rotti ed in giri brevissimi di parole [il Guidi] è stato possente a muovere gli affetti, i quali per lo più senza discorso largo e sparso difficilmente si svegliano». G.V. GRAVINA, *DRP*, in vari luoghi, soprattutto in merito a Petrarca «padre della lirica italiana», i cui versi non sono altro che «elegie ad imitazione di Tibullo, Properzio ed Ovidio, benché brevi e corte» (Libro II, cap. 27, p. 321); all'importanza del «giudizio popolare» (che invece il Menzini tende a disdegnare: cfr. *LAP*, I, p. 9) è dedicato l'intero cap. 14 del Libro I, pp. 226-230.

[29] G.V. GRAVINA, *DRP*, I, p. 199; ai princìpi universali di *mimesis* e verosimiglianza sono dedicati i successivi capp. 1-3 (definizioni) e 4-6 (il modello omerico), pp. 200-208, in origine parte di *DAF*. Già in *DSLE*, p. 55, si legge: l'«impresa» maggiore del poeta è «di rassomigliar il vero e d'esprimere il naturale con modi, locuzioni e numeri adatti al suggetto che si è proposto». Cfr. B. MENZINI, *LAP*, I, p. 3 sgg., 6, e II, p. 23 (inscindibile congiunzione di Natura e Arte, naturalezza del verso).

[30] Cfr. G.V. GRAVINA, *DRP*, I, l'intero cap. 6, *Verità di caratteri espressi da Omero, e della varietà degli umani affetti*, pp. 206-208, nonché II, capp. 16 (su Ariosto), 18 (sul Tasso), 27-28 (su Petrarca e l'amore platonico), pp. 307-311, 313-314, 321-325. B. MENZINI, *LAP*, II, p. 19: «[...] ch'abbia evidenza il tuo Poema [...] come pittura per diverse tinte», e più estesamente in IV, p. 45 sgg.

[31] I termini bembeschi ricorrono già in G.V. GRAVINA, *DSLE*, ad esempio a p. 64: «gravi» sono le «sentenze» dell'*Endimione*, «piacevole» è il suo aristotelico «rivolgimento, il quale si fa da mestizia ad allegrezza e da stato misero a felice»; ma si veda soprattutto *DRP*, II: cap. 3, pp. 277-278 (sul Bembo e sulla qualità sonora delle parole della lingua italiana), cap. 22, p. 317 (sul Sannazaro), e

è quello di perdere il controllo di una varietà che, per quanto verosimile, può facilmente oltrepassare i limiti e tradursi in disordine e confusione, fino a decretare il trionfo della sfera sensitiva e irrazionale su quella intellettiva e razionale. Fra i principali compiti del poeta, invece, vi è proprio quello di controllare la materia e mettere ordine nella confusione a cui essa naturalmente tende.[32] Dunque, fra le altre cose, dare unità alla varietà, sul piano della forma quanto su quello del contenuto: ossia – nelle parole del Menzini – far sì che «ogni parte risponda al tutto» e che «varia sia la materia, un l'argomento».[33] Dal punto di vista del Gravina letterato classicista – cultore tanto della retorica ciceroniana quanto della poetica aristotelica prima ancora che oraziana – mettere ordine nella confusione significa anche «ridurre il parlare a certa e ordinata ragione»,[34] conferire alla materia poetica originaria coesione, sì, ma anche proporzione, simmetria, equilibrio, «giusta misura».[35]

Entro i limiti aristotelico-oraziani della giusta misura deve rientrare anche l'esercizio della «fantasia» creativa, o della libera «immaginazione», essenziale per «eccitare la maraviglia», per muovere le passioni dell'animo e dunque per suscitare tramite il «senso» quell'«interno diletto» della «ragione» – in cui Gravina scorge il fine ultimo della poesia.[36] Per l'allievo di Caloprese, in certa misura anche per il Menzini, il «senso» – la facoltà sensitiva dell'anima, che ne determina la «commozione» o anche la «ricognizione d'una verità in noi nascosta» –[37] è solo un mezzo per conquistare quel sommo «bene dell'intellet-

---

ivi, capp. 27-28, in merito al Petrarca lirico, campione insuperabile di «gravità», ma anche di «gentilezza» ed «acume» (p. 321), nonché vivace cantore di «tante varietà, anzi contrarietà, d'affetti e sentimenti» (p. 324). È questo uno dei rari punti su cui le posizioni di Gravina e del petrarchista Crescimbeni sembrano trovare un accordo: cfr. G.M. CRESCIMBENI, *Bellezza*, cit., pp. 4-5, passaggio citato in F. SANTOVETTI, *Nella città d'Arcadia*, cit., p. 53, nota 20. Dal canto suo B. MENZINI (*LAP*, I, pp. 2, 6, 8; II, p. 20, IV, pp. 44-45; V, p. 54), anch'egli devoto al modello petrarchesco, sembra prediligere uno «stile» più uniformemente «grave e sostenuto» ovvero «grande», «nobile», «modesto», «decoroso», in sintonia con quanto era già stato raccomandato da Cristina di Svezia nel secondo Statuto dell'Accademia Reale (1674): «In quest'Accademia si studj la purità, la gravità, e la maestà della lingua Toscana»; citato in F. PIPERNO, *Cristina di Svezia*, cit., pp. 105-106.

32 G.V. GRAVINA, *DSLE*, p. 52: «risveglia l'ascosa fiamma solo chi sa per dritto filo reggere e condurre il suo intelletto per entro l'intricato labirinto dell'idee confuse, disponendole in giusta semetria ed in luogo proprio».

33 B. MENZINI, *LAP*, II, p. 17.

34 G.V. GRAVINA, *DRP*, II, p. 286, come «ci esorta» a fare «Cicerone nei libri *Dell'arte oratoria*».

35 Oltre ai passaggi già citati nelle note 32 e 34, cfr. G.V. GRAVINA, *DSLE*, p. 53 (primo paragrafo), e *DRP*, II, cap. 2, p. 275, contro la «barbarie d'artifizio» dell'odierna poesia, che «viene a ribellarsi dalla ragione, [...] eccede la giusta misura e produce dei mostri». B. MENZINI, *LAP*, I, p. 7: «Altri sortiro un natural confuso, / e vorrebbon dir tutto. Un buono stile / in mezzo di du'estremi sta rinchiuso»; cfr. anche *ivi*, II, pp. 15-16, l'articolato accostamento fra i poemi eroici di Ariosto e Tasso e l'«ordin più giusto [...] de' Latini Architetti, o pur de' Graj».

36 Oltre alle citazioni in nota 24, cfr. B. MENZINI, *LAP*, I, p. 8, e G.V. GRAVINA, *DRP*, I, cap. 11 (*Utilità della favola*), pp. 215-218.

37 G.V. GRAVINA, *ivi*, p. 217.

to», quel «sano giudicio», verso cui deve tendere ogni vero poeta.[38] In ciò risiede anche il potere etico e insieme purgativo, edificante e insieme catartico, della poesia (non solo di quella tragica): proprio muovendo le passioni dell'animo, la poesia ci permette di purificarci da esse, o almeno di controllarle e di elevarci al di sopra di esse, aprendo così le porte alla conquista graduale di entrambe le virtù aristoteliche: non solo quella propriamente etica, pertinente alla facoltà sensitiva dell'anima, ma anche quella dianoetica, pertinente alla facoltà razionale.[39] Nelle parole stesse di Cartesio – familiari al Gravina così come lo erano state per la discepola Cristina di Svezia: «la saggezza proprio in questo torna utile: nell'insegnare a rendersi talmente padroni delle passioni, a dirigerle con tale abilità, da far sì che esse cagionino soltanto mali molto sopportabili, e perfino tali che sia sempre possibile volgerli in gioia».[40]

Non a caso tra i fini ultimi del poeta, secondo Gravina, vi è quello di «convertire in figura sensibile le contemplazioni de' filosofi sulla natura de' nostri affetti».[41] In modo ancor più significativo, e platonicamente ispirato, egli paragona la poesia ad «una maga, ma salutare», «un delirio che sgombra le pazzie»,[42] citando a più riprese l'esempio di due musicisti dell'antichità, Anfione ed Orfeo: capaci non solo di muovere «l'uno le pietre e l'altro le bestie» «col suono della lira», ma anche di «risvegliare nelle rozze genti i lumi ascosi della ragione».[43] A una simile suggestione mitografica era già ricorso Menzini nel-

---

[38] Cfr. *ibid.* e G.V. GRAVINA, *DSLE*, p. 52 («sano giudicio»), p. 58: «la poesia [...] ha per ultimo suo segno il bene dell'intelletto e per suo vase la fantasia». Cfr. anche le varie definizioni di «sublime», «entusiasmo», «buon giudizio» e «interna alta armonia» in B. MENZINI, *LAP*, V, pp. 56-59.

[39] Si rimanda il lettore da un lato alle celebri definizioni aristoteliche di 'catarsi' (contenute non tanto nella *Poetica* quanto nel Libro VIII della *Politica*), dall'altro agli altrettanto cruciali concetti di 'anima', 'virtù' ('etica' vs. 'dianoetica') e 'felicità' espressi nel *De anima* e nell'*Etica Nicomachea*.

[40] Così si chiude il trattato di R. DESCARTES, *Les passions de l'ame* (Amsterdam, Elzevier, 1650), nell'edizione italiana a cura di E. Garin e M. Garin, *Le passioni dell'anima*, in CARTESIO, *Opere filosofiche*, IV, Bari, Laterza, 1994, pp. 1-121: parte III, art. 212, p. 121. La necessità di assoggettare le passioni alla ragione, non per soffocarle ma per far sì che l'anima ne tragga il maggior beneficio possibile, è più volte ribadita anche nelle *Lettere sulla morale*, edite nello stesso volume (*ivi*, pp. 123-261), in particolare quelle indirizzate alla principessa palatina Elisabetta nell'autunno del 1645 (nn. 9-12, pp. 155-176).

[41] G.V. GRAVINA, *DRP*, I, cap. 7 (*Della utilità della poesia*), p. 209. Cfr. quanto si legge già, nell'ambito dell'Accademia Reale di Cristina, in L. CASALE, *Discorso apologetico*, Roma, Falco, 1670, pp. IV-VI, cit. in A. MORELLI, *Il mecenatismo*, cit., p. 340, in relazione all'utilità della musica: la quale, «dolcemente insinuando con aura salutare nell'interno dell'animo i filosofici ammaestramenti, li dispone con la compiacenza del bello all'amore della virtù [...]».

[42] G.V. GRAVINA, *ivi*, p. 208. Al concetto platonico di «furor poetico» Gravina ritorna in *DRP*, I, cap. 32, p. 262; II, cap. 33, p. 327.

[43] *Ivi*, pp. 208, 209. Così già L. CASALE in un suo *Discorso* accademico del 1675, citato in A. MORELLI, *Il mecenatismo*, cit., p. 341: «La musica [...] vien perciò saggiamente chiamata disciplina, anzi filosofia massima [con riferimento al *Fedone* di Platone] [...]. A questa disciplina soprintende con occhi d'Argo la musica regia, incaricando i poeti ch'inventino favole, ch'allettando giovino

l'ultima parte del suo trattato, nel tentativo di definire i concetti neoplatonici di «sublime» ed «entusiasmo». Ma qui è la figura solare di Febo Apollo – nelle cui «chiare [...] eterne carte / mille vedrai inclite forme, e mille, / che potran del sublime esempio farte» –[44] a risaltare nettamente su quella del figlio ed allievo Orfeo, implicito virtuoso di una «cetra» che rimane comunque «Apollinea»:

Alpestre e duro tronco, orrida pietra
or non udisti giù dal giogo alpino
trarsi in virtù dell'Apollinea cetra? [...]

L'aurea cetra che i tronchi e i sassi muove
e' il naturale Entusiasmo: ei solo
s'ha da natura, e non s'imprende altrove.[45]

Il passo relativo ad Anfione ed Orfeo, più sopra citato, è uno dei rari accenni alla musica di cui sia rimasta traccia negli scritti graviniani. L'unico fra di essi che alluda direttamente alla prassi moderna, per di più, non è certo animato da intenti elogiativi: secondo Gravina infatti, come si legge nella dedicatoria premessa al Libro Secondo della *Ragion poetica*,

[...] niun mestiero può ritener la sua stima quando si scompagna dalla utilità e necessità civile e si riduce solo al piacere degli orecchi: come si è appo a noi ridotta tanto la musica quanto la poesia, la quale appo gli antichi era fondata nell'utilità comune ed era scuola da ben vivere e governare. In modo che in poetico suono si porgeano anche le leggi [...].[46]

Altrove lo stesso autore denuncia il vizio moderno di voler a tutti i costi «lusingar l'orecchio comune avido di ornamenti», con uno «stile [...] più che l'usato florido e pomposo»,[47] incapace di «esprimere altro che lo strepito ed il romore di ben risonanti vocaboli».[48] Simili passaggi sembrano echeggiare

e ch'ingannando ammaestrino, che componghino ode e canzone ch'abbino forze per ridur contumace chimera a curvar tutti que' capi ferini sotto il piede della ragione imperante [...]».

[44] B. Menzini, *LAP*, V, p. 56, dove si legge anche: «Sublime è quel ch'altri in leggendo desta / ad ammirarlo, e di cui fuor traluce / beltà maggior di quel che 'l dir non presta. / Ond'è che l'alma a venerarlo induce, / e l'esempio di se stesso, e la circonda / d'una meravigliosa e amabil luce». Qui il canonico Menzini sembra rifarsi ad una specifica tradizione neoplatonica cristiana, avviatasi già con la pubblicazione e divulgazione tardocinquecentesca del trattato *Del sublime* di pseudo-Longino (I sec. d.C.), e fiorita nella prima metà del Seicento proprio a Roma, nell'ambiente del cardinale Barberini. In proposito cfr. M. Fumaroli, *La scuola del silenzio*, Milano, Adelphi, 1995, pp. 136-140.

[45] B. Menzini, *LAP*, V, p. 58. A dire il vero i mitografi attribuiscono non solo ad Orfeo ma anche ad Anfione il potere di muovere gli alberi e le pietre con la propria lira (la stessa inventata da Ermes e impiegata via via da Anfione, Apollo e Orfeo) e con il canto; d'altra parte, è verosimile pensare che Menzini abbia inteso associare Apollo al suo figlio ed allievo Orfeo, non al Dioscuro tebano Anfione, rivale di Apollo e da lui stesso ucciso: cfr. K. Kerényi, *Gli Dei e gli Eroi della Grecia*, Milano, Garzanti, 1978, vol. II, pp. 44-48, 292-293.

[46] G.V. Gravina, *DRP*, II, p. 273.

[47] *Ivi*, p. 276, in riferimento soprattutto allo stile poetico degli «scrittori ecclesiastici».

[48] G.V. Gravina, *DSLE*, p. 58, in riferimento alla «maggior parte» degli scrittori moderni.

le critiche rivolte a suo tempo dal Menzini – e prima di lui dalla stessa Cristina di Svezia – all'«alto rimbombo», «strepitoso suono» e all'«ornamento esterno» della poesia moderna.[49] Ma l'Accademico Reale si era spinto anche a denunciare la «corruttela comica» delle «arie», «ariettine», «saltarelli» e «canzonette da ballo» risuonanti nei teatri del tempo;[50] e proprio in tale contesto aveva auspicato – in modo ancor più esplicito rispetto al Gravina – il ritorno ad una più intima ed equilibrata fusione fra poesia e musica, considerate come arti «sorelle», al di là di ogni rigida gerarchia, e unite da un rapporto non tanto di asservimento – nell'uno o nell'altro senso – quanto di mutua interazione:

> Sempre coi carmi Poesia si sposa,
> né questa può da lor esser disgiunta
> qual per natura inseparabil cosa.[51]
> [...]
> Ma tu rispondi che a' tuoi scritti è duce
> la Musica Armonia, e che alle note
> tal di servir necessità t'induce.
> Io mi credea che su l'istesse rote
> gisse il Poeta, e 'l Musico; e l'istessa
> arte avesse maniere a lor ben note.
> Perch'una è l'armonia, e bene espressa
> nei carmi, invita la gentil sorella
> o a lei servire, o gir di par con essa.[52]

Anche Gravina, in termini non poi così diversi, pone il «suono», il «gesto», i «colori» e persino gli scalpelli allo stesso livello della «favola» e delle «parole»: tutti concreti mezzi tecnici attraverso cui gli artisti della varie discipline «rassomigliano» ed «esprimono» «la natura, le azioni, i costumi, gli affetti», «onde si forma la musica, il ballo, l'arte de' mimi, la pittura, la scultura»; e in ultimo «anche la poesia [...] col numero de' versi volgendo e trasformando il suono e l'armonia loro nel genio e nella natura della cosa che si esprime, non altramente che fa il sonatore delle corde della cetra».[53]

---

[49] B. Menzini, *LAP*, V, pp. 57, 58, a dimostrazione di «qual sia 'l contrario del sublime»; e ancora una volta in sintonia con lo statuto dell'Accademia Reale di Cristina (1674): «si dia il bando allo stile moderno, turgido ed ampolloso, ai traslati, metafore, figure &c., dalle quali bisogna astenersi per quanto possibile, o almeno adoprarle con grande discrezione e giudizio», citato in F. Piperno, *Cristina di Svezia*, cit., p. 106.

[50] B. Menzini, *LAP*, II, p. 23.

[51] *Ibidem.*

[52] *Ivi*, II, p. 24.

[53] G.V. Gravina, *DSLE*, p. 54. Cfr. anche *DRP*, I, p. 202: nell'antichità «la favola si rappresentava con le parole, col canto, col suono e col ballo, ch'eran tutti istrumenti della poesia».

Da buoni letterati, dunque, tanto Menzini quanto Gravina parlano di musica sempre e solo in relazione alla poesia, senza peraltro aggiungere nulla di nuovo al plurisecolare dibattito umanistico sulla delicata questione del rapporto orazione-armonia, verso poetico-intonazione musicale. L'assenza, in tale contesto, di un qualsiasi accenno alla musica pura, ossia al genere strumentale, e tanto meno al suo principale rappresentante coevo, Corelli, non può meravigliare più di tanto. Entrambi i teorici mostrano comunque di considerare la musica, almeno in linea di principio ed in riferimento ideale all'antichità classica, come una forma d'arte autonoma al pari della poesia: una forma d'arte un tempo dotata, come e più della poesia, di poteri espressivi ed etici, razionalmente educativi e dianoetici, persino taumaturgici e magici, che in epoca moderna sono andati fatalmente smarriti.

II. L'Apoteosi del «novello Orfeo» Corelli sul Parnaso di «Apollo» Ottoboni: testimonianze letterarie, teorico-musicali e iconografiche

Né il Menzini, né il Gravina, come nessun altro teorico letterario dell'epoca, si sarebbe mai sognato di affermare – a costo di cadere nel ridicolo – che Corelli potesse essere capace di compiere col suo violino, con i suoi archi, prodigi comparabili a quelli che la tradizione mitografica classica e classicistica aveva lungamente attribuito all'apollinea lira di un Orfeo o di un Anfione. Tuttavia, passando dal contesto puramente teorico-letterario a quelli cronachistico, poetico-encomiastico, o anche teorico-musicale, non può essere del tutto casuale che proprio Corelli – non altri musicisti insigni, compresi i compastori arcadi Scarlatti e Pasquini – venga puntualmente elogiato da altri suoi autorevoli contemporanei ora come «Anfione de' nostri tempi» ora come «novello Orfeo» oppure «vero Orfeo de' nostri tempi». Qualche esempio, fra i tanti, basterà ad illustrare il punto.

Da un lato, il pittore Giuseppe Ghezzi – segretario dell'Accademia del Disegno di San Luca ed arcade egli stesso – si riferisce non tanto al Corelli compositore quanto al direttore d'orchestra, conclamato maestro nel «*regolare*» – nella fattispecie – l'«armoniosa sinfonia» eseguita in occasione della prima festa dell'Accademia, il 25 febbraio 1702, subito dopo la lettura di un'orazione composta proprio da Giovan Battista Zappi, uno dei fondatori dell'Arcadia.[54]

---

[54] «Successe à Lui [Giovan Battista Zappi, oratore] l'armoniosa sinfonia, regolata da Arcangelo Corelli, che Anfione de' nostri tempi, rapisce col diletto l'ammirazione»: citato in F. Piperno, «*An-*

Da parte sua, il compositore e teorico musicale Francesco Gasparini, nel trattato *L'armonico pratico al cimbalo* (Venezia 1708), riconosce in Corelli «vero Orfeo de' nostri tempi» non solo il «virtuosissimo di Violino» e il compositore di «vaghissime sinfonie» – rinnovando una prassi elogiativa inaugurata già dal collega Angelo Berardi (1689) –, ma soprattutto l'esemplare maestro di contrappunto, «che con tanto artificio, studio e vaghezza, [...] e [con] dissonanze tanto ben *regolate* e risolute, e sì ben intrecciate con la varietà de' soggetti, si può ben dire che abbia egli ritrovata la perfezione di un'Armonia che rapisce».[55]

Gasparini potrebbe aver in mente anche la *Prefatione* di Georg Muffat alla propria raccolta di Concerti, significativamente intitolata – nella versione italiana – *Prima eletta d'una più squisita armonia instromentall, mescolata di grave, e di giocondo* (Passau, 1701).[56] Già in essa, infatti, il compositore franco-austriaco esprime il suo debito nei confronti di «alcune bellissime Suonate del Sign.r Archangelo Corelli, l'Orfeo dell'Italia per il Violino», da lui ascoltate «con sommo diletto ed ammiratione» ai tempi del soggiorno romano (a partire dal 1682); «ed accorgendomi che questo stile abondava di gran varietà di cose, mi misi a comporre alcuni di questi Concerti, ch'in casa di detto Sig.r Archangelo Corelli provai, al quale mi professo debitore di molte utili osservationi toccante questa nova sorte d'Armonia». Principale esito del suo apprendistato romano, per l'appunto, è l'«ingeniosa mescolanza» di *«giocondo»* e *«grave»* – o, ancor meglio, di «concetti [...] hora gravi e mesti, hora allegri e bizzarri» – tale da rendere *«più squisita»* l'*«Armonia»* del titolo: questa infatti «contiene non solamente nelle Arie la viva soavità dello stile di Balletti alla Francese» di un Lully, «ma ancora alcuni squisiti Gravi, ed affetti del pathetico italiano, e diversi scherzi della vena Musicale, variamente intrecciati, coll'alternare del Concertino e del Concerto Grosso».[57]

---

fione in Campidoglio». Presenza corelliana alle feste per i concorsi dell'Accademia del Disegno di San Luca, in *Nuovissimi Studi Corelliani*, Doc. 1, p. 168.

[55] F. GASPARINI, *L'armonico pratico al cimbalo*, Venezia, Bortoli, 1708, Cap. VII (*Delle dissonanze, legature, note sincopate, e modo di risolverle*), pp. 69-70; cfr. L.F. TAGLIAVINI, *«L'armonico pratico al cimbalo». Lettura critica*, in *Francesco Gasparini (1662-1727)*, Atti del primo convegno internazionale (Camaiore, 29 settembre-1° ottobre 1978), a cura di F. Della Seta e F. Piperno, Firenze, Olschki, 1981, pp. 133-155: 136-137. Così A. BERARDI, *Miscellanea musicale*, Bologna, Monti, 1689, p. 45, citato in M. RINALDI, *Arcangelo Corelli*, cit., p. 134: «I concerti di violino e altri strumenti si chiamano sinfonie; vengono altamente apprezzate oggi quelle di Arcangelo Corelli, violinista celebre, detto il Bolognese, novello Orfeo dei nostri tempi».

[56] G. MUFFAT, *Auserlenen mit Ernst und Lust gemengter Instrumental Musik [...]*, Passau, Höllerin, 1701, edizione moderna in *Denkmäler der Tonkunst in Österreich*, XI/2, a cura di E. Luntz (Wien, Artaria, 1904), Graz, Akademische Druck - U. Verlagsanstalt, 1959; le versioni italiane del frontespizio e della *prefatione* sono ivi riportate rispettivamente alle pp. 2 e 12-14.

[57] *Ivi*, p. 12, parzialmente citato in C. CORSI, *Gli «affetti del patetico italiano» negli «squisiti*

Ancor più rilevante è la testimonianza del compastore pisano Nedisto Collide – ovvero il conte Brandaligio Venerosi – che oltre a fornire una sintesi ultima di tutti questi topoi elogiativi, ha anche il pregio di reinserirli in un contesto arcadico ufficiale, per di più in termini quanto mai prossimi al lessico teorico-estetico di Menzini e Gravina, ai loro precetti classicistici come ai loro riferimenti mitografici. Nella sua «canzonetta anacreontica» in morte di Corelli – «sopra il nostro valorosissimo, e nel suono della Lira eccellentissimo compastore Arcomelo Erimanteo» –, risalente al febbraio del 1713,[58] il Venerosi non si limita infatti a compiangere l'impareggiabile musico pratico, ovvero il virtuoso di violino e direttore d'orchestra – come nella formula arcadica seguita da Crescimbeni e Ghezzi –, ma si preoccupa anche di celebrare le sue doti intellettuali, creative, di compositore e didatta, famoso in tutta Europa anche grazie alla notevole diffusione – già in quegli anni – delle sue prime cinque opere a stampa. Il contenuto delle stanze 5-12, in tal senso, è inequivocabile:

5 Quel che con destra
sempre maestra
trattava l'arco
armonioso,
Arcomelo il famoso è freddo incarco.

6 Sua dolce lira
ancor s'ammira
nell'aure note
ne' fogli impresse,
e vive in esse, e sue virtù fa note.

7 Da Febo in dono
l'Arte del suono
per sorte ottenne;
né a lui simile,
da Batto a Tile, alcuno al mondo venne.

8 L'insegnamenti
de' bei concetti
con metro diede
il più perfetto,
e fà di questo detto Europa fede.

9 Con buona pace
del terren trace:
s'ei fosse nato
d'Orfeo ne' tempi,
più segnalati esempi avrebbe dato.*

10 Quel d'Euridice
sposo infelice
avria veduto,
fatte severe,
negar le fiere all'arco il suo tributo.

11 Ahi, sempre mesta
sorte funesta
di questa vaga
Artade Terra!
Giace sotterra chi la fe' si paga.

12 Pei verdi Colli
gli allegri balli
e il dolce canto
chi guiderà?
Ah, più non vi sarà chi vaglia tanto.

* [variante di mano del Crescimbeni]: Più *chiari* esempi *al mondo* avrebbe dato.

---

gravi» corelliani: analisi del primo movimento della Sonata Opera III n. 9, in *Studi Corelliani V*, pp. 211-228: 211, nota 3.

[58] La scoperta e l'edizione di questo importante documento (Roma, Biblioteca Angelica, ms. *Arcadia* 13, c. 3*r-v*) si deve ancora una volta a F. DELLA SETA, *La musica in Arcadia*, cit., doc. IV, pp. 145-147, da cui sono tratte le seguenti citazioni nel testo.

Emerge da queste stanze, anzitutto, la figura classicheggiante di un Arcomelo inimitabile nel «trattare l'arco armonioso» e la «dolce lira», ideale erede di Febo Apollo nell'«arte del suono», e in questa superiore persino ad Orfeo. D'altra parte il nome arcadico stesso di Corelli, unione di *árkon* e *mélos*, già tradotto dal Rinaldi come «dominatore di canti»,[59] può esser inteso a significare 'colui che *guida*', o *regola*, *ordina* 'le melodie', d'idioma strumentale prima ancora che vocale, e tanto all'atto pratico-esecutivo quanto a quello compositivo. Così il Venerosi, nella stanza 12, si chiede chi mai potrà «guidare» – qui nel senso ghezziano di «regolare», coordinare, dirigere – tanto «gli allegri balli» strumentali quanto «il dolce canto» (non solo vocale, ma anche violinistico), «pei verdi colli» della città; non prima, però, di aver rievocato, nella stanza 8, «L'insegnamenti / de' bei concetti» che Corelli «con metro diede / il più perfetto, e fa di questo detto Europa fede». Ritornano alla mente, ancora una volta, i termini già impiegati dal musicista Muffat per definire l'«ingegnosa mescolanza» dei «Balletti alla francese» con «gli squisiti Gravi ed affetti del pathetico italiano», cosiccome dei «concetti» ora «allegri», «giocondi», «bizzarri» e ora «gravi e mesti». Ad essi ritornerà persino Crescimbeni, ma in modo ben più superficiale e stereotipato, nella sua tarda rievocazione delle «bellissime sinfonie» corelliane, «nelle quali l'allegro non mai offese il grave».[60]

I termini e i riferimenti mitografici comunemente adottati, in ambiti diversissimi, dai letterati Menzini e Gravina, dal pittore accademico Ghezzi, dai musicisti Muffat e Gasparini, dall'aristocratico Venerosi – evidentemente tutt'altro che casuali – sembrano trovare un riscontro significativo anche sul piano iconografico. Mi riferisco, in particolare, all'incisione che adorna il frontespizio delle Sonate a tre Op. IV di Corelli (1694), dedicate al cardinale Ottoboni (v. Fig. 1),[61] sulle quali varrà la pena ritornare anche in sede d'analisi musicale.

Opera del parigino Nicolas Dorigny (1658-1746),[62] l'incisione raffigura

---

[59] M. Rinaldi, *Arcangelo Corelli*, cit., p. 269; meglio allora la traduzione «guide des chants» proposta in precedenza da M. Pincherle, *Corelli*, cit., p. 20.

[60] Cfr. il passaggio già citato in nota 13, tratto dalle *Notizie historiche* (1720).

[61] L'illustrazione riproduce il frontespizio che appare nella parte del Violino I dell'esemplare a stampa conservato a Bologna presso il Civico Museo Bibliografico Musicale, con segnatura Y 192, in cui si legge: *Violino Primo / Sonate à tre composte per l'Accademia dell' / Em[inentissi]mo Sig[no]r Cardinale Otthoboni / et all'Eminenza sua consecrate / da Arcangelo Corelli da Fusignano / Opera Quarta / in Roma per Gio[vanni] Giacomo Komareck Boemo con licenza de Sup[eriori] 1694 / N[icolas] Dorigny del[ineaavit] et Sculp[sit].*

[62] Attivo a Roma fra il 1687 e il 1707, ed autore anche del frontespizio dell'Opera III di Corelli (1689), il Dorigny è menzionato anche nelle *Memorie sepolcrali* di Filippo Juvarra: cfr. A.M. Hind, *A History of Engraving & Etching from the 15th Century to the Year 1914*, New York, Dover, 1963,

Fig. 1 – Nicolas Dorigny, frontespizio dell'Opera IV di Arcangelo Corelli, parte del Violino I, Roma, Giacomo Komarek, 1694.

proprio Febo Apollo – il dio della luce, dell'arco e della lira – sul monte Parnaso, contornato dalle Muse più consone all'arte corelliana: in primo piano, sulla sinistra, Calliope, tradizionale rappresentante, fra l'altro, della musica strumentale (cui alludono anche il violino, lo strumento a fiato e il foglio di musica giacenti ai suoi piedi), nonché sublime portavoce di tutte le Muse, espressione somma di ogni attività normativa e dottrinale, e persino genitrice, con Apollo, di Orfeo; al centro della composizione, la sua compagna Urania, Musa dell'astronomia – qui riconoscibile dal globo armillare oltre che dall'aureola stellata –, nonché simbolo del superiore discernimento razionale proprio di una mente celeste.[63] Sullo sfondo a destra, all'interno di un tempietto ionico recante lo stemma della famiglia Ottoboni, si scorge il profilo inconfondibile della celeberrima statua ancor oggi nota come *Apollo del Belvedere*.[64] Sulla sinistra, il cavallo alato Pegaso s'impenna sulle acque sorgive dell'Ippocrene, la fonte da lui stesso generata e simbolo d'ispirazione poetica, sotto le pendici del monte Elicona.[65] Più in alto, incorniciato dalle nubi, uno spicchio di volta celeste è percorso da quattro dei nove tradizionali simboli planetari rappresentanti l'Armonia delle Sfere, secondo il classico schema di matrice pitagorico-

pp. 363, 378, e O. MISCHIATI, *Una memoria sepolcrale di Filippo Juvarra per Arcangelo Corelli*, in *Nuovi Studi Corelliani*, pp. 105-112: 107, 109.

63 Sulle muse e sulla loro variabile simbologia e rappresentazione iconografica, anche in ambito musicale, cfr., per esempio: K. KERÈNYI, *Gli Dei*, cit., vol. I, pp. 98-100, vol. II, p. 293; C. VOLPI, *Le immagini degli dèi di Vincenzo Cartari*, Roma, De Luca, 1996, pp. 71-72, 268-269; W. ANDERSON, *Muses*, in *The New Grove Dictionary of Music and Musicians*, New York, McMillan, 1980, vol. XII, p. 795; la voce *Musa*, in *La piccola Treccani*, Roma, Istituto della Enciclopedia Treccani, 1995, vol. IV, pp. 985-986. Fra i tanti studi dedicati in particolare all'interpretazione neoplatonica (ficiniana ma non solo) delle muse, e della loro portavoce Calliope, come divine ispiratrici intermediarie di Apollo, capaci di trasmettere alle anime dei poeti il divino furore e l'armonia musicale delle sfere, cfr. A. TARABOCHIA CANAVERO, *Vorrei parlarti del cielo stellato. Un viaggio tra filosofi e poeti, letterati e artisti, alla scoperta dell'armonia*, Milano, Simonelli, 1999, pp. 162-181, 318-326, e M. FUMAROLI, *La scuola del silenzio*, cit., cap. I, *Il Parnaso romano*, pp. 31-256: 81-202.

64 Probabile rivisitazione romana di un modello ellenistico andato perduto, la statua è oggi situata presso i Musei Vaticani di Roma, nel cortile del Belvedere, dove già l'aveva collocata papa Giulio II nel 1511: cfr. F. HASKELL - N. PENNY, *Taste and the Antique. The Lure of Classical Sculpture, 1500-1900*, New Haven-London, Yale University Press, 1981, traduzione italiana a cura di R. Pedio, *L'antico nella storia del gusto. La seduzione della scultura classica, 1500-1900*, Torino, Einaudi, 1984, pp. 189-194 e illustrazione 78.

65 Cfr. K. KERÈNYI, *Gli Dei*, cit., vol. I, pp. 98-99, vol. II, p. 88. Sin dai tempi di Esiodo (*Teogonia*, versi 1-34 e sgg.), le Muse, Pegaso e la fonte Ippocrene sono associati al monte Elicona (in Beozia, fra il lago Copaide e il golfo di Corinto), mentre il monte Parnaso (posto poco più a nord, nella Focide, sopra Delfi, e anch'esso prospiciente al Golfo di Corinto) è indicato come la sede principe di Apollo Musagete, come si evince anche dalle voci *Helicon* e *Parnassus* in *The Oxford Classical Dictionary*, Oxford, Clarendon Press, 1964, pp. 409, 648. La ricostruzione visiva del Dorigny sembra dunque assai accurata anche dal punto di vista geografico e topologico: dall'alto del Parnaso, infatti, guardando verso sud-est, è possibile scorgere le pendici dell'Elicona e persino quelle del monte Citerone.

platonica e tolemaica in parte ripreso già da Boezio e Macrobio e poi rivisitato, in epoca tardo-rinascimentale, da umanisti e teorici musicali quali Ficino e Gaffurio:[66] riconosciamo infatti, dal basso verso l'alto, Mercurio (con copricapo alato e strumento a fiato), Venere (con tamburello ed Amore con fiaccola), la lira di Apollo simboleggiante il Sole (necessariamente priva della figura divina), e Marte (con elmo e timpani bellici).[67]

Le tre figure principali sono disposte in modo da disegnare una sorta di triangolo aperto, la cui linea procede gradualmente dal basso verso l'alto (da Calliope ad Apollo ad Urania), e che invece di chiudersi sembra voler congiungersi idealmente alla stessa sequenza planetaria musicale verso cui guarda il Pegaso rampante. Mentre Calliope porge ad Apollo un volume aperto di musica strumentale – presumibilmente un esemplare dell'Opera IV corelliana – il suo luminoso dio punta l'indice della mano destra verso il cielo;[68] il movimento del suo braccio destro è parallelo a quello del braccio sinistro di Urania, puntato verso la sfera armillare che ella stessa impugna con l'altra mano. L'effetto complessivo è quello di un duplice moto ascendente che collega direttamente la musica 'humana' strumentale di Corelli a quella 'mundana' delle sfere celesti.

Dietro l'offerta musicale di Calliope ad Apollo, naturalmente, vi è prima di tutto l'omaggio di Corelli al suo illuminato mecenate ed 'ispiratore', il cardinale Ottoboni, eminentissimo dedicatario dell'Opera IV; a conferma di ciò, l'evidente correlazione tra lo stemma cardinalizio e l'*Apollo del Belvedere* sem-

---

[66] La sequenza, incompleta, dei quattro simboli stellari – non certo la loro specifica caratterizzazione iconografica – è identica, per esempio, a quella già proposta due secoli prima da F. Gaffurio (*Practica musice*, Milano, G. Signerre, 1496) nel suo celebre ed altrettanto 'apollineo' serpente (cui lo stesso autore rimanda soprattutto nel *De harmonia musicorum instrumentorum opus*, Milano, G. Pontanus); mancano gli altri tre pianeti (Saturno, Giove, Luna) e la sfera sotterranea associata alla Musa Thalia, cosiccome le nove Muse al completo, non però la sfera superiore del cielo stellato, anche qui come in Gaffurio associata ad Urania (e alla sua sfera armillare). Fra gli innumerevoli studi dedicati all'Armonia delle sfere, e in particolare alle sue interpretazioni da parte di Ficino e Gaffurio, cfr. E. WIND, *Pagan Mysteries in the Renaissance*, New York, Norton, 1968 (1st ed. 1958), pp. 265-269; C.V. PALISCA, *Humanism in Italian Renaissance Musical Thought*, New Haven-London, Yale University Press, 1985, pp. 161-190: 166-178; A. TARABOCHIA CANAVERO, *Vorrei parlarti*, cit., pp. 177-181, 318-326.

[67] In gran parte originale, eppur sempre logico, è il modo in cui Dorigny associa ciascuna divinità planetaria a un determinato strumento musicale: se la lira di Apollo e il flauto di Mercurio rimandano a una ben consolidata tradizione mitografica e iconografica (come ci conferma, ad esempio, il Cartari, cit. in nota 63, p. 370), non sembra essere questo il caso dei timpani (tradizionale simbolo bellico, anche se più spesso sotto forma di tamburo militare) qui affidati al dio della guerra, né del tamburello (altrettanto noto simbolo erotico) percosso dalla dea dell'amore; cfr., ad esempio, in ambito francese coevo, M.M. GRASSELLI - P. ROSEMBERG, *Watteau (1684-1721)*, Washington, National Gallery, 1984, pp. 541-542.

[68] Il gesto rivisita forse quello di Apollo nell'*Ispirazione del poeta* di Poussin, dove d'altra parte il dio rivolge l'indice nella direzione opposta, come nell'atto di «dettare» un Testo ideale al poeta da lui stesso ispirato; cfr. M. FUMAROLI, *La scuola del silenzio*, cit., pp. 168-169.

bra rinnovare una tradizione di «travestimenti simbolici» risalente almeno ai tempi di papa Giulio II Della Rovere (eletto nel 1503):[69] la novità, non indifferente, consiste nel fatto che ad essere celebrato nelle sembianze di Apollo è ora un cardinale, non un papa. Parafrasando le parole di Marc Fumaroli: quasi a voler elevarsi alla dignità di «Sommo Pontefice, erede della Roma di Scipione e di Augusto, capo della Chiesa cristiana», evidentemente anche il cardinale Ottoboni «poteva pretendere di esercitare» quella stessa «efficace mediazione» già svolta nell'antichità da Apollo proprio con l'aiuto di Orfeo e Calliope: mediazione, cioè, «fra il Cielo e la Terra, fra l'Invisibile e il Visibile, fra l'ordine divino, che è musica, e il disordine terreno del peccato e delle passioni»,[70] nonché, si potrebbe aggiungere, fra l'Inudibile e l'Udibile, fra l'Armonia delle sfere e il suo pallido eppur 'dilettevole' quanto 'sublime' riflesso terreno.

La pura armonia strumentale ritrovata dal «novello Orfeo» Corelli – sembra dirci Dorigny nella sua composita allegoria – non è altro che il riflesso dell'armonia celeste, trasmessagli dalla *mens animae mundi*, Apollo-Ottoboni, attraverso la mediazione delle Muse, in particolare di Calliope, la voce che viene danzando da tutte le voci delle sfere. Proprio come nel caso del mitico Orfeo – allievo di Apollo nell'arte dei suoni, ma anche suo stesso figlio, nato dall'unione del dio con Calliope – ciò che è «disceso» nell'anima dell'artefice Corelli, insieme all'armonia celeste, è l'ispirazione divina, il platonico e ficiniano, ma anche graviniano, «divino furore»: l'unico mezzo che avrebbe mai potuto permettergli di tradurre quell'armonia in suoni concreti, udibili ed apprezzabili anche dagli esseri umani.

Chissà, forse ispirato anche dall'incisione del Dorigny, trent'anni dopo la pubblicazione dell'Opera IV, il compositore francese François Couperin avrebbe definitivamente innalzato Corelli sul Parnaso di Apollo Musagete. La sonata a tre che chiude la sua raccolta *Le Goûts Réunis* (1724), intitolata *Le Parnasse ou l'Apothéose de Corelli*, e debitamente accompagnata da didascalie descrittive, è intesa a rappresentare proprio le varie fasi di quest'apoteosi, corrispondenti ai sette movimenti della sonata:

1. *Corelli au piéd du Parnasse prie les Muses de le recevoir parmi elles.* Gravement
2. *Corelli charmé de la bonne recéption qu'on lui fait au Parnasse, en marque sa joye. Il continuë avec ceux qui l'accompagnent.* Gaÿment
3. *Corelli buvant à la Source d'Hypocrêne, sa troupe continue.* Moderément
4. *Entouziasme de Corelli causé par les eaux d'Hypocréne.* Vivement

[69] Cfr. *ivi*, pp. 97-98 e sgg.

[70] *Ibidem.*

5. *Corelli aprés son Entouziasme s'endort; et sa troupe jouë le Sommeil suivant.* Tres doux
6. *Les Muses reveillent Corelli, et le placent auprês d'Apollon.* Vivement
7. *Remerciment de Corelli.* Gaÿment.[71]

III. Controllo delle passioni e conquista dell'Armonia nei «bei concetti» musicali di Corelli: una lettura 'graviniana' della Sonata Opera IV n. 3

«Regolare», «guidare», mettere «ordine» nell'«arte dei suoni», a tutti i livelli, al punto da rinnovare, e persino superare, l'esempio degli antichi musici Orfeo e Anfione; sotto la guida e l'ispirazione di Apollo – della sua luce oltre che della sua lira – trovare ogni volta «il metro più perfetto», la norma assoluta, il giusto mezzo, per «dominare il canto» con la ragione, per risolvere dissonanza in consonanza, il vario e molteplice in unità e «armonia», per conquistare «la perfezione di un'Armonia che rapisce»; e attraverso questa «insegnare», dare forma musicale tangibile ai «bei concetti» oltre che agli «affetti», e dunque mettere in atto, codificare, le giuste regole del comporre, ma anche organizzare i suoni su basi razionali, ovvero in strutture non casuali, determinate da un rigoroso pensiero musicale. In tutto ciò – ossia in ciò che traspare dai semplici termini usati dal Venerosi, integrati con quelli di Muffat, Gasparini e Ghezzi, e confermati dall'eloquente allegoria visiva del Dorigny – si possono già riconoscere alcuni dei princìpi-cardine su cui poggia l'intero sistema teorico-estetico del classicismo graviniano. Ma anche a prescindere dalle testimonianze coeve, è la musica stessa di Corelli a rivelare, nel modo più chiaro e a tutti i livelli, la sistematica, sempre più accurata applicazione di quegli stessi princìpi nell'ambito dell'«arte dei suoni».

Lo si può constatare anche solo mettendo a confronto le analisi – numerose e diversissime – che la moderna musicologia ha fino ad oggi dedicato all'opera strumentale corelliana. Dai tempi di Pincherle e Finscher a quelli di Libby e Wintle, Piperno e Talbot, Corsi e Allsop – per citare solo alcuni dei più rappresentativi esegeti corelliani –[72] le più disparate angolazioni di vi-

---

[71] F. Couperin, *Ouvres completes*, IV, *Musique de chambre*, 4, ed. moderna a cura di A. Gastoué (1933) con revisioni di K. Gilbert e D. Moroney, Monaco, L'Oiseau-Lyre, 1992, pp. 23-44. Una prima citazione e discussione delle didascalie si deve già a M. Pincherle, *Corelli*, cit., pp. 181-182.

[72] Oltre ai saggi corelliani citati in precedenza (a partire dalla nota 5), cfr. i contributi di L. Finscher, in *Studi corelliani*, pp. 75-97, e in *Nuovi Studi Corelliani*, pp. 23-31, il saggio di C. Wintle, in *Nuovissimi Studi Corelliani*, pp. 29-69, e i rispettivi contributi di C. Corsi, F. Piperno e M. Talbot, in *Studi Corelliani IV*, pp. 55-84, 359-380, e in *Studi Corelliani V*, pp. 77-117, 143-160, 211-228; quest'ultimo volume è interamente dedicato al tema 'Corelli: lo stile, il modello, la classicità'. Cfr. anche D. Libby, *Interrelationships in Corelli*, «Journal of the American Musicological Society», XXVI, 1973,

suale e metodologie analitiche sono poi approdate, nella sostanza, alle stesse conclusioni. Tanto nelle Sonate – siano esse 'a tre', 'a due' o solistiche accompagnate – quanto nei Concerti Grossi, e in riferimento alla prassi esecutiva, alla scrittura strumentale violinistica, al coordinamento degli archi e all'orchestrazione, oppure riguardo al trattamento del contrappunto e del linguaggio armonico, alle strategie di organizzazione tonale, all'impiego di ritmo, melodia, timbro e agogica, o alla rilettura interstestuale di formule e modelli 'topici' offerti dal genere vocale: da tutti questi punti di vista, Corelli emerge sempre come colui il quale ha saputo conferire 'ordine', 'disciplina', 'equilibrio', 'unità' all'inordinata varietà passata e presente, fino a fornire per la prima volta nella storia un modello, se non 'classico', di certo 'normativo', di musica strumentale pura; un modello in grado di accogliere in sé un po' tutte le più rilevanti acquisizioni della tradizione passata per rielaborarle e riorganizzarle in soluzioni formali ed espressive nuove, anche perché finalmente improntate su princìpi di chiarezza e perspicuità, essenzialità e naturalezza, consequenzialità e coerenza formale; tutto ciò senza certo sacrificare ed anzi soddisfacendo pienamente gli altrettanto indispensabili requisiti graviniani dell'invenzione, della fantasia creativa, della capacità di variare, sorprendere, disorientare, meravigliare, dilettare tanto i sensi quanto la ragione. In termini più modernamente prosaici, ma non meno eloquenti, il compianto Thomas Walker ha parlato a questo proposito di «'ordine complesso nel disordine'», da contrapporre nettamente «all''ordine cretino' che caratterizza buona parte dei suoi contemporanei», e in particolare – sempre nelle parole dello studioso americano – «tutta una serie di compositori bolognesi, così ordinati da riuscire tremendamente prevedibili e noiosi».[73]

Proprio nelle Sonate a tre corelliane dell'Opera IV, dedicate al cardinale Ottoboni, sul cui eloquente frontespizio mi sono appena soffermato, ed in particolare nella Sonata terza – che mi accingo ora ad esaminare brevemente –[74] si può forse scorgere l'attuazione somma dei princìpi teorici graviniani e insieme l'illustrazione più evidente del concetto walkeriano di «ordine complesso nel disordine».

* * *

pp. 263-287, P. ALLSOP, *The Italian 'Trio' Sonata, from its Origins until Corelli*, Oxford, Clarendon Press, 1992, pp. 188-210, 227-239, e ID., *Arcangelo Corelli, 'New Orpheus of our Times'*, Oxford, Oxford University Press, 1999.

[73] Thomas Walker, intervento alla Discussione sulla relazione base di E. GARRONI, *Osservazioni sull'uso di 'stile', 'modello', 'barocco', 'classico' e 'classicismo'*, in *Studi Corelliani V*, pp. 1-18: 15-17.

[74] A. CORELLI, *Historisch-kritische Gesamtausgabe der musikalischen Werke*, a cura dell'Istituto di Musicologia di Basilea, II: *Sonate da Camera, Opus II und IV*, a cura di J. Stenzl, Laaber Verlag, 1983, pp. 91-95.

Già nell'organizzazione globale di questa composizione – quattro movimenti in successione lento-veloce-lento-veloce (cfr. Tabella II) – è facile cogliere uno degli elementi innovativi e normativi che caratterizzano la Sonata a tre corelliana in generale. Com'è stato osservato da Peter Allsop, sin dai tempi dell'Opera I (1683) Corelli aveva iniziato a prendere le distanze dal modello bolognese e dalla sua tradizionale articolazione tripartita con movimento fugato iniziale, lento centrale in tempo binario, e veloce conclusivo in tempo ternario.[75] La novità consiste nella semplice aggiunta di un movimento lento iniziale, denominato quasi sempre «Grave» nelle Sonate «da chiesa» (Opp. I, III), più spesso «Largo» o «Adagio» nell'ormai acquisito *Preludio* delle Sonate da camera (Opp. II, IV); un'aggiunta apparentemente banale, che ha però l'effetto di creare un nuovo e più perfetto equilibrio formale, coinvolgente prima di tutto l'aspetto agogico, ossia l'ordinata alternanza o opposizione lento-veloce e la sua duplice riproposizione. Anche nei Concerti Grossi dell'Op. VI – com'è stato illustrato da Franco Piperno – si può riscontrare un'analoga tendenza alla ciclica «polarizzazione fra due movimenti agogicamente contrastanti», tale da poter essere definita a tutti gli effetti «un'endiadi, un'unica entità formale espressa e costituita da due morfemi antitetici e complementari».[76] Nell'Op.VI però – come in tre quarti delle Sonate solistiche dell'Op. V – simili endidadi lento-veloce, quando effettivamente riscontrabili, si susseguono in modo, per così dire, più 'disordinato', al di fuori di uno schema preciso. Nelle Sonate a tre, viceversa, la soluzione quadripartita – con duplice ricorrenza dell'endiadi lento-veloce – è di gran lunga la più rappresentata: la si ritrova in circa 30 casi su un totale di 48 Sonate. L'Op. IV, in particolare, si discosta dalle precedenti in quanto tutte e dodici le sue Sonate presentano un Preludio lento iniziale seguito da un Allegro in tempo di danza (Corrente o Allemanda); in ben otto casi l'endiadi è poi riproposta nella successione tempo lento (talora di Sarabanda) – tempo veloce, Allegro o Presto, di danza (Gavotta o Giga più spesso che Allemanda o Corrente); altrimenti Corelli accorcia il percorso e passa subito all'Allegro finale di danza (come nelle Sonate n. 8, 11 e 12) oppure attutisce il contrasto agogico facendo precedere la Giga finale con un'Allemanda appena meno concitata, ma pur sempre in Allegro (Sonata n. 6).

---

[75] Cfr. P. ALLSOP, *The Italian 'Trio' Sonata*, cit., pp. 227-231 e sgg. Più recentemente F. PIPERNO, *Cristina di Svezia*, cit., ha identificato già in alcuni tratti stilistico-compositivi dell'Opera I corelliana – più che nella precedente produzione strumentale di uno Stradella o di un Lonati – i primi sintomi del «classicismo corelliano», e in particolare l'implicita adesione del fusignanese alla riforma del gusto promossa in quegli anni dalla committente Cristina di Svezia.

[76] F. PIPERNO, *Corelli e il 'Concerto' seicentesco: lettura e interpretazione dell'Opera VI*, in *Studi Corelliani IV*, pp. 359-380: 363. Cfr. anche M. PINCHERLE, *Corelli*, cit., pp. 136-139.

La crescente predilezione di Corelli per questa particolare articolazione macro-strutturale sembra andar di pari passo con l'esigenza sempre più marcata di produrre varietà ed insieme di controllare quella varietà traducendola in ricorrente ed equilibrata opposizione antitetica. La Sonata terza dell'Opera IV, fra i tanti altri esempi possibili, illustra in modo particolarmente chiaro come tale principio organizzativo, fondato sulla reiterata contrapposizione di due movimenti antitetici, non riguardi esclusivamente l'aspetto agogico, ma coinvolga un po' tutte le tecniche compositive utilizzate. In termini petrarchisti e bembeschi, prima ancora che graviniani e crescimbeniani, e con in mente anche la specifica lezione compositiva rievocata dall'emulo Muffat,[77] si potrebbe dire che Corelli sia qui interessato a utilizzare ogni mezzo espressivo in suo potere per tradurre in pura forma musicale la tradizionale dicotomia «gravità»/«piacevolezza», già frequentata in passato dai madrigalisti cinque-seicenteschi, e dai primi operisti, mai però al di fuori della concreta traccia formale e semantica offerta dal testo poetico.[78] (Nelle seguenti osservazioni analitiche si rimanda il lettore alla Tabella II e alla partitura nell'edizione critica già citata in nota 74).

* * *

Di natura gravemente solenne è senz'altro il *Preludio* iniziale, un «Largo» in tempo binario, caratterizzato da una scrittura a tre voci soavemente consonante, così essenziale e cristallina da rendere superflua la realizzazione armonica del cembalo (il che spiega anche l'indicazione esecutiva «Violone *o* cimbalo» accanto alla parte del Basso). Nella prima sezione il dialogo arpeggiato – quasi di polifonia 'diluita' – dei due violini risalta in tutta la sua purezza su di una più statica e reiterata figura di basso semi-ostinato, formata da un inesorabile tetracordo maggiore discendente risolto ogni volta da una più variabile formula cadenzale, che d'altra parte finisce per determinare il graduale allontanamento dalla tonalità d'impianto (La maggiore), a favore della dominante (Mi). In seguito, nella seconda sezione, il Violone ripropone lo stesso tetracordo discendente – questa volta partendo da una quinta sopra, ossia dalla dominante Mi –, lo prolunga verso il basso (ottenendo così un doppio tetracordo), per poi abbandonarlo definitivamente e prendere parte attiva al dialogo in crome dei due

---

[77] Cfr. più sopra le note 13, 31, 57, 60, con implicito riferimento alle definizioni di «gravità» e «piacevolezza» proposte già da P. Bembo, *Prose della volgar lingua*, Venezia, Tacuino, 1525, edizione moderna in Id., *Prose della volgar lingua. Gli Asolani. Rime*, a cura di C. Dionisotti, Torino, UTET, 1966, p. 146 e sgg.

[78] Ho già avuto modo di formulare questa idea, ancora allo stadio germinale e in riferimento ai termini di Muffat, nel mio intervento alla Discussione sulla stimolante relazione di C. Corsi, *Gli «affetti del patetico italiano»*, cit., pp. 227-228.

violini. Questa graduale emancipazione del basso dalla formula tetracordale contribuisce alla temporanea destabilizzazione dell'orientamento tonale – a favore del relativo minore (fa♯) – ed al ribaltamento tanto del profilo melodico quanto del decorso armonico, percepibile soprattutto nel passaggio da progressione discendente ad ascendente. La riconquista dell'ordine, come anche dell'unità e della simmetria, è ottenuta tramite la più semplice e convenzionale delle formule di chiusa: in poco più di due battute, infatti, la ripetizione dello stesso inciso cadenzale determina il ritorno definitivo alla tonalità d'impianto.

Oltre all'estrema concisione formale (tutto questo è ottenuto in appena 18 battute) e all'equilibrio perfetto raggiunto fra ciascun elemento, a tutti i livelli, colpisce la fusione inscindibile fra pensiero musicale – espresso nel modo più semplice, chiaro, percepibile – e soluzione tecnico-esecutiva, tale da risultare sempre 'facile' e naturale oltre che idiomatica. Il controllo tecnico dello strumento ad arco va di pari passo con il controllo razionale tanto del relativo 'disordine' formale e tonale interno quanto dell'affetto, gravemente malinconico, qui espresso soprattutto tramite la tensione discendente dei tetracordi iniziali e delle progressioni armoniche tendenti alla dominante e al relativo minore. Il controllo dell'affetto viene attuato proprio attraverso la puntuale distensione e risoluzione positiva di queste tensioni, alle quali non è mai concesso di affermarsi compiutamente, né di scalfire un ordine ritmico-melodico e armonico-tonale che rimane immutabile. L'effetto globale è quello di un moto affettivo tutto interno, circolare, ermeticamente chiuso in se stesso.

Lo stesso principio di coesione ciclica, a ben vedere, è applicato all'intera Sonata; la sua perfetta unità, infatti, dipende soprattutto dal fatto che ogni movimento non fa che riproporre in forma solo leggermente variata un identico percorso tonale ad articolazione binaria (cfr. Tabella II): ossia, come si è gà visto nel caso del *Preludio*, un iniziale spostamento dalla Tonica (La) alla Dominante (Mi) *[Sezione I]*, seguito da una serie di tonicizzazioni – sempre a favore del Relativo Minore (fa♯), talora anche della Dominante, o della SopraTonica (si) – che vengono infine risolte col ritorno definitivo alla Tonica *[Sezione II]*. L'indispensabile elemento di varietà – senza la quale, in termini graviniani, tale unità riuscirebbe «inverosimile», anche perché priva di «immaginazione» e «diletto», oppure «noiosa» e «cretina» in termini walkeriani – è riscontrabile un po' a tutti i livelli: internamente allo schema tonale, tramite improvvise digressioni o temporanei cambiamenti di percorso; esternamente, e al di là di ogni considerazione tonale, attraverso il mutamento non solo del registro agogico, ma anche della scrittura, dello stile compositivo, del carattere espressivo di ciascun movimento.

Così alla natura solennemente grave e tarda, a tratti mesta, del *Preludio* si contrappone decisamente la scorrevole, piacevolissima concitazione della suc-

TABELLA II – *Struttura formale della Sonata a tre Op. IV, n. 3 di Corelli (movimenti I-II / III-IV)*

	I	[Lento]	[forma binaria]
	C (18 × 2)	Preludio: Largo	[polifonia/dialogo su basso quasi ostinato]

sezioni (tot. battute)	**1:** (8)			:	**2:** (10)				:
rapporto violini *I/II*	dialogo imit. ♬♩ | 𝄾 ♫				♬♩	cadenza 𝄾 ♫	+ formule cadenzali		chiusa (cadenza ripetuta)
formule	A	A′	γ′	A″	α′/α	basso più libero / passeggiato in crome			
basso	α + β	α + γ		α′+γ′		(assorbe + rielabora ♬ = quasi ostinato)			
orientamento tonale	**La** (Mi>) *T*	**La** (Mi>)	**La** (Si>)	*Mi* *D*	*Mi*/**La**>Re/Do♯ *(**T**)*	>**fa♯**-progr.disc. ***rm***	>**La**^{6}-progr.asc. ***T***	-*Mi*>**La**	
battute	1-2	3-4	5	6-8	9 10	11/12	14/15	16/17 17/18	

	II	[Veloce]	[forma binaria]
	$\frac{3}{4}$ (48 × 2)	Corrente: Allegro	[idiomatico-virtuosistico+melodico] (violino *I* su accomp.° vl. *II* e basso)

sezione (tot. battute)	**1:** (23)					:
					[chiusa- - - - - - - -]	
orientamento tonale	**La** ***T***	(Si>)*Mi* > *(D)*	**La** - progr. asc.	(Si>)*Mi* - progr. disc.> *D*	Si>*Mi*	
battute	1 -	5/6 -	11/12 -	15/16 -	21 - 22-23	
sezione (tot. battute)	**2:** (25)					:
orientamento tonale	*Mi* (**La**) si>Do♯ *D*	>**fa♯** (fri >) *rm*	- progr. disc.	(La>)Re/*Mi* sd/*D* (	- progr. asc.-*Mi*>**La**) *T*	
battute	24 - 26 -	27/28>29/30 - - - - - - - - - - - - - -		-36/37 - - - - - - - - - - - - - - -	47-48	

III	[Lento]	[forma binaria]
$\frac{3}{2}$ (16 × 2)	*Sarabanda: Largo*	[melodia (vl. I) + contrappunto (vl. II)] [su basso passeggiato]

sezioni	1:				: 2:			:
(tot. battute)	(8)				(8)			
frasi	A	+	B		C	+	C′	
semifrasi	α +	α′	β > β′ +	γ	α″	+ γ′	α″	+ γ″
orientamento	(La>*Mi*)	Si^6>*Mi*	(Mi>La/fa#>Si)	Si>*Mi*	(Mi^6>La)	Do#>**fa#**	(La>*Mi*)	*Mi*>**La**
tonale	*D*					***rm***	*D* >	***T***
(cadenze)	(Mc)	(Au)	[progressione]	(Au)		(Au)	(Mc)	(Au)
battute	1 - 2	3 - **4**	4/5 - 6	6 - **8**	9 - 10	10 - **12**	13 - 14	14/15-**16**

IV	[Veloce]	[forma binaria (A I BA′)]
C (41 × 2)	*Gavotta: Allegro*	[fugato (parità 3 voci) con episodio interno]

sezioni	1: [= fugato]			: 2: [= episodio	+ ...>
(tot. battute)	(14)			(14)	
sottosezioni	**A**			*B*	
ricorrenze	a	+ b	+ *chiusa*	a′ *(vl. I)*	
soggetto (a)	[espos. soggetto]			[rielab. soggetto	+ hocquetus]
contros.° (b)		[emerge contros.°]			
orient.°	Mi>**La**	Si>*Mi* Mi>**La**	Mi>**La**	fa#(>Do#)^{si}(>Fa#)>^{si}-progr.asc.-Sol#>do#	
tonale	***T***	*D* ***T***		*rm* *st*	*m* (*rm* di *D*)
battute	1 - 5 /	5 - 8 - 12 /	12-14	15 - 20	21-22 / 22 - 28

...>	ripresa fugato]	:
	(13)	
	A′	
	a (+ b)	+ *: chiusa :*
	[ripr.esa sintetica]	(a + b)
	Si>*Mi*	Mi>**La**
	D	***T***
	29 - 33 /	34 - 37 38 - 41

cessiva *Corrente*. Qui la scrittura moderatamente virtuosistica affidata al Violino I, campeggiante sul compatto accompagnamento di Violino II e Basso, non sfocia mai nell'artificio o nell'esibizionismo fine a se stesso, ma fiorisce spontanea, sospinta, ora sì, da un moto lineare incontenibile, e con la sua ludica leggerezza finisce per diradare ogni ombra residua della statica gravità precedente. L'effetto è ottenuto anche tramite la rivisitazione di tetracordi e progressioni armoniche già introdotti nel *Preludio*, il cui orientamento viene ora rovesciato in funzione ancor più positivamente affermativa: così la progressione prima ascendente e poi discendente della Sezione I (batt. 14-23) viene tradotta in discendente/ascendente nella Sezione II (batt. 31-39-48); la cui chiusa, per di più, non fa che invertire – in direzione ascendente – lo stesso tetracordo doppio discendente di Mi con cui si è conclusa la Sezione I (batt. 16-23), e che a sua volta aveva rispettivamente chiuso la prima parte ed aperto la seconda parte del *Preludio* (batt. 6-8/9-10).

La *Sarabanda* del terzo movimento, anch'essa un «Largo» come il *Preludio* ma in un più danzante tempo ternario, segna il ritorno alla gravità iniziale, che però riemerge ora spoglia di ogni componente solenne o malinconica, ed appare semmai compenetrata da una più distaccata tranquillità. Gli elementi antitetici di gravità e piacevolezza – già contrapposti nei movimenti precedenti – raggiungono qui una sintesi perfetta, tale da rendere possibile il passaggio dall'espressione pur sobria e controllata degli affetti a qualcosa di simile ad un autentico 'ragionamento'; quasi una pacata, lucida esposizione di concetti ed argomenti logici, che vengono presentati entro strutture sintattiche e retoriche ancor più chiare, semplici e proporzionate che in precedenza. Lo si vede già nell'identica estensione delle due sezioni, ciascuna di otto battute, a formare il movimento più conciso e ordinato dell'intera Sonata; come anche nell'equilibrato rapporto fra le tre parti, laddove la melodia superiore del Violino I è ora contrappuntata ora integrata e rafforzata da quella del Violino II sul supporto scorrevole eppur solido fornito dal Violone, un inesorabile Basso passeggiato in semiminime.

Ma quel che ancor più impressiona, in tal senso, è l'impeccabile articolazione sintattica e retorica del discorso musicale, affidato al Violino I, come si è qui tentato di illustrare nella Tabella III.

Ciascuna sezione corrisponde ad una sorta di 'periodo' musicale, anche se solo nella seconda sezione l'articolazione binaria, così perfettamente bilanciata, è davvero assimilabile a quella di un *Periode* in senso stretto (così come definito fra Otto e Novecento da teorici tedeschi quali Adorf Bernhard Marx e Arnold Schoenberg):[79] si tratta comunque, in entrambi i casi, di un segmento sintattico in sé compiuto, suddivisibile in due frasi di quattro battute. La prima frase della sezione iniziale (A) è formata da due semifrasi di uguale estensione, quasi perfettamente isoritmiche ($\alpha + \alpha'$), la cui funzione – sul piano tanto ritmico-melodico quanto armonico-cadenzale e tonale – è quella di creare una duplice 'tensione', oppure, in altri termini, di formulare e riformulare una stessa 'domanda'. La seconda frase (B) svolge proprio l'attesa funzione di

[79] In merito cfr. la sintesi storico-teorica proposta in C. DAHLHAUS, *Satz und Periode: Zur Theorie der musikalischen Syntax*, «Zeitschrift für Musiktheorie», IX (1978), pp. 16-26.

TABELLA III – *Sonata Op. IV, n. 3: terzo movimento. Struttura sintattica (melodia del Violino I [+ Vl. II*])*

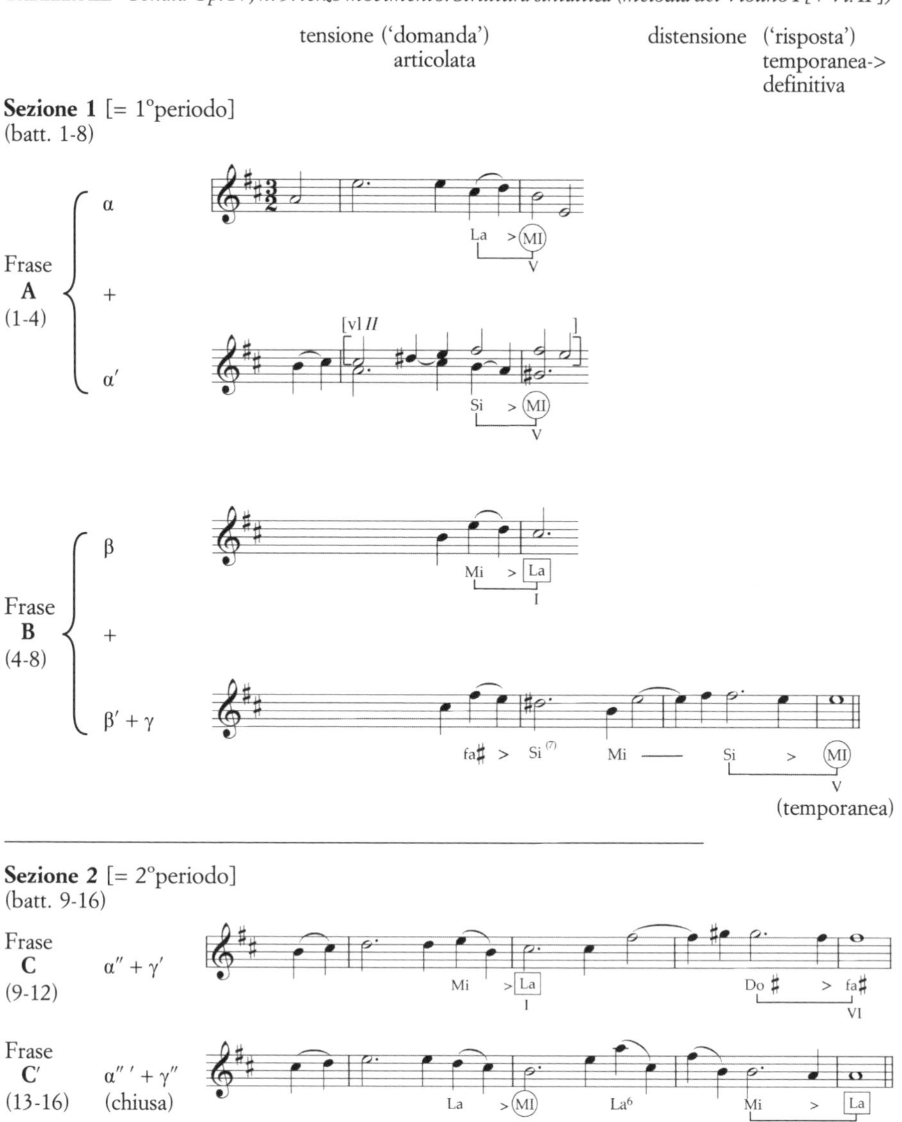

avviare un primo tentativo di 'distensione' – o 'risposta': la cellula ritmica conclusiva delle due semifrasi precedenti è qui ripresa con nuova e più incisiva figurazione melodica, ripetuta in progressione ascendente (β + β′), e infine risolta nella prima formula cadenzale perfetta ed autentica del movimento (γ); una soluzione, tuttavia, ancora parziale e temporanea, anche perché sbilanciata sulla Dominante (Mi). Ben più convincente è la soluzione proposta nel secondo periodo, dove tutti gli elementi ritmico-melodici del periodo precedente sono ricomposti in modo ancor più equilibrato e consequenziale, così da formare due frasi isoritmiche e compiute, la prima (C) digradante verso il Relativo Minore (fa♯), la seconda (la variante C′) culminante nel ritorno tanto atteso della Tonica. Verrebbe quasi la tentazione di intendere questa *Sarabanda* come una sorta di traduzione in termini musicali di un 'ragionamento' logico, se non di un vero e proprio sillogismo categorico.[80]

Se nei primi due movimenti della Sonata l'endiadi lento-veloce si è effettivamente tradotta – un po' a tutti i livelli – in antitesi anche espressiva di gravità *versus* piacevolezza, nel caso degli ultimi due movimenti – pur sempre differenziati sul piano dell'agogica – si può riscontrare un più alto grado di continuità. L'«Allegro» fugato della *Gavotta* conclusiva, infatti, non fa che riaffermare, per quanto in chiave più distesamente e giocosamente piacevole, lo stesso ordine logico e razionale già conquistato nella precedente Sarabanda, e che solo ora giunge ad incarnarsi nella struttura simmetrica, per non dir 'classica', per eccellenza: ovvero **A** | *B* **A′**. Un fugato a tre quanto mai semplice e conciso, esposto nella prima sezione (A, batt. 1-14) e ripreso in forma ancor più sintetica, lievemente variata, nella seconda parte della seconda sezione (A′, batt. 29-33, con duplice chiusa, batt. 34-41), incornicia un episodio centrale contrastante (B, inizio della seconda sezione, batt. 15-28) in cui lo stesso soggetto-guida viene variamente rielaborato in una scrittura più statica: inizialmente lo ritroviamo nel Violino I, sospeso sul pedale di Violino II e Basso; in seguito distribuito fra le voci in forma più frammentata e singhiozzante di hoquetus.

Lo stesso principio formale governa anche l'organizzazione tonale della *Gavotta*, in modo da semplificare ulteriormente – rendendolo però anche internamente più contrastivo – lo schema seguito nei movimenti precedenti: le

---

80 Anche qui, infatti, come in questo particolare genere di argomentazione logica, è possibile individuare due 'premesse', una 'minore' l'altra 'maggiore' (come le frasi A e B del primo periodo), da cui deriva necessariamente una 'conclusione', per quanto articolata (la frase C variata del secondo periodo). Anche qui la premessa minore (A) è formata dall'unione di un 'termine minore' e di un 'termine medio' (α + β nel segmento finale di α′), mentre la premessa maggiore (B) riprende il termine medio (β) per associarlo a un terzo 'termine maggiore' (γ). La conclusione – ovvero il secondo periodo – riunisce per la prima volta i termini minore (α) e maggiore (γ), che in precedenza erano rimasti separati, in un'unica soluzione di continuità, relegando all'interno della frase il termine medio (β), già posto alla fine e all'inizio delle premesse: quelli che costituivano rispettivamente il termine minore della prima premessa (α) e il termine maggiore della seconda premessa (γ) possono così assumere funzione via via sempre più eloquente di 'soggetto' e 'predicato' della conclusione.

escursioni interne, tutte concentrate nell'episodio B, non si fermano più al Relativo Minore (fa♯) ma procedono verso la SopraTonica (si) fino a raggiungere la Mediante (do♯, possibile perno tonale in quanto percepibile anche come Relativo Minore della Dominante Mi); questa libertà interna, d'altra parte, viene ampiamente arginata dai due blocchi monolitici del fugato iniziale e finale (A, A′), entrambi fondati sulla costante affermazione della Tonica tramite reiterate cadenze autentiche; la simmetria è ottenuta anche attraverso la ripresa e la reiterazione, in A′, della stessa frase conclusiva di A. Il che significa anche che qui, per la prima volta, l'iniziale tensione sulla Dominante (con cui si è chiusa la Sezione I di tutti i movimenti precedenti) viene neutralizzata sin dalle premesse: è proprio il 'disordine' dell'episodio interno, in altre parole, a rendere necessaria una cornice monotonale assolutamente inedita, tale da rendere possibile l'affermazione inequivocabile e definitiva della tonalità d'impianto.

Altri espedienti, più in profondità, permettono a Corelli di creare una certa continuità non solo con la Sarabanda, ma anche con gli altri movimenti precedenti, così da conferire unità e coesione all'intera Sonata. Basti guardare, ad esempio, la conformazione non tanto del soggetto (due spigolosi salti discendenti di quarta con risoluzione per semitono ascendente tendenzialmente in La) quanto del controsoggetto: questo non solo è formato dallo stesso tetracordo discendente iniziale del Preludio (La-Sol♯-Fa♯-Mi), ora in valori ritmici più fluidi e sincopati, ma è anche esteso verso il basso o trasposto nell'acuto (Mi-Re-Do♯-Si) in una forma quanto mai simile a quella utilizzata nel secondo ancor più che nel primo movimento. Persino la duplicità della chiusa finale, in cui la stessa frase conclusiva della prima sezione è ripresa e ripetuta due volte in forma identica, è un procedimento già utilizzato nel Preludio.

* * *

In conclusione, analizzando, ascoltando o ancor meglio eseguendo la Sonata Terza dell'Op. IV, si ha l'impressione di seguire un percorso lineare che gradualmente conduce dalla espressione controllata di 'affetti' – siano essi di solenne gravità con sfumature patetiche (*Preludio*) o di più piacevole, spontaneamente gioiosa animazione (*Corrente*) – alla esposizione razionale e rigorosamente logica di 'concetti' (*Sarabanda*), culminante nella conquista finale dell'ordine, dell'unità e dell'equilibrio perfetti (il fugato della *Gavotta*). Corelli sembra ottenere tutto ciò, naturalmente, con assoluta chiarezza e semplicità, mantenendo un alto grado di varietà interna pur riproponendo ogni volta lo stesso schema formale (bipartito) e tonale, e portandolo alla perfezione solo nel movimento finale. Questa cristallina unità nella varietà non si traduce mai in stasi o prevedibilità, ma in movimento dinamico e invenzione continua: in ultima analisi, nello stesso tipo di crescita e arricchimento che può derivare da un processo intellettuale – se non un percorso etico e spirituale – vòlto a controllare le passioni pur senza rinunciare ad esse, e a trasfigurarle in concetti razionali: dunque non solo a risolvere gravità in piacevolezza, pesantezza in leggerezza, tensione in distensione, solennità seriosa in gioco; ma anche, come direbbe Gianvincenzo Gravina, a «convertire in figura sensibile le contemplazioni dei filosofi sulla natura dei nostri affetti», fino produrre quel «diletto interno della ragione», «quella ricognizione di una verità in noi nascosta» in cui consiste – e non solo per Gravina – il fine ultimo della poesia.

Parte seconda

LA MUSICA E LE ARTI A ROMA AL TEMPO DI CORELLI

Carla De Bellis

LA MUSICA NEL SOGNO ARCADICO DELLA POESIA. DAI TESTI TEORICI DI GIAN VINCENZO GRAVINA E DI GIOVAN MARIO CRESCIMBENI

La concezione della musica che emerge all'interno dei testi teorici sulla poesia nell'età della prima Arcadia[1] si adegua alla riflessione sulla natura e la funzione della poesia come una sorta di complemento o di conferma o di estensione: nello spazio utopico della regione d'Arcadia disegnato da un programma letterario e da un progetto di istituzione accademica aleggia solo un'eco speculativa riguardante l'idea di musica e la melodia.

Le posizioni teoriche fortemente divergenti di Gravina e di Crescimbeni e il modo in cui vi si articolano, contribuendo a definirle, alcuni accenni relativi alla musica possono in parte chiarire la loro incidenza se se ne disloca il punto di osservazione in un luogo temporale e culturale contiguo ma più tardo. Qualcosa dell'esito di una speculazione, che era stata impostata in gran parte secondo intenti polemici,[2] può infatti cogliersi nelle pagine del prosimetro pastorale pubblicato nel 1743 da Michel Giuseppe Morei, terzo Custode generale dell'Accademia dell'Arcadia. Scritto alla fine dello sterile Custodiato di Francesco Lorenzini, l'*Autunno tiburtino*[3] elegge la stagione autunnale per ambientarvi il *topos* dell'*otium* letterario della villeggiatura dedicato alla dotta conversazione,[4]

---

[1] L'arco di tempo che qui viene considerato va dalla fondazione dell'Accademia (1690) alla morte di Gian Vincenzo Gravina (1718), periodo che rappresenta la fase più importante della vita dell'Arcadia, segnata dall'elaborazione e dall'attuazione del suo progetto culturale e dalla vivace dialettica tra poetiche e posizioni concettuali diverse, che, svoltasi nei termini spesso aspri del contrasto e dell'antagonismo anche ideologico, ha tuttavia costituito un fertile terreno di riflessioni e di enunciazioni estetiche.

[2] Orientati verso due oggetti e due esiti diversi: da una parte contro la poetica barocca, secondo un mutamento del gusto generalmente concorde, tanto da essere – appunto concordemente – espresso con intenzioni programmatiche da parte delle diverse 'anime' dell'Accademia; dall'altra verso quel contrasto interno e verso il dibattito su posizioni divergenti.

[3] M.G. Morei, *Autunno Tiburtino di Mirèo Pastore Arcade*, Roma, Antonio de' Rossi, 1743.

[4] «Correa la stagione di Autunno,» – esordisce l'arcade Mireo – «ed io, che da qualche anno

e la cornice tematica dichiarata fin dal titolo si riverbera in quel sentimento autunnale della caducità delle umane cose e della fragilità dei sogni utopici (e l'Arcadia è il non-luogo, lo spazio utopico per eccellenza) che attraversa l'opera, segnando con evidenza la concezione stessa della poesia e i suoi esiti e, più implicitamente, il significato dell'Arcadia accademica e la percezione delle sue sorti. È proprio ai componimenti poetici che viene affidata l'immagine di una gloria vana e sfuggente e di un esercizio letterario estenuato dalla disillusione, e con essi l'opera discende progressivamente nelle regioni della malinconia. Il tragitto si snoda in fasi evidenti, anche attraverso la scelta dei vari generi metrici: dalle ottave del topico viaggio al Parnaso dove il poeta, pur giunto a contemplare le Muse, dubita tuttavia del valore dei propri versi («Pastor son io d'Arcadia, e non dispiacque / a i Dei silvestri il mio cantar talora, / in Elicona io fui, bevvi a quell'acque; / e pur non so d'esser Poeta ancora»),[5] alla canzone «morale» dei tre «possenti Guerrieri» in lotta, Amore, Gloria e Ragione, che si ripiega sulla «vergogna» e raccoglie i moniti della Ragione («Qual mai Gloria ti fingi? e dove vai? / Deh riedi in te, che delirasti assai»),[6] all'elegia cadenzata in terzine, in cui il poeta dichiara con forza la «gran Vanità» della gloria e la necessità del suo eroico disprezzo, approdando a un voto di silenzio;[7] per arrivare infine alle battute conclusive dell'opera, dove l'autore riconosce «non esservi alcuna stabilità [...] tra le cose di questa Terra»,[8] e al suggello del Sonetto che, confessando la «fallace speme» della poesia, si raccoglie in un «me medesmo» di nuovo riflesso tra «pietà» e

---

sovra i Colli Albunei, e nella Città dall'antichissimo Tiburto edificata soleva in tal tempo portarmi, non tanto per dar sollievo alla mente colla salubrità di quell'aria, e coll'amenità di quei luoghi, quanto per godere della genial conversazione dell'ottimo Alfesibeo General Custode d'Arcadia, e di altri Arcadi amici, che o fra quelle selve dimorano, o vi soglion concorrere; non aveva lasciato anco in quell'anno, non ostante la morte del mentovato Custode seguita la precedente Primavera, di colà trasferirmi» (*ivi*, p. 1). L'anno della morte di Giovan Mario Crescimbeni, al quale il Morei si riferisce, è il 1728.

[5] *Ivi*, p. 21.

[6] *Ivi*, p. 105.

[7] «Sia pur onesto, sia pur lecito, sia pur necessario il desiderio di Gloria; non potrassi negare contuttociò, esservi in questo una gran Vanità, e meglio fare chi la propria lode, e questo ideal nome di Gloria o eroicamente disprezza, o disinvoltamente almeno trascura. Mireo ripetici» – chiede l'arcade Brennalio – «[...] quelle osservazioni, che in un'Elegia su questo argomento facesti» (*ivi*, p. 147). E le terzine finali così retoricamente interrogano e promettono: «E spererò, che sotto Ciel remoto / voli il mio nome, o in altra età s'ascolti? / Mal fondato pensiero! inutil voto! / Non più, rozza Elegia; giaccian' sepolti / con te gl'egri lamenti, e la fallace / speme di Gloria, e i desiderii stolti, / e il resto tutto, che da me si tace» (*ivi*, p. 151).

[8] «Terminò quella geniale Conversazione; ne sono terminate delle altre. Mancano intanto gl'Amici; mancano i Conoscenti: tutto ha il suo termine: tutto si scioglie: tutto svanisce; e siamo dalla esperienza medesima astretti a confessare, non esservi alcuna stabilità, siasi nella fortuna, siasi nella fama, tra le cose di questa Terra; né darsi altra speranza, ed altra sicurezza, che nelle felicità, e nelle promesse del Cielo» (*ivi*, p. 166).

«pentimento» alla maniera petrarchesca.[9] Non manca in questo autunnale declino la prova della canzonetta giocosa, la quale non fa che modulare su corde più umili la fragilità dell'illusione: non a caso, infatti, l'insetto di cui depreca le gesta è una tignola che, «d'ombra, e polve immonda figlia», consuma i libri e la loro pretesa di immortalità.[10]

Eppure il prosimetro di Morei non può prescindere dall'impegnativa *Arcadia*,[11] che Crescimbeni aveva strutturato attorno al cardine della lode dell'istituzione e dei suoi membri costruendo una prospettiva di stabile gloria con lo strumento persuasivo della retorica dimostrativa; inoltre, gran parte dell'attività del terzo Custode è dedicata alla conferma del prestigio dell'Accademia, cui si orienta soprattutto la redazione delle *Memorie istoriche dell'Adunanza degli Arcadi*.[12] Ma appunto di 'memorie' si tratta, così come l''autunno' è ora la stagione più adatta ai pensosi ozi letterari, che rovesciano il mito dell'eroismo arcadico tenacemente promosso da Crescimbeni secondo il progetto di una fama imperitura: le conversazioni tiburtine, del resto, vengono ascritte giusto all'anno della morte di Crescimbeni, e il lamento finale sulla terrena instabilità constata l'estinzione di una generazione di letterati, per cui appare chiudersi un'epoca celebrata come aurea. Se ancora il viaggio al Parnaso, proteso verso l'ascesa, trascorre presso tutte le Muse ma privilegia Urania e la sua sapienza, replicando l'intento crescimbeniano di attribuire alla poesia arcadica profondità culturale e vasta capacità di canto,[13] il mito dell'Arcadia quale

---

[9] «Se di ben poetar penso talora / a quella, ch'io nudrii fallace speme; / pietà mi prende, e pentimento allora / di me medesmo, e meraviglia insieme» (vv. 1-4). Il Sonetto segue le pagine non numerate della finale *Dichiarazione dei Nomi Arcadici*.

[10] Cfr. *ivi*, pp. 55-57.

[11] G.M. CRESCIMBENI, *L'Arcadia*, Roma, Antonio de' Rossi, 1708. Tuttavia l'*Autunno tiburtino* sarà accostato ad altre due «Accademie pastorali» e non a quella crescimbeniana, quando, qualche anno dopo la prima edizione, nel 1746, verrà ristampato insieme all'*Arcadia* sannazariana e all'*Accademia tusculana* di Benedetto Menzini (che era comparsa postuma nel 1705), sotto il titolo complessivo di *Le tre Arcadie* (*Le tre Arcadie ovvero Accademie pastorali di messer Jacopo Sanazzaro, del canonico Benedetto Menzini, del signor abate Michel Giuseppe Morei*, in Venezia, presso Andrea Poletti, 1746).

[12] M.G. MOREI, *Memorie istoriche dell'Adunanza degli Arcadi*, Roma, Antonio de' Rossi, 1761.

[13] Morei così argomenta: «Sono scorse poco meno che dieci intiere Olimpiadi da che la nostra Arcadia sussiste: in questo non breve spazio di tempo i più vivaci, e i più severi ingegni d'Italia anno la maggior parte de i loro poetici componimenti fatti uscire alla luce con quel carattere, e con quello stile, che accostandosi alla mediocrità pastorale, e non lasciando di trattare sotto quell'umil velame altissimi argomenti era stato da i nostri Institutori e colle regole, e con gli essempj prescritto, e dimostrato. I più reconditi arcani della Fisica, le massime più perfette della Morale, la Medicina, la Politica, l'Astronomia, le Matematiche tutte sono state trattate in una guisa, che anco gl'ingegni non tanto elevati anno tutto il commodo in quelle dotte, e soavi poesie, se non di capire il più astruso, almeno di gustare il meno aggradevole, di quelle per se stesse oscure, e non sì facili a comprendersi nobilissime scienze» (M.G. MOREI, *Autunno tiburtino*, cit., p. 10).

«ideale, ma nell'istesso tempo universale Regione», d'altra parte, è ora visto in funzione soprattutto strumentale come duttile repertorio della finzione poetica.[14] In un elogio che suona peraltro obbligato e convenzionale, Morei si impegna ancora ad ascrivere le sorti dello scibile all'Arcadia, mostrandola, alla maniera di Crescimbeni, quale contenitore e misura del sapere contemporaneo, ma la sua concezione della poesia si apre all'idea di un 'divino furore' non misurabile secondo regole e schemi accademici: tanto che «non basta» – egli avverte – «esser Arcade o Quirino» per averne parte, «né fa propizio, o liberale Apollo / la Lupa al fianco, o la Siringa al collo».[15] Per questa via si entra nella sfera della speculazione graviniana ed è dal Gravina 'luminoso'[16] che viene mutuato il concetto delle «scintille» divine infuse nella mente del poeta sapiente. Furore, entusiasmo, profezia formano il «perfetto poeta»: solo di poeti perfetti aveva inteso trattare Gian Vincenzo Gravina nella *Ragion poetica*,[17] riconoscendoli in coloro che erano nutriti della «scienza delle umane e divine cose»[18] e animati dal «delirio»[19] salutare della poesia. Ma se la propa-

---

[14] «Questa oggimai ideale, ma nell'istesso tempo universale Regione dà un commodo così grande alli scrittori, che di qualunque cosa in qualsivoglia maniera succeduta, possono con Anacronismi, all'apparenza almeno niente impossibili, continuamente favellare» (*ivi*, p. 9). Più oltre Morei chiarisce: «Intendo bene di mantenere, che il nome, e i costumi di Arcadia anno somministrata agli Autori una opportuna occasione di finger luoghi, di determinare interlocutori, di trovare mezzi ben proprj ad eseguire il loro disegno. Ma che mi vado io affaticando? Parte di noi ha lasciato le trionfali sponde del Tebro, parte è abitatrice di quest'illustre amenissimo colle, e pure ne i nostri congressi medianti le Arcadiche denominazioni talmente tra di noi a favellare, ed a trattare si viene, come se in un'istessa regione del continuo facessimo dimora» (*ivi*, p. 11). È da notare che egli torna più volte sul concetto della *comodità* della finzione arcadica, riferendosi soprattutto alla fondazione di un linguaggio di uniforme medietà con funzione di codice, applicabile – appunto duttilmente – ad ogni materia.

[15] «O quanti stan sull'onorato monte, / che sen vivono in Terra ascosi, e queti! / Quanti quaggiù fra noi alzan la fronte, / usurpandosi il nome di Poeti! / E mai non bevver d'Ippocrene al fonte, / né vider d'Elicona i bei laureti; / che non basta esser Arcade, o Quirino, / per aver parte del furor Divino. // [...] / Hanno i Poeti in sen certe scintille, / che suol dar Febo alle grand'Alme in dono; / né fa propizio, o liberale Apollo / la Lupa al fianco, o la Siringa al collo» (*ivi*, pp. 20-21). I versi appartengono alle ottave del citato «viaggio al monte Parnaso».

[16] Circa la probabile appartenenza del Gravina ad una setta esoterica napoletana i cui membri si sarebbero definiti 'Luminosi' in quanto cultori della 'filosofia della luce', si veda A. QUONDAM, *Filosofia della luce e luminosi nelle Egloghe del Gravina*, Napoli, Guida, 1970, che richiama l'accenno di B. CROCE (in *Nuovi saggi sulla letteratura italiana del Seicento*, Bari, Laterza, 1949, pp. 352-357) e lo studio di N. BADALONI, *Introduzione a G.B. Vico*, Milano, Feltrinelli, 1961 (soprattutto il cap. *I luminosi*, pp. 227-286).

[17] G.V. GRAVINA, *Della Ragion poetica*, in ID., *Scritti critici e teorici*, a cura di Amedeo Quondam, Bari, Laterza, 1973, pp. 195-327. Nella Dedica del Libro primo a «Madama Colbert principessa di Carpegna» Gravina manifesta l'intento di far sì che, «siccome da questo trattato rimane escluso o poco applaudito chiunque perfetto non sia, così luogo ed applauso vi truovi quasi ogni perfetto» (p. 198). Il trattato appare nel 1708 (Roma, Francesco Gonzaga).

[18] Così egli definisce la poesia stessa nella Dedica del Libro secondo (*ivi*, p. 273).

[19] Tale definizione appare nel Libro primo (*ivi*, p. 208).

ganda di ascendenza crescimbeniana è fiaccata dalla vanità della fatica poetica, l'influsso graviniano è piegato a un diverso concetto nel corso della singolare discussione sull'«estro» poetico, che chiarisce la concezione dell'autore.[20] Il richiamo al vile *oestrum* latino, l'insetto che affligge i buoi,[21] piuttosto che mortificare la nobiltà del divino furore, sarebbe indice dell'antichità della poesia e della sua origine pastorale, che indurrebbe appunto a similitudini di tal genere. L'origine della poesia – si argomenta inoltre – non è tuttavia situabile, come i «Poeti profani» credevano, nell'ambito pastorale dell'antica Arcadia, bensì essa ha il pregio di un'antichità più nobile e remota,[22] poiché la memoria bucolica, di cui la poesia conserva traccia, appartiene in realtà al mondo biblico dei Profeti e dei Patriarchi pastori, allo stesso Mosé, la cui identità si nasconde nel pagano Museo, o, risalendo ad età ancora più arcaiche, ad Enos figlio di Seth e nipote di Adamo, «fra gl'uomini il primo ad esser poeta», il quale ha cantato «i Divini attributi in una maniera straordinaria, astraendoci, per così dire, da nostri sensi, e rendendoci in questa guisa più degni di lodare l'ineffabil nome Divino».[23] La poesia nasce dunque come lode a Dio e ai divini attributi in cui si cela il suo nome ineffabile. La pericolosa antichità egizia cui Gravina, seguendo una linea di pensiero ermetizzante, attribuisce il pregio di ospitare l'origine del linguaggio mitico e simbolico della poesia e le radici della sapienza, viene ora sostituita – apparentemente dietro la spinta di una più ortodossa ideologia – dall'antichità ebraica, che risulta arretrata ai primordi del mondo e quindi chiamata a una sapienza primigenia e al privilegio della lode del vero Dio; ma proprio l'assimilazione di Museo a Mosè con la conseguente continuità solidale delle età e proprio l'arretramento a

---

[20] La discussione è aperta dalle osservazioni di Teone e di Galato sulla natura profetica della poesia: «Tu hai detto il vero, o Teone, soggiunse allora Galato, nell'assegnare per necessarissima parte della Poesia il furore poetico, o sia l'estro, overo entusiasmo; poiché io stabilisco non potersi dare perfetto Poeta senza di esso» (M.G. MOREI, *Autunno Tiburtino*, cit., p. 87).

[21] «[...] pare che alla Poesia si faccia ingiuria, quando a i bovi da questo Assillo stimolati vengono i Poeti dal lor Divino furore incitati a paragonarsi», interviene Britaldo, dichiarando la sua meraviglia (*ivi*, pp. 87-88).

[22] È di nuovo Galato a parlare: «Il vedere senza memoria di suo principio inteso il furore Poetico sotto la parola di Estro mi fa credere che la Poesia non tra altri che fra i Pastori sia nata; e quando gli uomini appunto altro che la vita pastorale non conoscevano; e perciò vedendo quei, che a poetare, o a profetare si davano, concitati totalmente e sconvolti; né sapendo, come esprimere quell'invisibile stimolo, che a ciò fare li trasportava, coll'Estro, che gli armenti stimolando a strani effetti conduceva, pretesero in un certo modo di significarli, e descriverli. I Poeti profani conobbero in ombra questa verità, e ignari del nobilissimo principio della lor Professione, l'origine della Poesia fecero dagli antichi Arcadi derivare, come da quei, che la vita Pastoral professavano; ma noi che d'altre notizie possediamo il tesoro, dobbiamo da i primi tempi del Mondo, e da quelli appunto, in cui la vita Pastorale era nel sommo suo pregio, della Poesia ripetere la sorgente» (*ivi*, pp. 88-89).

[23] *Ivi*, pp. 90-91. È la teoria riportata nel dialogo da Mireo (lo stesso Morei) come propria di Francesco Lorenzini, successore di Crescimbeni alla guida dell'Accademia.

sconfinati primordi sfiorano l'ambito speculativamente audace ed eterodosso delle 'sterminate antichità'.[24]

In maniera perfettamente simmetrica, più oltre Morei discute dell'origine della musica. A chi, nel corso della conversazione, riferisce la virtù di un'antica e candida armonia alla «rusticana sampogna» del mondo primordiale dei Pastori, altri ribatte – esattamente come era accaduto nella discussione sulla poesia – che ben più remota ne è l'origine e lontana anche dai «sogni» di Pitagora e dalla sua concezione dell'«armonia delle Sfere». Anche l'antichità della musica è attestata dalla Bibbia che ne indica in Jubal, pronipote di Caino, l'inventore, assegnandola ad un'età anteriore a quella del Diluvio universale;[25] e se di armonia cosmica si può parlare, non è al modo di Pitagora, ma intendendo la perfezione del Creato, la cui armonia discende solo da Dio e in Lui totalmente si contempla. Partecipi ne sono gli angeli e il loro canto di lode, invece strepito e confusione regnano nelle tenebre infernali.[26] Mentre il

---

[24] D'altro canto Gravina stesso, mentre nel trattato *Delle antiche favole* (che, apparso nel 1696, sarà riprodotto con poche modifiche nel Libro primo della *Ragion poetica*) spiega il mistero della poesia sapienziale con l'occulta sostanza speculativa dei miti egizi, nell'*Oratio de sapientia universa* (1700) riferisce l'origine di tale sapienza agli Ebrei, legandola tuttavia anche ai «barbari»: «Humana sapientia, ipsismet Graecis ultro fatentibus, originem ducit a barbaris. Barbari vero eam ab Hebraeis acceperunt, quibus per Abrahamum primo, deinde per Mosen interpretem tradita fuerat a Deo. Quod e commissis inter se summis vetustae doctrinae capitibus et ex priscorum Graeciae sapientum peregrinationibus comprobatur, ut hebraicam tamen veritatem fabulosa Graecorum theologia intertextam deprehendamus» (G.V. GRAVINA, *Oratio de sapientia universa*, in ID., *Scritti critici e teorici*, cit., p. 366). Per aggiungere più oltre, a proposito della teologia degli Egizi, i quali «omnium doctrinam populorum [...] sibi vindicabant»: «Huis doctrinae absurdae sane atque monstruosae, quae creatorem vertit in res creatas, fontem tamen inveniemus purissimum, hebraicam nempe veritatem, etsi corruptam atque conturbatam a mentibus vera religione destitutis. Initiis enim profana theologia et sacra sane conveniunt» (*ivi*, p. 374). Nonostante, quindi, la riconosciuta primogenitura della sapienza ebraica, Gravina continua ad istituire quei «troppo audaci parallelismi fra storia sacra e storia profana» indulgenti ad una speculazione d'ambito libertino, di cui parla Paolo Rossi seguendo le tracce del concetto eterodosso di «sterminata antichità». Infatti, egli spiega, «si poteva [...] riaffermare la superiore antichità delle Scritture, richiamarsi alle testimonianze di tutti i popoli della terra, cercare di rintracciare nella storia e nella mitologia degli Egiziani, dei Caldei, dei Greci, dei Cinesi sopravvivenze o perduti ricordi delle verità già contenute nel testo biblico» (e ciò appunto «in opposizione alle tesi avanzate dai sostenitori di un'antichità sterminata del mondo»), «[...] Ma anche questa tesi 'conservatrice' presentava non pochi pericoli: avvicinava la storia degli Ebrei a quella dei Gentili e negava l'isolamento del popolo ebraico; si rivelava pericolosamente vicina all'affermazione deistica di una religione che è comune a tutti i popoli al di là delle forme che storicamente viene assumendo nelle differenti culture» (P. ROSSI, *Le sterminate antichità. Studi vichiani*, Pisa, Nistri-Lischi, 1969, pp. 144-145). Le tesi graviniane si ispirano in parte al *Canon chronicus aegyptiacus, hebraicus, graecus, et disquisitiones* (1672) di John Marsham.

[25] «Veramente [...] bisogna andare assai vicino all'origine del Mondo; poiché, dovendosi trarre della musica l'invenzione non già da Pittagora, che d'ideali sogni empié la sua Filosofia, ma da Jubal figlio di Lamech, e pronipote in sesto grado di Caino, si viene ad affermare, qualche secolo avanti dell'Universale Diluvio vantare la Musica i suoi principj» (M.G. MOREI, *Autunno Tiburtino*, cit., p. 135).

[26] «E a dire il vero l'Armonia è propria unicamente di Dio, e deriva intieramente da lui, che è

pagano Pitagora, con gli «ideali sogni» della sua filosofia, è dunque respinto nell'errore, il Pastorello che sullo sfondo agreste da una parte richiama la disposizione arcadica dei conversanti e dall'altra ricorda, con la «semplice naturale armonia» della sua zampogna, l'«innocente età primiera del pargoletto Mondo» anch'esso – arcadicamente – pagano, si riflette nel «pastorello David» pur recando questi un diverso strumento, la «cetra», e il più grande potere di fugare col suono il Maligno. Il confine ebraico segnato all'antichità della musica finisce col confondersi con i bordi mitici dell'età dell'oro, e, spingendosi ai margini dell'«origine del Mondo», sembra temerariamente rivelare nel Mondo una parvenza metafisica, dato che l'Armonia appartiene a Dio e da Lui si trasmette direttamente solo ad essenze spirituali, fino a partecipare con la luce celeste – sicché 'luce' e 'armonia' mostrano d'avere uguale origine e natura – alla vicenda metafisica del Bene e del Male quando precipita nell'opposto dell'orrendo stridore, così come la luce in quello delle tenebre. L'impronta trascendente della musica si manifesta nel suo potere di «atterrire l'Inferno» e di «rendersi il Cielo propizio», e, come appare in Saul e in Eliseo, essa è la fonte della profezia e del divino entusiasmo. Musica e poesia si assimilano, dunque, nelle plaghe sconfinate di un tempo originario abitato dalla luce divina e, mentre l'una induce il divino furore, l'altra ne nasce, sapiente e profetica. Anche se, poi, la musica, in una dimensione più prossima, paventa la corruzione dell'abuso[27] e, aliena dal potere verbale della poesia, piuttosto che ammaestrare incanta («la Musica è un forte incanto sopra gl'animi nostri»), condividendo con quella, delle tre canoniche finalità, solo il *movere* e il *delectare* («In somma la musica [...] tutti muove, tutti diletta»).[28]

---

un'ammirabile incomprensibil Concerto di tutte le perfezioni. Quindi ne viene, che più le Creature da lui si discostano, più d'armonia sono prive. Così gl'Angeli, che stanno del continuo alla Divina presenza, anno ingenita quest'armonia, e secondo la loro natura richiede, lodano, e benedicono ogni momento l'Altissimo; ed essendo tutti concordi in fare lo stesso, dalla differenza poi delle loro Gerarchie ne nasce un perfetto inesplicabile Concento. Ora siccome l'ottimo, quando arriva a contaminarsi diventa pessimo, così gli Spiriti malvagi caduti per loro colpa dal primiero felicissimo stato in un baratro di miserie, la già goduta armonia hanno cangiata in una discorde orrida confusione, spiegata dalla stessa infallibile Verità con i nomi di strepito, e di stridore di denti [...] E siccome gl'Angeli ribelli avendo goduto in Cielo de i vivi raggi d'una luce inaccessibile, e inesplicabile, dopo la loro caduta non altro anno d'intorno, che tenebre, e niente fuggono più che la luce; così fattasi loro propria, ed abituale la confusione, e il fracasso, niente odiano più che l'armonia, e l'unione» (*ivi*, pp. 136-137).

[27] «Volesse il Cielo, seguitò allora Brennalio, che non se ne facesse talora un'eccessivo abuso, e che ella si tenesse, almeno circa le Ecclesiastiche funzioni in quella nativa decorosa semplicità, che è il più bel pregio, [...] che possa recare ornamento alle Professioni di lor natura ingenue, e liberali» (*ivi*, p. 138).

[28] *Ivi*, p. 139. La serietà dell'argomento trattato non impedisce al Morei di concluderlo con una canzonetta satirica, che, legata agli umori della cronaca, inventa un nuovo mito di metamorfosi per uno «sciocco Poetastro», il quale, importuno e assillante come il 'seccatore' di oraziana memoria, viene trasformato da Apollo in cicala.

Al di là della comune dignità dell'origine, musica e poesia saldano le loro sorti anche a livello simbolico, per la tradizionale funzione significante che gli strumenti musicali assumono rispetto ai vari generi poetici. Il luogo privilegiato del traslarsi dei significati continua ad essere il mito, matrice della polisemia, e ancora nell'autunnale conversazione di Morei la siringa di Pan e la cetra di Apollo alludono a due diversi concetti e modi del poetare. Le icone potrebbero rimanere statiche, reiterando i loro canonici significati, sennonché Morei nel corso della conversazione le collega in un gesto dinamico immaginando che Pan ceda la siringa ad Apollo, e cita alcuni suoi versi in latino e in volgare che cantano lo scambio degli strumenti fra gli dei.

L'Arcade Didalmo ricorda a Mireo:

> Tu, o Mirèo, in quell'Ecloga, nella quale volendo per tuo potere onorare il massimo invittissimo Arete introducesti a parlare due gran Deità, quali furono Pan, ed Apollo, facesti, che l'ultimo dicesse al primo: *Arma pares faciant; cytharam tu sumito nostram; / syringim mihi trade tuam: mihi suscitat illa / dulce olim exilium, et felicia tempora, tum cum / pavimus Admeti per amoena vireta juvencos*, e nel fine della medesima Ecloga dice Apollo: *Cede mihi calamos, cytharam tu semper habeto*, e Pan gli risponde: *Cede mihi cytharam, Syringis et Arbiter esto.*[29]

Più oltre, Morei riporta alcuni versi di un suo sonetto, dove così si rivolge ad Apollo: «Ma già lasciata la tua Regia, e il Trono, / fra noi ten stai col rustico strumento, / che il nostro Pan dietti poc'anzi in dono». Egli ritiene che l'idea di un Apollo panico gli possa essere stata ispirata da una statua ornante un giardino arcadico: «Or questa statua colla mano inalzata sosteneva la Siringa di Pane, che poi pel' tempo, insieme colla mano, venne a cadere, e di essa neppur vestigio alcuno è rimasto».[30] Statue di dei caduche consegnano tuttavia tracce simboliche perenni, conservate umanisticamente dalla memoria della scrittura. È infatti una scultura simile a dare agli Arcadi itineranti nel paesaggio autunnale il destro di discutere della natura panica di Apollo, e Morei così descrive il loro ingresso nel topico *locus amoenus*, «teatro» alla vista e ambiente adatto ad accogliere una marmorea colonna mutila, emblema dell'arte corrotta dal tempo, che minaccia e occulta il senso dei segni:

> [...] trovando uno spazio di terra di sole erbe coperta, e dagli alberi con un rustico fonte nel mezzo in giro adornata, mirammo in fondo di quel boschereccio Teatro, di bianco marmo una mal'intera Colonna, all'intorno della quale posavano in basso rilievo scolpite cinque Statue, le quali, benché dal tempo molto avesser sofferto d'in-

[29] *Ivi*, p. 113. L'«invittissimo Arete» dedicatario dell'Ecloga è Giovanni V, re di Portogallo.

[30] *Ivi*, p. 114.

giuria, pure denotavano esser'elleno da eccellente mano state già lavorate. Osservisi, prese allora a dire Didalmo, questa Colonna. Vedete in primo luogo, come la Statua, che nuda si rappresenta, tiene nella destra mano la Siringa di Pane; ma Pane ella certo non rappresenta [...].[31]

Si conviene, per la presenza di una serie di elementi (come la corona di alloro e le «donnesche Statue», forse rappresentanti alcune Muse), che il bassorilievo raffiguri un Apollo fregiato di attributi non consueti, quali un pedo pastorale e, appunto, una siringa. Si tratterebbe, allora, del dio rappresentato «nella vita di Pastore da esso per alcun tempo essercitata»,[32] cioè dell'Apollo custode delle greggi di Admeto. Il problema della rappresentazione figurativa e della relativa interpretazione s'incentra tutto, dunque, sul valore significante di uno strumento musicale cui è affidato il compito dell'identificazione di un dio antico e, insieme, il ruolo di tropo figurato rispetto alla poesia.

La questione potrebbe costituire solo l'argomento di una conversazione oziosa, così come il reciproco gesto degli dei (che viene cantato ma non spiegato dal Custode d'Arcadia) potrebbe apparire solo una «ingegnosa invenzione», se di esso, invece, non fosse stato fatto l'emblema del prosimetro di Morei. Il frontespizio dell'*Autunno tiburtino*, infatti, è decorato da un'incisione che rappresenta, come in un quadro pastorale racchiuso da una cornice, un Apollo luminoso in piedi che si appresta a suonare una siringa rivolto verso Pan che, seduto all'ombra di un albero, tocca le corde di una cetra e guarda a sua volta verso Apollo.[33] Il senso stesso dell'opera è dunque consegnato a questa scena, riguardo al cui significato si possono fare alcune ipotesi. Richiamando implicitamente la mitica gara tra Apollo e Pan e il tradizionale antagonismo tra gli strumenti a corda e quelli a fiato, gli uni simbolo della ragione e della temperanza apollinea, gli altri della passione dionisiaca,[34] Morei sembra affidare con la siringa di Pan l'Arcadia accademica ad Apollo, così come dota il Pan arcadico della cetra apollinea, quasi a intendere la conciliazione degli stili e delle concezioni della poesia nella superiore regola accademica, e ad auspicare finalmente quell'alloro apollineo, che l'estenuata siringa degli Arcadi sembra al suo tempo invano perseguire.

---

[31] *Ivi*, pp. 111-112.

[32] *Ivi*, p. 113.

[33] È possibile che l'incisione sia stata eseguita da Girolamo Odam, il quale è autore del fregio finale del libro recante lo stemma arcadico sorretto da due putti alati. L'Odam, pittore, scultore e architetto, è conosciuto soprattutto come incisore. Fu allievo di Carlo Maratti, di Carlo Fontana, di Pier Leone Ghezzi e membro dell'Accademia degli Arcadi.

[34] Cfr. in proposito E. WINTERNITZ, *Gli strumenti musicali e il loro simbolismo nell'arte occidentale*, Torino, Boringhieri, 1982 (Cap. V, *La maledizione di Pallade Atena*, pp. 122-141).

Ma c'è forse ancora dell'altro, tra le pieghe e le ombre del testo. La conciliazione di lira e siringa annulla la gerarchia sancita da Platone tra la lira e la cetra adatte al canto cittadino e la siringa ospite del mondo agreste e quindi la conseguente vittoria di Apollo su Marsia,[35] ribadendo nel genere pastorale quella urbanità che gli è tradizionalmente propria e quel connotato di maschera letteraria e di finzione coltivato negli spazi accademici. Tranne se, latente, una diversa tradizione – e la relativa concezione della poesia – non cerchi figure attraverso cui oscuramente rammemorarsi. Abita infatti un luogo remoto una divinità dal molteplice volto e dai diversi nomi: l'Helios/Zeus *chrusolùres* (dalla lira d'oro) ma anche *suriktès* (suonatore di siringa)[36] è, insieme, l'Apollo musagete, anch'egli dotato di aurea lira così come di *kithàra*, che tempera le corde e il cosmo e ha ancora un altro nome, quello di Pan, *theòs dìkeros*, dio dalle due corna.[37] Negli *Inni orfici*, attraverso l'intreccio dei nomi divini intercambiabili tanto da guidare gli dei ad una segreta essenza unitaria, le divinità di Helios/Zeus, Apollo e Pan quasi si fondono soprattutto in base all'uso degli stessi strumenti musicali e all'uguale esercizio dell'armonia.

* * *

Nell'*Arcadia*,[38] apparsa nel 1708, l'anno stesso in cui Gravina pubblica i due Libri della *Ragion poetica*, Crescimbeni aveva dedicato alla figura del dio Pan l'intera Prosa VII del Libro V intitolandola *Saggio della Mitologia degli antichi Gentili.* Diversamente da quanto Gravina aveva teorizzato nel trattato *Delle antiche favole*,[39] Crescimbeni, pur ascrivendo a sua volta l'antica mi-

---

35 Cfr. PLATONE, *La Repubblica*, 399d-e.

36 «[...] tu con la lira d'oro l'armoniosa corsa misuri del mondo / e illumini le azioni buone, o giovane che nutri le stagioni; / o signore del mondo, che ami la siringa e ti aggiri come la fiamma, /o portator di luce, o multiforme portatore di vita, o fecondatore, o Pean, / eterno fiore immacolato, padre del tempo, Zeus immortale, / che per tutti, sereno, risplendi, mobile occhio del mondo» (*A Helios*, in *Inni orfici*, a cura di Giuseppe Faggin, Roma, Āśram Vidyā, 1986, p. 39).

37 «O nume onnifiorente; il polo immenso tu con la cetra sonora / armonizzando vai, ora toccando l'estrema corda acuta / or la più grave, or nel dorico modo / temperi il polo immenso; [...] / Perciò i mortali chiamano te signore, / Pan, bicornuto iddio, che dei venti l'impeto sfreni, / poiché di tutto il mondo possiedi il modellante sigillo» (*Ad Apollo*, *ivi*, p. 83).

38 Alcuni studi musicologici hanno prestato attenzione al prosimetro crescimbeniano soprattutto per la descrizione di un'«Accademia di Musica» (Libro VII, Prosa V) dove appaiono attivi i tre più famosi musicisti del tempo: Alessandro Scarlatti, Arcangelo Corelli e Bernardo Pasquini. Si veda, ad esempio, F. DELLA SETA, *La musica in Arcadia al tempo di Corelli*, in *Nuovissimi Studi Corelliani*, pp. 123-148.

39 Nel Libro primo della *Ragion poetica* (che, come già si è ricordato, replica il trattato *Delle antiche favole* del 1696), Gravina avverte «quanto sia difforme il concetto comune dalla vera idea della favola», e spiega: «Chi ben ravvisa nel suo fondo la natura di essa, ben conosce non potersi tessere da chi non ha lungo tempo bevuto il latte puro delle scienze naturali e divine, che sono di questo misterioso corpo l'occulto spirito, poiché dalle cose suddette si comprende che il fondo della favola non costa di falso ma di vero, né sorge dal capriccio ma da invenzione regolata dalle scienze e

tologia alla sfera dei dogmi o misteri teologici,[40] ne chiarisce la fallacia: la teologia degli antichi consiste «nel nascondere sotto il velo delle favole de' loro Numi quella sapienza che credevano» – dunque solo 'credevano' – «di possedere». La lunga spiegazione dei significati simbolici di Pan e dei suoi attributi ripete quasi letteralmente quella presente nel trattato *De sapientia veterum* di Francesco Bacone,[41] e di nuovo il dio degli Arcadi appare figura dell'«universalità delle cose», della virtù generatrice della natura, della caccia sagace della conoscenza in cerca di alimento e, nell'attributo delle corna in alto appuntite, del convergere del creato verso Dio come dell'armonia dei pianeti nelle sette canne della sua zampogna. Smentita nella premessa ogni verità sapienziale, i significati che ad essa si riferiscono vengono comunque riproposti estesamente poiché se ne arricchisce l'emblema scelto dagli Arcadi moderni, e inoltre l'«universalità delle cose» inclusa nella figura si dispone a suggerire sia quella totalità del sapere che all'Accademia, per illustrarsi, preme convogliare al suo interno attraverso la varia cultura dei suoi membri (il viaggio delle Ninfe tra le capanne dei Pastori descritto nel prosimetro è l'espediente letterario utile a scorrere il vario sapere degli Arcadi, di volta in volta antiquario, filosofico, figurativo, matematico, medico, ecc.), sia la varietà e vastità degli argomenti e dei toni, quindi dei generi, cui è in grado di accedere il suo linguaggio poetico.

Parte rilevante della storia mitica di Pan è riservata al suo rapporto con l'armonia, la voce e il suono. Il significato misterico della gara musicale con Apollo contrappone l'«armonia della Sapienza divina» all'«armonia dell'umana», assegnando le orecchie asinine di Mida agli uomini il cui giudizio, limitato dall'ignoranza, sente dissonare il divino concento. All'insegna della musica, Apollo e Pan sono comunque legati e, alla luce del significato metafisico della loro gara richiamato da Crescimbeni, si intende come Morei, nell'autunnale prospettiva del suo tempo, risolva la contesa con la pacifica assimilazione

---

corrispondente coll'immagini sue alle cagioni fisiche e morali» (G.V. GRAVINA, *Della Ragion poetica*, cit., in ID., *Scritti critici e teorici*, cit., pp. 212-213).

40 La ninfa Elettra sollecita i Pastori presenti a darle lumi sulla «Teologia degli antichi Savi»; al che l'arcade Cerinto osserva: «A molto difficile impresa [...] voi ci chiamate; [...] mentre, siccome gli Antichi ebbero innumerabili Deità assai tra loro diverse, e di natura, e d'attributi, così innumerabili altresì sono i loro Teologici, o per più propriamente dire, Mitologici dogmi, o Misteri. Come Misteri? replicò allora Idalba: sì Misteri, soggiunse Cerinto» (G.M. CRESCIMBENI, *L'Arcadia*, Roma, Antonio de' Rossi, 1711, p. 204. Anche in seguito si farà riferimento a tale seconda edizione dell'opera apparsa nello stesso anno del famoso scisma dell'Accademia).

41 Il «dotto, e gentil Pastore, appellato Amaranto [si tratta di Girolamo Gigli]» si assume il compito di spiegare «alcuna cosa degli antichi Mitologi», esordendo: «Dal famoso Bacone adunque, che fu uno de' più profondi, ed accurati ingegni, che di simili materie a nostri tempi abbiano trattato, [...] trasceglierò alcuna favola; e per non uscir della nostra pastoral condizione, ci varremo di quella di Pan Dio degli antichi Arcadi» (*ivi*, pp. 204-205).

delle diverse virtù, sognando per l'Arcadia l'estrema utopia di una sapienza conciliata dove umano e divino non dissonino ma concordino, quasi a cedere all'orfica nostalgia della *discordia concors*. Tocca una sostanza conoscitiva anche il significato degli amori di Pan connessi, a loro volta, alla simbologia di ciò che è suono: Eco relata a Pan non è che l'immagine della Filosofia, «simulacro» e «riflesso» del Mondo che «ripete» il sapere consegnatole dal Mondo, e ancora più fedeli appaiono le voci di Siringa con la loro perfetta melodia. Eco e Siringa, accomunate dall'amore di Pan e dalla loro vocazione sonora, sono esatto «discorso» sul mondo, tanto più sapiente quanto più regolato secondo armonia.

Era stato Bacone a specificare che il Mondo, in quanto in sé autosufficiente, non nutre desiderio alcuno, se non forse quello di *sermones*, di «discorsi», onde l'amore di Pan per Eco e Siringa,[42] indicando così l'appetito della parola insito nell'interna sapienza delle cose e la necessità della Natura di flettersi e riflettersi nella manifestazione della forma dell'intelletto; Crescimbeni ne replica pedissequamente il concetto, ma – sembrerebbe – senza coglierne la profondità riguardo all'esigenza 'discorsiva' del sapere, schematizzata, piuttosto, nel «rendimento di voci» proprio di Eco, nel puro «riflesso», cioè nell'attitudine 'speculativa' in senso proprio, e perciò 'riflessiva', della Filosofia. Opera, invece, rispetto a Bacone, un piccolo ampliamento del racconto mitico, ricordando di seguito, in forma perifrastica, un personaggio minore e un episodio accessorio riferito da Ovidio,[43] che tuttavia con 'voci' e 'suoni' ha sempre a che fare e che riguarda le ovidiane *harundines tremulae* di Siringa:

[...] questo rendimento di voci, allorché è più intero, ed esatto, viene in Siringa simboleggiato, che convertita in canna, rendé perfette le voci di colui, che confidò alla

[42] «[...] minime mirum est si nulli Amores Pani attribuantur, praeter coniugium Ecchus; Mundus enim se ipse, atque in se rebus omnibus fruitur: qui amat autem, frui vult, neque in Copia desiderio locus est. Itaque mundi Amores esse nulli possunt, nec potiendi Cupido, cum se ipse contentus sit, nisi fortasse sermones: ii sunt Nympha, Eccho, aut si accuratiores sint, Syringa. Inter Sermones autem, sive voces, excellenter ad coniugium mundi sumitur sola Eccho; Ea enim demum vera est Philosophia, quae mundi ipsius voces fidelissime reddit, et veluti dictante mundo, conscripta est; et nihil aliud est, quam eiusdem simulacrum et reflexio, neque addit quicquam de proprio, sed tantum iterat, et resonat» (FRANCISCI BACONI, *De Sapientia Veterum Liber*, Londini, apud Iohannem Billium, 1617, p. 27). La prima edizione del *De Sapientia Veterum* è quella londinese del 1609.

[43] «Ille [= Midas] quidem celare cupit [aures aselli] turpisque pudore / tempora purpureis temptat velare tiaris; / sed solitus longos ferro resecare capillos / viderat hoc famulus; qui cum nec prodere visum / dedecus auderet cupiens efferre sub auras / nec posset reticere tamen, secedit humumque / effodit et, domini quales aspexerit aures, / voce refert parva terraeque inmurmurat haustae / indiciumque suae vocis tellure regesta / obruit et scrobibus tacitus discedit opertis. / Creber harundinibus tremulis ibi surgere lucus / coepit et, ut primum pleno maturuit anno, / prodidit agricolam: leni nam motus ab austro / obruta verba refert dominique coarguit aures» (OVIDIO, *Metamorfosi*, XI, 180-193).

terra il segreto delle narrate asinine orecchie di Mida, e le melodie altresì, che col fiato in essa spirava lo stesso Pan.[44]

Colui che confida il segreto è il servo che aveva scoperto le orecchie asinine del suo padrone e, non osando parlarne ma smanioso di farlo, lo aveva mormorato all'interno di una buca scavata nella terra e poi ricoperta; lì, però, dopo qualche tempo erano nate tremule canne che, scosse dal vento, avevano pronunciato le parole sepolte, divulgando il segreto. Crescimbeni, dunque, richiama di nuovo – anche se solo in un particolare – la gara musicale tra Apollo e Pan e, sulla scorta di Ovidio, vi accosta il ruolo sonoro di Siringa, la quale, privilegiata rispetto all'Eco baconiana, appare come colei che manifesta inoltre la bruttezza dell'ignoranza disvelandola dove essa è segreta. Per questo con lei è «più intero, ed esatto» il «rendimento di voci» del Mondo, in cui consiste la «sana Filosofia»: la funzione 'filosofica' di Siringa è attiva nel dissidio tra il vero e il falso e rivela, insieme a quello della corretta conoscenza, anche l'aspetto dell'errore e dell'inganno. Altra piccola (ma – come vedremo – non priva di significato per il successivo orientarsi del discorso crescimbeniano) differenza rispetto al testo baconiano è nell'accenno al personaggio di Iambe, l'unica figlia attribuita a Pan. Bacone aveva considerato tale appendice del mito «adiectio quaedam ad Fabulam sapientissima», spiegando:

[...] per illam enim repraesentantur ea, quae perpetuis temporibus passim vagantur, atque omnia implent, vaniloquae de rerum Natura Doctrinae, reipsa infructuosae, genere quasi subdititiae, garrulitate vero, interdum iucundae, interdum molestae et importunae.[45]

Crescimbeni specifica che le «vane, e false dottrine» sono quelle divulgate dalla «sofistica», e di nuovo contrappone ai «sapienti» gli «ignoranti» («sotto il velame di costei indicarono le vane, e false dottrine della natura delle cose, sparse da per tutto dalla sofistica, le quali quanto a gl'ignoranti paiono gioconde, e mirabili, altrettanto a i sapienti riescono sciocche, e moleste»),[46] così come la «sofistica» si contrappone alla «sana Filosofia» riflessa da Eco e soprattutto da Siringa smascherante la deformità dell'ignoranza.

La successiva Prosa VIII, che chiude il Libro V, tenta un'operazione molto importante ai fini della costruzione di quell'immagine dell'Accademia che Crescimbeni tenacemente persegue e che si impegna a diffondere con l'assi-

---

[44] G.M. Crescimbeni, *op. cit.*, p. 207.

[45] F. Bacone, *op. cit.*, p. 28.

[46] G.M. Crescimbeni, *op. cit.*, p. 207.

dua azione di propaganda affidata ai suoi scritti. Eppure, ciò che assume il compito di trasmettere l'idea dell'Arcadia moderna e la qualità della sua funzione qui non è che un manufatto: solo una tazza di cedro. Ma si tratta di una tazza dove sono state incise, secondo la volontà dello stesso Alfesibeo, «misteriose figure» che riguardano le «moderne cose», e che, come la figura misterica di Pan, emblema mitico dell'Accademia, richiedono di essere sia 'descritte' nei loro attributi formali sia 'spiegate' nei significati riposti. La «spiegazione degli intagli» (è proprio questo, in parte, il titolo della Prosa) si collega a quella relativa a Pan, la estende e completa annodando al passato aureo degli antichi il presente della nuova Arcadia che, in una filiazione diretta, ne assume non solo la dignità ma anche lo stesso essenziale modo di significarsi. Le incisioni istoriate rappresentano due scene bucoliche: la prima con una Pastorella che, deposti i suoi rozzi strumenti e la corona di pino, viene abbigliata riccamente da nobili dame e coronata di alloro; e l'altra con alcuni pastori che, variamente cinti di fronde – chi di alloro, chi di oleastro, chi di lappole e ortica, chi di rose e ligustri – animano uno sfondo ugualmente campestre. Ciò che l'intaglio intende significare è (come il titolo della Prosa recita completandosi) «lo stato della Toscana Poesia tra gli Arcadi»,[47] cioè la poetica arcadica stessa.

L'operazione, che qui si manifesta con evidenza, e che governa l'intero pseudo-romanzo pastorale, è la fondazione di una moderna mitologia, la quale astragga il presente in una serie di traslati figurati in grado di fissarlo, con lo stesso potere delle figure mitiche degli antichi, in quell'aura di atemporalità che si irradia dalla durata della gloria. In un'interpretazione del classico e dell'antico appunto come gloria e durata garantite soprattutto dal ruolo del mito, cioè da una serie di emblemi sinteticamente significanti, Crescimbeni intende trasmettere il senso dell'attività culturale della nuova Arcadia e soprattutto della sua poetica attraverso un folto repertorio di traslati visivi che dell'immagine figurata abbiano la funzione pedagogica di illustrazione già coltivata dal Barocco, e della retorica del simbolo, dell'allegoria, della personificazione abbiano la risonanza allusiva ad una vasta profondità semantica. Dotare il programma accademico di figure descrivibili e argomentabili significa farne un mito moderno che non ha soltanto il gusto antiquario dell'antico ma che raggiunge l'antico nella sostanza e anzi lo supera evolvendolo nell'esperienza più ricca dell'età moderna che ha agio di valutare e trascegliere il meglio dal passato, secondo la lezione dell'esperienza umanistica. Tanto più la figura è ne-

---

[47] *Spiegazione degl'intagli d'una Tazza donata da Alfesibeo ad Eufisio, intorno allo stato della Toscana Poesia tra gli Arcadi*, *ivi*, le pp. 208-212.

cessaria quanto più è astratto il suo contenuto, e l'apparente ossimoro del poeta che è insieme Pastore ed Eroe si scioglie del tutto: infatti la poetica arcadica è già miticamente figurata e i poeti già partecipano della dimensione eroica di una gloria costruita secondo canoni garanti di immortalità. Per tutto ciò, al programma poetico dell'Arcadia non basta la figura dell'allegoria e solo apparentemente il suo complesso traslato inciso nel vaso di cedro è di natura allegorica: in realtà l'Arcadia crescimbeniana esige di rappresentarsi in un significante simbolico che, così come è accaduto ai miti antichi e in particolare al referente pànico, si interpreti come un misterioso concentrato di significazione. Tale operazione, cui è necessaria la fattura di forme figurabili, richiama perciò di continuo l'esperienza dell'arte figurativa, e la tazza con le sue incisioni è descritta e lodata all'inizio in base al puro diletto dei guardanti, prima che ne sia rivelato il versante misterioso, cioè quell'aspetto «simbolico» che, rispetto al «materiale» del vaso, «di gran lunga l'eccede nel pregio». Così infine il pastore Amaranto, rivolto alle Ninfe tese «con avide orecchie ad ascoltare», lo spiega:

> Ha con questo lavoro Alfesibeo voluto additarci, che la Poesia, nata ne' primi tempi fra i Pastori, semplice e rozza, e dalla fatica, e dal caso generata, fu poi da i Maestri abbellita e ornata di tutte le scienze; ed ora tra gli Arcadi *in tutte le sue spezie nel grado più perfetto* vien professata.[48]

Nell'iconografia della poetica mitizzata compaiono in gran quantità strumenti musicali: «Trombe, Lire, Tibie, Sistri, e altri simili», elenca Crescimbeni. Le nobili dame, che adornano la Pastorella perché dismetta la primitiva rozzezza, li hanno accanto, e anche i Pastori della scena contigua ne portano di diversi. La Pastorella è immagine dell'antica Arcadia bucolica e le dame che la rivestono sono le Scienze e le Arti i cui strumenti musicali significano la versatilità e la cultura di un linguaggio che, assumendo lo «scientifico» e l'«artifizioso», ha nel corso del tempo evoluto nobilmente la rustica origine della poesia e ne ha fatto «istrumento» di un complesso sapere.[49] I Pastori della seconda scena sono i grandi Poeti greci, identificati sia dai serti simbolici che li incoronano sia, soprattutto, dai vari attributi musicali: per Omero epico il lau-

---

[48] *Ivi*, p. 209. È mio, qui e in seguito, il corsivo.

[49] «Le belle, e signorili Donne, che le fanno deporre i rustici arnesi, e la rivestono di ricche spoglie, e grandemente l'adornano, sono le Scienze, e le nobili Arti, delle quali fu arricchita col corso del tempo la Poesia: imperciocché i versi, che da principio col mezzo dell'osservazione del canto degli uccelli, del sibilo delle frondi, e del mormorio de' ruscelletti, furono ritrovati da' Pastori, e da i Coltivatori della Campagna, per sollevarsi dalla lunga noia del guardar le greggi, e dalla dura fatica di coltivare il terreno, servirono poi d'istrumento per insinuar negli animi degli Uomini tutto ciò, che di scientifico, e d'artifizioso si truova; e però a piè delle belle Donne si pongono gli strumenti da suono più nobili» (*ivi*, pp. 209-210).

ro e la tromba, per Sofocle tragico il cipresso e la tibia, per Pindaro lirico sublime l'oleastro e la lira, per Anacreonte melico i ligustri e la cetra.[50] Gli strumenti collaborano, dunque, alla costruzione della figura emblematica: essi, anzi, sono la chiave del messaggio che a Crescimbeni preme trasmettere. Per la loro attitudine funzionale e per la relazione con un'arte formalmente elaborata come la musica, i «nobili» strumenti sono adatti a significare il progresso della poesia verso il grado massimo di complessità e urbanità maturato appunto dall'assunzione dello «scientifico» e dell'«artifizioso», che cancella ogni traccia della «fatica» e della grezza «semplicità» delle origini ignare della complicatezza raffinata e nello stesso tempo agevole, propria di un'arte coltivata nella civiltà dell'*otium* letterario.[51] Rispetto a tale processo progressivo l'Arcadia accademica si pone – è questa un'indicazione essenziale – come sintesi e culmine, smentendo, in virtù del percorso evolutivo disegnato dalla concezione crescimbeniana della storia, la scelta pastorale come limite, riduzione, semplificazione e non piuttosto come raffinata quanto autorizzata 'finzione', esperta di 'scienza' e di 'artificio'. Se, così, la prima parte dell'intaglio riguarda «l'origine, che ebbe la Poesia tra i Pastori; e quanto ella poi crebbe sotto il governo de' saggi, e dotti Uomini nelle cospicue Città», l'altra parte «è tutta diretta alla moderna Arcadia», e i vari strumenti affiancati ai poeti antichi che, pur collocati su uno sfondo bucolico, tuttavia – come viene sottolineato – non sono mai stati pastori, indicano i diversi modelli a cui essa si riferisce, e significano, insiste Amaranto ribadendo un altro punto essenziale, che «i nostri Pastori cantano *di tutte le cose*, e adoperano *in ogni spezie di Poesia*», e non certo solo nel genere pastorale: «non essendo per altro né Omero, né Sofocle, né Aristofane, né Pindaro, né Anacreonte, che qui [...] sono stati intagliati in abiti Pastorali mai a giorni loro stati Pastori. Questi cinque Greci Poeti, adunque, i quali furono, e ancor sono i Principi, e maestri di tutti gli altri, simboleggiano nel presente intaglio tutta la Poesia divisa nelle sue spezie».[52] Tanto che ad ognuno dei poeti antichi, e dunque dei generi trasmessi dalla tradizione, viene accostato un poeta moderno, cui è riconosciuto uguale valore, fino ad arrivare ai due generi lirici, il pindarico e l'anacreontico, che si dichiarano «perfetta-

---

50 Privo, invece, di legami simbolici con la musica, Aristofane è in veste di Satiro cinto di lappole e ortiche e dotato di maschera comica (cfr. *ivi*, p. 209).

51 «[...] si fa, che la Fatica, cagione impulsiva del ritrovamento de' versi, espressa per questa callosa, e rabbuffata Vecchia, e per la zappa, che porta in mano, e la Semplicità dettatrice delle prime Poesie, adombrata nella Giovane, schietta, e priva d'ogni culto, e nel rusignuolo, che tiene in mano, abbandonino la Pastorella, e da lei s'allontanino, cedendo il luogo a più degne Compagne» (*ivi*, p. 210).

52 *Ibidem*.

mente» e diffusamente praticati dagli Arcadi («questi due generi di Poesia Lirica quanto perfettamente sieno in uso tra' nostri Arcadi, non ha d'uopo che io rammemori», conclude Amaranto).[53] Gli emblemi musicali significano dunque, ancora una volta, quanto di intellettualmente raffinato ha condotto la poesia fino all'esito contemporaneo e la molteplicità delle forme che essa accoglie dalla tradizione portandole a perfezione. Questo è un tasto su cui Crescimbeni ribatte con insistenza e da cui obliquamente trapelano i dissensi che già da vario tempo inquietano l'Accademia.[54]

Palesi risultano invece i termini del contrasto negli argomenti del *Ragionamento d'Uranio* riportati dal Libro VI dell'*Arcadia*.[55] È affidato alla figura di Vincenzo Leonio, fedele sodale di Crescimbeni, il compito di attraversare tutti i punti del dibattito, cosa che accade nella cornice di una nuova finzione narrativa, inserita nel generale contesto narrativo (o piuttosto pseudo-narrativo) dell'opera. Uranio ricorda, infatti, di aver assistito alla disputa tra due opposti personaggi, l'uno, Seudofilo, il Beoto dalle rozze maniere, l'altro, Alete l'Ateniese, dotto e civile:

> Io credo, che niuno di voi, o gentili Pastori, si ritrovasse nella passata Ragunanza al Bosco Parrasio, e non osservasse quei due forestieri, che mi sedettero a lato; poiché

---

[53] *Ivi*, p. 211.

[54] Nella premessa dell'*Autore a chi legge* Crescimbeni chiarisce sia gli intenti che i criteri compositivi dell'opera. Egli, «grandemente obbligato alla Ragunanza degli Arcadi», ha deciso di «scriver la storia de' suoi fatti per fondarne la gloria presso i posteri», dato che «questa Accademia, uscendo del solito di quante altre ne sono mai state istituite, ha praticate cose, e introdotti costumi, e norme, sì nel comporre, come nel governare simili unioni di Letterati, che ben meritano d'esser pubblicate, e mandate a i Posteri». Allinea quindi una serie di punti esplicativi e, in particolare, al punto IX indica nell'anno 1706 il limite cronologico delle sue «notizie d'Arcadia». Il contenuto implicitamente polemico di molta parte della propaganda crescimbeniana e il dissidio rivelato nel *Ragionamento d'Uranio* – cui qui di seguito si accenna – concorrono, perciò, ad indicare come i contrasti relativi alle scelte di poetica siano maturati in Arcadia con espressa consapevolezza teorica ben prima del noto scisma del 1711. Altra notazione cronologica di un certo rilievo è quella riportata dalla serie di caratteri intagliati intorno al piede del vaso di cedro così diffusamente descritto nel Libro quinto. Essi mostrano la data in cui l'artefice ha completato il suo lavoro, ma, poiché questo oggetto, come ogni altro abbia fattura figurativa nel prosimetro crescimbeniano, assume un ruolo traslato rispetto alle forme della letteratura, anche tale data si riferisce a un'opera, invece, letteraria. Infatti in nota Crescimbeni rivela: «Questo computo indica il dì 20 di Maggio 1702, che l'Autore compié il sistema di un'Opera, che tuttavia medita di fare intorno alla maniera di Poetare degli Arcadi, il quale è espresso con gl'intagli di questo vaso» (*ivi*, p. 211). È probabile che l'opera di cui si parla, o una sua parte o sintesi, diventi quel IX Dialogo che nell'edizione del 1712 amplierà la *Bellezza della Volgar Poesia* e «nel quale si discorre», come recita il titolo, «del gusto del secolo presente XVIII nella Lirica Poesia Volgare, e segnatamente nel Sonetto; e se ne forma la pratica» (G.M. Crescimbeni, *La bellezza della volgar Poesia... riveduta, corretta e accresciuta del Nono Dialogo dallo stesso Autore...*, Roma, Antonio de' Rossi, 1712, pp. 199-229).

[55] G.M. Crescimbeni, *L'Arcadia*, cit., pp. 235-244. Il *Ragionamento* appare documento di cruciale importanza per la comprensione delle divergenze di poetica e di ideologia presenti in Arcadia.

il rustico, e deforme aspetto dell'uno; il grave, e maestoso sembiante dell'altro: e gli abiti inusitati, e strani d'ambedue invitavano anche gl'occhi men curiosi a riguardarli.

Seguendo il corso del *Ragionamento*, non è difficile riconoscere rappresentate nel Beoto le posizioni graviniane e nell'Ateniese quelle di Crescimbeni riguardo alla concezione sia della poesia che del ruolo dell'Accademia. In Seudofilo è individuabile la figura dello stesso Gravina anche per il fatto che la rozzezza dei suoi tratti viene legata al luogo d'origine: egli, «nato, e cresciuto nell'incolta Beozia, parea, che ne' rozzi tratti, e nell'aspre maniere tutta raccolta avesse la salvatichezza dell'infelice sua Patria».[56] Nell'«incolta Beozia» si celerebbe la Calabria delle origini graviniane e in particolare la regione cosentina, la cui nobiltà, invece, matrice di dottrina, il suo colto figlio si vede costretto, in più occasioni, a difendere. Come accade in quel prezioso *Dialogo tra Faburno e Alcone*,[57] corredo delle sue *Eglogbe* sapienziali, dove egli ne esplica i nascosti significati filosofici e dove, nello sciogliere proprio il senso delle più oscure, si trova a elogiare la sapienza dell'antico Egitto e della Magna Grecia sua erede per raggiungerne il depositario moderno, «Bernardino Telesio cosentino», che dichiara riconosciuto «principe e duce di quanti a' nostri tempi hanno alzato l'insegne del vero ed han portato guerra e ruina alla caliginosa dottrina»,[58] e per estendere poi l'elogio, chiaramente espresso anche al fine di una polemica già difensiva, a una regione aspra e oscura ma custode di sapienza:

Onde una oscura ed abbandonata provincia ristretta in un cantone del Regno, anzi un mucchio di poche case ruinose e sdruscite ha potuto partorir facella tale che ha divorato ogni seme di quelle infelici piante, ed ha sparso largamente la luce sua non solo per l'Italia, ma per tutto il settentrione. Non è ancora spenta in quegli ingegni l'indole greca che sin dalla loro origine trasser seco, e son quegli omini a guisa d'ostrache le quali entro scorza rozza e sassosa chiudono frutto saporoso e piccante. E se a quei semi or è mancata la cultura, pure per la natural fertilità del terreno producon sempre nuovi rampolli di dottrina, li quali gli altri come compasciuti cercano di svellere con la maledicenza e col dispreggio a guisa de' polledri che come han bevuto il latte tiran di calce alla madre.[59]

---

[56] *Ivi*, p. 235.

[57] G.V. GRAVINA, *Dialogo tra Faburno e Alcone sopra le Eglogbe di Bione Crateo*, in A. QUONDAM, *Filosofia della luce e luminosi nelle Eglogbe del Gravina*, Napoli, Guida Editori, 1970, pp. 47-58.

[58] *Ivi*, p. 53.

[59] E continua: «Possono l'altre nazioni vincerli di belle apparenze, di cultura di corpo e di capegli, di delicatezze, di mode e di pompe ed agi femminili e di artifiziose delizie, ed anche di quelle arti delle quali questi medesimi, come i Locrensi, i Crotoniati, i Sibariti, i Tarentini e gli altri greci, vinsero ogni nazione come coloro che ne furono gl'inventori e singolari professori per molti secoli, gli

Anche tutto ciò risulterà avere un nesso, per quanto molto mediato, con la simbologia musicale.

La polemica divide i due interlocutori del *Ragionamento.*[60] Seudofilo rimprovera ai «novelli ristoratori d'Arcadia» la «peste universale» e l'«errore» della finzione pastorale che induce la poesia a «raggirarsi intorno a vili e sordidi soggetti» o a dedicarsi alle «amorose fole», smentendo con la pratica dell'inverosimile l'imitazione connaturata all'arte e abbandonando la lode antica degli Dei e degli Eroi e la sostanza filosofica del canto: lo strepito delle Zampogne è insomma anteposto alle «soavi armonie delle Cetere», e Apollo citaredo è stato dimenticato insieme alle Muse;[61] Alete risponde richiamando proprio la virtù della musica quale strumento di civiltà promosso con le «istituzioni della vita civile» introdotte dagli eroi fondatori, Arcade e, prima, Pelasgo, e ricorda che, se col canto di Anfione furono erette le mura di Tebe, la più famosa città della Beozia, da parte loro gli Arcadi «colla maravigliosa forza del canto deposero a poco a poco la primiera rozzezza», educarono i giovani a intonare «inni, e canzoni in lode degli Dei, e degli Eroi» e, «essendo tra loro vergognosa cosa riputata l'ignoranza della Musica, e della Poesia», fecero della loro vita «un esercizio continuo di canto», tanto che universalmente si ritenne «"gli Arcadi soli di cantar periti"». Sicché Alete, rivolto a Seudofilo, così conclude il delicato argomento del nome scelto dagli Accademici, e quindi della loro identità culturale e della tradizione che la autorizza: «Non sono stati dunque imprudenti, come tu credi, questi amatori delle buone lettere nel prender il nome degli Arcadi, i quali professaron sì bene l'arte del Canto, e della Poesia».[62] I moderni, che ben a ragione, perciò, si riferiscono agli Arcadi antichi, sono inoltre ben consapevoli di esser «nati nelle Città, e nutriti nelle Accademie» mentre assumono «per lor diletto» la finzione bucolica. Restaurato anche il nobile legame con l'antica arte della musica a legittimare la scelta pastorale, occorre proteggere la nuova poesia dal pericoloso discredito dell'ac-

---

antichi Locresi, i Sibariti e Crotoniati e 'l resto de' Greci vinsero ogni altra nazione; ma come quelli s'incontrano nella buona via che cercano a tentone non avendo chi porga loro la mano, niuno potrà vincerli di robustezza di mente e di generosità di spirito superiore alle cose umane ed alle ingiurie della fortuna: la quale non può contro loro porre argine tale che gl'impedisca di correr prima di tutti alle buone cognizioni, come nella rinovazion di queste dottrine è avvenuto» (*ivi*, pp. 53-54). Da notare che al ms. vaticano delle *Egloghe* (rispetto alle quali il *Dialogo tra Faburno e Alcone* – si è detto – assume funzione esplicativa) è apposta la data 1692: presto, quindi, appaiono emergere elementi di dissidio nell'ambiente romano (cfr. A. QUONDAM, *ivi*, pp. 13-25).

[60] E Uranio identifica l'uno come amico, l'altro come nemico dell'Arcadia: «Fin da' loro primi ragionamenti, le lodi dell'uno, ed i biasimi dell'altro [...] mi fecero accorto "... che l'un spirito amico / al nostro nome, e l'altro era empio, e duro"» (G.M. CRESCIMBENI, *L'Arcadia*, cit., p. 235).

[61] Cfr. *ivi*, pp. 236-238.

[62] *Ivi*, p. 239.

cusa di 'inverosimiglianza' (che lede alla radice quella che è ritenuta – secondo criteri ancora pienamente correnti – l'essenza stessa dell'arte), riconsegnandola in tutte le sue forme alle ragioni della 'verisimile imitazione':

> Io ben so, che alle volte anche nel Bosco Parrasio s'odono risonare le lodi degli Eroi, e Filosofici, e gravi sentimenti, ma non senza riso delle persone più dotte: poiché, non essendo altro la Poesia, che imitazione, costoro, che vogliono esser Pastori, non possono senza offender le leggi della medesima Poesia, cantar soggetti, che pastorali non sieno,

aveva infatti insistito Seudofilo.[63] L'assunto dell'ampiezza e della profondità della poesia arcadica, che tanto preme alla propaganda crescimbeniana, torna perciò anche qui, nell'esplicita sede di un dialogo di forte tensione polemica, più volte a ribadirsi: la maschera bucolica cela ma non cancella la cultura urbana dei poeti e quindi non costituisce un limite alla verosimiglianza dei loro versi, per la qual ragione è possibile «nobilmente *di qualunque soggetto*» cantare.[64] Alete nega che essi «di grandi, e nobili soggetti cantar non possano, senza affatto spogliarsi de' pastorali costumi; imperciocché», insiste, «io stimo, ch'essi *di tutte le cose* possano *verisimilmente* cantare».[65] In ogni tempo, infatti, i «migliori Poeti» (Teocrito, ad esempio, e Virgilio) «nelle loro Pastorali Poesie, ora sotto i velami dell'allegorie, ora svelatamente, *di qualunque materia* han felicemente cantato», e ciò significa che la versatile opzione bucolica appare ancora una volta autorizzata da una vasta tradizione e, soprattutto, che si lega in vario modo a quelle fonti antiche da cui Gravina, in più luoghi, esorta a non prescindere (indicandone, però, diversamente, il misterioso spessore sapienziale). È al seguito di tali Maestri che «gl'Italiani Poeti *sopra qualsivoglia soggetto* ancor'essi le Poesie Pastorali composero, rappresentandole fin sulle scene, in Commedie, ed in Tragedie».[66] E, come Seudofilo contesta quale segno di arbitrio e fattore di inverosimiglianza la denominazione arcadica di «Egloga» applicata ad ogni altro genere poetico («E poi, per serbare il costume pastorale almeno nell'apparenza, con inusitato, e stranissimo esempio danno il nome d'Egloga a qualsivoglia lunga Canzone, di qualunque metro, e sopra qualunque argomento composta ella siasi»),[67] denunciando, con gli insi-

---

[63] *Ivi*, p. 237.

[64] *Ivi*, p. 239.

[65] *Ivi*, p. 242.

[66] *Ivi*, p. 244.

[67] Fino a censurare lo stesso Vincenzo Leonio, che è lì a riferirne le parole: «[...] nel qual'errore oggi appunto, sei caduto ancor tu, o Uranio, recitando in vece d'Egloga un'Elegia» (*ivi*, p. 238).

stiti «qualsivoglia» e «qualunque», la fittizia assimilazione delle forme della poesia contemporanea, così il «saggio» Alete gli fa eco, disseminando di «qualsivoglia» e «qualunque» il suo discorso ma a significare la ricchezza del linguaggio arcadico, fino a ribattere puntualmente: «e sotto il nome d'Egloga, che non vuol dir altro, che cosa scelta, i ragionamenti non solo di pastorali cose, ma *di qualunque altra materia* compresero».[68]

La contesa dà occasione a Crescimbeni di argomentare una dichiarazione di poetica di notevole rilievo, che sinteticamente fa luce sull'orientamento della speculazione estetica arcadica. Al fine di confermare che di ogni cosa i Pastori d'Arcadia possono «altamente e gentilmente poetare», e perciò anche di «materie» che si ritengono «vili, ed inutili», egli, rivolto nella persona di Alete al suo avversario, lo avverte: «La nobiltà della Poesia, o Seudofilo, non consiste nell'altezza de' soggetti, ma nella bontà dell'imitazione». E spiega:

> Chiunque introducendo alcuna persona, quantunque vile ella siasi, esprimerà al naturale i suoi costumi: o descrivendo alcuna cosa, quantunque bassa ella siasi, la rappresenterà al vivo, quasi mettendola innanzi a gli occhi, questi sarà nobilissimo Poeta, e di gran lunga superiore a qualsivoglia altro versificatore, che dell'eroiche azioni, e delle divine cose, e dell'istesso Altissimo Iddio a cantare imprenda.[69]

La «bontà dell'imitazione» implica il rispetto di quella 'verosimiglianza' non riconosciuta da Gravina alla poesia arcadica; ma non è tanto questo il punto essenziale: piuttosto lo è il concetto che il valore dell'arte è misurabile su parametri formali, rispetto ai quali il contenuto in sé considerato non è qualificante e finisce per risultare irrilevante. Al pregio dell'*enàrgheia*, la viva, pittorica rappresentazione, la poetica arcadica è particolarmente sensibile e in essa assomma – come del resto una lunga tradizione insegna – i vari elementi del volto formale dell'arte. Ma, d'altro canto, la poesia non può certo prescindere dalla scelta di propri contenuti, e l'Arcadia ha inteso coltivare con assi-

---

[68] *Ivi*, p. 244.

[69] *Ivi*, pp. 239-240. Non è un caso che il discorso riecheggi un concetto espresso nelle *Prose della volgar lingua* da Pietro Bembo, al cui Petrarca classicisticamente codificato gli Arcadi fanno programmatico riferimento. Bembo, proponendo per bocca di Giuliano de' Medici il paragone fra Dante e Petrarca (quel paragone che divide anch'esso le posizioni di Crescimbeni e di Gravina), così lo fa parlare: «[...] il suggetto è ben quello che fa il poema, o puollo almen fare, o alto o umile o mezzano di stile, ma buono in sé o non buono non giamai. Con ciò sia cosa che può alcuno d'altissimo suggetto pigliare a scrivere, e tuttavolta scrivere in modo, che la composizione si dirà esser rea e sazievole; e un altro potrà, materia umilissima proponendosi, comporre il poema di maniera che da ogniuno buonissimo e vaghissimo sarà riputato; sì come fu riputato quello del ciciliano Teocrito, il quale, di materia pastorale e bassissima scrivendo, è nondimeno molto più in prezzo e in riputazione sempre stato tra' Greci, che non fu giamai Lucano tra' Latini, tutto che egli suggetto reale e altissimo si ponesse innanzi» (P. Bembo, *Prose della volgar lingua*, in Id., *Prose e Rime*, a cura di Carlo Dionisotti, Torino, UTET, p. 176). E anche qui di Teocrito e della «materia pastorale» inoltre si parla.

duità gli «amorosi argomenti». Oggetto di censura da parte di Seudofilo, che ricorda la poesia esser stata «ritrovata per lodar gli Dei, e gli Eroi, non le Fillidi, e le Amarillidi»,[70] essi sono legittimati da Alete, che gli oppone non esser «inverisimile, che gl'innamorati Pastori favellino altamente d'Amore»,[71] e senza il ricorso – questo sì lesivo delle «leggi del verisimile» – alla «Platonica Filosofia», perché «per penetrare i più alti arcani dell'amorosa filosofia basta solo l'essere amante».[72] Senza ridursi a quello che Gravina, spiegando in una delle lettere *Della divisione d'Arcadia* le ragioni dello scisma dell''11, definisce «un platonismo veramente insulso tanto, quanto vano»,[73] gli Arcadi possono cantare altamente i «vaghi soggetti» amorosi edotti dall'«istesso Amore, il quale è sommo Filosofo, e sommo Poeta».[74] A conferma di tale giudizio, Crescimbeni chiama in causa proprio quell'autore che Gravina, nel trattato *Della Tragedia*,[75] giudicherà responsabile, insieme a Battista Guarini, della corruzione del teatro per via degli ibridismi della sua pastorale e della scelta esclusiva dell'argomento amoroso: si tratta di Torquato Tasso che, giusto nell'*Aminta*, si trova ad offrire un argomento prezioso agli epigoni d'Arcadia. Egli, infatti, già scioglie la minaccia dell'inverosimiglianza ossimorica che divide la figura del Pastore Eroe, rendendone plausibile l'ibrida natura, quando istituisce appunto in Amore, forza ispirante nobiltà di sentimenti e dolcezza di linguaggio, il fattore dell'assimilazione e della concordia. Nei versi dell'*Aminta* citati, Amore dunque promette: «Spirerò nobil sensi a rozzi petti: / raddolcirò delle lor lingue il suono; / perché ovunque io mi sia, io sono Amore / ne' Pastori non men, che negli Eroi, / e la disuguaglianza de' soggetti / come a me piace

---

[70] G.M. Crescimbeni, *L'Arcadia*, cit., p. 237.

[71] *Ivi*, p. 242.

[72] *Ivi*, p. 241.

[73] G.V. Gravina, *Della divisione d'Arcadia. Al Marchese Scipione Maffei*, in Id., *Scritti critici e teorici*, cit., p. 484. Nell'altra sua lettera *Della division d'Arcadia. Lettera ad un amico*, scritta come la precedente a ridosso dello scisma, Gravina ne indica chiaramente una delle cause nel rifiuto dell'esercizio arcadico delle «cicalate pastorali» e dei «sonettini e canzoncine» amorosi, che avevano allontanato la poesia dalla nobilitante familiarità coi «soggetti eroici dell'antica erudizione», restringendola alla pratica quasi esclusiva della lirica volgare (cfr. *ivi*, pp. 472 e sgg.). Per la vicenda redazionale dei due testi, si veda l'*Apparato critico* di A. Quondam, *ivi*, pp. 677-684.

[74] G.M. Crescimbeni, *L'Arcadia*, cit., p. 241.

[75] Si vedano soprattutto i Capp. XX e XXII, entrambi *Contro i moderni Tragici*. Indicati nel *Pastor fido* e nell'*Aminta* gli «esempi viziosi» di una incipiente degenerazione, Gravina ravvisa gli effetti del loro perverso magistero sul teatro contemporaneo: «Felici però assai sono i presenti tragici, che non hanno da rintracciare né da esprimere altro carattere che quello di amante: onde son fuori di tutte queste difficoltà, perché né meno di questo costume han da cercare il ritratto della natura: essendo recato loro dal proprio capriccio e dai romanzi, o da un falso platonismo [...] E questo chimerico amore ancora più d'ogn'altro ha esclusa dai nostri teatri la varietà: poiché, dandosi luogo solo a questo, rimane abbandonata ogni espressione di altro costume e di altra passione» (G.V. Gravina, *Della Tragedia*, in Id., *Scritti critici e teorici*, cit., pp. 530-531).

agguaglio».[76] Una 'disuguaglianza agguagliata' dal potere pervasivo dell'ispirazione amorosa ovunque nobilitante; tanto che «suprema gloria, e gran miracol» d'Amore è l'impresa più grande, la quale, richiamando i due emblemi musicali tradizionalmente antagonisti, consiste nel «render simili alle più dotte Cetre / le rustiche Sampogne». L'Amore tassiano autorizza la «verisimiglianza» della maschera pastorale atteggiata eroicamente e, soprattutto, quella – conseguente – del linguaggio pastorale intonato nobilmente: legittima una poetica, e la lingua e i miti che essa sceglie. In altri termini, un «soggetto», un «argomento», un contenuto, qual è quello amoroso, risulta in grado di dilagare con uguale forza persuasiva tra i confini dei vari generi, in quanto detta un linguaggio la cui estrema formalizzazione sovrasta ogni differenza.

La schermaglia di Cetre e di Zampogne, di volta in volta antagoniste o solidali, si fa più fitta e si complica diramandosi in diverse allusioni. L'insistenza, nel corso del *Ragionamento*, sulla qualità della 'rozzezza' (e sulle sue più bucoliche varianti della 'rusticità' e della 'selvatichezza') è un dato da notare. L'accusa rimbalza dall'uno all'altro antagonista: se Seudofilo è rappresentato come l'immagine stessa della rozzezza (la sua «incolta Beozia», la ribadita «salvatichezza», il suo «rustico, e deforme aspetto», i «rozzi tratti», l'«aspre maniere», il «volto rabbuffato, e cagnesco», gli «sconci movimenti» e il greve sonno che lo prende alla fine), Alete e i suoi Arcadi sono d'altro canto, nelle parole di Seudofilo, «rozza gente, e selvaggia», dedita a comporre solo «rozzi versi, ed incolti», così come le antiche «genti d'Arcadia» ebbero «stupidi, [...] rozzi, e [...] ottusi gl'ingegni», fino a subire l'accusa più grande, quella – come si è già visto – di aver anteposto «alle soavi armonie delle Cetere lo strepitoso, e spiacevol suono di pastorali Sampogne».[77] Dato che la polemica si gioca nella prospettiva di Crescimbeni, questi non si limita a opporre ingiuria a ingiuria e ad argomentare intorno alla legittimità e ai meriti della moderna Arcadia, ma si impegna a neutralizzare più sottilmente l'avversario, colpendone, anche se solo per via di allusioni, le posizioni speculative più profonde. Lo rivela già la scelta dei nomi dei due antagonisti: Alete, il depositario dunque della verità, e Seudofilo, colui che inganna e si inganna, promotore di falsità. I due nomi raccolgono suggestioni e intenzioni molteplici, e la contesa, nell'ottica crescimbeniana, si affisa sull'ambiguità di Pan e sulle mitiche gare musicali di Apollo.

La figura pànica è in profondità implicata in un discorso sul 'vero' e sul 'falso' da quando Platone nel *Cratilo* definisce Pan come «doppio», insieme

---

[76] Così i versi del Tasso sono riportati nella citazione crescimbeniana (G.M. CRESCIMBENI, *L'Arcadia*, cit., p. 242).

[77] *Ivi*, p. 236.

«vero e falso», descrivendone la caprina, terrestre rozzezza fonte di falsità e la levigata celeste divinità custode del vero.[78] Quando Gravina nel *Dialogo tra Faburno e Alcone* difende l'oscura provincia del Regno e i suoi ingegni che «entro scorza rozza e sassosa chiudono frutto saporoso e piccante», dà di essi (e quindi anche di se stesso) un'immagine silenica, la quale, a un superiore livello speculativo, si adegua alla sua stessa concezione della poesia, che – come si è già ricordato – lega le profondità metafisiche del 'vero' e la diversa velante natura del 'finto' (non del 'falso'!). Nello stesso *Dialogo* Faburno lamenta appunto il troppo denso «velame» che nasconde il senso delle *Eglogbe* di Bione: egli, «distendendo con quel genere di poesia un velame fosco alle cognizioni scientifiche, e coprendo d'imagini corporee le sublimi speculazioni, non ne scopre poi né meno la cornice e si contenta che si vegga il ricamo del tappeto».[79] La figura silenica è socratica ed è noto, d'altro canto, come nella tradizione mitologica il Sileno sia legato insieme a Pan e a Ermes, a Marsia, anch'egli un sileno, e al re Mida, suo ospite generoso, cioè a tutti quei personaggi che hanno un nesso con le gare sonore di Apollo. Gravina intitola una delle sue *Eglogbe* appunto *Sileno*, esplicandola – non a caso – *overo della bellezza*.[80] È la seconda e fa parte, quindi, di quelle prime tre dove l'Autore, come nel *Dialogo* riferisce Alcone, «ha reso metafisico il corporeo», mentre «dalla quarta in poi ha reso corporeo il metafisico».[81] Nella sesta Egloga, fra quelle, perciò, dove il trascendente si fa visibile di un velo corporeo, i due Pastori dialoganti sono proprio Alfesibeo e Bione, i quali preparano l'ingresso dell'oracolare protagonista chiamato a una profetica rivelazione. Si tratta del dio arcadico, il «sagace dio, di cui lo sguardo gira / per entro l'ampio ed infinito spazio, / ovunque l'universo si raggira»: Pan, il quale 'finge' in forme figurate i metafisici fattori che regolano la vita del cosmo e quella dell'uomo.[82] Ma, come Gravina e la sua terra sono immagini sileniche, come Sileno è deputato a volgere il corporeo in trascendente spiegando le ragioni metafisiche della bellezza, come Pan, quale dio «sagace», profetizza – davanti sia a Crescimbeni che a Gravina – su Provvidenza, Fortuna, Armonia[83] e Virtù,

---

[78] Cfr. PLATONE, *Cratilo*, 408c-d.

[79] G.V. GRAVINA, *Dialogo tra Faburno e Alcone...*, cit., in A. QUONDAM, *Filosofia della luce e luminosi...*, cit., p. 47.

[80] G.V. GRAVINA, *Eglogbe*, cit., *ivi*, pp. 65-69.

[81] ID., *Dialogo tra Faburno e Alcone...*, cit., *ivi*, p. 50.

[82] L'Egloga è intitolata *Pronea overo della Provvidenza* (ID., *Eglogbe*, cit., *ivi*, pp. 96-103). Citati qui sono i vv. 106-108.

[83] Che è dotata della cetra apollinea: «[...] leggiadra e bella / ninfa, che tempra armoniosa cetra, / splende qual chiara e luminosa stella, / ogni nebbia da lei fugge e s'arretra [...]» (vv. 159-161).

ed è dunque un dio misterico[84] e non soltanto una parvenza arcadica dotandosi di virtù apollinee di profezia e di sapienza, così Apollo stesso non abita in Arcadia ma in Beozia, suo «antico, e vero soggiorno», al quale si oppone la «rozza gente, e selvaggia» d'Arcadia,[85] e sono i Beoti a coltivare le «soavi armonie delle Cetere» contro lo stridore delle «pastorali Sampogne» dove invece Pan si scinde da Apollo.

È proprio questa concezione che a Crescimbeni preme intaccare, perché il beota Pan misterico torni invece a farsi soltanto arcadico, così come Apollo gli si assimili nell'abito pastorale, per ricomporre senso, armonia e pienezza all'interno della prospettiva bucolica prescelta («E chi non sa, che furono Pastori Endimione amato dalla Luna, Dafni Figliolo di Mercurio, Sileno Maestro di Bacco, Pan Dio d'Arcadia, ed Apollo istesso Dio de' Poeti?»).[86] L'operazione intrapresa è allora quella di smascherare nel 'finto' il 'falso', cioè nella 'rozzezza' addotta da Gravina come silenica – quindi come emblema della necessaria finzione velante di veste corporea la Bellezza e la Sapienza – la 'sofistica' menzogna. Accanto al misterico Pan ricostruito da Bacone è comparsa Iambe con le sue «false dottrine», così come sono tornate a mormorare le ovidiane *tremulae harundines* che avvertono degli inganni della 'rozza' ignoranza. Tutto concorre ad indicare allusivamente la natura mendace del Pan lontano dall'Arcadia e l'alienazione dei simboli dal significato che l'Accademia attribuisce loro, mentre entrambi gli antagonisti tendono a connotare il loro Pan di doti apollinee. Nel *Ragionamento* crescimbeniano è infine Seudofilo stesso a rappresentare il Pan menzognero, così come Alete rappresenta il veritiero Apollo: la sapienza misterica si rovescia nella fallacia e al suo posto dilaga l'apollinea chiarità.[87]

---

[84] Come 'misterica' è la poesia che lo sta animando, quella che, nelle ultime cinque Egloghe, rende «corporeo» ciò che è «metafisico»: «[...] perché il poeta dà corpo ai concetti e, con animar l'insensato ed avvolger di corpo lo spirito, converte in immagini visibili le contemplazioni eccitate dalla filosofia, sicché egli è trasformatore e producitore, dal qual mestiero ottenne il suo nome; e perciò stimò Platone che il nome di musa sia stato tratto dal verbo *maiòthai* per cagione dell'invenzione che alle Muse s'ascrive; ed alcuni voglion dedurlo da *meìsthai*: donde discende *mystae* e *misteria*» (G.V. GRAVINA, *Della Ragion poetica*, cit., in ID., *Scritti critici e teorici*, cit., p. 213).

[85] «Abbandonate l'antiche Accademie delle Città, e [...] abbandonato l'istesso sagro Elicona della mia Beozia, antico, e vero soggiorno d'Apollo, e delle Muse, corsero la maggior parte de' nostri Poeti ad accrescere il numero di questa rozza gente, e selvaggia», lamenta Seudofilo, denunciando così, inoltre, lo svuotarsi delle Accademie a causa del successo dell'Arcadia, che ne va assorbendo in numero crescente i membri (G.M. CRESCIMBENI, *L'Arcadia*, cit., p. 236).

[86] *Ivi*, p. 243.

[87] È perciò possibile che nella figura di Seudofilo abiti anche il Marsia tramandato dalla moralizzazione allegorica dell'*Ovidio volgare*, il quale, in gara con Apollo come Pan, propone le sue «falacie» – e ne è punito – contro «gli veri argumenti resonanti» sulle corde della «cithara». L'«Alegoria» così interpreta il racconto mitico: «Pallas dice Ovidio che sonava la zaramella. Per questo

Anche la difesa della lirica amorosa privilegiata dalla poetica arcadica richiama il concetto di pastorale 'rozzezza', puntando a rovesciare l'accusa di una scelta incongrua e di una finzione dissonante. Crescimbeni ritaglia ad arte dal Coro del secondo Atto quei versi dell'*Aminta* che insistono proprio sui «rustici ingegni», le «penne selvagge», le rime che «rozza mano in rozza scorza imprime» ma al fine dell'elogio di Amore, solo maestro di se stesso e dettatore di una lingua faconda («Tu in bei facondi detti / sciogli la lingua de' fedeli tui»), davanti al quale recede e apprende lo stesso «Febo in Elicona», che «[...] sì d'Amor ragiona, / come colui ch'impara; / freddo ne parla, e poco, / non ha voce di foco», come egli continua a citare.[88] E non manca neppure l'appello al Guarini, dove questi smentisce la 'rozzezza' dell''abito' pastorale («benché qui ciascuno / abito, e nome pastorale avesse / non fu però ciascuno / né di pensier, né di costumi rozzo», dal Prologo del *Pastor fido*).[89] Gli altri versi dell'*Aminta*, riportati da Crescimbeni subito dopo i precedenti (e da noi più sopra ricordati): «Spirerò nobil sensi a' rozzi petti, ecc.», sono dettati nel Prologo da Amore nascosto negli abiti pastorali che annuncia il suo progetto («far cupa e immedicabile ferita / nel duro sen de la più cruda Ninfa / che mai seguisse il coro di Diana»,[90] cioè di Silvia, onde egli si mescolerà tra i pastori) e avvia la vicenda del dramma. Nella citazione crescimbeniana i versi del Tasso e del Guarini virano verso altri sensi, secondo un impegno semantico strumentale, teso ad avvertire che la siringa bucolica è educata da Amore, antidoto più efficace di «Atene», del «Liceo» e dello stesso Apollo alla 'rozzezza', al fine di ribadire un programma letterario che, traslato in figurazioni poetiche, ospita sia «Cetre» che «Sampogne» dotandole di più ampia risonanza simbolica. I due mitici strumenti si uguagliano nel segno della raffinatezza classicista della tradizione li-

---

dovemo intender tute le cagione, le quali sono sofistiche: et perché sonava dinanci agli dei. Intendo questa sola sofistica perciò che quella arte sola per se oprando vale e non amaestra. Che gli se sgonfiassero le guanze: tanto vien a dire questo: che quando gli sofistici operano cotale cientia si fano rossi et infiati. Che gli dei se ridessero: questo vuol dire che li savii homini se rideno e fano beffe di tale scienciati. Dice che Pallas discese dal cielo e andò a l'aqua dove conobe perché gli dei havevano riso: questo non vuol altro dire se non che poi che il sofistico torna in sua mente viene a la terra e a l'aqua; cioè ale scientie formate dali homini terreni e naturali: et cognoscendo lo suo errore gitta a terra quello istrumento, cioè quella intentione. Et per Marsia che la trovò: intendo uno el quale sempre se regie e defendese in fallacie. Et tanto è a dire Marsia in greco quanto che Ironio in latino. Et questi cotali voglino disputar con Apollo: cioè con gli savii. Ma Apollo gli vince con la cithara: cioè con gli veri argumenti resonanti [...]». Il racconto dell'*Ovidio volgare* è riportato da E. WINTERNITZ, *op. cit.*, pp. 135-137.

[88] G.M. CRESCIMBENI, *L'Arcadia*, cit., p. 241.

[89] Cfr. *ivi*, p. 243.

[90] T. TASSO, *Aminta* (vv. 53-55), in ID., *Opere*, a cura di Bortolo Tommaso Sozzi, Torino, UTET, 1964, vol. II, pp. 174-272.

rica codificata e del potere del suo linguaggio protetto da diffuso consenso; anzi, la dottrina di Apollo risulta parziale e imperfetta se non viene dettata da Amore in vesti arcadiche, e l'esclusivo Olimpo d'Arcadia accoglie Febo col pedo pastorale.

Trasparenti dietro i loro attributi, figurati nella loro musicale sineddoche, affiorano con alterne vicende nella contesa letteraria gli dei della mitica gara, Apollo e Pan: infine comunque conciliati, assimilati secondo le esigenze dell'Accademia, come accadrà molto più tardi nello scambio di strumenti immaginato dal terzo Custode di un'Arcadia ormai languente, che la sogna pànica ed apollinea insieme.

* * *

Nel trattato dialogico *La bellezza della volgar poesia*, pubblicato nel 1700,[91] Crescimbeni si applica ad un'opera di definizione e descrizione normativa della poesia, considerandone perciò soprattutto l'aspetto formale, e procede ad una fitta esemplificazione, che risulta necessaria all'indagine sulla perfezione della forma. Al percorso esemplare, tracciato privilegiando il modello della lirica petrarchista del Cinquecento, viene assegnato un culmine con l'aggiunta del nono Dialogo alla nuova edizione del 1712 dove, secondo il progetto costantemente perseguito e più esplicitamente promosso proprio in seguito alle circostanze dello scisma, Crescimbeni attribuisce non solo la più compiuta bellezza ma la natura stessa del classico alla poesia contemporanea considerandola l'approdo alla scelta dell'ottimo maturata nel corso del tempo, e quindi assegnandole il ruolo di un modello normativo atto a durare nel tempo e a consegnare se stesso e gli epigoni futuri alla gloria:

> Ciò, che di proprio nella Volgar Poesia à il nostro secolo appena nato è quello, che an cercato tutti i passati secoli, e né men vecchi an saputo trovare; e questo è l'ottimo. Non vuole egli mediocrità ne' componimenti; non si contenta che non abbiano difetti; rifiuta anche il buono, se conosce, che il buono può esser migliore; e siccome colui, che à vedute le virtù, e i vizi de' suoi antecessori, per gl'innumerabili volumi di Poesie, che gli anno tramandati, cerca per suo podere di fuggir questi, ed aumentar quelle; e in sustanza introdurre una maniera di poetare, che, dandosi alle stampe, basti a' posteri il trovarla notata col suo millesimo, per riputarla degna d'esser letta, e abbracciata.[92]

---

[91] G.M. CRESCIMBENI, *La bellezza della volgar poesia spiegata in otto dialoghi...*, in Roma, per Gio. Francesco Buagni, 1700.

[92] ID., *La bellezza della volgar Poesia... riveduta, corretta e accresciuta del Nono Dialogo...*, cit., p. 200. E, più oltre: «il gusto del presente secolo nella Lirica volgare consiste tutto in una riforma in meglio di quanto si è fatto per lo passato, senza però uscire dalle regole fondamentali insegnateci dal Petrarca, e dal Chiabrera» (*ivi*, p. 214).

Se la secolare ricerca della perfezione poetica disegna con Crescimbeni un tragitto progressivo perché possa mostrare di ascendere all'esito dell'età presente, e tale tragitto è scavato nella temporalità della storia, ben diverso è il culmine – remoto, astratto, tangente il metafisico – assegnato alla poesia da Gravina, il quale all'inizio del Libro Secondo della *Ragion poetica* aveva dichiarato la sua antica «ripugnanza» a trattare della poesia volgare[93] in quanto segnata – all'opposto – da quel fatale tragitto di corruzione in cui egli vede deteriorarsi la storia umana e inaridirsi la sapienza primigenia che in origine proprio la poesia, «scienza delle umane e divine cose», era deputata a trasmettere.[94] L'apice, dunque, dove la perfetta sapienza e la poesia, sua «favella misteriosa», si concentrano, è situato in un luogo temporalmente distante, presso gli antichi Egizi e i loro epigoni greci, Orfeo, Museo, Omero, che hanno racchiuso nel «misterioso corpo» della «favola» mitologica l'«occulto spirito» delle scienze e l'«esser delle cose trasformato in geni umani».[95] La «ragion poetica» è raggiungibile attraverso questa sorta di vortice metafisico che ha struttura piramidale e il cui apice ricompone quell'unità assimilabile al divino che la storia disperde nella sempre più ampia moltiplicazione delle varie «regole» e infine delle molteplici «opere», le quali solo adeguandosi alla *ratio* apicale, che richiede l'esatta cognizione del «vero» e del «falso», del «reale» e del «finto» e detta un linguaggio figurato alla sapienza, possono farsi perfette. Inutile risulta essere allora la prassi esemplificativa applicata invece nei testi teorici crescimbeniani: il problema non è quello delle 'forme', che richiedono modelli ed esempi, visto che la perfezione formale discende dal processo di un'operazione astratta, assorbita, com'è, all'interno dell'esatto «trasporto del

---

[93] «Quella ripugnanza, eccellentissima signora,» così esordisce Gravina nella Dedica del Libro Secondo a Madame Colbert, «che mi ha sempre distolto dal ragionare sopra l'italiane poesie e che non si è potuta da persuasione altrui superare, ha ceduto unicamente al comando e desiderio vostro [...]». Per poi aggiungere, dando maggior fondamento alla propria nuova intenzione: «Faremo addunque delle nuove favole e nuovi favoleggiatori simil governo che degli antichi abbiamo fatto, esprimendo il carattere loro e riducendo il lor artifizio ed insegnamento all'idea degli antichi, dai quali essa idea coll'imitazione e collo studio si è a' novelli comunicata» (G.V. GRAVINA, *Della Ragion poetica*, cit., in ID., *Scritti critici e teorici*, cit., pp. 271-272).

[94] «Onde fu la poesia introdotta per favella misteriosa, in cui s'ascondeano i fonti d'ogni sapienza, e sopratutto della divina [...] Sicché nell'origin sua la poesia è la scienza delle umane e divine cose convertita in immagine fantastica ed armoniosa» (*ivi*, p. 273). Per l'analisi di alcuni particolari concetti espressi dalla speculazione graviniana sulla poesia, cfr. C. DE BELLIS, *Il 'modus' oraziano e la riflessione di Gian Vincenzo Gravina sulla poesia*, in *Orazio e la letteratura italiana. Contributi alla storia della fortuna del poeta latino*, Atti del Convegno (Licenza, 19-23 aprile 1993), Roma, Istituto Poligrafico e Zecca dello Stato, 1994, pp. 291-332.

[95] Nel Cap. IX. *Della natura della favola* Gravina spiega: «Perloché la favola è l'esser delle cose trasformato in geni umani, ed è la verità travestita in sembianza popolare», continuando con le considerazioni qui citate alla nota 84 (G.V. GRAVINA, *Della Ragion poetica*, cit., in ID., *Scritti critici e teorici*, cit., p. 213).

vero nel finto»[96] in cui la «ragion poetica» consiste risonando profondamente in tali suoi termini, poiché il «vero» è la totalità delle scienze e il «finto» è il «corpo» intensamente significante di un linguaggio figurato pieno di filosofica sostanza come quello del mito. Le «antiche favole» costituiscono, infatti, il monito esemplare ad un linguaggio simbolico e non il repertorio inerte al quale attingere i fattori nobilitanti un costume letterario. Omero e Dante, indicati come modelli, non lo sono a livello formale[97] (e non potrebbero esserlo: l'uno ovviamente per la lingua, l'altro per quella 'oscura' complessità che soprattutto il classicismo settecentesco gli rimprovera), ma per il fatto che entrambi hanno infuso nella loro poesia la delirante quanto «salutare» magia della profonda traduzione del «vero» nella veste sensibile del «finto»: Omero è dunque «il mago più potente e l'incantatore più sagace»,[98] e la poesia stessa è «una maga, ma salutare, ed un delirio che sgombra le pazzie».[99]

Proprio dove risulta necessario chiarire il meccanismo essenziale che governa le «antiche favole» e la loro funzione, viene evocata l'arte della musica, e l'accenno al suo ruolo affiora come un fugace ma non poco importante argomento del discorso. Si profilano due figure di poeti musici, Anfione e Orfeo, giusto accanto alla poesia utile «maga» e terapeutico «delirio», considerata, cioè, secondo un suo modo così profondamente attivo ed essenziale da essere essa stessa – come i suoi filosofici oggetti – descrivibile con fedeltà solo tropicamente e rappresentabile attraverso mitiche animazioni. Gravina, però, avverte che la virtù civilizzatrice della poesia, così come della musica a lei compagna, tradizionalmente intesa nel racconto mitico narrante della favolosa capacità del canto poetico di muovere pietre e bestie,[100] non ne spiega

---

[96] È questa una perifrasi esplicativa della qualità dinamica e speculativa che Gravina ravvisa nell'«imitazione», la quale è proposta, perciò, non come mera prassi propria dell'arte, ma piuttosto come metodo concettualmente elaborato e fondamento intellettuale della prassi stessa. Egli infatti espone la necessità che «tanto l'antiche quanto le nuove regole rimangano comprese in un'idea comune di propria, naturale e convenevole imitazione e trasporto del vero nel finto, che di tutte l'opere poetiche è la somma, universale e perpetua ragione» (*ivi*, p. 199).

[97] Occorre forse chiarire che, dove alla teorizzazione graviniana non appare funzionale il concetto di modello normativo e quindi di esemplarità applicata all'aspetto formale della poesia nonché il relativo esercizio dell'esemplificazione, essa risulta distante dalla concezione classicista quale è tradizionalmente intesa, e si mostra perciò inadeguata la definizione di 'classicista' che viene spesso applicata a Gravina per il solo fatto che egli, arretrando nel tempo alla ricerca delle fonti sapienziali del linguaggio poetico, trova nei Greci (ma nei più antichi e mitici cantori) l'obbedienza più fedele alle ragioni della sua idea di 'imitazione'.

[98] *Ivi*, p. 203.

[99] *Ivi*, p. 208. Il poeta, spiega Gravina, «conseguisce tutto il suo fine per opera del verisimile e della naturale e minuta espressione: perché così la mente, astraendosi dal vero, s'immerge nel finto e s'ordisce un mirabile incanto di fantasia» (*ivi*, p. 202).

[100] «[...] dalle quali favole si raccoglie che i sommi poeti con la dolcezza del canto poteron piegare il rozzo genio degli uomini e ridurli alla vita civile» (*ivi*, p. 208).

la più segreta ed efficace natura, poiché «questi son rami e non radici, e fa d'uopo cavar più a fondo per rinvenirle ed aprire per entro le antiche favole un occulto sentiero onde si possa conoscere il frutto di tali incantesimi e 'l fine al quale furono indrizzati».[101] Qual è dunque il significato più profondo dei miti di Anfione e di Orfeo, i quali riguardano la sostanza della poesia stessa? E in particolare – occorre inoltre chiedersi – qual è il senso dell'originaria solidarietà tra musica e poesia? È qui che gli argomenti graviniani chiariscono ragioni conoscitive, toccando il problema del «vero» e delle «cognizioni universali» in relazione alla possibilità della trasmissione del sapere e a quella dell'apprendimento. La poesia è contemplata secondo una prospettiva gnoseologica e pedagogica insieme e considerata come lo strumento più efficace a veicolare la scienza veritiera anche nelle «menti volgari» altrimenti ottuse alla sapienza propria dei «saggi».[102] Le cognizioni più profonde volte «in sembianza» e «in figura», 'vestite' «d'abito materiale» e 'convertite' «in aspetto sensibile», acquistano quel segno qualitativo della 'corporeità' che le rende intellettualmente 'visibili' e quindi percepibili:

> Quando le contemplazioni avranno assunto sembianza corporea, allora troveranno l'entrata nelle menti volgari, potendo incamminarsi per le vie segnate dalle cose sensibili; ed in tal modo le scienze pasceranno dei frutti loro anche i più rozzi cervelli.

I miti di Anfione e di Orfeo – essi stessi verità trasmessa secondo finzione, elementi di sapienza dettati in un linguaggio corporeo da scandagliare al di là della sua apparenza – intendono allora non solo il ruolo latamente civilizzatore del canto poetico ma soprattutto il rapporto gnoseologico tra «vero» e «finto», quella dinamica traslante che senza sosta fonda la vicenda del sapere:

> Con quest'arte Anfione ed Orfeo risvegliarono nelle rozze genti i lumi ascosi della ragione, e facendo preda delle fantasie coll'immagini poetiche l'invilupparono nel finto, per aguzzare la mente loro verso il vero che per entro il finto traspariva: sicché le genti, delirando, guarivano dalle pazzie.[103]

Un conoscitivo «delirio» illumina la ragione e la concilia con il divino, data la radice metafisica della conoscenza: portatori di luce intellettuale, i due can-

---

[101] *Ibidem.*

[102] «Nelle menti volgari, che sono quasi d'ogni parte involte tra le caligini della fantasia, è chiusa l'entrata agli eccitamenti del vero e delle cognizioni universali. Perché dunque possano ivi penetrare, convien disporle in sembianza proporzionata alle facoltà dell'immaginazione ed in figura atta a capire adeguatamente in quei vasi; onde bisogna vestirle d'abito materiale e convertirle in aspetto sensibile, disciogliendo l'assioma universale ne' suoi individui» (*ibid.*).

[103] *Ivi*, p. 209.

tori richiamano le divine «scintille» che il 'luminoso' Gravina auspica si rivelino alla mente umana, e attraversano uno spazio speculativo di ascendenza platonica dove «luce» e «conoscenza» si assimilano.[104] La nascita concorde di musica e poesia lega, infine, indissolubilmente la musica al processo dell'illuminazione conoscitiva. Al di là delle pietre e degli animali obbedienti che miticamente li riguardano, Orfeo e Anfione sono ritenuti – lo si è già accennato – quei poeti che, come anche Museo ed Omero, hanno appreso l'antica sapienza degli Egizi velata dalle sembianze favolose e l'hanno trasmessa ai Greci:

> Giunse in Egitto Orfeo, giunse Museo ed Omero quivi giunse ancora: i quali tutti raccolsero la sapienza di quei sacerdoti, e la ravvolsero nel velame del quale la ritrovaron coperta, esponendola sotto immagini ed invenzioni favolose.[105]

Tali considerazioni sulla loro natura, insieme mitica e storica, essendo presenti nel Libro primo della *Ragion poetica*, appartengono perciò al trattatello *Delle antiche favole* risalente al 1696, e sono più ampiamente ribadite nell'*Oratio de sapientia universa* del 1700, dove, pur legando la *profana theologia* alla sacra fonte ebraica, l'Autore insiste sulla filiazione della poesia teologica greca dalla sapienza degli Egizi per il tramite appunto degli antichi cantori.[106] Risultava inscindibile, insiste Gravina, il nesso fra parola, *ars musica* e dottrina, essendo la sonora armonia funzionale al diletto della veste favolosa e quindi, come questa, alla trasmissione e all'incidenza del sapere:

> ... priscis temporibus arte musica omnium notitia scientiarum continebatur, qui enim doctrina carminibus complecteretur, idem ad erudiendos agrestes animos melodiam adhibebat, ut vulgi aures armonia demulsas alliceret: unde qui musicam calleret idem erat et poëta, ceterasque scientias et theologiam praecipue profitebatur.[107]

D'altra parte, il legame tra conoscenza e divina illuminazione sposta la funzionalità dell'*ars musica* da un livello civile ed etico, dall'operazione di dirozzamento dei costumi primitivi, a un livello intellettuale e metafisico.

---

[104] Studiando gli *Aspetti del rapporto tra luce e conoscenza nel pensiero antico* (è questo il titolo di un paragrafo del suo Saggio), Giovanni Filoramo rileva il ruolo della tradizione greca: «[...] a partire soprattutto da Platone, la luce viene intellettualizzata, diventa strumento di conoscenza, luce interiore, *lux intelligibilis*. Di fatto, la tradizione greca, soprattutto filosofica, ha avuto una parte importante nella storia della simbolica e della riflessione sulla luce: ed il tema dell'illuminazione interiore, della *éllapsis*, ha qui la sua origine» (G. FILORAMO, *Luce e gnosi. Saggio sull'illuminazione nello gnosticismo*, Roma, Institutum Patristicum «Augustinianum», 1980, p. 16).

[105] G.V. GRAVINA, *Della Ragion poetica*, cit., in ID., *Scritti critici e teorici*, cit., p. 212.

[106] «[...] prisca Graecorum poësis, quae prima Graecorum theologia fuit, Aegyptiorum doctrina undique collucet, afroque ingenio atque arte pertexitur» (*Oratio de sapientia universa*, *ivi*, p. 371). La prima edizione delle *Orationes* graviniane è quella napoletana del 1712.

[107] *Ivi*, p. 372.

È possibile distinguere nella speculazione graviniana alcune fasi che mostrano l'angolo visuale relativo a tali concetti leggermente spostarsi. La diversa prospettiva è indotta soprattutto dall'attenzione che Gravina si vede costretto a rivolgere alla poesia volgare e in particolare agli esiti della poetica arcadica, suo nuovo obiettivo polemico che si affianca a quello dell'aborrita arte barocca e che spinge lui a ricondurre il ruolo della poesia prevalentemente nell'ambito della civile ed etica «utilità». Nella condizione degradata del presente egli pare intenda leggere la conferma della sua concezione della storia, la quale accoglie echi gnostici venati di orfismo, che suggeriscono, in ogni fase del processo della storia, la necessità di «spiegare, darsi ragione e insieme fondare il passaggio dalla pienezza ontologica degli inizi al vuoto esistenziale del presente».[108] Nella Dedica del Libro secondo della *Ragion poetica*, che richiama come premesse alcuni nodi teorici essenziali, poesia e musica tornano ad allacciarsi, ma secondo il monito levato contro l'arte ridotta a «trattenimento da fanciulli e donnicciuole e persone sfaccendate», costretta a svuotarsi nel «piacere degli orecchi».[109] Lo spazio, convergendo verso l'età presente, sembra farsi più angusto e sbiadiscono le figure dei cantori mistagoghi nell'epistola *De Poesi* del 1712 a Scipione Maffei, intesa a delineare le ragioni della nascita, ma soprattutto dei rischi attuali, della *literaria lingua*. Legate musica e poesia a *sapientia et eruditio* ma soprattutto sotto il segno della *publica necessitas*, Orfeo e Anfione, in ombra, tornano implicitamente al loro significato tradizionale di eroi civilizzatori alle prese con una grecità ferina e fraudolenta che ha bisogno delle lusinghe dei sensi per accogliere i virtuosi precetti del viver civile:

... Graecis vero ad exuendam feritatem ac fraudolentiam compescendam, sensuum illecebris opus fuerat et melodia, qua simul cum auribus arriperentur etiam ani-

---

[108] G. Filoramo, *L'attesa della fine. Storia della gnosi*, Bari, Laterza, 1983, p. 83. Filoramo considera quale antecedente della mitologia gnostica, dove immagine centrale è quella dell'«*Anthropos* originario, da cui discendono per frammentazione e dispersione i vari *anthropoi* particolari», l'antico orfismo, «religione del libro, che si ispira a scritti sacri», e spiega: «Questi scritti contengono e tramandano un racconto mitico, quello di Dioniso messo a morte dai titani, che rovescia l'ottica della mitologia tradizionale di tipo esiodeo. Se il racconto mitico della *Teogonia*, infatti, si evolve dall'indistinto al distinto, dal vuoto al pieno, dal caos al cosmo, dalla atemporalità all'affermazione di un *chronos*, quello orfico è ispirato da una concezione di segno contrario: spiegare, darsi ragione, ecc.» (*ibid.*).

[109] «Non dee recar maraviglia se la poesia, la quale appo gli antichi a tanto onore ascendea, che si professava sin dai magistrati e legislatori, come Solone, Sofocle e Cicerone ed altri, tra noi sia divenuta trattenimento da fanciulli e donnicciuole e persone sfaccendate, perché niun mestiero può ritener la sua stima quando si scompagna dalla utilità e necessità civile e si riduce al solo piacere degli orecchi: come si è appo noi ridotta tanto la musica quanto la poesia, la quale appo gli antichi era fondata nell'utilità comune ed era scuola da ben vivere e governare» (G.V. Gravina, *Della Ragion poetica*, cit., in Id., *Scritti critici e teorici*, cit., p. 273).

mi ac flecterentur ad praecepta virtutis, quae modulatione ac numeris infundebantur, adeo ut apud eos sapientia et eruditio a poesi et musice raro distingueretur.[110]

Questo taglio della concezione delle arti solidali risolve anche l'antica questione del fine della poesia, diviso tra il *docere* e il *delectare*. Si tratta di una «lunga disputa», ricorda Gravina all'inizio del trattato *Della Tragedia* pubblicato nel 1715 quale bilancio e chiarificazione teorica della sua scrittura tragica.[111] Per risolvere la questione «se per dilettare o per insegnare fosse istituita la poesia», occorre, ancora una volta, percorrere il cammino a ritroso e risalire all'origine, la quale – non a caso – va «dal progresso distinta». Il «diletto» in funzione della «vita civile» e dell'«insegnamento del popolo», la «soavità del canto» e i «salutari precetti»: l'antico sapiente, fondatore di civiltà, è, ancora una volta, «filosofo», «poeta» e «musico» insieme.[112] Ma il diletto è più praticamente strumentale, e pare stia sbiadendo nell'orizzonte speculativo graviniano l'immagine di quel corpo traslato e sonoro della favola poetica vitalmente innervato con la sua sostanza metafisica. La questione preminente diventa ora quella del «discioglimento» e della «separazione» del ruolo unitario di filosofo, musico e poeta. Non tanto il rammarico per il «discioglimento» della velante «sembianza» dallo «spirito» e quindi per la sapienza perduta, quanto piuttosto quello per una 'funzione' vanificata, il *delectare* scisso dal *docere* e perciò pervertito dall'apparenza e solo 'accademico', così come il *docere* ne resta sterile e inerte, solo 'scolastico':

[...] perché il filosofo senza l'organo della poesia, e 'l poeta senza l'organo della musica, non possono a comune e popolare utilità i beni loro conferire. Onde il filosofo rimane nelle sue scuole ristretto, il poeta nelle accademie; e per lo popolo è rimasta nei teatri la pura voce, d'ogni eloquenza poetica e d'ogni filosofico sentimento spogliata: in modo che non più l'armoniosa voce ad uso delle parole, né le parole ad

---

[110] G.V. Gravina, *De Poesi. Ad Scipionem Maffeium epistola*, *ivi*, p. 493. Diversamente si reputa esser stato per i Romani, inclini alla sobrietà del gusto per la severità dei loro costumi. Per la vicenda editoriale dell'*epistola*, si veda A. Quondam, *Apparato critico*, cit., *ivi*, pp. 685-688.

[111] G.V. Gravina, *Della Tragedia*, Napoli, Naso, 1715. Nel 1712 erano apparse a Napoli, presso Felice Mosca, le *Tragedie cinque*. Per le citazioni dal *Della Tragedia* si fa riferimento a Id., *Della Tragedia*, in *Scritti critici e teorici*, cit.

[112] «[...] i primi autori della vita civile furono costretti avvalersi, ad insegnamento del popolo, di quegli esercizi che egli avea per proprio diletto inventati. Onde conoscendo eglino che la soavità del canto rapiva dolcemente i cori umani, e che 'l discorso da certe leggi misurato portava più agevolmente per via degli orecchi dentro l'animo la medicina delle passioni, racchiusero gl'insegnamenti in verso, cioè in discorso armonioso, e l'armonia del verso accoppiarono con l'armonia ed ordinazione della voce, che musica appellarono. Perloché lo stesso savio, il quale nella sua mente raccogliea la norma dell'umana vita, riducendo in verso i salutari precetti e 'l verso all'armonia della voce concordando, portava in una medesima professione, nella stessa sua persona, quella di filosofo, di poeta e di musico» (*ivi*, p. 507).

uso dei sentimenti, ma solo ad uso e sostegno dell'armonia scorrono per li teatri: d'onde gli orecchi raccoglion piacere, ma l'animo invece d'utilità trae più tosto il suo danno.[113]

Anche qui è soprattutto l'opera disgregante del tempo e il suo esito attuale ad occupare la riflessione graviniana, da cui discendono la denuncia del «danno» non sanabile se non attraverso una severa coscienza critica, e il giudizio sulla poesia che «è al presente dannosa ministra di più dannosa musica» ed è deviata dall'«utilità comune» alla quale la destinavano i filosofi che «poesia e musica insieme professavano». La poesia e la musica, come in origine si alleano a tessere il velo luminoso dell'arte, così ora condividono nella loro «separazione» il segno della degenerazione della conoscenza e – secondo questa ultima fase della teorizzazione graviniana – soprattutto dell'etica civile, del costume e del gusto. Nell'*Oratio de sapientia universa*, Gravina aveva visto figurarsi nel mito del Proteo egiziano il rapporto tra la materia e il divino: l'incessante metamorfosi, la dispersione delle forme che inganna i sensi e rende inafferrabile l'essenza delle cose, finché il molteplice e vario non è ricondotto con la forza dell'intelletto all'uno e al semplice. Trasparivano qui ancora una volta il dramma metafisico dell'*Ànthropos* gnostico punito con la dispersione nel molteplice e l'eroica prospettiva dell'ascesa alla ricomposizione dell'unità. In seguito – come s'è visto – al filosofo non resta che cogliere le tracce della dissipazione e limitarsi a promuovere una dottrina di etico rigore secondo cui regolare le disperse, e perciò vane, forme dell'arte.

La considerazione dell'antico legame tra musica e poesia porta inoltre al rilievo dell'evoluzione dell'aspetto fonico della poesia volgare. Nel Libro secondo della *Ragion poetica*, accennando al nesso esistente tra «fisica» e «teologia» per cui la scienza è deducibile dalla «cognizione delle cose divine, in cui le naturali e le umane e civili, come in terso cristallo riflettono», Gravina ritorna sull'antico concorso di scienza fisica e metafisica, su quello di poesia e musica e sul ruolo dei «primi antichi poeti», Orfeo, Lino, Museo, Omero, «che le cognizioni divine e naturali per via dell'allegoria e delle favole, accompagnate coll'armonia, nei posteri tramandarono». Ma, poiché ora sta trattando della poesia volgare (in particolare, del «divino poema» dantesco), gli occorre dare, per contrasto, particolare rilievo alla natura e alla funzione della musica antica e, ricordando che il poeta sapiente la legava alla scienza, specifica che si trattava della «musica tanto interna delle parole e del numero poetico, quanto esterna del suono e del canto», e aggiunge: «donde avvenne che

---

[113] *Ibidem.*

ogni esercitazione di mente, sotto nome di musica si comprendea, a differenza dell'esercitazione di corpo che *gymnastica* s'appellava».[114] L'attenzione si rivolge, dunque, al ritmo, al 'numero', ai fenomeni fonici della parola scandita ad arte. L'aspetto sonoro della poesia appariva in origine tanto intimo alla scienza da astrarsi nelle operazioni dell'intelletto, e tanto negativa è stata l'evoluzione nel corso del tempo che, se Dante riuscì a «trasportare» la poesia misterica «da luoghi e tempi lontanissimi» e ad assorbire da lì «la sostanza del poetare», tuttavia «prender non poté il numero e 'l metro, che si era in un con la lingua latina smarrito e cangiato nella rima del volgare».[115] È qui che si apre l'aspra polemica graviniana contro la rima,[116] «sozza invenzione» e «barbarie» dell'era volgare, segno di ignoranza e di corruzione. La rima è la violazione di un limite, il 'discioglimento' (per usare il termine del trattato *Della Tragedia*) della forma perfetta, la corruttrice lusinga dell'orecchio sordo all'anima delle cose e alla virtù della conoscenza. Anche in un fenomeno fonico Gravina avverte la minaccia del molteplice e dell'apparente («corrottosi coll'orecchio il giudizio e col giudizio l'orecchio, si venne [...] a moltiplicare l'uso delle desinenze simili»)[117] all'immagine segreta dell'Uno e alla trasmissione della sapienza, e confronta la rima volgare con le misure greco-latine:

> [...] l'artifizio della rima è troppo lontano dalla natura, perché comparisce tutto al di fuori, ed all'incontro il verso greco e latino è molto vicino al naturale, perché la misura dei piedi è occulta e non manda agli orecchi se non l'armonia che da lei risulta.[118]

Dalla musica, dunque, germinante dall'ordine sonoro della parola, esercizio della mente e specchio del trascendente, alla sterilità della rima, che svuota le occulte misure del linguaggio della sapienza.

Nel trattato sulla tragedia l'«armonia» è mostrata come l'elemento che imprime il carattere imitativo alla «favella tragica, che», appunto, «come favella poetica, è imitativa, e dee la vera somigliare», perché – si spiega – se essa «fosse sciolta da' numeri, che dalla prosa la distinguono più favella simile non sarebbe, ma vera». Il «numero» armonico assume ora una quasi materica funzionalità all'interno del processo dell'«imitazione», che era stato spiegato nella *Ragion poetica* con la formula, filosoficamente intensa in ogni suo termine, di

---

114 G.V. Gravina, *Della Ragion poetica*, cit., in Id., *Scritti critici e teorici*, cit., p. 274.

115 *Ivi*, pp. 274-275.

116 Si veda Libro secondo, II. *Della rima*, *ivi*, pp. 275-277.

117 *Ivi*, p. 276.

118 *Ivi*, p. 277.

«trasporto del vero nel finto»; Gravina, specificando l'imitazione come «somiglianza del vero», cioè come qualità del «simile» che – proprio perché tale – è «diverso» dalla cosa cui si assimila e con essa non coincide,[119] e facendo di tale somigliante diversità la fonte della «maraviglia» inerente alla ricezione dell'arte, paragona la funzione dell'«armonia» a quella del marmo di una scultura: «pietra, materia inanimata», che però si assimila alla «carne viva», a ciò che è da essa diverso, suscitando «maraviglia», proprio come «la naturalezza impressa nell'armonia, la quale alla favella poetica è come il marmo alla statua».[120] Siamo alla superficie della dinamica del «trasporto del vero nel finto»: il marmo e la scansione armonica, la materia sensibile di cui si plasma la finzione, orientata alla 'maravigliosa' somiglianza dall'esercizio razionalistico del giudizio che discerne il «naturale». Quando, più oltre, si viene a trattare del processo imitativo proprio, invece, dell'arte della musica affidato alla «melodia» («la melodia è imitazione, di cui è fabra la musica»), si insiste nel denunciarne il tralignamento dall'antica naturalezza[121] ponendo poesia e musica, arti distinte nel loro diverso esercizio ma legate sulle scene, entrambe sotto il segno della moderna corruzione, poiché la musica, ancillare rispetto alla poesia, ne segue le sorti, come l'«ombra» quelle di un «corpo»:

> Né ci dobbiamo maravigliare se corrotta la poesia si è anche corrotta la musica, perché, come nella *Ragion poetica* accennammo, tutte le arti imitative hanno una idea comune, dalla cui alterazione si alterano tutte, e particolarmente la musica dall'alterazion della poesia si cangia, come dal corpo l'ombra.[122]

Se si ricorda consistere l'«imitazione», quale particolare rapporto tra il «vero» e il «finto», nell'ipostasi dell'«idea comune» a tutte le arti e di esse regolatrice, cioè nella «ragion poetica» che elegge la poesia a cardine del proprio

---

119 «Ogni simile, perché sia simile, dee ancora esser diverso dalla cosa cui rassomiglia: altrimenti non simile sarebbe, ma l'istesso. E perché l'imitazione, la quale è somiglianza del vero, non dee per tutte le parti verità contenere, altrimenti non sarebbe più imitazione, ma realità, e natura» (G.V. GRAVINA, *Della Tragedia*, cit., in ID., *Scritti critici e teorici*, cit., p. 542).

120 *Ivi*, p. 543.

121 «Non solo agl'incolti ed ignoranti, ma nientemeno ancora a molti eruditi parrà strano che le antiche commedie e tragedie si cantassero: perché perduta l'antica musica, la quale animava e regolava tanto l'espressione naturale e con tanta efficacia nei cuori umani penetrava, che, per testimonianza di molti e particolarmente di Platone, eccitava e sedava le passioni, curava i morbi e cangiava i costumi, corre per li teatri a' dì nostri una musica sterile di tali effetti, e perciò da quella assai difforme, e si esalta per lo più quell'armonia la quale quanto alletta gli animi stemperati e dissonanti, tanto lacera coloro che danno a guidare il senso alla ragione: perché in cambio di esprimere ed imitare, suol piuttosto estinguere e cancellare ogni sembianza di verità» (*ivi*, pp. 555-556).

122 *Ibidem*.

processo,[123] è per sottolineare, nel legame subordinato dell'arte della musica a quella della poesia, la gravità dell'«alterazione» e la lesione della 'ragione' connotante il linguaggio di ogni arte.

Tornando ad alcuni elementi teorici propri della fase speculativa della *Ragion poetica*, è possibile cogliere l'indicazione di un nesso tra la poesia e la musica (considerate secondo un taglio metafisico, dove in particolare la musica è 'armonia') con la geometria. Ancora nella Dedica del Libro primo, Gravina, spiegando il criterio piramidale della «ragion poetica», istituisce un paragone con la geometria: le singole opere risalgono alle regole e queste alla *ratio*, così come i singoli edifici rinviano alle regole dell'architettura e questa alla più generale 'ragione' della geometria, per cui «quella ragione che ha la geometria all'architettura, ha la scienza della poesia alle regole della poetica».[124] Nel *Discorso sopra l'Endimione*, pubblicato nel 1692 a commento della favola pastorale del Guidi, Gravina disegna la «misteriosa piramide» conoscitiva puntante al vertice dell'«idea semplicissima e universale» e richiama i concetti di «sito», «ordinamento» e «simmetria», per desumerne che «è dunque la scienza umana una pura armonia».[125] Il concetto di un'ordinata struttura gnoseologica che è tale adeguandosi all'ordinata struttura metafisica delle cose, accoglie tracce dell'antica concezione del cosmo fondato dal *deus geometra* con geometrico equilibrio e musicale armonia.[126] Secondo tale linea di pensiero la divina geometrizzazione consiste nell'attribuzione di un limite a ciò che è illimitato e nell'impressione di forma e di misura, dunque di armonia, alla materia, per cui geometria e musica insieme concorrono nella creazione e nell'ordinamento del mondo.[127] La teorizzazione graviniana deriva da una particolare evoluzione di tali concezioni e, sulla scia del cartesianesimo assorbito nell'ambiente napoletano, mostra di considerare la geometria più che altro un 'metodo' di ridu-

---

[123] La poesia «madre e nudrice» delle varie arti, che «trasfonde lo spirito suo per vari strumenti, e cangiando strumenti non cangia natura, poiché tanto con le parole quanto coi marmi intagliati quanto coi colori quanto con gesti muti, si veste la sentenza con abito sensibile, in modo che corrisponda all'occulte cagioni collo spirito interno ed all'apparenza corporea con le membra esteriori»: così nella *Ragion poetica*, dove tali considerazioni si adeguano a quella visione mistagogica della poesia più sopra ricordata (in G.V. GRAVINA, *Scritti critici e teorici*, cit., p. 211).

[124] *Ivi*, p. 199.

[125] G.V. GRAVINA, *Discorso sopra l'Endimione*, *ivi*, pp. 52-53.

[126] L'immagine del *deus geometra* attribuita da Plutarco a Platone, che nel *Timeo* vede l'ordine del cosmo stabilirsi secondo proporzioni armoniche, scorre attraverso il tempo accanto a quella del Dio vetero-testamentario del Libro della Sapienza che «omnia in mensura et numero et pondere disposuit», coniugandosi con la concezione pitagorica dell'armonia delle sfere generata da proporzioni geometriche, fino ad arrivare alla sintesi secentesca che ne offre Keplero nell'opera *Harmonices mundi* (1619).

[127] Per la ricostruzione del filone speculativo teorizzante la metafisica della geometria, si veda F. OHLY, *'Deus geometra'. Appunti per la storia di una rappresentazione di Dio*, in ID., *Geometria e memoria*, Bologna, Il Mulino, 1985, pp. 189-248.

zione del molteplice al semplice a livello gnoseologico proprio per via del paragone tra 'geometria' e 'ragion poetica', entrambe intese a regolare la conoscenza secondo un principio ordinatore unitario, che la conserva «intera e perfetta». Con questi termini viene qualificata la «poetica facoltà» delle origini (che invece «nel lungo viaggio e nella disaggiosa via c'ha corso [...], è rimasa tronca e scema della sua parte migliore») nel *Discorso sopra l'Endimione*,[128] dove l'esoterica «piramide», immagine della «scienza» intesa come «armonia», non è mera 'figura' di un concetto bensì 'modo' del metafisico disporsi del cosmo e insieme del processo conoscitivo ad esso conforme. Se dunque la «ragion poetica» agisce come la geometria nello strutturare verticalmente la conoscenza e replica così il disegno della «misteriosa piramide» delineata nel *Discorso*, se questa è la forma dell'«armonia» intellettuale, e se tale «armonia» proprio perché legata a un processo geometrizzante, è quella stessa che ordina il cosmo, la circolazione di funzioni che assimila la musica e la poesia si sposta su un piano metafisico, e la poesia, nella sua originaria 'ragione', «idea semplicissima ed universale» quindi forma dell'assoluto dove incontra la conversione geometrica del molteplice all'Uno, ascolta in sé la musica risonante del cosmo.

Nell'Egloga quarta, quella che, nell'ascesa sapienziale, di componimento in componimento sempre più oscuramente allusiva, aveva inaugurato la serie in cui il «metafisico» è reso «corporeo», era apparso, intanto, Apollo ispirante col canto la danza celeste. La musica aveva assunto qui pienamente il suo ruolo cosmogonico, ma proprio attorno a tale sua funzione si era stretto un nodo speculativo del tutto particolare. Occorre allora «alzar la benda a quella picciola canzoncina posta in bocca ad Apollo mentre che dura il ballo».[129] L'Egloga infatti si chiude con il canto alternato di Apollo e del Coro, mentre la danza cosmica così era stata annunciata dalla ninfa Nerina al pastore Elpino:

> Diana in questo giorno
> sì tranquillo e sereno
> farà con Febo qui grato soggiorno.
> Suol egli a un tronco assiso
> sparger soave suon da la sua lira,
> mentre ch'intorno a lui Diana gira
> con due compagne e quattro vaghi e belli
> semplici pastorelli,
> guidando allegra danza
> con tanta leggiadria

[128] G.V. GRAVINA, *Discorso sopra l'Endimione*, cit., in ID., *Scritti critici e teorici*, cit., p. 53.

[129] ID., *Dialogo tra Faburno e Alcone...*, cit., in A. QUONDAM, *Filosofia della luce e luminosi...*, cit., p. 52. A parlare è Faburno.

che pareggia l'usanza
de l'eterna armonia.[130]

Il ritmo vario della canzonetta apollinea tesse invece la visione di un cosmo terrifico, segnato da voragini, abissi e orride oscurità: è l'universo cartesiano, travagliato dai vortici e governato dalla forza cosmica del Sole. Alcone, infatti, provando a disvelare della corporea parvenza il senso metafisico, dichiara di ritenere che Bione «con questo ballo abbia voluto rappresentare il giro dei pianeti, e che quelle strofette abbian relazione coi principi e sistema di Cartesio», e, in particolare, che Aido «col quale gli antichi figuravan le tenebre, appo lui sia simbolo della materia striata che avvolgendosi in faccia al sole tesse le macchie». E aggiunge:

Stimo ancora che la catena ordita dalle stelle che stendono il braccio l'un l'altra sia il continuo flusso della materia del primo elemento che trascorre per l'eclittica di un vortice nei poli dell'altro, onde si eccita un corso di azione continua per tutto l'universo. E che la fuga de' dei ricevuti poi in ospizio da Febo corrisponda puntualmente all'assorbimento che fa il vortice del sole di quei vicini a lui e di quelli dei quali le stelle divennero o comete o pianete, poiché il loro corso sregulato ricevé norma.[131]

Febo, infatti, così canta:

Da voragine profonda
nebbia esala atra ed immonda
Aido, fiero,
che nutre orribili
mostri invisibili
in chiuso abisso e nero;

e, più oltre:

Empio turbine ha sconvolti
da lor sedi e in fuga volti
i sommi dei,
ma lor pie' labile
in giro stabile
guido io coi raggi miei.[132]

---

130 G.V. Gravina, *Elpino overo della vecchiezza*. Egloga quarta (vv. 213-220), in Id., *Egloghe*, cit., *ivi*, pp. 76-88.

131 Id., *Dialogo tra Faburno e Alcone*..., cit., *ivi*, p. 52.

132 G.V. Gravina, *Elpino overo della vecchiezza*. Egloga quarta (vv. 357-362 e 381-386), in Id., *Egloghe*, cit., *ivi*.

Faburno, però, aprendo una questione di notevole rilievo, obietta che in realtà Bione «non professa tai principi e sistema».[133] Nella risposta di Alcone emergono due elementi fondamentali della riflessione filosofica graviniana che orientano anche la sua poetica: la posizione nei confronti del sistema cartesiano e la concezione riguardo ai processi e al metodo della conoscenza, che nel *Discorso sopra l'Endimione* si chiarisce con l'accenno 'luminoso' alle divine «scintille», fonte di conoscenza tutta interna alla mente umana, distratta invece dalle «cortecce e spoglie» raccolte all'esterno.[134]

Egli conta sì poco su le potenze della mente umana che dubita molto se ella abbia facoltà comprensiva del di fuori; nulladimeno non niega che il sistema di Cartesio abbia più di tutti maggior senno e attitudine a comprendere ogni cosa prodotta. Qual notizia benché dubia sveglia però nella mente il tratto del certo con estinguer la curiosità e la meraviglia rendendo di tutte le apparenze le ragioni se non vere e sicure, almeno tali che poi le cognizioni che nella mente umana sinora son giunte, non possono da osservazion contraria essere urtate.[135]

Il passo rivela come Gravina abbia rielaborato criticamente la filosofia cartesiana, che parte notevole ha avuto nella sua formazione, ed è da notare l'interpretazione che egli offre della teoria dei vortici nella nota lapidaria apposta in calce al canto apollineo: «Sotto questo ballo», egli spiega, «si figura il sistema pitagorico, oggi detto cartesiano».[136] In questa fase della riflessione graviniana maggiormente segnata da venature esoteriche, il cartesianesimo appare assorbito all'interno del pitagorismo e la teoria dei vortici diventa la moderna versione dell'astronomia pitagorica. Gli dei celesti danzano al ritmo di un'antica concezione, che ha acceso la visione di un universo ordinato razionalmente in cosmo, di un fuoco centrale (anticipazione dell'eliocentrismo copernicano) che regola la rotazione dei pianeti, e di una trama numerica che incardina l'universo sprigionandovi il suono armonico delle sfere rotanti. Fra le mani di Apollo compare una cetra cosmica che regola la danza:

---

133 Id., *Dialogo tra Faburno e Alcone...*, cit., *ivi*, p. 52.

134 «Il discernimento del vero dal falso ed il giudicio proporzionato alla natura ed all'essere di ciascuna cosa, che soli meritano il titolo di sapienza, non si debbono puramente attendere dalle notizie che a noi giungon di fuori: perché le cose che non son dentro di noi non tramandan di sé altro che le cortecce e le spoglie travolte e rose dai mezzi per i quali passano e trasformate secondo il modello e i vasi de' nostri sensi e della fantasia, che sono di gran lunga inferiori e disuguali alla natura» (G.V. Gravina, *Discorso sopra l'Endimione*, cit., in Id., *Scritti critici e teorici*, cit., p. 52).

135 Id., *Dialogo tra Faburno e Alcone...*, cit., in A. Quondam, *Filosofia della luce e luminosi...*, cit., p. 52.

136 G.V. Gravina, *Elpino overo della vecchiezza*. Egloga quarta, in Id., *Egloghe*, cit., *ivi*, p. 86.

Al bel suon de la mia cetra
vago ballo i dei per l'etra
tessono in giro,
da me ricevono
la luce e bevono
l'alto vigor ch'io spiro.[137]

Nel pitagorismo la teoria cartesiana ritrova quella radice di verità propria di un sapere qualificato da interezza e integrità, che contempla l'essenza del cosmo come risonante armonia. Orficamente, il mistero metafisico di Apollo e della musica celeste è poi trasmesso dalla lingua figurata della poesia, intrisa, a sua volta, di armoniche ragioni.

137 *Ivi* (vv. 389-394).

DISCUSSIONE

LA VIA: Mi è sembrato di capire che Morei assegni alla Musa Urania e alla sua sapienza uno spazio privilegiato rispetto alle altre Muse.

DE BELLIS: Sì. Urania è la musa del sapere scientifico (astronomia, scienza della natura, etc.). Nella lunga rassegna della descrizione che lui fa delle virtù delle Muse in questo componimento si sofferma molto a lungo su Urania, appunto perché ne descrive tutto il contenuto sapienziale.

LA VIA: Volevo ricordare a questo proposito che nelle sonate a tre Op. IV di Corelli è presente un frontespizio molto bello che raffigura Apollo fra le Muse. C'è una Musa che credo sia Calliope e che dona ad Apollo-Ottoboni una collezione di musica che è poi l'Op. IV (dedicata appunto a Ottoboni). La Musa che viene più messa in rilievo è Urania; è evidente dunque che nel rapporto tra Corelli e Ottoboni e nel rapporto tra Orfeo e Apollo, uno degli elementi fondamentali di mediazione è proprio la raffigurazione simbolica della ragione che è Urania.

DE BELLIS: Certamente, soprattutto perché Urania comprende lo scibile e raffigura la complessità del sapere.

LA VIA: È interessante che questo avvenga nel contesto di una stampa musicale dove avviene quello che, da quello che è emerso dalla relazione della De Bellis, cercava di fare anche Crescimbeni, ovvero vengono rinnovati in modo molto concreto dei miti antichi. Non si tratta più di allegorie, ma di simboli che vengono recepiti a partire da una base molto concreta.

Tommaso Manfredi

IL CARDINALE PIETRO OTTOBONI E L'ACCADEMIA ALBANA. L'UTOPIA DELL'ARTISTA UNIVERSALE

Il concetto di artista universale attraversa tutta la storia della cultura occidentale in età moderna. Nelle arti visive la figura dell'artista ideale, fosse esso pittore, scultore o architetto, fu intrinseca alla trattatistica delle arti rinascimentale e barocca, soprattutto di matrice accademica.

Nelle evocazioni letterarie il primato professionale, umano e sociale di questa figura è fondato sull'unitaria concezione interdisciplinare di arte, di erudizione e di belle maniere, nel quadro di una visione ancora essenzialmente curtense che non scinde l'artista dall'uomo vocato a relazionarsi con i centri del potere.

Qui affronteremo un esempio estremo di tale idealizzazione, già trattato incidentalmente da Fabrizio Della Seta nel terzo convegno corelliano del 1980:[1] l'utopica Accademia Albana. Ovvero l'accademia da insediare a Roma, presso il palazzo Riario alla Lungara, che, in base a un dettagliato programma presentato nel luglio 1703 in forma di memoriale dal cardinale Pietro Ottoboni al papa Clemente XI (al secolo Giovan Francesco Albani), avrebbe dovuto formare una sorta di *homo novus* di inizio secolo, che fosse al contempo artista, letterato e mondanissimo cortigiano.

La scoperta di questo importante documento, conservato presso l'archivio dell'Accademia dell'Arcadia,[2] sorprendentemente non ha avuto alcun esito nella storiografia artistica, nemmeno in quella specialistica sul cardinale Ottoboni.

Una sorte pressoché analoga nel campo della storia dell'architettura era toccata a un progetto di sistemazione del palazzo Riario e della villa retrostante illustrato da due disegni conservati nelle collezioni reali di Windsor Castle, reso

---

[1] F. Della Seta, *La musica in Arcadia al tempo di Corelli*, in *Nuovissimi Studi Corelliani*, pp. 133-134.

[2] Roma, Biblioteca Angelica, Archivio dell'Accademia dell'Arcadia, *Manoscritti Arcadia*, 16, ff. 386-389*v* (vecchia numerazione: ff. 653-656*v*), vedi appendice.

noto nel 1977 con attribuzione a Carlo Fontana e datazione al pontificato di Clemente XI Albani, per via del suo stemma collocato sul cartiglio del secondo disegno sopra l'intestazione «Academia Albana» (Figg. 1-2).[3] Tale intestazione, da allora sempre genericamente collegata a un progetto dell'architetto ticinese per una accademia di diretta committenza pontificia, rivela invece evidenti connessioni con quella prefigurata da Ottoboni. I disegni di Windsor Castle, infatti, coincidono, o sono una copia, delle «due carte» originariamente allegate al memoriale del cardinale, affinché, secondo le sue stesse parole, il papa potesse «osservare lo stato presente, et il disegno di quanto si potrebbe ricavare dà quell'amplissimo, e commodissimo sito» del palazzo Riario.

L'identificazione del celebre Fontana – finora mai documentato al diretto servizio di Ottoboni – con l'anonimo «architetto» citato nel memoriale è solo il primo, più eclatante, esito della ricomposizione dell'integrità testuale e grafica del progetto per l'Accademia Albana, che ha consentito di svelare diversi altri particolari sui personaggi che ne furono protagonisti e sul contesto entro cui essi operarono.[4]

L'«ALBA NOVELLA» DELLE BELLE ARTI

Cominciamo con prendere in considerazione una notizia, solo apparentemente secondaria, riportata nel *Diario di Roma* di Francesco Valesio alla data del 5 giugno 1703 – dunque due mesi prima della presentazione del progetto –: «il cardinale Ottoboni [...] ha ottenuto dal marchese Riario [...] l'uso del casino alla Lungara posto nel giardino del palazzo già habitato dalla regina di Svezia».[5]

---

[3] T. MANFREDI, *Filippo Juvarra a Roma (1704-1714). La costruzione di una carriera*, Tesi di Dottorato di ricerca, Politecnico di Torino, tutor V. Comoli Mandracci, 1997, pp. 127-128. I due disegni di Windsor Castle sono pubblicati in A. BRAHAM - H. HAGER, *Carlo Fontana: the Drawings at Windsor Castle*, London, 1977 (pp. 183-184, n. 627 = vol. 185, n. 10298, 981 × 708 mm; n. 628 = vol. 185, n. 10299, 993 × 709 mm), come copie di un progetto autografo di Carlo Fontana o come opera di un collaboratore sotto la sua diretta supervisione, senza indicazione della data e della committenza, a parte la derivazione pontificia dell'accademia. Quest'ultima è ribadita anche da C.J. CHALLINGSWORTH, *The 1708 and 1709 Concorsi Clementini at the Accademia di San Luca in Rome and the Academy of Arts and Sciences as an autonomous Building Type*, Ph.D. Pennsylvania State University, 1990, pp. 209-210.

[4] Per un approfondimento sul ruolo di Fontana come progettista dell'Accademia Albana si rimanda a T. MANFREDI, *Carlo Fontana e l'Accademia Albana: arte e architettura in Arcadia*, in *Studi sui Fontana. Una dinastia di architetti ticinesi a Roma*, a cura di Marcello Fagiolo, Roma, Gangemi (di prossima pubblicazione). Più in generale rispetto al contesto artistico di Roma nel primo Settecento rimando al mio studio monografico sulla formazione messinese e romana di Filippo Juvarra, di prossima pubblicazione.

[5] F. VALESIO, *Diario di Roma*, a cura di Gaetanina Scano, Milano, Longanesi, 1977-81, vol. II, p. 587.

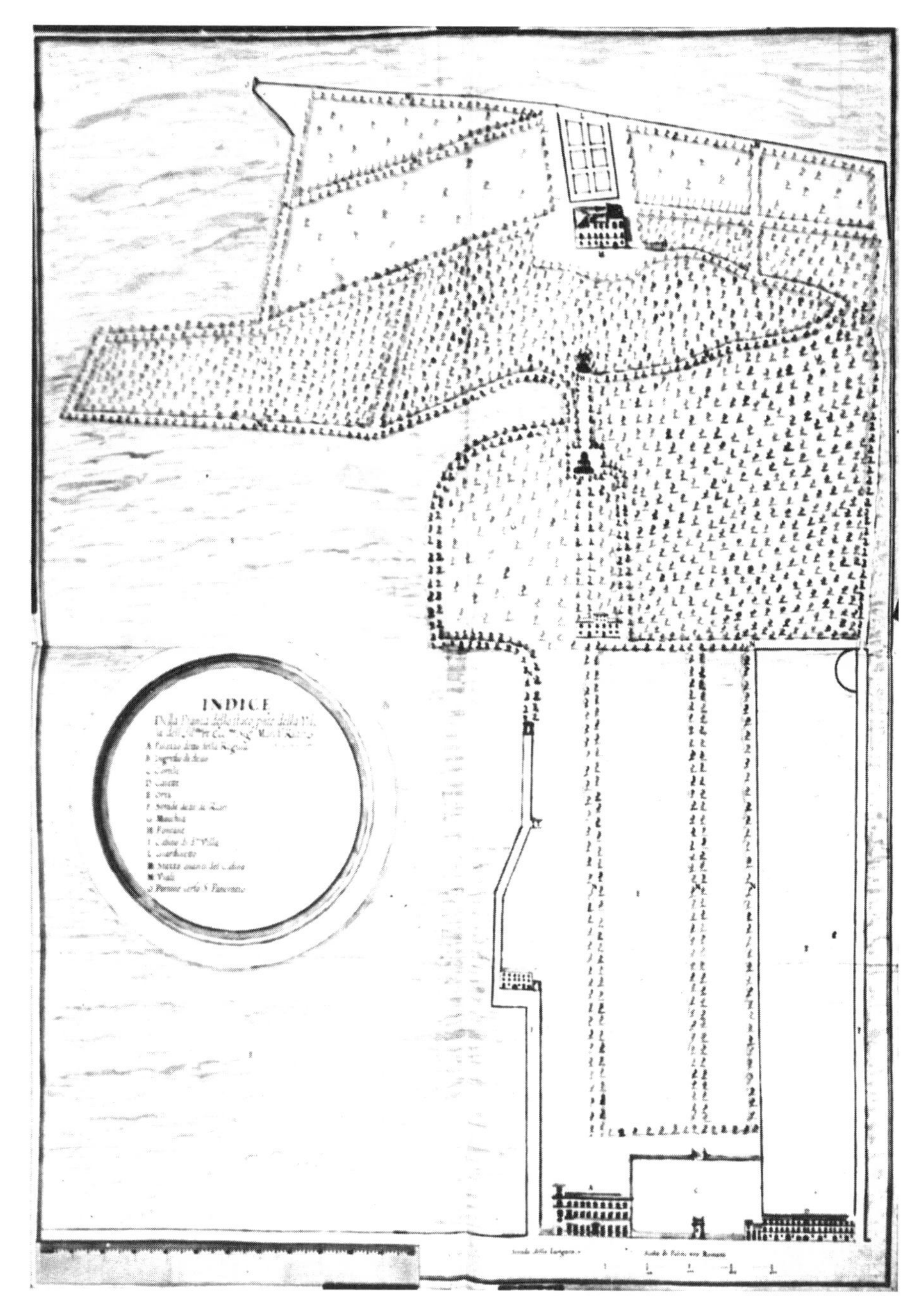

Fig. 1 – Roma, palazzo e villa Riario. Pianta e prospettiva dello stato della Villa Riario (cerchia di Carlo Fontana, 1703) (Windsor Castle, vol. 185, n. 10298: da Braham, Hager, 1977).

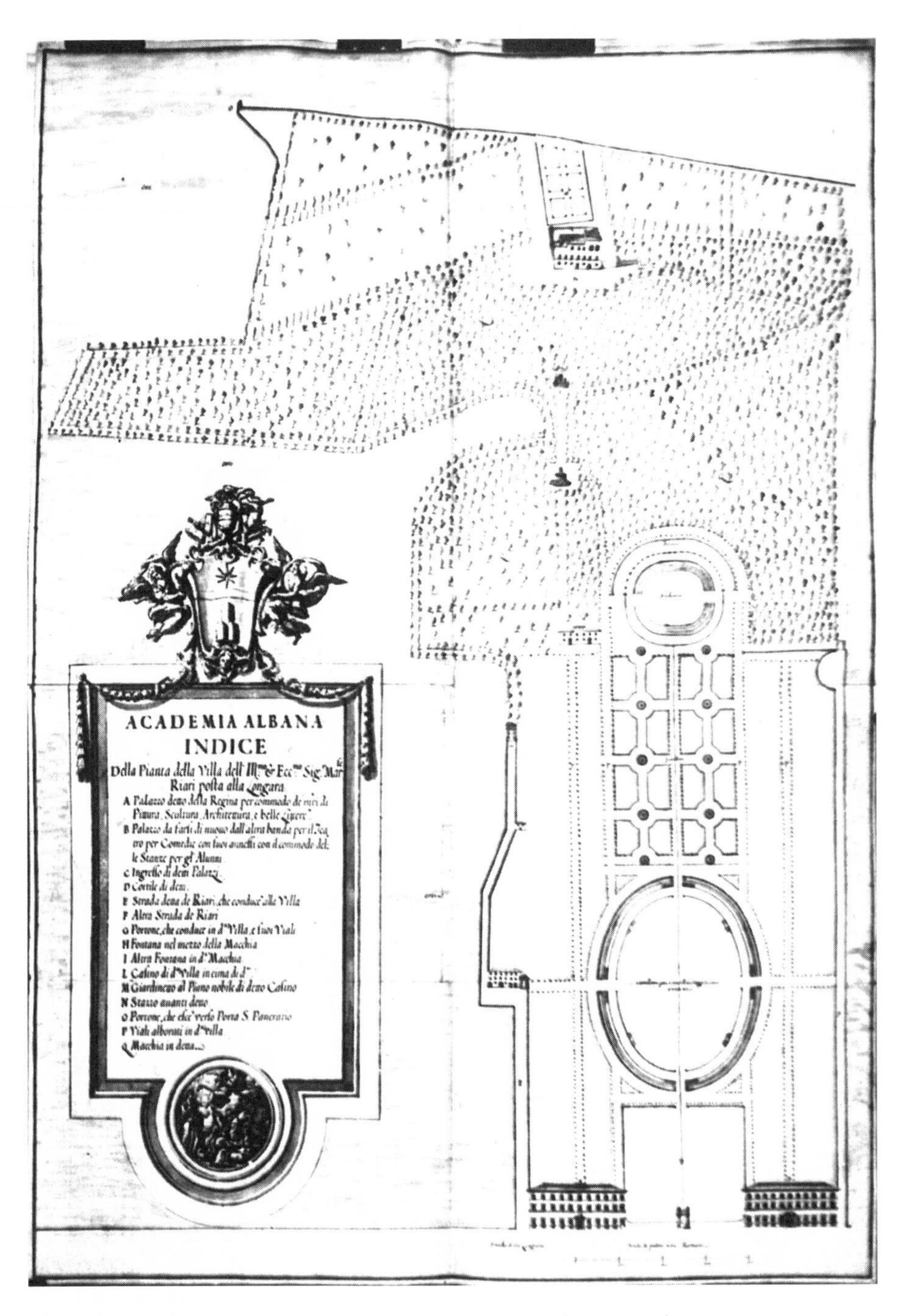

Fig. 2 – Roma, palazzo e villa Riario. Pianta e prospettiva del progetto di sistemazione per ospitare l'Accademia Albana (cerchia di Carlo Fontana, 1703) (Windsor Castle, vol. 185, n. 10299: da Braham, Hager, 1977).

Il casino in oggetto, visibile in una veduta del palazzo e della villa Riario dei primi del Settecento (Fig. 3), preso in affitto da Ottoboni, probabilmente a uso di villeggiatura, era troppo piccolo per poter pensare a un suo utilizzo per una prima attuazione del progetto della nuova accademia, dal quale peraltro sarebbe stato escluso funzionalmente. Ma il suo affitto rifletteva il forte interesse del cardinale per quel luogo, connesso alla grande attività culturale svolta nel recente passato dalla regina Cristina di Svezia, dove in sua memoria nel 1690 era nata l'Accademia dell'Arcadia,[6] di cui Ottoboni era membro (dal 1695) e protettore con il nome di Crateo Ericinio.

Un felice ricordo di Cristina di Svezia e l'appartenenza all'Arcadia accomunavano il cardinale all'autore del progetto architettonico, Fontana, che era stato al servizio della regina e che nel 1694 era stato il primo artista ammesso in Arcadia, con il nome di Olmano Falesio,[7] ma anche al suo destinatario, Clemente XI, al quale Ottoboni nel memoriale si rivolgeva come antico frequentatore di quei convivi e come preconizzatore dei grandi doveri dei pontefici verso le arti.[8]

A proposito, la denominazione 'Albana' attribuita all'accademia intendeva omaggiare il ruolo che il papa avrebbe assunto tramite essa nel far risorgere «ad un'Alba novella» le belle arti romane allora «come il sole di sera coperte di tenebre». Una figurazione retorica questa già evocata nel 1695 dal pittore Giuseppe Ghezzi, segretario dell'Accademia di San Luca, nel centenario della nascita dell'istituzione, in riferimento a Gregorio XIII, come suo fondatore, e nel 1702 in riferimento allo stesso Clemente XI, come suo rifondatore mediante il patrocinio dei concorsi Clementini.[9]

Esponiamo ora il programma della nuova Accademia secondo le stesse parole del cardinale, dirette a spiegare al papa l'opportunità di allargare il per-

---

[6] Sulla storia dell'istituzione vedi M.T. Acquaro Graziosi - B. Tellini Santoni, *Tre secoli di storia dell'Arcadia*, Roma, Abete Grafica, 1991; M.T. Acquaro Graziosi, *L'Arcadia. Trecento anni di storia*, Roma, F.lli Palombi, 1991.

[7] *Gli Arcadi dal 1690 al 1980. Onomasticon*, a cura di Anna Maria Giorgetti Vichi, Arcadia, Accademia Letteraria Italiana, Roma, 1977; T. Manfredi, *Filippo Juvarra a Roma*, cit., pp. 182-186. Sugli interessi letterari di Carlo Fontana vedi H. Hager, *Le opere letterarie di Carlo Fontana come autorappresentazione*, in *In Urbe Architectus. Modelli, disegni, misure: la professione di architetto. Roma 1680-1750*, a cura di Bruno Contardi, Giovanna Curcio, catalogo della mostra (Roma, 1991), Roma, Argos, 1991, pp. 155-203.

[8] Sugli interessi artistici e culturali di Clemente XI vedi C.M.S. Johns, *Papal Art and Cultural Politics. Rome in the Age of Clement XI*, Cambridge Mass., Cambridge University Press, 1993; sul pontificato da ultimo vedi anche *Papa Albani e le arti a Urbino e a Roma. 1700-1721*, a cura di Giuseppe Cucco, catalogo della mostra (Urbino-Roma, 2001-2002), Venezia, Marsilio, 2001.

[9] G. Ghezzi, *Il centesimo dell'anno M.DC.XCV celebrato in Roma dall'Accademia del disegno essendo principe il signor cavalier Carlo Fontana architetto*, Roma, Buagni, 1696; Id., *Le pompe dell'Accademia del Disegno solennemente celebrate nel Campidoglio il dì 25 Febraro MDCCII*, Roma, Buagni, 1702.

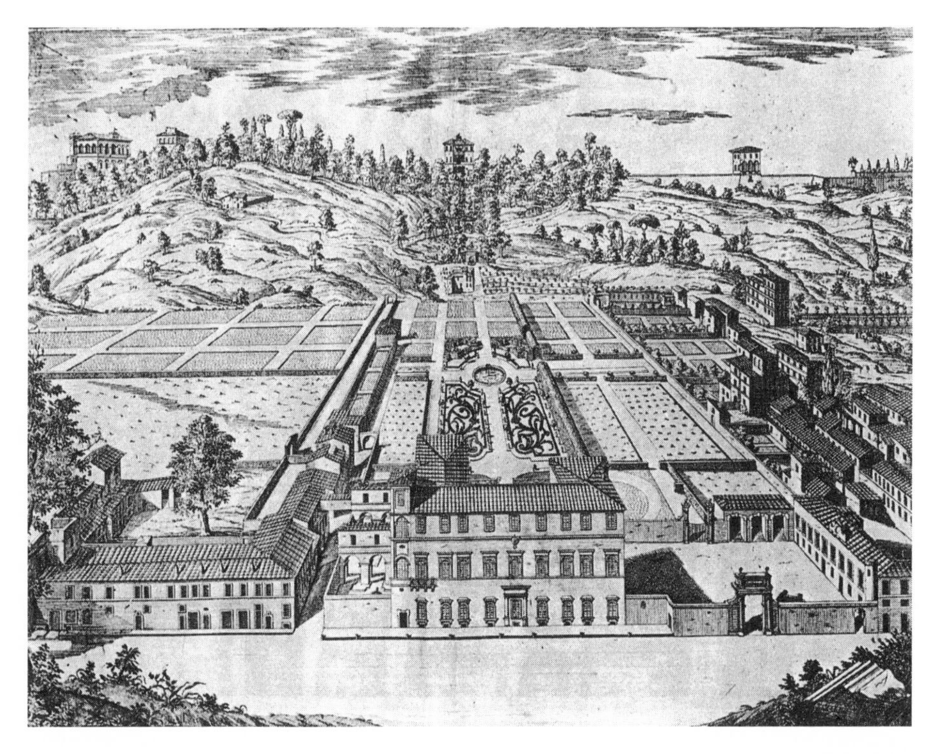

Fig. 3 – Roma, Palazzo e villa Riario. Veduta prospettica, incisione (anonimo, inizio secolo XVIII: da E. Borsellino, Palazzo Corsini alla Lungara. Storia di un cantiere. Fasano di Puglia, Congedo, 1988).

corso formativo di uno studente, quale poteva essere quello dell'Accademia di San Luca, aggiungendo alle consuete discipline di

> Pittura, Scultura, ed Architettura altri studi, che ad un perfetto Cavaliere in Città grande, e massime in Roma sono sì propri a distogliere dà ogni altro inutile, ò vile trattenimento. Sarebbero questi le belle lettere, il maneggiar il Cavallo, il ballo, la scherma, e la musica; le quali professioni non meno, che le prime dà famosi e valenti Insegnatori dimostrate rimediarebbero al solo difetto di questa gran Corte, che unicamente applicata alla disciplina degl'Ecclesiastici, par', che del tutto la buona educazione de secolari trascuri.

Segue la descrizione del progetto architettonico dell'Accademia Albana, così come si manifesta nei due disegni di Fontana, raffiguranti, rispettivamente, la prospettiva frontale del palazzo e della villa Riario e la riconfigurazione del complesso in funzione della sua nuova destinazione.[10]

---

[10] Per un approfondimento degli aspetti architettonici del progetto in rapporto al più ampio

Per quanto riguarda l'aspetto funzionale delle residenze, senza indicare le planimetrie, il progetto prevedeva di restaurare il cinquecentesco palazzo detto «della regina», in parte già sistemato da Cristina di Svezia, destinandolo ad abitazione familiare, «per commodo de' maestri di pittura, scultura, architettura, e belle lettere» – le discipline principali del programma rappresentate in allegoria nel cartiglio dedicatario – e di realizzare un altro palazzo speculare sul lato opposto della proprietà Riario su via della Lungara allora occupato da modesti edifici di servizio, separato dall'antica corte che ora si sarebbe venuta a trovare in posizione centrale. Il nuovo palazzo avrebbe ospitato «il teatro per Comedie con suoi annessi con il commodo delle stanze per gli alunni».

Riguardo alla sistemazione della villa, Fontana prevedeva una nuova simmetria centrale che si sarebbe sviluppata a fianco della vecchia, segnata dal viale posto in asse con il palazzo preesistente. Essa sarebbe stata costituita da una ariosa prospettiva verde che dal cortile d'ingresso per le carrozze si sarebbe articolata assialmente tra due arene ovali conformate «all'uso di antico anfiteatro», diversamente orientate rispetto all'asse centrale e collegate da un sistema intermedio di *parterre*, di cui la più grande, vicina al cortile, avrebbe dovuto costituire la cavallerizza e la seconda, più piccola, addentrata nel 'bosco', avrebbe dovuto ospitare l'«accademia degli Arcadi».

L'arena destinata a ospitare le riunioni degli arcadi, formalmente ispirata alle precedenti sedi erranti dell'Arcadia,[11] avrebbe sancito la complementarità anche logistica delle due accademie. Anche se il progetto di cui era parte rappresentava soprattutto la prima concreta idea per la realizzazione a Roma di una grande accademia funzionalmente autonoma; idea che certamente sarebbe stata all'origine della scelta di tale tema per il concorso Clementino dell'Accademia di San Luca del 1708 e per le successive sperimentazioni a riguardo.[12]

Entrando nel merito delle otto discipline didattiche dell'Accademia Albana, il memoriale prosegue con l'elenco dei rispettivi insegnanti:

> Gl'otto Maestri dunque sarebbero. Per le belle lettere un' soggetto cospicuo di questa professione col titolo già dagl'Arcadi introdotto di Primo Custode d'Arcadia 2°. Pittore 3° Scultore 4° Architetto. 5° Cavallerizzo 6° Ballarino 7° Schermitore 8° Maestro di Cappella.

---

contesto delle architetture concepite nel primo Settecento come sedi dell'Arcadia, vedi T. MANFREDI, *Carlo Fontana e l'Accademia Albana*, cit.

[11] Sull'argomento vedi alla nota sopra.

[12] *Ibidem.*

Segue un brano inerente gli strumenti finanziari per il sostentamento dell'accademia individuati soprattutto negli «uffizi di Campidoglio», e, infine l'invito a promuovere le belle arti che

> se ora sono come il sole di sera coperte di tenebre dalla poca attenzione, che per esse si prende, nell'esser dalla Santità Vostra richiamate ad un'Alba novella, che ritornino à nuova vita i Raffaelli, i Barocci, i Bramanti, ed altri famosi soggetti quali facendo poi risplendere al lume di bell'alba le loro nobili fatiche, non potrà la modestia esemplare di Vostra Santità opporsi alla necessaria denominazione, con la quale celebrar dovranno l'età presente e future quest'opera non men grande, che utile con nome d'Accademia Albana.

Come ebbe modo di evidenziare Della Seta lo scopo dichiarato della nuova accademia era quello di inglobare quella di San Luca. Di fatto quest'ultima sarebbe stata esautorata al fine di creare una figura di artista interdisplinare il quale, adeguatamente applicato nelle lettere e nella musica, ma anche nelle discipline 'mondane' come l'equitazione, il ballo e la scherma, avrebbe dovuto interpretare 'artisticamente' anche la vita di società. Con il duplice intento di distogliersi da ogni «altro inutile, ò vile trattenimento», e soprattutto di contribuire a risolvere la contraddizione interna della componente secolare della corte papale «unicamente applicata alla disciplina degl'Ecclesiastici».

L'elemento di fondo del programma dell'Accademia Albana è la presa di coscienza che la specializzazione delle arti aveva impoverito le massime espressioni professionali. Da qui il richiamo retorico alla rinascita delle arti attraverso la ricreazione dei «Raffaelli» e dei «Bramanti» personaggi eccellenti nelle varie discipline artistiche, ma anche dediti alle lettere e grandi protagonisti della corte pontificia, nonché entrambi urbinati come il pontefice.[13]

L'ammissione della musica profana e implicitamente del teatro nella vita di corte ugualmente riflessa nel programma era poi uno degli obiettivi principali del cardinale Ottoboni, che prefigurava la ripresa del modello della sua patria veneta. A proposito, nonostante il blocco delle rappresentazioni pubbliche teatrali vigente a Roma, Ottoboni fino ad allora aveva colto ogni occasione per allestire opere in musica, profane o religiose, divenendo uno dei maggiori patrocinatori degli spettacoli messi in scena nei collegi e nei seminari religiosi durante il periodo del Carnevale.[14] Cosicché anche nel progetto per l'Accade-

[13] A Ottoboni, del resto, rimanda direttamente l'accostamento a questi due nomi del conterraneo pittore Federico Barocci, che egli amava particolarmente.

[14] Nella Cancelleria si tenevano riunioni letterarie, recite poetiche, musicali e teatrali, per le quali si utilizzava il teatrino privato eludendo le restrizioni pontificie in materia di rappresentazioni

mia Albana il cardinale si fece trascinare da questa sua passione, prevedendo la realizzazione di un grande teatro «aperto a tutte sorte di persone di soli affitti e incerti» (derivanti dalla vendita di biglietti). Per legittimare tale apertura, contraddicendo le prerogative laiche del suo programma, Ottoboni proponeva di conferire all'Accademia Albana uno status di collegio para-religioso manifestato anche dall'abito degli allievi «di color pavonazzo» con le insegne del papa. D'altra parte egli prospettava fantomatici utili netti pari a cinquemila scudi che avrebbero consentito il sostentamento di gran parte della nuova fondazione, nel contesto di una commistione tra attività didattiche impresariali, che tradiva nostalgie dell'ambiente veneziano.

In verità il modello sociale veneziano aveva ispirato tutte le prime manifestazioni pubbliche della presenza di Ottoboni a Roma sotto la protezione dello zio papa Alessandro VIII, compresa l'introduzione delle gondole per la navigazione del Tevere rimasta nelle cronache per i suoi esiti tragicomici.[15]

Inizialmente Ottoboni interpretò l'impopolare ruolo di cardinale nipote, che gli valse dal 1689 la nomina a vicecancelliere, in modo avventuroso tutto votato alla mondanità.[16] Divenne così il discusso protagonista delle cronache ufficiali e dei pettegolezzi privati, nonché di spietati libelli che ne deprecavano la condotta morale accusandolo di essere un lussurioso, uno sfrenato frequentatore di bordelli,[17] un irrefrenabile dilapidatore, un libertino sotto l'influsso negativo dell'«effeminato» padre Antonio.[18]

---

teatrali, nonché fastose cerimonie in occasione delle ricorrenze religiose come gli oratori in musica e le celebri *Quarantore* allestite nell'annessa basilica di San Lorenzo in Damaso. Sul mecenatismo di Ottoboni vedi in particolare: E.J. OLSZEWSKI, *The Painters in Cardinal Pietro Ottoboni's Court of the Cancelleria, 1689-1740*, «Römisches Jahrbuch der Bibliotheca Hertziana», 32, 1997/1998 (2002), pp. 533-566; ID., *The Enlightened Patronage of Cardinal Pietro Ottoboni (1667-1740)*, «Artibus et Historiae», 23, 2002, n. 45, pp. 139-165; ID., *The Inventory of Paintings of Cardinal Pietro Ottoboni (1667-1740)*, New York, Lang, 2004. Vedi anche F. MATITTI, *Il cardinale Pietro Ottoboni mecenate delle arti. Cronache e documenti (1689-1740)*, «Storia dell'Arte», 84, 1995, pp. 156-243; *Le antichità di casa Ottoboni*, «Storia dell'arte», 90, 1997, pp. 201-249 (con bibliografia precedente).

[15] Pietro Ottoboni, nato a Venezia il 2 luglio 1667 da Maria Moretti e Antonio Ottoboni, si formò a Roma presso il prozio cardinale Pietro Ottoboni senior. Per un'agile regesto biografico di Ottoboni con la bibliografia più aggiornata vedi F. MATITTI, *Il cardinale Pietro Ottoboni mecenate delle arti*, cit.

[16] La parte di questo testo relative alla corte ottoboniana costituisce una rielaborazione del paragrafo 6.2 della mia tesi di Dottorato, *Filippo Juvarra a Roma (1704-1714)*, cit.

[17] «Mà il fallo enorme del brutale eccesso, la sua libidinaccia insatiabile nell'hora cupa dell'oscura notte con dishonor dell'Ostro e del Cappello S'en giva, in molti luoghi dove si fotte, et era il Cardinale del Bordello [...] quel Ottoboni tisico fottuto». Questo brano è tratto da un componimento in rima contro i membri della famiglia Ottoboni e in particolare il cardinale Pietro, riferibile agli anni 1690-1691, conservato in Biblioteca Apostolica Vaticana (BAV), Cod. Ott. Lat., 3165, 49, ff. 92 sgg., parzialmente pubblicato in M.L. VOLPICELLI, *Il teatro del cardinale Ottoboni al Palazzo della Cancelleria*, in *Il teatro a Roma nel Settecento*, Roma, Istituto della Enciclopedia Italiana, 1989, II, docc. pp. 694-697 (pp. 695, 697); «Tanto nel pontificato [dello zio] che doppo fu così lus-

Al momento della presentazione del progetto dell'Accademia Albana il cardinale, appena trentaseienne e ancora privo dei voti sacerdotali,[19] non sembrava avere molto moderato i suoi costumi, se Clemente XI poco prima era stato costretto in udienza ad ammonirlo «sopra il suo poco vivere da ecclesiastico», come riporta il *Diario* di Valesio alla data del 27 novembre 1701.

Con queste premesse Ottoboni e i suoi consiglieri evidentemente dovevano nutrire una grande fiducia nella loro capacità persuasive nei confronti del pontefice a proposito della costituzione dell'Accademia Albana. Si trattava infatti di fare leva sul suo grande amore per le arti e le lettere perché avvallasse un progetto destinato ad annientare l'Accademia di San Luca che per giunta egli da poco aveva beneficato con elargizioni economiche e, come detto, con il patronato dei concorsi accademici ricostituiti nel 1702 con il nome di Clementini. Tutto ciò in favore di un programma che si proponeva di rivoluzionare la vita pubblica della corte romana, e, in fondo, quasi di legittimare il discusso sistema di vita del cardinale, in un mondo come quello curiale in cui la pratica delle libertà mondane era tollerata solo nell'ambito privato.

Il principe delle arti

La finalità e la stessa sorte del progetto per l'Accademia Albana erano intimamente connesse con il costume di vita del cardinale Ottoboni, che a sua volta era condizionato dalla concezione dell'arte che egli coltivava nell'ambito della sua corte. Del resto, nel memoriale diretto al papa sembra percepirsi la volontà di trasferire ai piedi del Gianicolo la variegata 'officina' artistica che egli ospitava nel palazzo della Cancelleria, che in quel momento era il maggior centro culturale e di spettacolo di Roma.

---

surioso [...] che non cadendo alla lussuria uguale del Senso, vi hà dissipato tesori, essendo all'uno, e all'altro apetito cotanto proclive, che non contentò d'impiegarsi l'annue grosse rendite vi ha consumato ancora qualche parte de capitali, è voglia à dire l'usufrutto sua vita durante [...] e trovandosi in questo vizio assai rilasciato ebbe un giorno à pericolare, essendo restato quasi esangue in atti incubo di bellissima Giovane, che raccomandato a san Filippo Neri, fu colla protezione di esso restituito in salute» (Biografia 1726 in Biblioteca Apostolica Vaticana, Codice Ott. Lat. 2829, parzialmente pubblicata in M.L. Volpicelli, *Il teatro del cardinale Ottoboni*, cit., pp. 757-759).

[18] «promosso alla porpora cadde allora in concetto di professare vita libertina, e benché in effetto non fosse molto morigerato, nondimeno non fu mai scandaloso come lo pubblicò la mala fama e la linguaccia della vile canaglia. E se il cardinale Ottoboni cadde in qualche errore fu più per la prattica di quel Don Antonio suo Padre effeminato che per se stesso» (biografia di Orazio d'Elci, 1699 in BAV, Codice Urbano Latino, 1631 pubblicata parzialmente in M.L. Volpicelli, *Il teatro del cardinale Ottoboni*, cit., pp. 732-734).

[19] Ottoboni avrebbe preso i voti solo nel 1724.

La condivisione dell'atto creativo degli artisti, anche con la sola contiguità fisica, per Ottoboni aveva un valore quasi compensativo delle sue aspirazioni artistiche in parte frustrate. Egli soleva dire che «si sarebbe cambiato con un grande artista se ciò fosse stato possibile»,[20] poiché, diceva ancora: «a mio parere merita maggiore stima un artista celebre che un nobile, perché quest'ultimo può farlo il Principe, l'altro solo Dio».

In questo contesto si collocavano la sua grande passione per il componimento poetico e drammaturgico,[21] non esente da feroci critiche,[22] e la sua incessante attività di mecenate delle arti e di collezionista di quadri e di libri svolta in connessione con le maggiori istituzioni romane. Oltre che dell'Arcadia, infatti, Ottoboni era protettore o membro d'onore, della congregazione dei Virtuosi al Pantheon, del Collegio dei cantori della Cappella Sistina, della congregazione dei musici di Santa Cecilia, del Collegio dei Cantori della Cappella Sistina, dell'Accademia di San Luca.[23]

L'incredibile prodigalità del cardinale nella promozione di attività di spettacolo[24] portava alcuni ad attribuirgli «animo di Cesare Augusto» rilevandone

---

[20] Queste affermazioni sono tradotte da un brano in spagnolo del *Passeo de Roma* riportato in M. MOLI FRIGOLA, *Fuochi, teatri e macchine spagnole a Roma nel Settecento*, in *Il Teatro a Roma*, cit., I, p. 229.

[21] «Hebbe q[ues]to la speziale Inclinazione alla musica, alla Poesia, et alle Belle Lettere, componendo parole, Drammi et Oratory – fece gran conto de Virtuosi, che son parimenti dediti, et inclinati, à q.ta virtù, havendone il medesimo Cardinale buon registro nella sua gran Libraria, la quale con gran splendore, e magnificienza fà conservare in più stanze della Cancelleria (Biografia di Orazio D'Elci, in M.L. VOLPICELLI, *Il teatro del cardinale Ottoboni*, cit., p. 732). Molto più si sarebbe versato nelle sacre lettere, se le umanità non lo avessero divertito, delle quali si trova amantissimo, e della poesia» (biografia 1726, *ibid.*, p. 757).

[22] «la sua penna suol produrre mostri da far venir le creste alla natura [...] e chi parlava mal de Metri suoi Cadea in un peccato Irremissibile...» (componimento in rima cit. *ibid.*, pp. 695, 697). I drammi per musica del cardinale risentivano di un certo dilettantismo, tra questi il *Colombo* rappresentato al teatro di Tor di Nona nel 1690-1691, gli valse da parte del duca di Nevers il crudo epiteto di «poete détestable», e lo spettacolo fu definito dallo stesso duca e da m. de Coulanges «opéra maudit», «opéra sauvage», «mostre dramatique», «maudit spectacle» e da parte degli avvisi di Roma «spettacolo tedioso e malconcio», Ottoboni comunque attribuì l'insuccesso «al pessimo gusto» dei «romaneschi» (M. VIALE FERRERO, *Filippo Juvarra scenografo e architetto teatrale*, Torino, Pozzo, 1970, p. 53; EAD., *Disegni scenici di Filippo Juvarra per "Giulio Cesare nell'Egitto" di Antonio Ottoboni*, in *Studi Juvarriani, Atti dell'Accademia delle Scienze di Torino (Torino 1979)*, Roma, Edizioni dell'Elefante, 1985, p. 152, nota 22.

[23] Era tra l'altro membro dell'Accademia degli Infecondi di cui era anche segretario, dell'Accademia dei disuniti poi detta Ottoboniana, dell'Accademia della Crusca (cfr. F. MATITTI, *Il cardinale Pietro Ottoboni mecenate delle arti*, cit., pp. 163-164).

[24] «sono indicibile le prodighe spese fatte dalla sua gran generosità, e magnificienza in comparse di Grande, in opere teatrali, in Celebrazione anche di Sagre Funzioni [...] impiegando in altre grosse somme per il Pranzo, e rinfreschi sontuosissimi, che suole allora rispettivamente pratticare con cardinali, e Prelati, che vi intervengono, dame, Cavalieri, e altra Nobiltà, che vi concorre» (biografia 1726, in M.L. VOLPICELLI, *Il teatro del cardinale Ottoboni*, cit., p. 759).

gli aspetti positivi,[25] mentre conduceva altri a sottolinearne gli eccessi e l'incompatibilità con le sue mansioni di religioso,[26] nonché la dissennatezza nello sperpero del sontuoso appannaggio proveniente dalla sua carica e dalle numerose rendite ecclesiastiche accumulate nel corso degli anni.

La disinvolta gestione finanziaria era indissolubilmente legata al mito di Ottoboni. Il quale d'altra parte non si trovava troppo a disagio nel mare di debiti in cui navigava costantemente.[27] Nonostante tutto egli non ebbe mai intenzione di seguire il consiglio del padre di liberarsi di tutti i suoi cortigiani giacché se egli «non havesse denari loro non haverebbero un riguardo al mondo d'abbandonarla».[28]

Il consiglio di Antonio Ottoboni riguardava anche i numerosi artisti che gravitavano attorno al figlio.[29] La complementarità dei ruoli e la collaborazione reciproca costituiva una consuetudine nel nutrito gruppo di essi che erano al suo servizio stabile, che si configurava come una vera corte principesca in cui erano rappresentate tutte le arti, proporzionalmente agli interessi del cardinale.

Entro il 1703, data della presentazione del programma per l'Accademia Albana, il nucleo più nutrito tra gli artisti di corte era quello dei musicisti tra cui si distinguevano Alessandro Scarlatti e Arcangelo Corelli, il quale notoriamente condivideva da anni la passione del cardinale per il collezionismo pittorico.[30] Nella categoria dei cantanti risaltava il famoso sopranista Andrea

---

25 «ha un animo di Cesare Augusto, e certamente fa spiccare la sua generosità [...] Non c'è azione gloriosa ch'egli non abbia appreso, comedie il recitativo, et in musica anche con Pupazzi, oratorj, et Accademie, carità, regali feste, et altre cose infinite che non recano gran stupore a poterla narrare anche nelle funzioni ecclesiastiche...». (Biografia di Orazio D'Elci, cit. *ibid.*, pp. 732-734).

26 «egli in Cancelleria, oh Dio Immortale fe' pianger scene, et un teatro aprì, la Quaresima parve un carnevale ne andò senza Comedie il Venerdì. li Musici, le donne, e l'Istrioni poi vi rappresentorno opre profane e fù tutto voler dell Ottoboni Cardinal Protettore delle Puttane cosa di grande scandalo si è resa» (componimento in rima, cit. *ibid.*, p. 697).

27 «Ciò con il tacito consenso dei creditori lusingati da altissimi tassi di interesse e dei suoi Ministri tanto liberi di manipolare le sue finanze da farne addirittura un loro debitore «È stato sempre largo e generoso co' suoi ministri, quali avendo avuto tutta la libertà di fare quello che gli pare, si sono loro arricchiti ed hanno ad esso determinato la condizione tra gli altri Lorenzo Pini suo Maestro di Casa vi ha ben fatto il fatto suo, che hà lasciato a un eredità di più migliaia di scudi oltre l'aver lasciato tra nomi di debitori anche quello del Sig.r Cardinale in 22 mila scudi per tanti ordini dell'Eminenza sua sottoscritti, ed approvati, e che scorrono tuttavia la Piazza» (*ibid.*).

28 Incurante del parere del padre Antonio che da Venezia gli raccomandava di investire il denaro in fabriche e di «licenziare tutta la gente superflua come musici suonatori et ecc. e lo farei con franchezza, perché queste sono cose che con li quattrini si possono sempre ripigliare, et all'incontro se V.E. non havesse denari Loro non haverebbero un riguardo al mondo dabbandonarla» (lettera di Antonio Ottoboni, del 4 ottobre 1692, *ibid.*, p. 701).

29 «Li virtuosi di Musica, suonatori, Comici ed altri di questo genere, delli quali è amantissimo, lo hanno ancora questi in buona parte sempre dispendiato, avendoli trattati generosamente e premiati di grosse proviste» (biografia 1726, *ibid.*, p. 759).

30 Sull'argomento vedi in questo stesso volume il saggio di K. WOLFE, *Il pittore e il musicista. Il sodalizio artistico tra Francesco Trevisani e Arcangelo Corelli.*

Adami, detto il Bolsena, al suo servizio dal 1689, anch'egli intenditore di pittura e particolarmente caro al cardinale, che nel 1706 lo avrebbe beneficiato del titolo di cittadino di prima classe della Repubblica di Venezia.[31]

Al vertice della considerazione di Ottoboni era comunque il compatriota Francesco Trevisani, che svolgeva la sua attività di pittore nello studio della Cancelleria dal 1697 e nei primi anni lo aveva servito anche per l'attività teatrale e nell'illustrazione di libretti[32] tanto da meritarsi il particolare affetto del cardinale, che in quel periodo stava cercando di fargli ottenere il titolo di cavaliere.[33]

In ordine di anzianità di servizio vi era poi lo scultore genovese Angelo De Rossi, presso Ottoboni dal 1698,[34] che si occupava presumibilmente delle parti in rilievo delle macchine effimere. Il messinese Giovanni Francesco Pellegrini era al servizio del cardinale dal 1695 nell'attività scenotecnica, in virtù della grande perizia di 'macchinista' sperimentata per anni soprattutto nel teatro dei burattini.[35] Un ruolo a parte era quello svolto da Ludovico Rusconi Sassi, al servizio di Ottoboni appena dal 1702 come architetto civile, il quale si occupava della gestione e della manutenzione del patrimonio immobiliare del cardinale,[36] rimanendo comunque estraneo alle attività di spettacolo e alla vita di corte.[37]

---

31 F. VALESIO, *Diario di Roma*, cit., pp. 582-583.

32 Il libretto dell'oratorio *Per la passione di Nostro Signor Gesù Cristo* nell'edizione del 1706 ha un frontespizio inciso e all'interno un'immagine di S. Filippo Neri incisa da Francesco Aquila su disegno di Francesco Trevisani (F. MATITTI, *Il cardinale Pietro Ottoboni mecenate delle arti*, cit., p. 163).

33 In una lettera a d'Antin del 24 agosto 1710 Poerson scrive: «Trevisano auquel il (Ottoboni) fera avoir une Croix de Chevalier dès que cela se pourra car il l'honore d'une singulière amitié» (*Correspondance des directeurs de l'Académie de France à Rome avec les surintendants des bâtiments*, a cura di A. De Montaiglon, Parigi, Charavay, III, 1889, n. 1369, p. 314).

34 De Rossi era al servizio di Ottoboni dal 1698 (F. MATITTI, *Il cardinale Pietro Ottoboni mecenate delle arti*, cit., pp. 166-167).

35 La partecipazione di Pellegrini alla realizzazione delle macchine è provata dai conti di cordami a lui intestati (M.L. VOLPICELLI, *Il teatro del cardinale Ottoboni*, cit., pp. 749-750). Nella *Distinta relazione o sia istorico ragguaglio della sontuosa machina e di quanto in essa è figurato fatta [...] nella chiesa de SS. Lorenzo e Damaso [...]* (1706) Pellegrini viene descritto come un «Soggetto invero degno d'ogni lode, e meritevole d'ogni stima, per esse fecondo di spiritosissime idee, e versatissimo nella Mattematica, mediante la quale giunge a far inarcare le ciglia de i riguardanti co suoi nascosti artificii». Doti di pittore sono indicate nella *Distinta relazione* della macchina delle Quarantore del 1700: «Il Colorito ancora riuscì vago, e piacevole né poteva sperarsi il contrario per essere l'una, e l'altro parto del sublime Ingegno, e del famoso Pennello del Sig. Gio. Francesco Pellegrini».

36 S. IACOBINI, *Ludovico Rusconi Sassi*, in *In Urbe Architectus*, cit., p. 437. Dal 1702 al 1705 Rusconi Sassi aveva condiviso l'incarico con Angelo Onorato Recalcati, già al servizio del cardinale nel 1691.

37 Il cardinale Ottoboni non nutriva un interesse primario, per l'architettura, come dimostra il numero relativamente scarso di opere da lui realizzate, tra le quali si segnalano la chiesa nell'abbazia di S. Paolo di Simone Delino (1692-97) e l'antipiazza di S. Lorenzo fuori le mura di Alessandro Gaulli (1704).

Ma oltre questi, altri personaggi erano profondamente legati a Ottoboni, pur non facendo parte della *famiglia*, come i pittori Benedetto Luti, Giuseppe Ghezzi e suo figlio Pier Leone, Giuseppe Passeri, Pietro De Petri, Domenico Belletti, Michelangelo Cerruti, gli scultori Pierre Legros e Pietro Francesco Papaleo, l'incisore Francesco Aquila e Domenico Paradisi, pittore e architetto veneziano già al suo servizio dal 1690.

La brillantezza di spirito unita a una buona cultura era un tratto comune ai virtuosi del cardinale. Non è un caso che quelli a lui più cari come Trevisani, Adami, Corelli e Scarlatti coltivassero interessi letterari che andavano al di là del loro specifico campo di attività. All'aspetto letterario è riconducibile quasi ogni iniziativa del cardinale che egli amava tramandare ai posteri con una febbrile attività editoriale.

In questo quadro si inserisce il rapporto di Ottoboni con l'Arcadia, che forse costituisce una delle direttrici principali per una indagine critica complessiva sulla figura del cardinale, ancora da affrontare sistematicamente.

Ottoboni concepiva l'Arcadia come il centro di emanazione e la cassa di risonanza delle sue iniziative culturali. Viceversa, l'Arcadia considerava Crateo/Ottoboni il personaggio che più si avvicinava all'incarnazione del perfetto mecenate.[38] Sono ancora tutti da approfondire i riflessi di questo rapporto nelle scelte artistiche del cardinale, testimoniate dall'inventario della sua sterminata quadreria,[39] nel quale al momento è difficile individuare un filone stilistico preminente che non sia legato a contingenti rapporti interpersonali tra il cardinale e gli artisti.

L'Arcadia, ancora saldamente dominata dal nucleo dei fondatori e dal primo *Custode generale*, Giovanni Mario Crescimbeni (Alfesibeo Cario), alla data del 1703 penalizzava decisamente le aggregazioni di membri provenienti dal mondo dell'arte e della musica. All'opposto un costante afflusso di membri della nobiltà, appena capaci di mettere insieme un componimento in versi, ne accresceva i ranghi attribuendogli inevitabilmente un carattere mondano, nel contesto del corrente «gusto romanesco» che il cardinale diceva di disprezzare. Così a dodici anni dalla fondazione dell'accademia gli artisti a essa aggregati erano solo due, il citato Fontana e il pittore Giovanni Maria Moran-

---

[38] Sull'influenza dell'Arcadia nel mondo delle arti e dell'architettura vedi S. BENEDETTI, *L'architettura dell'Arcadia nel Settecento romano*, Roma, Bonsignori, 1997; e da ultimi L. BARROERO - STEFANO SUSINNO, *Roma arcadica capitale delle arti del disegno*, «Studi di Storia dell'Arte», n. 10, 1999, pp. 89-178; L. BARROERO - S. SUSINNO, *Arcadian Rome, Universal Capital of the Arts*, in *Art in Rome in The Eighteenth Century*, a cura di E. Peters Bowron e J.J. Rishel, catalogo della mostra (Philadelphia Museum of Art, 2000), Merrel, London, 2000, pp. 47-75.

[39] E.J. OLSZEWSKI, *The Inventory of Paintings of Cardinal Pietro Ottoboni (1667-1740)*, cit.

di, ammesso nel 1699 con il nome di Mantino Agorienze. Inoltre è probabile che la loro ammissione fosse dovuta a motivazioni diverse dal riconoscimento dell'eccellenza nelle arti. Giacché Fontana poteva vantare una invidiabile produzione di carattere trattatistico, oltre a nutrire velleità di poeta,[40] e Morandi era una protagonista di quella stessa società mondana che aveva facile accesso in Arcadia.

L'Accademia Albana nelle intenzioni di Ottoboni avrebbe ribaltato il rapporto tra le lettere e le arti esistente in Arcadia, connotandosi principalmente come un'accademia d'arte. La sua componente letteraria comunque sarebbe stata saldamente in mano all'Arcadia, come si può facilmente desumere dalla coincidenza del maestro di belle lettere con il *Primo custode*. La complementarità di ruoli prefigurata per le due accademie lascia supporre una stretta collaborazione tra gli arcadi Ottoboni, Fontana e il primo Custode Crescimbeni, forse destinato a dirigere la nuova istituzione, nell'orchestrazione di un piano che avrebbe letteralmente scompaginato il mondo della cultura romana, lasciando inevitabilmente sul campo delle vittime.

È facile individuare la principale di tali vittime predestinate nell'Accademia di San Luca, e con essa nel sistema didattico diffuso imperniato sulle botteghe d'arte su cui si fondava, al quale doveva subentrare il laboratorio chiuso, elitario ed esclusivo, dell'Accademia Albana concepito sul modello della corte ottoboniana.

Lo spunto colto da Ottoboni nel memoriale era la mancanza di una sede adeguata per l'Accademia di San Luca, allora ospitata nelle «sale del Campidoglio» a causa delle condizioni pericolanti della sala, dall'aspetto «angustissimo e ignobile a vedersi da forestieri»,[41] destinata alle lezioni e alle riunioni nella sede contigua alla chiesa dei Santi Luca e Martina. Comunque, nonostante le difficoltà logistiche, l'Accademia di San Luca dopo la crisi attraversata alla fine del secolo in quel momento godeva di una posizione privilegiata dovuta all'appoggio di Clemente XI che la aveva posta stabilmente sotto il comando del pittore Carlo Maratti, da lui designato come il regista della vita artistica del suo pontificato. Tale appoggio si era appena materializzato in un sensibile rilancio coincidente con la celebrazione in Campidoglio della premiazione del primo concorso Clementino nel 1702.

La nascita dell'Accademia Albana comunque non poteva prescindere dall'ambito dell'Accademia di San Luca. Non fu perciò un caso che proprio nell'orazione declamata in quella occasione il poeta arcade Giovanni Battista

---

[40] Vedi alla nota 7.

[41] Vedi T. MANFREDI, *Filippo Juvarra a Roma (1704-1714)*, cit., paragrafo 3.2.

Zappi, accademico d'onore di San Luca, invocasse l'intervento di un illuminato mecenate per sviluppare le arti, imitato nella cerimonia del 1703 da monsignor Ludovico Sergardi, intimo di Ottoboni, secondo il quale doveva essere «proprio del principe ecclesiastico proteggere e sollevare le belle arti», quasi preannunciando l'essenza del memoriale diretto pochi mesi dopo dal cardinale al papa.[42]

In quel momento sia Ottoboni, sia Crescimbeni, sia Fontana avevano buone ragioni per sovvertire il predominio artistico dell'Accademia di San Luca. Ottoboni, suo membro onorario solo dal 1702,[43] non vi aveva un ruolo particolare, né poteva averlo in quanto l'Accademia era tradizionalmente posta sotto il patronato dei Barberini. Crescimbeni vi aveva un ruolo di pura rappresentanza, come custode dell'Arcadia, legato quasi esclusivamente al cerimoniale dei neonati concorsi Clementini.[44] Carlo Fontana, dopo avere molto contribuito all'organizzazione didattica dell'Accademia nell'ultimo quarto del Seicento, in quel momento se ne era allontanato gestendo un potere occulto direttamente, attraverso il ruolo di consigliere di architettura, assieme al figlio Francesco, e indirettamente, tramite l'onnipresente segretario accademico, Giuseppe Ghezzi, fedelissimo di Ottoboni, e avversario di Maratti.[45]

La nuova Accademia Albana avrebbe invece portato grandi vantaggi per tutti costoro: Ottoboni avrebbe potuto fregiarsi del ruolo di rinnovatore delle arti romane; Crescimbeni avrebbe notevolmente accresciuto la sua posizione nel mondo delle lettere, godendo inoltre di un notevole appannaggio. Carlo Fontana avrebbe realizzato uno dei più prestigiosi interventi architettonici della sua carriera, coronando al contempo le sue ambizioni letterarie come uno dei fondatori della nuova arcadia delle arti.

---

[42] G. GHEZZI, *Le pompe dell'Accademia del Disegno*, cit.; ID., *Le Corone del merito solennemente distribuite sul Campidoglio il dì 19 Aprile MDCCIII dall'Accademia del disegno presedendo Carlo Maratti celebre dipintore*, Roma, Chracas, 1703.

[43] Ottoboni venne nominato accademico di San Luca il 12 febbraio 1702 in occasione dei preparativi per il primo concorso Clementino (Roma, Archivio Storico dell'Accademia di San Luca, Congregazioni, vol. 46a, c. 17).

[44] Gli arcadi accademici di San Luca erano fino al 1707: Alessandro Adorni, Alessandro Guidi, il conte Sammartino, Domenico Passionei, Francesco Ganoni, Francesco del Teglia, Francesco Passionei, Giovanni Battisa Brancadoti, Giovanni Mario Crescimbeni, Giulio Bussi, Michele Brugueres, Co. Ottolini, Vincenzo Leonio, Benedetto Mellini, avvocato Campelli, Paolucci, Montani (elenco citato in *I disegni di figura nell'Archivio Storico dell'Accademia di San Luca*, a cura di Angela Cipriani e Enrico Valeriani, 3 voll., Roma, Quasar, vol. II, 1989, pp. 10-11).

[45] È da notare che Maratti qualche anno dopo sarebbe stato individuato dal marchese Niccolò Maria Pallavicini per dirigere un'Accademia di pittura e scultura anch'essa alternativa a San Luca: S. RUDOLPH, *L'ascesa al Tempio della virtù attraverso il Mecenatismo*, Roma, Bozzi, 1995, pp. 137-139.

Sul piano dell'indirizzo culturale, è da credere che oltre che dall'etica dell'arte propugnata da Ottoboni, l'Accademia Albana sarebbe stata connotata dalla confluenza della poetica del «buon gusto» verso la quale Crescimbeni voleva orientare l'Arcadia, dell'"idea del bello" ispirata alle teorie belloriane ancora persistenti nell'accademia artistica romana e dello storicismo di Carlo Fontana. Ugualmente il suo indirizzo didattico difficilmente sarebbe sfuggito al perseguimento di valori idealistici tendenti a rinnovare la riscoperta dell'antico operata da quegli artisti del rinascimento che costituivano i riferimenti diretti di ciascuno dei fondatori, nelle rispettive discipline, e in generale dell'Arcadia concepita da Crescimbeni.

Queste erano le forze in campo nel luglio 1703, quando, nell'imminenza della celebrazione del secondo concorso Clementino, Ottoboni proponeva a Clemente XI di decretare la fine della secolare Accademia di San Luca.

Restando ancora ignoto l'iter della proposta della nuova Accademia Albana, non possiamo sapere quanto questo rischio fosse stato reale. Tuttavia alcuni avvenimenti successivi possono essere attendibilmente interpretati come reazioni a catena di un secco diniego del papa e di un successivo aggiustamento diplomatico tra le parti.

Nel 1704 Maratti fu nominato dal papa cavaliere dell'ordine di Cristo con una fastosa cerimonia pubblica, inedita per un artista, chiaramente tesa a sottolineare la sua supremazia personale e quella dell'Accademia di San Luca. Contestualmente egli faceva il suo ingresso in Arcadia, eloquente segno della volontà del pontefice di controllare sul nascere altre iniziative potenzialmente dirompenti.

Dopo l'ingresso di Maratti, a partire dal 1705 l'Arcadia aprì le porte ad altri artisti, in prevalenza ottoboniani, a cominciare da Ghezzi nel 1705, da Corelli e da Scarlatti nel 1706.

Ciò avvenne forse in reazione all'ammissione di Maratti, comunque certamente per assecondare il volere di Ottoboni, quando ormai sembrava chiaro che la sua vagheggiata utopica idealità di unione delle arti, delle lettere e delle discipline 'mondane' poteva attuarsi realisticamente solo in una illuminata reciproca contiguità.

Appendice

Memoriale autografo del luglio 1703 diretto dal cardinale Pietro Ottoboni al pontefice Clemente XI con il quale si richiede l'istituzione dell'Accademia Albana. Roma, Biblioteca Angelica, Manoscritti Arcadia, 16, ff. 386-389*v* (vecchia numerazione: 653-656*v*).

A V.S. che in se stessa racchiude le più perfette massime d'un ottimo Principe, ardita, ò per lo meno oziosa sarebbe d'ogn'altro fatica, per cui nuovi, e peregrini pensieri della gloria della S.tà V.ra, et al fine de' suoi Popoli offrir' volesse.

Già pur'troppo conosce, che quanto più l'ostinazione de' secoli calamitosi avvilisce gl'animi, e toglie ogn'allegrezza de' sudditi, tanto più è necessaria la providenza di chi governa, acciò loro men pesante la sciagura rassembri; e forse ancora dalla soverchia tristezza indeplorabile disperazione non si converta.

L'esemplarità de' costumi, la frequenza delle preghiere, la pronta, ed incorrotta giustizia, le grazie abbondanti, i Vassalli senza nuove imposizioni, gl'oracoli non men pij, ch'eruditi, con i quali V.S. bene spesso ammonisce, e conforta il suo grege, sono fondamenti bastanti ad eternare il nome d'ogni Pontefice.

Mà Beatissimo P.re, la di lei Patria richiede dalla Santità V.ra più, che dà ogn'altro Pio, Santo, Giusto, Generoso, e Dotto Pontefice; poiché, se Urbino fa gl'Uomini sin nelle fasce con ingegno, e con istinto alle più belle, e più dilettevoli professioni inclinati, e sé ogni Privato che nasce sotto quel Cielo hà massime p. illustrare ogni gran' Corte, che direbbe il Mondo, e ché querele giustissime formarebbero li Concittadini della S.V., se ella non concedesse alla maggiore elevazione quelle virtù, che i propri Progenitori protessero, e che à lei insegnorno ad amare col sangue stesso, con cui diedero à V.S. il di lei gloriosissimo vivere.

Mi permetta p. tanto Beatissimo P.re, che la fatica da me creduta su'l principio di questo foglio, ò ardita, ò almeno oziosa, io la stimi lodevole, e necessaria; mentre il cuor' tenero, ed amoroso della S.tà V.ra donato unicamente all'altrui sollievo, forse questa applicazione averà lasciata in abbandono, temendo troppo di fare à sé cosa grata.

Mà perché il profitto de' Sudditi sarà il primo frutto di così illustre intrapresa, io non pretendo ricordarla, mà solo farla vedere a V.S. sotto questa sembianza, acciò ogni contegno di compiacere à sé stessa non la ritardi.

L'Accademia dunque già intitolata di S. Luca e che presentemente si esercita nelle Sale del Campidoglio, potrebbesi in luogo più commodo, e proprio trasferire, aggiungendovi alla Pittura, Scultura, ed Architettura altri studi, che ad un' perfetto Cavaliere in Città grande, e massime in Roma sono sì propri, quanto sono propri à distogliere dà ogn' altro inutile, ò vile trattenimento. Sarebbero questi le belle lettere, il maneggiar' il Cavallo, il ballo, la scherma, e la musicha; le quali professioni non meno, che le trè prime dà famosi, e valenti Insegnatori dimostrate rimediarebbero al solo difetto di questa gran' Corte, che unicam.te applicata alla disciplina degl'Ecclesiastici, par', che del tutto la buona educazione de' secolari trascuri.

Il Palazzo de Signori Riarij alla Longara abitato già dalla Regina di Svezia di gloriosa memoria, nel quale V.S. medesima in quei tempi hà preconizzata nelli suoi eruditissimi discorsi ciò, che dà Pontefice doveva esseguire, sarebbe commodissimo per p. così nobile Idea, e perché meglio, e con minor incomodo possa del materiale aver' la S.V. qualche prima rappresentanza, si compiacerà in due carte osservare lo stato presente, et il disegno di quanto si potrebbe ricavare dà quell'amplissimo, e commodissimo sito.

Nel Palazzo vecchio che oggi attualmente si vede di buona fabbrica, e non in cattiva consistenza si potrebbero accomodare gl'otto Maestri ad ogn'uno de quali commoda, e separata abitazione ancora p. la loro famiglia, se' fossero ammogliati, si potrebbe destinare, oltre alle stanze terrene, che p. uso de' studi, e delle scuole riuscirebbero commodissime, toltone la Pittura, che per raggione di buon lume in alto, e non in luogo inferiore sarebbe necessario di collocare.

L'altro palazzo Compagno segnato nella carta dall'Architetto alla destra parte del primo Cortile potrebbe essere il Seminario de Giovani studenti, e de' Religiosi, che a' loro costumi, et a' pij esercizi, come all'economia del luogo assister' dovessero, accompagnando il Pianterreno dell'altra fabrica vecchia destinato alli studi già detti con un ampio teatro p. le Accademie d'ogni mese, e p. le rappresentazioni musicali del Carnevale, come è il costume d'altri simili convitti di Roma.

Il primo Cortile ad altro, che à commodo delle Carrozze, e servitori servir' non potrebbe, mentre due altri recinti di gradini circondati all'uso d'antico Antiteatro servir' potrebbero l'uno p. la Cavallerizza e l'altro p. l'Accademia degli Arcadi; come p. alfabeto nell'accenato foglio viene disposto

Gl'otto Maestri dunque sarebbero.

Per le belle lettere un' soggetto cospicuo di questa professione col titolo già dagl'Arcadi introdotto di

P.o Custode d'Arcadia

2.° Pittore

3.° Scultore

4.° Architetto

5.° Cavallerizzo

6.° Ballarino

7.° Schermitore

8.° M.ro di Cappella

A questi p. loro decorosa provisione, e senza il peso di stabilir' nuovi fondi, e di obligar' la S.ta V.ra à grossi dispendi, potrebbero assegnarsi degl'Uffizi di Campidoglio, come già in persona del Sig. Carlo Maratti si è pratticato, ò in altro modo, che meglio fosse poi considerato, mentre quei Convittori, che entrar' volessero in questa Accademia, ò forse concorrerebbero con la propria spesa, ò pure de' lavori loro à profitto del Collegio unirebbero gran' parte del proprio mantenimento.

Gl'abiti de' Collegiali esser' dovriano di color' pavonazzo lunghi, et ad uso d'altri Convitti con l'Insegne di V.ra Santità, acciò sotto il di lei supremo Patrocinio si riconosca quest'opera.

Il Teatro quando fusse aperto à tutte sorte di persone di soli affitti, ed incerti potrebbe rendere sopra 10.m. scudi, né la spesa delle recite ascenderebbe alla metà; si ché si potrebbe considerare p. una fissa entrata di 5.m. scudi senz'altro fondo.

L'obligo poi di questa Accademia dovrebb'essere di fare una volta il mese una pubblica esposizione de' propri lavori, et una volta l'anno per S. Luca una sontuosa, e magnifica pompa di tutti gl'esercizi ancora Cavallereschi, che in essa si pratticano.

Così Beatissimo P.re queste belle Arti, che pur fiorivano in Roma, e che pur dà Urbino germogliavano, se ora sono come il sole di sera coperte di tenebre dalla poca attenzione, che p. esse si prende, nell'esser dalla Santità V.ra richiamate ad un'Alba novella, e più chiara, faranno che ritornino à nuova vita i Raffaelli, i Barocci, i Bramanti, ed altri famosi soggetti quali, facendo poi risplendere al lume di sì bell'Alba le' loro nobili fatiche, non potrà la modestia esemplare di V.S. opporsi alla necessaria denominazione, con la quale celebrar dovranno l'età presente, e future quest'opera non men' grande, che utile con nome d'Accademia Albana.

[di altra mano:]
1703; Luglio q.to mem.le è scrittura dell'Em.o Card. Pietro Ottoboni

Discussione

PETROBELLI: Ascoltando la relazione del Dott. Manfredi, il modello proposto, con questa varietà di esperienze artistiche che gli allievi di questa Accademia Albana dovrebbero svolgere, mi ricorda quello del *Il Cortegiano* di Baldassar Castiglione. Si tratta di un'ultima ripresa del concetto del cavaliere, del gentiluomo di corte, naturalmente in un contesto culturale totalmente diverso e con la presenza di una corte profana e non sacra.

MANFREDI: Sono assolutamente d'accordo. È il melanconico rimpianto di Ottoboni che ha connotato tutta la sua vita dalla giovinezza fino alla morte.

GLORIA STAFFIERI

PIETRO OTTOBONI, IL MECENATE-DRAMMATURGO: STRATEGIE DELLA COMMITTENZA E SCELTE COMPOSITIVE

1. PREMESSA

Il peculiare quadro della committenza musicale romana della seconda metà del XVII secolo è stato oggetto negli ultimi decenni di numerosi studi. Riguardo al ruolo svolto da alcuni mecenati direttamente coinvolti nella parabola artistica corelliana – quali la regina Cristina di Svezia, il cardinale Benedetto Pamphilj e soprattutto il cardinale Pietro Ottoboni – si è approdati a una ricostruzione che, grazie al rinvenimento di un cospicuo materiale documentario, può reputarsi soddisfacente anche se non certo esaustiva.[1] Negli ultimi anni, tuttavia, il fenomeno della committenza musicale è stato esplorato, oltre che attraverso le consuete ricerche d'archivio, mediante strumenti

[1] Su Cristina di Svezia cfr. P. BJURSTRÖM, *Feast and Theatre in Queen Cristina's Rome*, Stockholm, Nationalmuseum, 1966; *Cristina di Svezia e la musica. Atti del convegno internazionale* (Roma, 5-6 dicembre 1996), Roma, Accademia Nazionale dei Lincei, 1998. Sul cardinale Benedetto Pamphilj cfr. L. MONTALTO, *Un mecenate in Roma barocca. Il cardinale Benedetto Pamphilj*, Firenze, Sansoni, 1955; R. BOSSA, *Corelli e il cardinal Benedetto Pamphilj: alcune notizie*, in *Nuovissimi studi corelliani*, pp. 211-223; C. ANNIBALDI, *L'archivio musicale Doria Pamphilj: saggio sulla cultura aristocratica a Roma fra il 16° e 19° secolo*, «Studi Musicali», XI, 1982, pp. 91-120, 277-344; H.J. MARX, *Die "Giustificazioni della Casa Pamphilj" als musikgeschictliche Quelle*, «Studi Musicali», XII, 1983, pp. 121-187. Sul cardinale Pietro Ottoboni cfr. H.J. MARX, *Die Musik am Hofe Pietro Kardinal Ottobonis unter Arcangelo Corelli*, «Analecta Musicologica», 5, 1968, pp. 104-177; M. VIALE FERRERO, *Antonio e Pietro Ottoboni e alcuni melodrammi da loro ideati o promossi a Roma*, in *Venezia e il melodramma nel Settecento*, a cura di M.T. Muraro, 2 voll., Firenze, Olschki, 1978 (I), 1981 (II), I, pp. 271-294; S. LA VIA, *Il cardinale Ottoboni e la musica: nuovi documenti (1700-1740), nuove letture e ipotesi*, in *Intorno a Locatelli: studi in occasione del tricentenario della nascita di Pietro Antonio Locatelli (1695-1764)*, a cura di A. Dunning, Lucca, Libreria Musicale Italiana, 1995, pp. 319-526; F. PIPERNO, *Su le sponde del Tebro: eventi, mecenati e istituzioni musicali a Roma negli anni di Locatelli. Saggio di cronologia*, in *Intorno a Locatelli*, cit., pp. 793-877. Per uno sguardo complessivo al sistema della committenza romana cfr. M. FAGIOLO - S. CARANDINI, *L'effimero barocco. Struttura della festa nella Roma del '600*, Roma, Bulzoni, 1977, 2 voll.; S. FRANCHI, *Drammaturgia romana*, Roma, Edizioni di Storia e Letteratura, 1988; G. STAFFIERI, *Colligite Fragmenta. La vita musicale romana negli Avvisi Marescotti (1683-1707)*, Lucca, Libreria Musicale Italiana, 1991.

critici mutuati da altre discipline, quali l'antropologia, l'etnomusicologia e la semiotica.[2] Da tale complesso dibattito è emersa una nuova lettura del mecenatismo che non solo approfondisce lo spinoso problema del rapporto tra musica e società, ma ha il pregio di offrire notevoli spunti anche sul versante più specifico dell'analisi musicale. In sostanza, tale lettura ruota intorno a un assunto fondamentale: nel contesto del mecenatismo la musica, oltre ad assolvere a immediate esigenze pratiche (cerimoniali, edificanti, ricreative), è finalizzata soprattutto a simboleggiare il rango sociale del committente. In questo quadro il rapporto tra mecenate e musicista non si configura come un idilliaco duetto tra un mecenate-filantropo che riconosce il genio dell'artista offrendogli protezione e un musicista assolutamente libero di sperimentare stili e forme. Il loro rapporto, al contrario, è di tipo paternalistico-clientelare, incentrato cioè sul dislivello tra superiorità sociale dell'uno e sottomissione dell'altro.

Da questo assunto ne deriva un altro non meno importante: se il prodotto musicale in età mecenatesca si configura come un atto creativo mirante a soddisfare i requisiti di funzionalità simbolica del committente cui è destinato, allora sul piano dell'analisi musicale si rivela insufficiente un tipo di approccio che si limita a inquadrare un'opera o nella produzione musicale del suo autore, postulando la massima libertà creativa del compositore, o in quella contemporanea, ossia nell'ambito delle convenzioni e delle modalità stilistiche proprie di un determinato genere cui il testo musicale appartiene. Ma dovrà invece privilegiarsi un tipo d'indagine in grado di dar conto di come le scelte compositive, e quindi lo stile, riflettano le istanze di tipo culturale, estetico e musicale di uno specifico contesto di produzione. Che la dipendenza dell'autore dal contesto di produzione non debba tuttavia intendersi come un mero rispecchiamento tra *desiderata* del committente e morfologia dell'opera – in quanto il compositore può comunque scegliere tra varie modalità di allusioni stilistico-morfologiche a sua disposizione – è una considerazione dall'apparenza ovvia ma d'importanza cruciale per non cadere nella trappola tautologica

---

[2] Per tale problematica cfr. la tavola rotonda coordinata da Howard Mayer Brown (*Round Table IX: Las tradiciones locales y el patronargo musical, 1500-1700*), in *Actas del XV Congreso de la Sociedad Internacional de Musicología*, 1992, I, «Revista de Musicología», XVI, 1993, pp. 591-619, e soprattutto C. ANNIBALDI, *Introduzione*, in *La musica e il mondo. Mecenatismo e committenza musicale in Italia tra Quattro e Settecento*, Bologna, a cura di C. Annibaldi, Bologna, Il Mulino, 1993, pp. 9-43; ID., *Toward a theory of musical patronage in the Renaissance and Baroque: the perspective from anthropology and semiotics*, «Recercare», X, 1998, pp. 173-182; ID., *Uno 'spettacolo veramente da principi': committenza e recezione dell'opera aulica nel primo Seicento*, in *Lo stupor dell'invenzione: Firenze e la nascita dell'opera*, a cura di P. Gargiulo, Firenze, Olschki, 2001, pp. 31-59; ID., *Frescobaldi's* Primo libro delle fantasie a quattro *(1608): a case study on the interplay between commision, production and reception in early modern music*, «Recercare», XIV, 2002, pp. 31-61.

dell'automatismo testo-contesto ed essere consapevoli dei rischi cui siamo esposti in un tale tipo di approccio.[3]

Ora, queste riflessioni ci inducono a una rilettura dello specifico fenomeno del mecenatismo romano di fine Seicento e ci consentono di rivitalizzare una ricerca che, sulla base dei soli documenti d'archivio, sembrava destinata a segnare il passo. In particolare, esse si rivelano efficaci per analizzare, da una diversa angolazione, alcune tra le più significative opere ideate e finanziate dal cardinale Ottoboni, uno degli ultimi e più rinomati esponenti del mecenatismo barocco.[4] Ci si può chiedere, quindi, non solo *se* le scelte compositive dei musicisti che furono attivi presso l'Ottoboni – tra cui Corelli, Scarlatti e Pasquini per citare solo i maggiori – fossero più o meno condizionate dai *desiderata* del facoltoso committente, ma anche e soprattutto *secondo quali modalità* esse lo furono. In altre parole, riguardo alle composizioni concepite per la corte del cardinale, si può parlare di uno 'stile ottoboniano'? E, in caso affermativo, quali caratteristiche presenta? Tale indagine procederà attraverso varie fasi e, per ovvi motivi, attraverso opere-campione: nella prima fase si tenterà di ricostruire il tipo di mecenatismo dell'Ottoboni e individuare i suoi ideali culturali ed estetici; nella seconda saranno presi in esame due lavori dell'Ottoboni degli anni '90, in particolare *La Statira* e *Il Colombo*, con musica rispettivamente di Alessandro Scarlatti e Bernardo Pasquini, ed enucleati quei parametri compositivi ritenuti pertinenti per l'indagine proposta; quindi tali risultati verranno confrontati con lavori coevi per valutare l'eventuale peculiarità delle opere ottoboniane; infine l'esito di questa indagine offrirà spunti per un'interpretazione di alcune composizioni corelliane, in particolare la raccolta delle *Sonate a tre*, Op. IV, dedicate al cardinale.

2. Pietro Ottoboni, il mecenate-drammaturgo

Che tipo di mecenatismo fu quello dell'Ottoboni? Come dimostra la vasta documentazione rinvenuta, nel panorama culturale romano il cardinale fu il

---

[3] Su tali rischi si sofferma Annibaldi (*La musica e il mondo*, cit., p. 16 e sgg.), che suggerisce infatti di spostare l'accento più sul momento performativo che su quello compositivo del rapporto committente/musicista, prospettiva tuttavia in parte rivisitata sul piano dell'approccio analitico in C. Annibaldi, *Frescobaldi's Primo libro delle fantasie a quattro*, cit.

[4] Secondo Annibaldi (*La musica e il mondo*, cit., p. 12), l'Ottoboni può considerarsi l'ultimo esponente del tipo di mecenatismo da lui definito *umanistico*, ossia quello che – a differenza del mecenatismo *istituzionale*, che produce e gestisce «eventi sonori simbolizzanti il rango sociale del committente secondo codici rigidamente definiti» – orienta queste finalità «verso esiti più flessibili e individualizzati, atti a simbolizzare quel rango anche mediante l'esibizione degli interessi musicali, ed eventualmente della personale musicalità, di lui».

mecenate più ricco e influente del periodo compreso tra il 1690 e i primi decenni del '700. Di più: oltre a promuovere un altissimo numero di eventi spettacolari e a impiegare al suo servizio i musicisti più rinomati del tempo, scriveva egli stesso i testi di molti degli spettacoli da lui finanziati. Allo stato attuale della ricerca il corpus delle opere ottoboniane consta di una ventina di lavori composti tra il 1688 e il 1729: si tratta di sei drammi per musica, due pastorali, una decina di oratori e una festa teatrale.[5] Fin dal suo esordio sulla scena romana avvenuto nel 1690, l'Ottoboni intese imporre alla città papale una vera e propria politica culturale o comunque un preciso gusto estetico: questo almeno è ciò che emerge dalle testimonianze dell'epoca, da alcuni elementi circostanziali, nonché dal contenuto stesso delle sue opere. Di tale complessa problematica riassumo i dati salienti.

1. Due tra i più importanti teorici del rinnovamento letterario italiano dei primi decenni del Settecento, Giovanni Mario Crescimbeni (primo custode dell'Arcadia) e Pier Jacopo Martello, annoverano l'Ottoboni tra i fondatori di un nuovo gusto drammatico improntato ad una certa misura classica e basato sul recupero dei principi aristotelici.[6]

2. Lo stesso Ottoboni, nel 1695, diviene pastore Arcade con il nome di "Crateo Ericinio", mentre già in precedenza, nel 1688, aveva fondato a Roma l'Accademia dei Disuniti, la quale raccoglieva tutti quei letterati, tra cui lo stesso Crescimbeni, che poco più tardi fonderanno l'Arcadia.[7]

3. Significativo, inoltre, è il modo con cui il cardinale esordisce sulla scena romana. Nel 1690, a solo un anno dalla nomina a Vice-Cancelliere della Chiesa, si presenta al pubblico della città papale con ben quattro suoi spetta-

---

5 Per limitarci ai suoi drammi per musica, oltre alla *Statira* (1690) e al *Colombo* (1690-'91), ricordiamo: *Il console tutore* (1698), *Il Costantino pio* (1710), *Teodosio il giovane* (1711), *Il Ciro* (1712). I drammi salgono a otto se includiamo anche l'incompleto *Amante del suo nemico* (1688) e *La costanza nell'amor divino overo La S. Rosalia* (1696), definito «dramma», anche se «sacro», sul frontespizio del libretto. Sulla figura dell'Ottoboni drammaturgo cfr. G. STAFFIERI, *I drammi per musica di Pietro Ottoboni: il grand siècle del cardinale*, «Studi Musicali», XXXV, 2006, pp. 129-192. Sull'attività dell'Ottoboni più in generale cfr. L. LINDGREN, *Ottoboni, Pietro*, in *New Grove 2001*, 29 voll., 18, pp. 807-809.

6 Cfr. G.M. CRESCIMBENI, *Bellezza della volgar poesia*, Roma, Gio. Francesco Buagni, 1700, Venezia, Lorenzo Basegio, 1730-31, tomo V, pp. 85, 96, 107, dialogo V; P.J. MARTELLO, *Scritti critici e satirici*, a cura di H.S. Noce, Bari, Laterza, 1963, sessione V, p. 274.

7 L'Accademia dei Disuniti pubblicò un'unica raccolta di componimenti, dal titolo: *Applausi Poetici al valore del Ser.mo Francesco Morosino Generalissimo dell'Armi Venete, assunto Doge mentre colla spada alla mano fugava l'inimico Ottomano [...], recitati dalli Signori Accademici Disuniti nel Palazzo della SS.ma Repubblica di Venezia in Roma il 14 giugno 1688, Accademia già eretta dall'Ill.mo Signor Pietro Ottoboni nobile veneto [...]*, Roma, Gio. Vannucci, 1688. I componimenti sono dei seguenti Accademici: D.A. Leonardi, G.B. Lucini, P. Ottoboni, G.B. Grapelli, G.B. Ancona Amadori, P. Figari, G.M. Crescimbeni, F.M. Paglia: cfr. M. MAYLENDER, *Storia delle Accademie d'Italia*, 5 voll., Bologna-Trieste, Cappelli, 1926-30 (rist. anastatica Bologna, Forni, 1976), vol. II, pp. 212-213.

coli, allestiti tutti con grande sfarzo:[8] il dramma per musica *La Statira*, l'oratorio *Il martirio di S. Eustachio*, corredato – cosa insolita per il genere – da apparati scenici e balli, la pastorale *Amore e gratitudine* e un'altra opera assai innovativa quanto a soggetto, *Il Colombo*, in cui – come si ricava dalla dedica del libretto – egli si augura di scoprire, analogamente al condottiero genovese, «un nuovo mondo»,[9] alludendo forse ai suoi propositi riformatori in ambito drammatico ed estetico.

4. Le opere scritte dall'Ottoboni, sebbene in alcuni casi fossero rappresentate nel teatro pubblico del Tor di Nona oltre che nel suo Palazzo della Cancelleria, rimangono sempre sotto il diretto controllo del cardinale (in quanto interamente finanziate da lui),[10] quindi al di fuori del circuito impresariale e delle ferree leggi di mercato (non circoleranno, infatti, mai al di fuori di Roma), circostanze queste particolarmente favorevoli per promuovere un cambiamento d'indirizzo estetico.

5. Un'ulteriore prova riguardo ai progetti riformatori del cardinale proviene infine dalle stesse opere da lui composte. Per quanto concerne i drammi per musica, l'Ottoboni – pur muovendosi nell'alveo delle convenzioni del tempo – porta in rilievo una serie di elementi allora non presenti nella produzione operistica romana. In estrema sintesi: a) una marcata propensione per le finalità edificanti del teatro piuttosto che per quelle ricreative, aspetto che si traduce sul piano drammaturgico in un approfondimento del conflitto interiore dei protagonisti a danno dell'intreccio; b) la ricerca di una misura classica nel trattamento della materia drammatica all'interno dei tre atti, con un'altrettanta equilibrata distribuzione delle arie e dell'avvicendamento dei personaggi in scena; c) il sostanziale rispetto delle unità aristoteliche.[11] A fronte di questa razionalizzazione dei vari elementi del dramma egli sceglie di mantenere, anzi di potenziare, tanto la dimensione visiva (con l'introduzione di macchine e apparati sontuosi) che quella musicale dell'opera. A tal riguardo, occorre richia-

---

[8] Su tali composizioni del 1690 si veda S. FRANCHI, *Drammaturgia romana*, cit., *ad vocem*, e G. STAFFIERI, *Colligite Fragmenta*, cit., pp. 88-96, 230-233. Le musiche di *Amore e gratitudine* e del *Martirio di S. Eustachio* furono composte da Flavio Carlo Lanciani.

[9] Il *Colombo* (*overo l'India scoperta. Drama per musica dedicato all'illustriss. [...] principessa D. Maria Otthoboni da rappresentarsi nel Teatro di Tor di Nona l'anno 1691*, Roma, Gio. Francesco Buagni, 1690: cfr. C. SARTORI, *I libretti italiani a stampa dalle origini al 1800*, Cuneo, Bertola e Locatelli, 1990-92, n. 5907).

[10] Negli *Avvisi di Roma* del 23 dicembre 1690 (I-Rvat Cod. Vat. Ott. 3356) si legge che il cardinale fece recitare per il Natale al Tor di Nona *Il Colombo* «con spese grandi di sua borsa, dando ogni utile et guadagno al conte di Alibert [...]»: passo riportato in A. CAMETTI, *Il teatro di Tor di Nona poi di Apollo*, 2 voll., Tivoli, Arti Grafiche Chicca, 1938, II, p. 346.

[11] Per tale problematica, che non è possibile approfondire in questa sede, si rimanda a G. STAFFIERI, *I drammi per musica di Pietro Ottoboni*, cit.

mare l'attenzione su un fatto importante: i testi autografi di alcuni suoi lavori, conservati nella Biblioteca Vaticana, contengono sia le didascalie con le mutazioni sceniche e i principali movimenti degli attori, sia – in alcuni casi – l'indicazione, in calce al testo, del tipo di assetto musicale che egli desiderava per certe arie.[12] Relativamente a quest'ultimo punto, non è forse inutile ricordare che, secondo alcune testimonianze, l'Ottoboni è definito, oltre che «amateur des arts», anche «grand musicien»,[13] sebbene non si conosca a tutt'oggi alcuna composizione di sua paternità.

6. L'accoglienza fredda, se non apertamente ostile, del pubblico romano nei confronti delle prime opere dell'ambizioso cardinale – in generale lodate per la musica e le scene, ma giudicate tediose e malfatte sul piano drammatico – possono intendersi forse come indizi non tanto o non solo dell'inesperienza del giovane autore, quanto della percezione da parte degli spettatori di una precisa discontinuità rispetto al gusto operistico corrente. In quest'ottica, ciò che si legge in un avviso dei primi di gennaio 1691, in occasione del *Colombo* – «nel teatro Tordinona ogni recita va calando et il cardinale [Ottoboni] l'attribuisce al pessimo gusto di questi romaneschi»[14] – può rivelarsi estremamente significativo.

Ora, data l'originalità della sua concezione dello spettacolo – in cui l'autore del testo era sostanzialmente anche il regista dell'evento complessivo – e vista la grande operazione d'immagine in cui il cardinale s'impegnava con spese ingentissime, appare difficile credere che un musicista al suo servizio (e che per di più lavorava sui suoi testi) potesse scegliere liberamente tra un esteso ventaglio di opzioni formali e stilistiche, fosse anche un musicista del calibro di Alessandro Scarlatti. Abbiamo, al contrario, alcune lettere dello stesso Scarlatti che, seppur riferite a un altro mecenate sempre di alto rango come Ferdinando de' Medici, attestano la sua sostanziale subalternità alla committenza. In esse il compositore non solo sottolinea il fatto di comporre secondo i *desiderata* del principe toscano, ma specifica anche qual era lo stile prediletto da Ferdinando: «uno stile più tosto ameno ed arioso, che studiato»,[15] per cui nel-

[12] Tali indicazioni sono presenti, in particolare, nei testi autografi del *Colombo* e dell'oratorio *La Giuditta* (rappresentato a Roma nel 1694 con musica di Alessandro Scarlatti), conservati in I-Rvat, Cod. Ott. 2360.

[13] C. DE BROSSES, *Lettres familières écrites d'Italie en 1739 et 1740*, Paris, 1931, vol. I, p. 489. Anche nell'*Avviso di Roma* cit. a nota 10 si dice: «Il cardinale Ottoboni [...] non lascia di comporre le solite sue poesie et attendere alla musica, *dove ha genio particolare* [...]» (il corsivo è mio).

[14] Dagli *Avvisi di Roma* del 6 gennaio 1691 (I-Rvat Cod. Vat. Ott. 3356), passo riportato in A. CAMETTI, *Il teatro di Tor di Nona*, cit., II, p. 346.

[15] Lettera di Scarlatti del 9 agosto 1704, pubblicata in M. FABBRI, *Alessandro Scarlatti e il prin-*

le opere composte per lui Scarlatti s'impegna a mettere «spirito nella musica, ed insieme tutt'il facile possibile; niente di malanconico».[16] Scarlatti contrappone quindi lo stile più facile realizzato per Ferdinando a quello «studiato» e «malanconico» realizzato evidentemente per il suo precedente mecenate, appunto l'Ottoboni. È interessante notare come altri testimoni del tempo utilizzino gli stessi termini per indicare lo stile romano, da loro contrapposto allo stile delle opere veneziane, napoletane e toscane, dalla vena più facile e improntata ai ritmi di danza; al tempo stesso di Scarlatti viene lodata proprio la sua capacità di cambiare stile da un'opera all'altra e potremmo dire, nella prospettiva delineata della committenza, di cambiare stile da un mecenate all'altro.[17]

3. L'assetto musicale della *Statira* e del *Colombo*

Ma qual è dunque lo stile musicale prescelto dai compositori per le opere dell'influente cardinale? Non ci resta che interrogare le poche partiture sopravvissute su testo dell'Ottoboni, a cominciare da quella relativa alla *Statira*, l'opera con cui il cardinale esordì sulla scena romana.[18] Dalle cronache contemporanee sappiamo che l'opera «riuscì per scene, e abiti molto magnifica, ma parve malinconica assai»:[19] torna dunque qui il termine *malinconico* che,

---

cipe Ferdinando de' Medici, Firenze, Olschki, 1961 («Historiae musicae cultores biblioteca», vol. 16), p. 55. Su tale problematica cfr. L. Lindgren, *Il dramma musicale a Roma durante la carriera di Alessandro Scarlatti (1660-1725)*, in *Le muse galanti. La musica a Roma nel Settecento*, a cura di B. Cagli, Roma, Istituto dell'Enciclopedia Italiana, 1985, pp. 35-53.

[16] Lettera di Scarlatti del 29 maggio 1706, in M. Fabbri, *op. cit.*, p. 73.

[17] Tali giudizi sullo stile di Scarlatti sono presenti, in particolare, nel commento anonimo *Critical Discourse on Opera's and Musick in England* (in realtà appartenente a Nicola Francesco Haym) inserito alle pp. 62-86 della traduzione inglese di F. Raguenet, *Le Parallèle des Italiens et des Français, en ce qui regarde la musique et les opéras*, Paris, Moreau, 1702, ossia *A Comparison between the French and Italian Musick and Opera's*, London, Lewis, 1709. Per tali passaggi cfr. L. Lindgren, *art. cit.*, pp. 38-41.

[18] *La Statira* (*Drama per musica recitato nel Teatro di Torre di Nona l'anno 1690. Dedicato alle dame di Roma*, Roma, Gio Francesco Buagni, 1690: cfr. C. Sartori, *I libretti italiani a stampa dalle origini al 1800*, Cuneo, Bertola e Locatelli, 1990-92, n. 22595) ebbe la sua prima rappresentazione al Teatro Tor di Nona il 5 gennaio 1690, e fu replicata in aprile (9, 16, 19) al Palazzo della Cancelleria: cfr. A. Cametti, *Il teatro di Tor di Nona*, cit., II, pp. 342-345, pp. 4-6. Riguardo alla musica cfr. *The Operas of A. Scarlatti*, IX: *La Statira*, ed. critica a cura di W.C. Holmes, Cambridge (Ma)-London, Harvard University Press, 1985 (con ricco corredo di documenti riguardo alle rappresentazioni del 1690 alle pp. 4-6). Per un confronto tra il testo a stampa e l'autografo ottoboniano cfr. W.C. Holmes, *La Statira by Pietro Ottoboni and Alessandro Scarlatti. The Textual Sources, with a Documentary Postscript*, New York, Pendragon Press, 1983 («Monograph in Musicology», 2).

[19] Lettera del 7 gennaio 1690 conservata in I-Fas, *Mediceo* 3956, riportata in *The Operas of A. Scarlatti*, IX: *La Statira*, cit., p. 5.

seppure probabilmente riferito al livello contenutistico del dramma, confrontato con le altre testimonianze sopra riportate, può recare con sé anche una precisa indicazione di stile, ossia stile ottoboniano (o romano) = stile malinconico e studiato, termini che dobbiamo ora decodificare sulla base dell'assetto musicale.

Nell'ambito della produzione di Scarlatti *La Statira* è stata finora ritenuta dalla critica come una semplice tappa intermedia verso la piena definizione dello stile maturo del compositore.[20] In particolare, molta attenzione si è riservata alle strutture formali, ossia alla classificazione tra arie bipartite, considerate più arcaiche, e arie tripartite, ritenute più moderne, in quanto prefigurazioni di quelle grandi arie con 'da capo' che trionferanno nell'opera metastasiana. In realtà, *La Statira* riserva molte più sorprese ove si considerino altri parametri compositivi, in particolare la configurazione dell'organico strumentale e il trattamento del materiale. Se ci soffermiamo sull'assetto delle arie (organismi questi ultimi già altamente formalizzati nella produzione operistica dell'epoca e ormai nettamente distinti dai recitativi), possiamo notare alcuni elementi significativi:

a) dei 55 pezzi chiusi dell'opera (comprendenti arie e duetti: ho escluso le due sinfonie), ben 28 sono accompagnati dall'orchestra, mentre i rimanenti 27 dal solo basso continuo;

b) all'interno dei due gruppi si può notare una gamma molto ampia e variegata di gesti, derivati sia dalla diversa organizzazione interna del materiale, sia dalla differente qualità dell'accompagnamento strumentale (timbri, numero delle parti, volume sonoro), anche se sia nell'uno che nell'altro gruppo prevalgono nettamente le cosiddette arie-motto, che interessano ben 40 dei 55 pezzi chiusi;[21]

c) l'andamento delle arie rivela una netta preferenza per i tempi lenti e moderati rispetto a quelli veloci;

d) poco più della metà delle arie utilizzano tonalità in modo minore.

Prendiamo in esame solo i tipi di aria più utilizzati nel corso dell'opera, non senza prima ricordare lo schema formale di questi pezzi. L'Ottoboni ha predisposto per le arie un certo numero di versi misurati, organizzati o in una sola strofa o in due (quest'ultimo assetto è decisamente minoritario, es-

---

[20] Per quest'impostazione cfr. D.J. GROUT, *Alessandro Scarlatti. An Introduction to His Operas*, Berkeley, University of California Press, 1979, pp. 21-41.

[21] Sono presenti, seppure molto rare, anche arie più 'arcaiche', come ad esempio l'aria con basso continuo ostinato, caratterizzato da un motivo che rimane invariato, o è semplicemente trasposto, nel corso di tutta l'aria.

sendo riservato solo a dieci pezzi dell'opera). In ambedue i casi Scarlatti ha suddiviso ciascuna strofa in due sezioni A e B. La maggior parte delle strofe, e quindi delle arie, della *Statira* presenta il ritorno della sez. A, ossia è nella cosiddetta forma tripartita o con 'da capo', o 'dal segno', ABA.

Le arie con b.c. con motto iniziale più ritornello intermedio o finale (che ricorrono 21 volte nel corso dell'opera) presentano nella sez. A un gesto iniziale del basso (motto d'apertura) formato da un'idea ritmico-melodica, che viene prima enunciata dal basso, poi dalla voce (in forma scorciata), quindi ripetuta dal basso e ripresa nuovamente dalla voce. Quest'ultima prosegue con nuovi incisi melodici (in relazione ai nuovi versi) e, generalmente, con una coloratura su parole significative, mentre il basso può riprendere alcune cellule motiviche del motto iniziale o imitare i vocalizzi della voce (Es. 1). La sez. A ha interesse prevalentemente motivico, mentre dal punto di vista armonico presenta una certa uniformità (tonica, raramente tonica-dominante-tonica). Nella sez. B, invece, la voce presenta nuovi incisi melodici, mentre il basso perde la funzione tematica o di sfasatura dei punti cadenzali e si limita al sostegno armonico. Questa sezione ha in genere interesse più armonico che tematico (modulazioni ai gradi vicini o relativi alla tonica). A questo tipo di aria si accompagna sempre un ritornello a 4 parti (interno nelle arie di due stanze, finale nelle arie di una o due stanze). Il ritornello presenta prevalentemente lo stesso materiale tematico della sezione iniziale, per cui il motto viene ripetuto più volte su registri e timbri diversi (nel basso, nella voce, negli archi).

Le arie con orchestra e motto iniziale (che ricorrono 19 volte nel corso dell'opera), mostrano una più complessa organizzazione del materiale, soprattutto per quanto riguarda il rapporto tra le parti, modificandone le responsabilità funzionali. Alterando la polarità tra melodia vocale e linea del continuo, l'immissione degli strumenti ad arco determina da un lato un cambiamento della funzione del basso, che viene a cedere parte della sua valenza melodica e strutturante per assumere prevalentemente quella di sostegno armonico, dall'altro arricchisce di nuove sfumature timbriche il gioco imitativo in cui sono impegnati voce e strumenti. Sulla base del modo d'emissione dell'incipit e della diversa organizzazione interna del materiale, tale gruppo può essere tuttavia suddiviso tra arie con motto *vocale* iniziale e arie con motto *strumentale*. In queste ultime il gesto iniziale è esposto in genere dagli archi (prevalentemente in imitazione tra loro) poi ripreso dalla voce; più raramente è esposto dal basso continuo, quindi ripreso dagli archi e dalla voce. A volte può esserci anche il frazionamento timbrico del motto tra vari strumenti (Es. 2). Anche in questo caso la sez. A ha prevalente interesse motivico, mentre nella sez. B gli archi hanno un peso più ridotto, limitandosi a intervenire nelle pause della voce o per ispessire la cadenza finale. Caratteri diversi presentano invece le arie in cui

Es. 1 – A. Scarlatti, *La Statira*, aria di Oronte: «*Ho di selce la costanza*» (batt. 1-12).

è la voce ad anticipare il motto: in questo caso non solo l'incipit è condizionato dall'idioma vocale (presentando una melodia quasi sempre per gradi congiunti), ma nella sez. B si utilizza prevalentemente la tecnica del concerto grosso, con alternanza tra *solo* e *tutti*.[22] Torneremo tra breve su quest'ultimo punto.

Se la presenza/assenza del motto è un elemento decisamente appariscente nelle arie della *Statira*, l'incidenza di questo gesto iniziale sembra a tratti oscurare una più sostanziale dicotomia riguardante l'assetto complessivo di tali pezzi, ossia la polarizzazione tra arie in stile polifonico-imitativo, in cui appare prevalente una tendenza alla condotta orizzontale delle parti, e arie in stile omofonico, che presentano una concezione armonica verticale e impiegano materiale tematico di tipo fraseologico, ossia organizzato in sezioni binariamente articolate, del tipo antecedente-conseguente. Tra le arie di questo secondo stile, numericamente poco più della metà, spiccano alcuni brani che, privi del motto iniziale, impiegano ritmi ternari e una quadratura fraseologica di matrice decisamente coreutica. Ma è interessante sottolineare che anche le

---

[22] In questi brani non è presente tuttavia la classica distribuzione dei ruoli strumentali in due sistemi ben distinti (tre parti per il *concertino* e quattro per il *concerto grosso*), ma l'alternanza tra *soli* e *tutti* è indicata nel corso dell'aria all'interno del consueto sistema a quattro parti (due violini, viola, continuo).

Es. 2 – A. Scarlatti, *La Statira*, aria di Campaspe «*Spezza l'arco, cieco Dio*» (batt. 1-9).

arie-motto, che per il gioco motivico delle parti sembrano più adatte a un assetto di tipo polifonico-imitativo, in molti casi sono da Scarlatti 'rimodellate' in chiave omofonica, con il motto che viene proposto e ripreso (con effetto d'eco) nell'ambito di un discorso che mette in evidenza la chiarezza delle articolazioni e un fraseggio melodico equilibrato e simmetrico (Es. 3).

Riguardo all'assetto complessivo delle arie, degna di nota è la scelta dei tempi e delle tonalità: i movimenti veloci (Allegro) sono 16 su 55 pezzi chiusi dell'opera, 11 sono i movimenti lenti (Grave, Largo, Largo assai), 20 quelli in tempo moderato (Moderato, Andante), mentre gli altri recano indicazioni meno immediatamente identificabili (A tempo giusto, Grazioso), ma sempre tut-

Es. 3 – A. Scarlatti, *La Statira*, aria di Statira: «*Sì che la morte invoco*» (batt. 1-13).

tavia riconducibili a un andamento moderato. Solo un quinto delle arie, dunque, presenta un tempo veloce. Riguardo alle tonalità, c'è una prevalenza di quelle in modo minore (30 su 55 arie), con un predominio delle tonalità di Sib, Do e Re, con le relative minori, e il raggiungimento, in ben cinque arie, di tonalità 'estreme' – quali Mib e Lab con le relative minori – nella zona dei bemolle del circolo delle quinte. Ora, tanto l'andamento moderato dei tempi che l'alto impiego di tonalità minori sono tratti che possono aver contribuito a quel tono «malinconico» avvertito dagli spettatori dell'epoca, tono indubbiamente favorito anche dall'argomento prescelto dall'Ottoboni.[23]

---

[23] L'azione si finge a Damasco nel 333 a.C. L'esercito persiano viene sconfitto da Alessandro. Dario è morto e la figlia Statira è presa prigioniera. Statira, amata dal principe persiano Oronte, diviene oggetto dell'attenzione di Alessandro. Ma questi è amato da Campaspe, la tipica favorita immorale e intrigante, a sua volta amata dal pittore di corte Apelle e dal generale macedone Demetrio. La gelosa Campaspe tenta, ma senza successo, di uccidere Statira, servendosi della complicità di Demetrio. Dopo alcune traversie, Alessandro e Statira perdonano la pentita Campaspe, assicurando il felice scioglimento della vicenda, che si conclude con un duplice matrimonio: di Alessandro e Statira e di Campaspe e Apelle. Ci si muove ancora nell'ambito del dramma ad intrigo, come nell'opera veneziana di metà Seicento, ma l'intreccio è ridotto dall'Ottoboni a un'unica linea d'azione (la gelosia di Campaspe che provoca il tentato omicidio di Statira), per dare maggior spazio all'ethos dei per-

A proposito di quest'ultimo punto, passando ad analizzare il rapporto tra l'assetto musicale delle arie e la struttura drammatico-scenica dell'opera, un dato emerge con sufficiente chiarezza: se singoli parametri dell'organismo sonoro, come la struttura ritmico-melodica, il tempo o la tonalità, appaiono direttamente influenzati tanto dallo schema metrico delle arie che dal loro contenuto affettivo, altri, come la strumentazione e il trattamento del materiale (arie-motto o tipo di scrittura: polifonica/omofonica), solo in parte sembrano rispondere a esigenze di ordine drammatico (gerarchie dei ruoli, arie 'affettuose' o sentenziose, monologiche o dialogiche) o di ordine scenico (posizione dell'aria all'interno della scena: arie d'uscita, intermedie, d'entrata).[24] Ad esempio, le arie dei quattro protagonisti dell'opera (Alessandro, Statira, Campaspe, Apelle), a prescindere dal contenuto dell'aria, sono accompagnate tanto dal basso continuo che dall'orchestra e, se il comprimario Oronte ha solo arie con il basso continuo, al servo Perinto come al personaggio d'appoggio Demetrio sono riservate arie di entrambi i tipi. Né la gerarchia dei ruoli appare come criterio discriminante nella scelta del trattamento interno del materiale. Ad esempio, se a Perinto, l'unico personaggio comico dell'opera, spettano quasi sempre arie in ritmo ternario e stile omofonico (ma anche arie-motto), la principessa Statira come il re macedone Alessandro, la cortigiana Campaspe come il generale Demetrio impiegano tanto arie ternarie e dal chiaro andamento coreutico che arie-motto di taglio contrappuntistico e dalla scrittura più densa e variegata. La stessa cosa può dirsi per il criterio scenico: per non spezzare il flusso dell'azione le arie intermedie di solito evitano ritornelli incornicianti o finali (nella arie con basso continuo) o un accompagnamento orchestrale impegnativo; ma, al tempo stesso, non sempre le arie d'entrata o d'uscita del personaggio (ossia quelle concepite per strappare l'applauso o per preparare un cambio di scena) sfruttano il massimo del potenziale sonoro o prevedono una preferenza per l'accompagnamento del continuo o per quello dell'orchestra. Insomma, se analizziamo la successione delle arie all'interno dell'opera, notiamo che l'unico criterio pienamente valido e sempre rispettato dal compositore sembra essere quello della ricerca della varietà attraverso il contrasto, da realizzare a vari livelli della struttura sonora (contrasto di tonalità,

---

sonaggi (ad esempio: al rigore e alla nobiltà d'animo di Statira, alla magnanimità di Alessandro) e al loro conflitto interiore (tra passioni e principî morali). Per ulteriori dettagli su questo tipo di drammaturgia cfr. G. STAFFIERI, *I drammi per musica di Pietro Ottoboni*, cit.

[24] Per aria d'uscita s'intende quella cantata da un personaggio che esce sulla scena, per aria d'entrata quella cantata da un personaggio subito prima di rientrare tra le quinte; per aria intermedia quella collocata a metà scena: cfr. P.J. MARTELLO, *Della tragedia antica e moderna* (rist. in ID., *Scritti critici e satirici*, a cura di H.S. Noce, Bari, Laterza, 1963, pp. 187-316: 285-286.

tempi, ritmi, strumentazione, registri vocali, volumi sonori: piano e forte, *soli* e *tutti*). In altre parole, appoggiandosi alle esigenze del testo e soprattutto dello spettacolo, Scarlatti – per ogni aria – studia con raffinata abilità il modo di dotare la linea vocale di uno sfondo sonoro sempre mutevole, realizzando così, nel flusso discontinuo del discorso musicale (data la cesura recitativo-aria), nuclei di variabile densità e tensione, o giochi chiaroscurali e volumetrici, che possano – via via che ci s'inoltra nella storia – coinvolgere lo spettatore tenendone sempre desta l'attenzione. Del resto, che in questo periodo la musica nell'opera sia concepita, al pari della messiscena, come una sorta di addobbo sonoro, abbia cioè una funzione più decorativa che drammatica, è un fenomeno che è spiegabile, e va di pari passo, con il progressivo sganciamento dell'aria tanto dalle parti dinamiche del dramma che dal sistema dei ruoli, fenomeno che trasformerà sempre di più il pezzo chiuso in un materiale sostanzialmente neutro, ossia astratto e interscambiabile sotto il profilo drammatico-musicale.[25]

Ma veniamo ora al *Colombo, overo l'India scoperta*, l'opera meno fortunata dell'Ottoboni.[26] Le cronache del tempo sono concordi nel dar conto del clamoroso insuccesso decretato dal pubblico romano a questa nuova fatica del cardinale. L'opera fu criticata soprattutto per il testo reputato «tedioso e maleconcio»,[27] nonché per l'inverosimiglianza della trama. Ma i giudizi negativi investirono questa volta anche la musica, definita «mesta, mediocre e con un lagrimatorio continuo dalla prima all'ultima scena»,[28] tanto che l'Ottoboni corse subito ai ripari operando, in occasione delle riprese, notevoli modifiche: tagliò le parti risultate meno gradite al pubblico e aumentò il numero delle arie destinate al Cortona (che interpretava la parte di Fernando), risultato «degno di ogni applauso».[29] Eppure nel *Colombo*, rispetto alla *Statira*, lo spet-

25 Per questa trasformazione nell'ambito del dramma per musica, realizzatasi a partire dagli anni '70 del Seicento, cfr. G. STAFFIERI, *"La reine s'amuse": L'*Alcasta *di Apolloni e Pasquini al Tordinona (1673)*, in *Cristina di Svezia e la musica*, cit., pp. 21-43.

26 Il *Colombo (overo l'India scoperta. Drama per musica dedicato all'illustriss. [...] principessa D. Maria Otthoboni da rappresentarsi nel Teatro di Tor di Nona l'anno 1691*, Roma, Gio. Francesco Buagni, 1690: cfr. SARTORI, *op. cit.*, n. 5907) ebbe la "prima" al Tor di Nona il 28 dicembre 1690 e proseguì fino alla prima decade di gennaio 1691: cfr. A. CAMETTI, *Il teatro di Tor di Nona*, cit., I, pp. 75-77, II, 345-347. Una partitura del *Colombo* è conservata in GB-Lbl, Ms. Add. 16153: per la partitura in edizione moderna cfr. *Il Colombo, overo L'India scoperta*, a cura di U. Feld, Berlin (Freie Universität), Puccini Research Center, 1992.

27 *Avvisi di Roma* del 30 dicembre 1690 (Cod. Vat. Ott. 3356): passo riportato in A. CAMETTI, *Il teatro di Tor di Nona*, cit., II, p. 346.

28 *Avvisi di Roma* dei primi di gennaio 1691 (I-Fas, filza 4020): *ivi*.

29 *Avvisi di Roma* del 6 gennaio 1691 (I-Rvat Cod. Vat. Ott. 3356): «L'opera del *Colombo* non piace e nelle passate sere non ci è stato la metà dell'audienza che soleva esservi, onde chi spende ha risoluto far diminuire diverse parti che non piacciono et accrescerle a *Cortona* che è degno di ogni applauso»: *ivi*. Il cantante in questione è Domenico Cecchi detto il *Cortona*: per i cantanti attivi a

tacolo sembra sottoposto a un più generale processo di amplificazione sia dal punto di vista scenografico che musicale. Non è questa la sede per approfondire i motivi di un tale fallimento o per analizzare le manchevolezze del testo, che risulta indubbiamente il più fiacco dell'Ottoboni.[30] Ma una cosa è certa: la pessima accoglienza ricevuta dall'opera e il fatto che per lungo tempo si sia attribuita la musica allo stesso cardinale hanno gettato un cono d'ombra su una partitura che, rimasta quasi del tutto dimenticata, è il prodotto non certo di un esordiente, bensì di un musicista del calibro di Pasquini, giunto per di più all'apice della sua notorietà.[31]

Analizzando l'assetto generale del *Colombo*, possiamo rilevare molti dei tratti individuati nella *Statira*, e al tempo stesso il potenziamento di alcune componenti già peraltro presenti nella partitura di Scarlatti, ossia:

a) dei 60 pezzi chiusi dell'opera (arie e duetti) 33 sono accompagnati dal continuo mentre i rimanenti dall'orchestra (sempre a 4 parti): il numero delle arie con strumenti, seppure elevato, è quindi un po' inferiore a quello della *Statira*, ma in compenso questi brani utilizzano in maniera assai più rilevante la scrittura del concerto grosso (ben 16 arie nel *Colombo* rispetto alle 7 nell'opera di Scarlatti);

b) si fa anche qui ampio ricorso alle arie-motto (38 arie su 60) e alla dicotomia tra arie in stile polifonico-imitativo (in numero appena minore nel *Colombo* rispetto alla *Statira*) e arie in stile omofonico;

c) prevalgono ancora le tonalità in modo minore e, come nella *Statira*, c'è una netta preferenza per il Sib, il Do e il Re con le relative minori, ma que-

---

Roma in questo periodo cfr. G. STAFFIERI, *Colligite Fragmenta*, cit., pp. 43-46. La partitura londinese, su cui si basa l'edizione moderna (v. nota 26), corrisponde a questa seconda versione, che aumenta notevolmente le arie di Fernando e taglia la maggior parte delle seconde strofe nelle arie che Ottoboni aveva originariamente concepito di due stanze.

[30] La storia, ambientata nella città di Montezuma (capitale del Perù) nel 1502, è una sorta di incontro-scontro tra due culture: quella degli europei, rappresentata da Colombo-Anarda-Fernando e caratterizzata dalle principali virtù cristiane (soprattutto fede e costanza) e quella del regno del Perù, con il re Ginacra, sua figlia Tendilla e il generale Guascarre, espressione del mondo delle passioni non governate dalla ragione. L'intreccio è incentrato sugli effetti destabilizzanti che l'arrivo degli stranieri produce alla corte del re del Perù: Tendilla presto s'invaghisce di Fernando (provocandole una forte crisi interiore data la fedeltà da lei giurata a Guascarre); Ginacra s'innamora perdutamente di Anarda, moglie di Colombo, la quale però non cede agli irruenti assalti del re straniero che vuole a tutti i costi sposarla e farle rinnegare il nodo coniugale con il marito. La contrapposizione di vizio e virtù, portata in primo piano, provoca tuttavia un impoverimento delle linee d'azione e condanna all'inconsistenza drammatica alcuni personaggi, come ad esempio quello di Guascarre. Cfr. G. STAFFIERI, *I drammi per musica di Pietro Ottoboni*, cit.

[31] Alcune arie del *Colombo*, che riportano espressamente il nome del Pasquini come autore, sono state rinvenute nel Fondo Caetani della Biblioteca Corsiniana di Roma: cfr. F. CARBONI - T.M. GIALDRONI - A. ZIINO, *Cantate ed arie romane del tardo Seicento nel Fondo Caetani della Biblioteca Corsiniana: repertorio, forme e strutture*, «Studi Musicali», XVIII, 1989, pp. 49-192: 50, 58, 114-115.

sta volta la tonalità 'estrema' nella zona dei bemolle è il Mib e relativa minore (riservata a sei arie).

Per quanto riguarda i tempi, essi non risultano mai indicati nella partitura, tranne che in relazione a sei pezzi, dove si prescrive l'andamento Allegro, per cui non è dato sapere se i tempi veloci siano riservati solo a quei brani o anche ad altri dell'opera (ma il riferimento delle cronache al «lagrimatorio continuo dalla prima all'ultima scena» suggerirebbe piuttosto il contrario).

Se la logica distributiva delle arie rispetto alla struttura drammatico-scenica è analoga a quella già rinvenuta nella precedente opera ottoboniana (per cui non è il caso di soffermarsi su questo aspetto), un'attenzione particolare meritano le arie per orchestra che impiegano la scrittura del concerto grosso,[32] arie distribuite tra tutti i personaggi dell'opera (tranne quelli comici), ma riservate in numero maggiore al Cortona (Fernando).

Ora, nella *Statira* Scarlatti utilizza l'alternanza tra solista/i e ripieno orchestrale sostanzialmente come mezzo per ispessire il gioco motivico nei passaggi introduttivi dell'aria o per assottigliare il volume sonoro nella sezione interna di essa (quando la linea strumentale si muove in contropiede con quella vocale), o ancora per rafforzare i punti cadenzali. Ma l'impiego di questa scrittura, risolvendosi solo in una diversa modalità esecutiva rispetto al consueto accompagnamento a 4 parti, non altera la struttura dell'aria, in cui le due sezioni A (più motivica) e B (armonica) conservano in linea di massima la medesima estensione (nonostante che il 'da capo' dia poi necessariamente più peso alla prima parte). Al contrario Pasquini nella maggior parte di queste arie impiega tale tecnica non solo per sfruttare il gioco chiaroscurale garantendo il giusto spazio al cantante, ma anche come mezzo di costruzione formale: in esse, infatti, la sezione A viene ad assumere rispetto alla B una dimensione assai maggiore, a causa del notevole ampliamento che subisce la funzione degli archi dal punto di vista sia tecnico che tematico. Nella prima aria destinata a Fernando il rapporto tra la sezione A e la B è di 2: 1, rapporto sbilanciato poi ulteriormente con il 'da capo' (Es. 4).

Ciò è dovuto al fatto che la prima sezione, dopo un compatto tema introduttivo per sola orchestra (con incipit suddiviso tra *soli* e *tutti*), presenta una tripla esposizione da parte del cantante dei primi due versi della stanza, ciascuna caratterizzata da materiale tematico differente (sia nella linea vocale che strumentale) e da un diverso alternarsi tra parti solistiche (con figurazioni per lo più idiomatiche) e ripieno orchestrale (riservato ai punti ca-

---

32 Anche in questo caso vale quanto si è già detto alla nota 22.

Es. 4 – B. Pasquini, *Il Colombo*, aria di Fernando: «*Bella gloria cangia in Nume*» (batt. 1- 22).

Allegro
Soli
Tutti

Soli

Bel - la glo - - ria can - gia in Nu - me un mor -

Tutti

tal, se ben l'ac - qui - sta. Bel - la glo - ria can - gia in

Nu - me un mor - - - - tal, se ben se ben l'ac - qui - - sta.

denzali), mentre la sezione B (in cui il cantante espone gli ultimi due versi della stanza una sola volta) è accompagnata dal solo basso continuo. Un trattamento analogo, anche se con soluzioni ogni volta differenti, presentano le altre arie di questo tipo, che complessivamente denotano una decisa sensibilità per il gioco chiaroscurale e timbrico nonché per la scrittura idiomatica.

Al di là del diverso stile impiegato dai due compositori in queste arie, emerge comunque un dato fondamentale: la *Statira* e il *Colombo* introducono in ambito operistico un tipo di scrittura, quella del concerto grosso, documentata fino ad allora unicamente nelle composizioni vocali di Stradella degli anni

'70 (ma solo in oratori e cantate e mai nelle opere).[33] Dopo di lui, nonostante si facciano risalire gli incunaboli del genere alle composizioni di Corelli degli anni '80 (secondo la testimonianza del Muffat),[34] non abbiamo in realtà alcun documento di tale scrittura prima del 1689, data dell'esecuzione della Sinfonia della *S. Beatrice d'Este* dello stesso Corelli (ma ancora una volta si tratta di un brano unicamente strumentale e appartenente a un oratorio e non a un'opera).[35] In compenso, in molte partiture degli anni '90 e dei primi del '700 provenienti dalla corte ottoboniana o relative a composizioni scritte dallo stesso cardinale è assai frequente la presenza di una distribuzione delle parti strumentali tra *soli* e *tutti* o, più esplicitamente, tra *concertino* e *concerto grosso*.[36] Come mai tra il 1689 e il '90, proprio al momento dell'esordio del cardinale sulla scena romana, tale tipo di scrittura irrompe nell'opera e negli anni successivi subisce un'impennata in tutti i generi? Esiste un rapporto più specifico tra l'Ottoboni e il concerto grosso? La risposta più ovvia sembrerebbe questa: il cardinale aveva i mezzi per poter stipendiare un nucleo fisso di strumentisti di valore (come Corelli, Fornari e Amadei) e ingaggiarne da fuori un certo numero per il ripieno, elementi ambedue necessari per realizzare questo peculiare tipo di scrittura orchestrale; non va dimenticato inoltre che, con la morte nel 1689 di Cristina di Svezia e la partenza nel '90 del cardinal Pamphilj per Bologna, l'Ottoboni aveva potuto attirare alla sua corte tutti i migliori strumentisti

---

[33] Cfr. O. JANDER, *Concerto Grosso Instrumentation in Rome in the 1660's and 1670's*, «Journal of the American Musicological Society», XXI, 1968, pp. 168-180.

[34] Cfr. la *Prefatione* di Georg Muffat alla propria raccolta *Ausserlesener mit Ernst- und Lust-gemengter Instrumental-Musik Erste Versamblung*, Passau, 1701, ediz. a cura di E. Luntz, Graz, Akademische Druck- und Verlagsanstalt, 1959. Ma sulla possibilità che Corelli nel 1682 – come afferma Muffat – avesse già composto dei concerti grossi ha sollevato molti dubbi M. RINALDI, *Arcangelo Corelli*, Milano, Curci, 1953, pp. 91-93.

[35] Cfr. A. CAVICCHI, *Una sinfonia inedita di Arcangelo Corelli nello stile del concerto grosso venticinque anni prima dell'opera VI*, in *Le celebrazioni del 1963 e alcune indagini sulla musica italiana dei secoli XVIII e XIX*, a cura di M. Fabbri, Firenze, Olschki, 1963, pp. 43-55. Se in questo brano è evidente l'uso del concerto grosso, non è ovviamente detto che in *tutte* le sinfonie degli anni '80, documentate in numero copioso nelle cronache, si facesse uso di tale tipo di scrittura.

[36] Da alcuni studi sull'argomento (cfr. S.H. HANSELL, *Orchestral Practice at the Court of Cardinal Pietro Ottoboni*, «Journal of the American Musicological Society», XIX, 1966, pp. 398-403 e A. PAVANELLO, *Sullo stile dell'opera VI di Arcangelo Corelli*, in *Studi Corelliani V*, pp. 161-183) è emersa la presenza in composizioni su testo di Ottoboni (o che impiegano musicisti al suo servizio) di arie o brani strumentali con questa scrittura. Allo stato attuale possiamo citare i seguenti lavori: la pastorale *Amore e gratitudine* (1690, Lanciani), le cantate natalizie *La Fede consolata* (1689, Lanciani), *La gioia nel seno di Abramo* (1690, Lanciani) e *Per la nascita del Redentore* (1698, Lulier), le cantate *L'Applauso musicale a quattro voci* (1693, Lulier) e *La Gloria, Roma e il Valore* (1700, Lulier), l'*Oratorio della SS. Annunziata* (1700, Lulier), gli oratori *Davidis pugna et victoria* (1700, Scarlatti), *S. Filippo Neri* e *Il Regno di Maria Vergine assunta in cielo* (1705, ancora di Scarlatti). Nei documenti amministrativi della corte ottoboniana molti sono, inoltre, i riferimenti a cantate e composizioni con la distribuzione per *concertino* e *concerto grosso*: cfr. l'appendice documentaria in H.J. MARX, *Die Musik am Hofe Kardinal Ottobonis*, cit., *passim*.

disponibili nell'ambiente romano. Non solo: mantenendo assai alta la richiesta di tali musiche – per le quali componeva di frequente lui stesso il testo – favorì l'emancipazione di tale pratica, che si è potuta trasformare così da gesto episodico, e utilizzato come puro contrasto fonico, in un vero e proprio stile. Guardando la situazione in prospettiva, i dodici *Concerti grossi*, Op. VI, di Corelli acquistano pertanto sempre di più il sapore di una silloge in qualche modo riepilogativa di una tradizione fortemente radicata non tanto e non solo nell'ambiente romano quanto specificamente in quello ottoboniano.[37]

4. Le opere ottoboniane e la produzione contemporanea

I dati rinvenuti, già abbastanza significativi in se stessi, possono acquistare nuova luce se allarghiamo la nostra indagine alla produzione operistica contemporanea di ambiente *non* ottoboniano (v. Tavola a p. 165).[38] Anche in questo caso si è effettuato un sondaggio per opere-campione. Le partiture prese in esame riguardano otto composizioni tra le più acclamate del periodo: si tratta di tre drammi per musica di Scarlatti, ma realizzati per altri committenti, ossia *Il Pompeo* eseguito al Teatro Colonna di Roma nel 1683, il *Massimo Puppieno* e *La caduta de' Decemviri* rappresentati al Teatro S. Bartolomeo di Napoli rispettivamente nel 1695 e nel 1697;[39] tre opere di Giovanni Bononcini, *Il Xerse* e *Il trionfo di Camilla, regina dei Volsci*, lavori eseguiti il primo al Teatro Tor di Nona di Roma nel 1694 e il secondo al Teatro S. Bartolomeo di Napoli nel 1696, e una terza di Carlo Francesco Pollarolo, *Gl'inganni felici*, eseguita al Teatro S. Angelo di Venezia nel 1695.[40] Alcune

---

37 Sull'Op. VI come raccolta riepilogativa di esperienze corelliane precedenti cfr. F. Piperno, *Corelli e il 'concerto' seicentesco: lettura e interpretazione dell'opera VI*, in *Studi corelliani IV*, pp. 359-380; G. Staffieri, *Arcangelo Corelli compositore di «Sinfonie». Nuovi documenti, ivi*, pp. 335-358.

38 Nella Tavola il termine *aria* è utilizzato per intendere sia i pezzi chiusi solistici che i duetti; le cifre poste tra parentesi nelle colonne relative al metro ternario e all'alternanza *soli/tutti* stanno ad indicare, nel primo caso, le arie che presentano al loro interno la combinazione del metro ternario e di quello binario, nel secondo caso le arie che, accompagnate dal basso continuo, presentano l'alternanza *soli/tutti* unicamente nel ritornello strumentale.

39 Per le partiture di Scarlatti cfr. A. Scarlatti, *Il Pompeo*, in *Handel Sources. Materials for the Study of Handel's Borrowing*, a cura di J.H. Roberts, New York-London, Garland, 1986, vol. 6 (facsimile della partitura conservata in B-Br); *The Operas of A. Scarlatti*, V: *Massimo Puppieno*, ed. critica a cura di H.C. Slim, Cambridge (Ma)-London, Harvard University Press, 1979; *The Operas of A. Scarlatti*, VI: *La caduta de' Decemviri*, ed. critica a cura di H. Weigel Williams, Cambridge (Ma)-London, Harvard University Press, 1980.

40 Per le partiture di Bononcini cfr.: G. Bononcini, *Il Xerse*, in *Handel Sources. Materials for the Study of Handel's Borrowing*, a cura di J.H. Roberts, New York-London, Garland, 1986 vol. 8 (facsimile della partitura conservata in GB-Lbl); G. Bononcini, *Il trionfo di Camilla, regina de' Vol-*

informazioni, infine, riguardanti due opere di Pasquini, *La Tessalonica* (1683) e *La caduta del regno delle Amazzoni* (1690), eseguite entrambe al Teatro Colonna di Roma, sono state ricavate da una fonte secondaria.[41]

Dall'esame di questo materiale emergono i seguenti dati:

a) le opere in questione presentano – ad eccezione della *Caduta de' Decemviri* e, in parte, del *Trionfo di Camilla* – una netta preponderanza delle arie con accompagnamento del basso continuo (che sono circa il 60-70% del totale) rispetto a quelle per orchestra: il rapporto di circa 1:1 che si riscontra tra i due tipi di arie nel caso delle opere ottoboniane appare quindi decisamente inconsueto nell'ambito della produzione del periodo o almeno fino alla prima metà degli anni '90;

b) tali opere mostrano, rispetto alla *Statira* e al *Colombo*, una bassa incidenza delle arie-motto (e ciò riguarda sia il *Pompeo*, che è del 1683, che le opere di fine secolo, quindi il dato non sembra spiegarsi nell'ambito di una più generale tendenza stilistica); in esse, inoltre, i pezzi che presentano un ordito polifonico sono numericamente assai inferiori rispetto a quelli in stile omofonico;

c) le arie in ritmo ternario sono circa il 40% rispetto a quelle in ritmo binario (tranne che nella *Caduta de' Decemviri* dove il loro numero arriva alla metà) e non si registra quindi una sostanziale differenza rispetto alle soluzioni prescelte per le opere ottoboniane (anche se *Il Colombo* ha un'incidenza minore di metri ternari – circa un terzo del totale delle arie – rispetto al resto della produzione operistica); ma è interessante rilevare, all'interno di questo ambito, la netta preferenza per il ritmo di 12/8 nel *Trionfo di Camilla* e nella *Caduta de' Decemviri* rispetto ai metri 3/8 e 3/4 più utilizzati negli altri lavori;

d) nelle opere prese in esame, tranne che nel *Pompeo*, le tonalità in modo maggiore predominano nettamente rispetto a quelle in modo minore prevalenti invece nei lavori del cardinale (e questo scarto aumenta via via che ci s'inoltra nel secolo);

e) relativamente ai tempi dei pezzi chiusi, nelle partiture dove sono pienamente indicati (*Il Xerse*, *Il trionfo di Camilla*, *La caduta de' Decemviri*) può notarsi un netto prevalere dei tempi veloci (Presto, Allegro, Vivace) rispetto a

---

sci, in *Italian Opera (1640-1770)*, a cura di H.M. Brown, New York, Garland, 1977 (facsimile della partitura conservata in GB-Abu); C.F. POLLAROLO, *Gl'inganni felici*, in *Italian Opera (1640-1770)*, a cura di H.M. Brown, New York, Garland, 1977 (facsimile della partitura conservata in GB-Lbl). Su quest'ultima opera e *Il trionfo di Camilla* di Bononcini cfr. R. STROHM, *L'opera italiana del Settecento*, Venezia, Marsilio, 1991, pp. 31-60; sulla particolare fortuna della *Camilla* di Bononcini cfr. L. LINDGREN, *I trionfi di Camilla*, «Studi Musicali», VI, 1977, pp. 7-159.

[41] Cfr. G. CRAIN, *The Operas of Bernardo Pasquini*, 1965, Ph.D. diss., Yale University, 1965, 2 voll., I, pp. 152-164: 159, 173-182: 181.

quelli moderati o lenti (riguardo a questi ultimi nel *Xerse* solo 7 su 68 arie recano l'indicazione Largo o Adagio, nel *Trionfo di Camilla* 5 su 53, e nei *Decemviri* 3 su 62), un dato anche questo in contrasto rispetto ai lavori ottoboniani;

f) riguardo infine alla strumentazione, a partire dal *Xerse* si ravvisa una più generale tendenza – rispetto alle opere del cardinale ma anche a quelle precedenti – ad inserire, a fianco delle più tradizionali arie accompagnate dall'orchestra a 4 parti, brani che prevedono un supporto strumentale più diversificato, ossia con orchestra a 3 parti (in maggioranza violini I-II e continuo senza viole), a 2 parti (con prevalenza di violini I-II all'unisono e continuo), o con strumenti solistici (un violino o un violoncello, oppure due violini o un violino e un violoncello).[42]

Più complessa, ma non meno interessante, è la lettura dei dati riguardanti le arie che riportano la scrittura per concerto grosso. Da questo sguardo alla produzione del periodo essa si rivela, almeno nei primi anni '90, non unicamente connessa alla corte ottoboniana: oltre che nella *Caduta del Regno delle Amazzoni*, dello stesso Pasquini,[43] la ritroviamo infatti nelle due opere di Bononcini, musicista al servizio di casa Colonna, come il Pasquini, quindi trasferitosi a Napoli al seguito dell'ambasciatore spagnolo Luigi de la Cerda, marchese di Cogolludo, dopo la sua nomina a vicerè nel 1696. Quest'ultimo, d'altra parte, è un altro committente di grande rilievo nel panorama romano del periodo preso in esame.[44] Nominato ambasciatore di Spagna presso la Santa Sede nel 1687, egli cercò di trasferire sulle scene romane il melodramma eroico e altisonante del suo Paese, come dimostra soprattutto *La caduta del Regno delle Amazzoni*,

---

42 Sia sul piano della strumentazione che del trattamento del materiale le due partiture di Bononcini si rivelano particolarmente interessanti: se nella arie per solo continuo la linea del basso assume sempre una pregnante funzione melodica (con l'impiego di numerosi passaggi idiomatici) oltre che armonica, le arie con accompagnamento orchestrale mostrano, nella sez. A (di più ampia dimensione), una ricca gamma di motivi distribuiti tra gli archi e la voce, che talvolta gareggiano sullo stesso materiale melodico, talvolta s'inseguono esponendo materiale diverso. Su Bononcini, tipico esponente della scuola violoncellistica romana insieme a Giovanni Lulier (detto «del Violone»), cfr. S. La Via, *Il violoncello a Roma al tempo del cardinale Pietro Ottoboni. Ricerche e documenti*, Tesi di Laurea, Università di Roma "La Sapienza", a.a. 1983-84; Id., *Un'aria di Händel con violoncello obbligato e la tradizione romana*, in *Händel e gli Scarlatti a Roma*, a cura di N. Pirrotta e A. Ziino, Firenze, Olschki, 1987, pp. 49-71.

43 Crain nel suo studio parla di numerose arie e di un certo numero di ritornelli che presentano l'alternanza *soli/tutti*: cfr. G. Crain, *op. cit.*, I, p. 181.

44 Il marchese di Cogolludo, imparentato con il contestabile Lorenzo Onofrio Colonna (il cui figlio Filippo aveva sposato Lorenza de la Cerda, sua sorella) promuoveva, grazie a questa parentela, un'intensa vita spettacolare sia al Palazzo Colonna che al Tor di Nona, passato nel 1692 sotto la sua protezione (qui il Bononcini, legato alla casa Colonna, rappresenterà infatti *Il Xerse* nel 1694).

un'opera che impressionò molto lo stesso cardinale e da cui attinse – oltre che il compositore (Pasquini appunto) – non pochi elementi drammatici e spettacolari.[45] Anzi, la rivalità tra questi due influenti personaggi, attestata anche dalle cronache del tempo, è probabilmente all'origine di quell'ipertrofia spettacolare che caratterizza la vita musicale romana negli anni '90.[46] In questa strategia incrociata di mire autocelebrative è probabile che la scrittura per concerto grosso – sviluppatasi nella città papale grazie anche alla presenza di una nutrita schiera di strumentisti-compositori (tra cui Corelli e Bononcini) – assolvesse alla sua funzione di magniloquenza sonora meglio di altri tipi di accompagnamento strumentale. Tuttavia, con la partenza dell'ambasciatore spagnolo nel 1696 e la chiusura del Tor di Nona l'anno seguente, la corte ottoboniana venne di fatto a rappresentare il maggiore, se non l'unico, centro produttivo di questo peculiare tipo di musica per orchestra (da cui quello stretto legame, sopra segnalato, tra il cardinale e il concerto grosso).

Il fatto comunque che l'introduzione in ambito operistico di questa scrittura non fosse il prodotto di una più generale trasformazione stilistica ma il frutto di scelte legate a uno specifico contesto di rappresentanza sembra attestato, oltre che dall'opera del Pollarolo per Venezia che non impiega tale modalità, dai drammi per musica composti da Alessandro Scarlatti per Napoli che non utilizzano questa tecnica preferendo quella della diversificazione strumentale, mentre registrano una parallela crescita di arie dall'ordito più semplice e scorrevole, soprattutto in metro 12/8, in tempo allegro e con accompagnamento prevalente per i violini unisoni e continuo. È interessante tuttavia notare come lo stesso Scarlatti, quando tornerà a scrivere per Roma e per

---

45 *La caduta del Regno delle Amazzoni*, il cui testo Giuseppe De Totis aveva tratto da *Las Amazonas de Scitia* di Antonio de Solis y Ribadeneira, era stata finanziata direttamente dall'ambasciatore di Spagna. L'opera – ideata per festeggiare le nozze tra il re di Spagna, Carlo II, e la Principessa Marianna, contessa palatina del Reno – stupì i contemporanei per la grandiosità dell'impianto e la larghezza dei mezzi impiegati. I consueti tre atti di cui è composta l'opera sono infatti preceduti da un colossale Prologo che mostra il globo terrestre suddiviso tra i suoi quattro continenti: Europa, Asia, Africa, America; il dramma prevede inoltre ben 14 mutazioni sceniche, 10 macchine, 4 balli e un intermezzo (probabilmente dell'Acciaioli). Sappiamo dalle cronache che anche il cardinale Ottoboni, con la madre e il padre, presenziò a una di queste grandiose rappresentazioni. E non è difficile pensare che il *Colombo* fu probabilmente concepito proprio per rivaleggiare con l'opera dell'ambasciatore spagnolo: oltre a soffiargli il Pasquini, Ottoboni introduce nella sua nuova opera ben quattro macchine sceniche, inserite tutte nelle scene iniziali dell'Atto I, in modo da assorbire la funzione che assolve il Prologo nel dramma di De Totis, aggiunge gli interventi comici di Giumbè e Gelima alla fine dei primi due atti (che corrispondono a quelli di Turpino e Tisbe nella *Caduta*) e aumenta, rispetto al modello, le arie accompagnate dall'orchestra. Chiaramente questo potenziamento degli elementi spettacolari è controbilanciato nell'Ottoboni da un tipo di drammaturgia che, come abbiamo visto, s'ispirava a una serie di principi di marca più francese che spagnola.

46 Riguardo alla rivalità tra l'ambasciatore spagnolo e l'Ottoboni cfr. G. STAFFIERI, *Colligite Fragmenta*, cit., pp. 24-31.

composizioni dell'Ottoboni, non esiti a riutilizzare per certe arie la scrittura per concerto grosso, come attestano ad esempio le partiture del *Regno di Maria Vergine assunta in cielo* e del *San Filippo Neri* (entrambe su testo dell'Ottoboni). Insomma, questo incrocio dei dati (per ora quasi insignificante) ci consente di poter distinguere più chiaramente quanto, nel complesso reticolo dei parametri musicali e formali proprio di ogni opera, possa imputarsi allo stile che un musicista seleziona per uno specifico committente, quanto alle scelte personali del compositore, quanto, infine, alle convenzioni proprie di un dato centro produttivo o di un determinato genere musicale.

A questo punto, nonostante l'esile campionatura effettuata e i numerosi problemi filologici posti da questo tipo di fonti, si può abbozzare qualche riflessione riguardo alla presunta esistenza di uno 'stile ottoboniano'. In primo luogo, come può essere interpretato quel predominio delle arie-motto così caratteristico delle opere del cardinale? Nonostante in certi casi si riscontrino motti caratterizzati da un'articolazione più di tipo fraseologico-tematico che imitativo, la gran parte di questi pezzi incentra il suo interesse sul gioco imitativo tra voce e strumento/i, che occupa la prima metà della sez. A, e sulla ripresa di alcune cellule motiviche tratte dall'incipit iniziale nel resto dell'aria: elementi questi che conferiscono a tali brani non solo organicità e coerenza costruttiva, ma anche una più o meno vetusta 'aura' polifonica, seppure in tal caso è forse meglio parlare di 'pseudo-polifonia' o 'polifonia diluita', in quanto il gioco imitativo viene riservato solo alle battute introduttive, mentre poi il brano prosegue in genere con un andamento più omofonico che imitativo.

Ora, nel momento del suo esordio nella città papale si può facilmente ipotizzare che il cardinale abbia, da un lato, voluto rendere omaggio allo stile severo dei principi della Chiesa, dall'altro, accompagnare la 'sacralità' della sua carica cardinalizia privilegiando uno stile in cui l'aura polifonica si affiancava alla scelta di tempi moderati, o addirittura gravi e larghi (appunto lo stile *malinconico* e *studiato* riportato dalle cronache): cifra che garantiva alla sua persona un alone di rigore ed austerità, alone da lui stesso rafforzato sul piano drammaturgico dalla scelta di soggetti idonei a un più generale processo di moralizzazione dei costumi. Ma l'Ottoboni – ponendosi come il nuovo Rospigliosi – voleva anche restaurare i fasti del teatro barberiniano e surclassare altri committenti per di più esterni al circuito ecclesiastico: ecco allora l'incremento nelle sue opere sia dell'elemento spettacolare, attraverso l'allestimento di sontuosi apparati, sia dell'elemento coloristico attraverso un più consistente uso dell'orchestra (e della relativa scrittura per concerto grosso), chiamata ora a condividere il progetto di amplificazione del messaggio autocelebrativo del cardinale. Il cosiddetto 'stile ottoboniano' appare tuttavia anche uno stile misto, in cui – seppure all'interno di un piano rigorosamente prestabilito –

convivono e si fondono gesti, stili ed esperienze musicali di provenienza diversa (teatrale, cameristica, ecclesiastica), uno stile particolarmente consono alla committenza romana che aveva ormai superato lo steccato della separazione funzionale (tanto sbandierata dai teorici) per approdare all'identificazione di un luogo festivo e di rappresentanza intermedio tra sacro e profano, tra pubblico e privato. Non a caso Georg Muffat parlerà nel 1701, nella prefazione a una sua raccolta di concerti, di «stile mischiato» da lui appreso a Roma, in particolare da Corelli, uno stile che – mescolando brani di carattere diverso – si adattava «massimamente ai nobili divertimenti de' i Principi, e Grandi [...]».[47]

5. Corelli e Ottoboni

La disamina qui tentata come può contribuire all'analisi delle opere coreliane? È evidente che i rapporti di forza tra committente e musicista riscontrati per Scarlatti e Pasquini erano validi e pienamente operativi anche nel caso di Corelli. Sulla base di quanto è emerso si può forse guardare alle *Sonate da camera* dell'Op. IV, pubblicata nel 1694 e dedicata per l'appunto all'Ottoboni, da una nuova angolazione. Mi limiterò ad alcune brevissime osservazioni.

Messa a confronto con la raccolta cameristica del 1685, l'Op. IV rivela, a mio avviso, tre caratteristiche importanti:

a) l'aumento in misura consistente (36%) dei movimenti in stile imitativo o, meglio, con un incipit imitativo e un trattamento del materiale molto simile a quello riscontrato nelle arie-motto delle opere ottoboniane, uno stile che interessa ora ben 17 movimenti dei 47 della raccolta, in prevalenza Preludi e Allemande, ma anche qualche Corrente e Gavotta (movimenti compresi in ciascuna delle dodici sonate, tranne la I e la IV), mentre in precedenza riguardava solo 8 movimenti sui 42 dell'Op. II (inclusi solo in sei sonate: IV, V, VII, VIII, IX, X);

b) l'uso – in ben 7 movimenti della raccolta – del tempo Grave, impiegato una sola volta nell'Op. II, per di più per poche battute;[48]

c) una più equilibrata e simmetrica strategia nell'alternanza dei tempi lenti e veloci all'interno di ciascuna sonata.[49]

---

47 G. Muffat, *Prefatione*, cit. (alla nota 34), trad. it. in A. Basso, *L'età di Bach e di Händel*, Torino, EDT, 1983, pp. 151-155: 151-152.

48 Nella Sonata II: si tratta di sole cinque battute in tempo binario collocate tra l'Allemanda (Allegro) e la Corrente (Vivace).

49 Su questo aspetto e sull'espressione controllata 'di affetti' contrastanti si è soffermato, in una sua analisi della Sonata III, Op. IV, S. La Via, *Dalla «Ragion poetica» di Gianvincenzo Gravina ai*

Ora, i tratti a) e b) sono caratteristici delle sonate da chiesa corelliane e sorprende il fatto che non solo non emergano nell'Op. II ma neanche nelle *Sonate da camera* dell'Op. V né nei quattro *Concerti grossi* in carattere di danza dell'Op. VI, privi di movimenti in tempo Grave e con uno scarso numero di brani con incipit imitativo, per cui è difficile considerare questi tratti come frutto di un'evoluzione interna del linguaggio corelliano. È plausibile invece ritenere che proprio nell'Op. IV dedicata all'Ottoboni – e non in generale in tutte le sue opere – Corelli avesse *programmaticamente* inteso contaminare gli stili sonatistici da chiesa e da camera per aderire a quello stile 'misto', tra sacro e profano, particolarmente idoneo alle finalità festive e cerimoniali del suo facoltoso committente.

In conclusione, l'approccio analitico qui tentato non vuole negare importanza all'impronta creativa del compositore, o indebolire il peso di certe convenzioni nell'ambito dei singoli generi, quanto riportare alla luce la complessa interrelazione tra processo creativo, recezione e contesto produttivo. Se, del resto, l'epoca di cui ci occupiamo è quella che vede un'ormai matura consapevolezza stilistica, da cui emerge la valenza simbolica di una musica in grado di caricarsi di differenti significati a seconda della funzione e del contesto cui è destinata, perché non ammettere l'esistenza, a fianco degli stili *ecclesiasticus*, *cubicularis* e *theatralis*, anche di uno stile 'cardinalizio', che è in sostanza la sintesi dei tre precedenti, uno stile elaborato per celebrare il più influente mecenate della Roma barocca?

In attesa dell'esame dell'intero corpus delle musiche ottoboniane e di un più sistematico spoglio della produzione coeva, quella qui proposta può considerarsi una semplice ipotesi di lettura, un quadro provvisorio, i cui singoli frammenti – se contraddetti da nuove fonti – saranno pronti a riaggregarsi secondo nuove e più convincenti polarità attrattive.

«Bei concetti» musicali di Arcangelo Corelli: teorie e prassi del «classicismo» romano oltre l'Arcadia, in questo stesso volume, già presentato al convegno *Le arti in gara. Roma nel Settecento* (Roma, 18-22 settembre 2000).

PRODUZIONE OPERISTICA DEGLI ANNI 1683-1697: ASSETTO DELLE ARIE

Opere	**N° arie**	**Arie con b.c.**	**Arie con orchestra**				**Arie solistiche**		**Metro ternario**	**Arie-motto**	**Arie con alternanza**
			a 5	**a 4**	**a 3**	**a 2**	**a 3**	**a 2**			***soli/tutti***
1. ***La Tessalonica*** (N. Minato-B. Pasquini Roma, 1683)	64	45 (70,3%)	-	18	-	-	-	-			
2. ***Il Pompeo*** (N. Minato-A. Scarlatti Roma, 1683)	55	38 (69%)	-	16	1	-	-	-	23 (41,8%)	27 (49%)	-
				17							
3. ***La Statira*** (P. Ottoboni-A.Scarlatti Roma, 1690)	55	27 (49%)	1	24	3	-	-	-	22 (+ 3) (45,4%)	40 (72,7%)	7 (+ 1)
				28							
4. ***La caduta del Regno delle Amazzoni*** (G. De Totis-B. Pasquini Roma, 1690)	66	48 (72,7%)	-	8	9	-	-	1			sì
				17							
5. ***Il Colombo*** (P. Ottoboni-B. Pasquini Roma 1690-91)	60	33 (55%)	-	27	-	-	-	-	20 (33,3%)	38 (63,3%)	16 (+ 4)
6. ***Il Xerse*** (S.Stampiglia-G.Bononcini Roma, 1694)	68	44 (64,7%)	1	19	-	1	1	2	30 (44,1%)	31 (45,5%)	7
				21			3				
7. ***Massimo Puppieno*** (A. Aureli-A. Scarlatti Napoli, 1695)	65	40 (61,5%)	1	9	7	5	1	2	27 (41,5%)	26 (40%)	-
				22			3				
8. ***Gl'inganni felici*** (A. Zeno-C.F. Pollarolo Venezia, 1695)	46	32 (69,5%)	-	11	-	1	-	2	20 (43,4%)	10 (21,7%)	-
				12			2				
9. ***Il trionfo di Camilla*** (S. Stampiglia-G. Bononcini Napoli, 1696)	53	31 (58,5%)	-	13	3	6	-	-	24 (45,2%)	26 (49%)	6
				22							
10. ***La caduta de' Decemviri*** (S. Stampiglia-A.Scarlatti Napoli, 1697)	62	26 (41,9)	2	5	3	20	5	1	30 + 2 (51,6%)	28 (45,1%)	1
				30			6				

Discussione

Lindgren: The *Giuditta* is by far the most fascinating, I think, and it is by Scarlatti and Ottoboni. Have you ever tried to take all the Ottoboni's librettos stated he have been written and found out how many 'motto' arias or how many close relationships there were between characters and 'mottos'? You can start with *Colombo* by Pasquini which isn't a very good libretto, but it could be a good score nevertheless. *Sant'Eustachio* was done by three different composers: Lanciani, Bononcini and Scarlatti. Lanciani also wrote some arias for *La Statira* as you probably know. There are two oratorios he wrote for Ottoboni and no libretto is known. It could be Ottoboni that wrote a libretto for those.

I think there is a lot of possibility with just dealing with Ottoboni's librettos.

Staffieri: La situazione è molto interessante e il materiale da vedere e studiare è davvero tanto. Nel libretto autografo del *Colombo*, conservato nella Biblioteca Vaticana, ci sono alcuni punti in cui è presente l'indicazione «arie con violini» o «con stromenti» (questa era infatti la dicitura dell'epoca per indicare che in quel punto si voleva l'intervento dell'orchestra). E Pasquini nella partitura realizza quelle indicazioni. Anche nell'autografo della *Giuditta*, sempre nella Biblioteca Vaticana, si trovano alcuni punti, in coincidenza di tre momenti drammatici, in cui Ottoboni indica espressamente al compositore il tipo di strumenti da impiegare: dice infatti, in maniera tassativa, «devesi fare sinfonia guerriera doppo la quale così parla Oloferne / *Lampi e tuoni ho nel sembiante*» in coincidenza della prima aria di questo personaggio; inoltre richiede «violino e violoncello solo» per l'aria di Ozia («*Se la gioia non m'uccide*»); e un'«aria con due flauti» («*La tua destra, o Sommo Dio*») per il momento in cui Giuditta si accinge a tagliare la testa di Oloferne. Anche in questo caso Scarlatti puntualmente esegue i *desiderata* del cardinale. Nella *Statira* invece non ci sono indicazioni simili, ma ciò può spiegarsi con il fatto che Scarlatti, nei mesi estivi precedenti la rappresentazione, si trovava a Roma, e quindi Ottoboni non aveva necessità di inserire tali suggerimenti, in quanto poteva lavorare gomito a gomito con il compositore. Nel caso precedente di Pasquini e del *Colombo* si può anche ipotizzare che le indicazioni degli strumenti fossero inserite magari per evitare che il compositore, ormai giunto alla fine della sua carriera, utilizzasse uno stile ritenuto dal cardinale antiquato (stile che impiegava più arie con basso continuo che con orchestra). Si apre, insomnia, con un materiale di questo tipo un campo assai vasto di ipotesi: bisogna interrogarsi su ciò che un documento dice, ma anche su ciò che omette e perché.

Per ritornare, ad esempio, al caso della *Giuditta*, perché Ottoboni volle indicare proprio in quei tre punti taluni strumenti? Forse per motivi drammaturgici: questa sembrerebbe la spiegazione più plausibile almeno per quanto riguarda il momento in cui Giuditta sta per tagliare la testa a Oloferne; ma la cosa potrebbe invece spiegarsi con il fatto che si doveva espressamente indicare proprio quel tipo di organico che altrimenti non sarebbe stato comunemente impiegato. Troviamo, infatti, raramente nelle partiture di questo periodo l'uso di due flauti con l'orchestra o l'impiego solistico di violino e violoncello. Ma si tratta di aspetti ancora poco studiati e, del resto, anche la figura dell'Ottoboni drammaturgo richiede di essere ulteriormente approfondita, proprio per capire il tipo di collegamento che poteva esistere tra alcune soluzioni drammatiche o spettacolari e l'assetto musicale. Mi sembra comunque altamente probabile – anzi, per taluni casi è certo – che il cardinale potesse imporre ai 'suoi' musicisti scelte ben precise.

Per quanto riguarda le arie di Lanciani e l'oratorio *Sant'Eustachio*, posso dire ben poco perché non me ne sono mai occupata direttamente. Il problema principale, comunque, per un lavoro di questo tipo è la scarsità delle fonti consultate: più abbiamo la possibilità di fare questa campionatura in maniera estesa, più diventa attendibile l'ipotesi formulata. Se però su questo repertorio non c'è alcuno studio, è ovvio che bisogna andare per gradi. Per ora ho potuto vedere solo un piccolo numero di partiture, ma è fondamentale estendere questa ricerca al maggior numero possibile di fonti musicali (nonostante i numerosi problemi che queste ultime possono presentare).

PETROBELLI: Queste annotazioni di Ottoboni nei manoscritti autografi che indicano la strumentazione che desidera sia inserita in quel preciso punto è di una novità rilevante. Che io sappia sono assai rari i librettisti che abbiano competenze musicali di questo genere. Volevo porre allora questa domanda: esiste una relazione tra lo strumentale che Ottoboni richiede al compositore e l'*affetto* dell'aria?

STAFFIERI: La possibilità di trovare un criterio che regolasse la distribuzione delle arie, il loro assetto e la strumentazione sulla base della drammaturgia è stato in realtà uno dei punti di partenza della mia ricerca. Ho elaborato, in fase di studio, varie tavole per vedere se esisteva una più specifica relazione tra un affetto, un ruolo drammatico, un dato congegno scenico (entrate e uscite dei personaggi, mutamenti di scena) e alcune soluzioni musicali (presenza o assenza di ritornelli finali o intermedi, o di specifiche caratteristiche strutturali delle arie).

In realtà, mi sembra che s'impiegasse – almeno in certi casi – una strategia incrociata: veniva utilizzato non un unico criterio per la distribuzione delle arie, ma più criteri contemporaneamente. Talvolta poteva prevalere l'importanza di alcuni cantanti, o di un certo registro vocale, a volte un problema di demarcazione scenica, e così via. Spesso questi elementi si sovrapponevano. Ma un punto importante mi sembra questo: dato che la musica è una struttura a parametri articolabili, alla linea ritmico-melodica e/o all'andamento temporale poteva essere affidato il contenuto affettivo dell'aria, mentre ad altri parametri, come appunto la strumentazione e il tipo di scrittura, potevano assegnarsi altri ruoli, più di tipo estetico-decorativo.

CARERI: Mi viene in mente un parallelo con *La verità in cimento* di Antonio Vivaldi (1720).

L'esame dell'autografo vivaldiano mostra che in realtà, una volta che il librettista ha finito il suo lavoro, perde completamente il controllo delle scelte musicali. Quello che succede durante le prove, subito dopo le prove e durante la rappresentazione è tutto quello che porta all'opera così come noi oggi la conosciamo. Sono i cantanti soprattutto ad incidere su questo.

È possibile allora che anche un esame del *cast* vocale possa dare dei risultati importanti?

STAFFIERI: Il momento performativo va messo al centro dell'indagine, perché è quello che determina i cambiamenti nella concezione originaria dello spettacolo. Ho tentato anche questo tipo di lettura: mi sono chiesta, cioè, se certe arie con orchestra o con un particolare organico fossero impiegate per mettere in evidenza un cantante. Anche qui la risposta non è stata univoca. Poteva certamente accadere che arie complesse venissero affidate a cantanti di fama, ma si verificano anche casi in cui il cantante famoso poteva avere una 'semplice' aria con basso continuo. Nel suo studio sulle opere di Alessandro Scarlatti, la distinzione che propone Grout tra 'grandi arie' e 'piccole arie' è tuttavia assolutamente fuorviante, perché in realtà anche le arie con basso continuo potevano essere grandi arie.

Come ho già detto, a me sembra che siano in gioco più criteri contemporaneamente, cui si aggiunge l'esigenza di voler diversificare l'aria con basso continuo da quella con orchestra proprio per conferire maggiore *varietas* allo spettacolo, così come fa lo stesso Corelli nelle sue sonate. La *varietas* è, del resto, un aspetto importante nella produzione sia strumentale che vocale dell'epoca.

CARERI: Il fattore da considerare è anche il pubblico che assiste allo spettacolo e che decreterà in buona parte il successo o meno dell'opera.

KARIN WOLFE

IL PITTORE E IL MUSICISTA. IL SODALIZIO ARTISTICO TRA FRANCESCO TREVISANI E ARCANGELO CORELLI

Il legame tra il pittore Francesco Trevisani (1656-1746)[1] e Arcangelo Corelli (1653-1713)[2] cresciuto negli anni Ottanta del Seicento si consolidò successivamente alla corte romana del cardinale Pietro Ottoboni. Qui entrambi manifestarono interessi culturali che, oltrepassando la propria specifica disciplina, svariavano in quelli del mecenate: musica, poesia, teatro, pittura, scultura e architettura.[3]

---

[1] Per l'attività artistica di Trevisani, sulla quale è in preparazione uno studio monografico dell'autrice, vedi in particolare F. DI FEDERICO, *Francesco Trevisani*, Washington, D.C., Decatur House Press, 1977, e le successive integrazioni di G. SESTIERI, *Il "Francesco Trevisani" di F.R. Di Federico*, «Antologia di Belle Arti», 1977, n. 4, pp. 372-379 e di A. BREJON DE LAVERGNÈE - P. ROSENBERG, *Francesco Trevisani et la France*, «Antologia di Belle Arti», 1978, 7-8, pp. 265-276; vedi anche S. RUDOLPH, *La Pittura del '700 a Roma*, Milano, Longanesi, 1983, pp. 805-806; L. BARROERO, *Francesco Trevisani*, in *La pittura in Italia: Il Settecento*, Milano, Electa, 1990, pp. 884-885; G. SESTIERI, *Repertorio della Pittura Romana del Seicento e del Settecento*, Torino, Allemandi, 1994, vol. 1, pp. 173-176; U. RUGGERI, *Francesco Trevisani*, in *The Dictionary of Art*, vol. 31, London, 1996, pp. 312-315; C.M.S. JOHNS, *Francesco Trevisani*, in *Art in Rome in the Eighteenth Century*, a cura di Edgar Peters Bowron e Joseph J. Rishel, catalogo della mostra (Philadelphia Museum of Art, 2000), London, Merrel, 2000, pp. 441-447; L. MOCHI ONORI, *Capolavori del Settecento dalla Galleria Nazionale d'Arte Antica di Palazzo Barberini*, Roma, De Luca, 2000, pp. 154-155; K. WOLFE, *The Artist as Collector: Francesco Trevisani's Last Years in Rome and Unpublished Inventory*, intervento nella conferenza annuale dell'*American Society for Eighteenth-Century Studies* (Colorado Springs, Colorado, 4-7 aprile 2002); EAD., *Francesco Trevisani and Landscape: the* Joseph Sold into Slavery *at the National Gallery of Victoria in Melbourne*, «Melbourne Art Journal», 2007 (di prossima pubblicazione); EAD., *Acquisitive Tourism: Francesco Trevisani's Roman Studio and British Visitors*, in *Roma Britannica: Art Patronage and Cultural Exchange in Eighteenth-Century Rome*, a cura di David R. Marshall, Susan Russel, Karin Wolfe, Atti del Convegno, Roma, 15-17 febbraio 2006 (di prossima pubblicazione).

[2] Per la vasta bibliografia su Corelli, giunto a Roma nel 1671, al di là delle connessioni con il mondo artistico, si rimanda ai vari contributi in questo stesso volume (e alla bibliografia ivi citata).

[3] Per una visione sintetica del patronato artistico di Ottoboni e per la relativa bibliografia vedi i recenti contributi di E.J. OLSZEWSKI, *The Painters in Cardinal Pietro Ottoboni's Court of the Cancelleria, 1689-1740*, «Römisches Jahrbuch der Bibliotheca Hertziana», 32, 1997/1998 (2002), pp. 533-566; ID., *The Enlightened Patronage of Cardinal Pietro Ottoboni (1667-1740)*, «Artibus et Historiae»,

Trevisani, nato a Capodistria nel 1656, prediletto da Ottoboni anche per la comune prima formazione veneziana, fu certamente colui che per vastità di interessi maggiormente si avvicinò all'ideale di artista universale concepito dal cardinale e chiaramente enunciato nel suo programma per l'Accademia Albana.[4]

«Uomo fine» e di belle maniere, secondo i suoi biografi Nicola Pio[5] e Lione Pascoli,[6] Trevisani fu anche poeta, drammaturgo e attore dilettante. Dopo avere avuto come committenti principali il cardinale Flavio Chigi (morto nel 1693) e la famiglia Colonna, egli passò allo stabile servizio di Ottoboni nel 1697, lavorando e abitando nella sua residenza della Cancelleria fino al 1740, quando morì il suo protettore.[7] In questo lungo periodo Trevisani condivise la passione del cardinale per il teatro e la poesia e a sua volta contribuì ad accrescerne l'interesse per la pittura, in virtù di un genio creativo che spaziava dai grandi temi di storia sacra e profana, ai quadri di gabinetto, alla ritrattistica.

Autonomo culturalmente dal dominante classicismo accademico, benché non sembrasse intenzionato a creare una scuola, Trevisani fu dopo Carlo Maratti il rappresentante più autorevole della pittura romana del tempo,[8] e come tale riverberò la sua influenza sugli artisti della corte ottoboniana, tra i quali quelli documentati come collezionisti di quadri erano Filippo Juvarra,[9] Andrea Adami[10] e lo stesso Corelli. Quest'ultimo, riconosciuto già negli anni Ot-

---

23, 2002, n. 45, pp. 139-165; ID., *The Inventory of Paintings of Cardinal Pietro Ottoboni (1667-1740)*, New York, Lang, 2004. Vedi anche F. MATITTI, *Il cardinale Pietro Ottoboni mecenate delle arti. Cronache e documenti (1689-1740)*, «Storia dell'Arte», 1995, 84, pp. 156-243; EAD., *Le antichità di casa Ottoboni*, «Storia dell'arte», 1997, 90, pp. 201-249 (con riferimenti all'ampia bibliografia precedente).

4 Vedi il contributo di T. MANFREDI, *Il cardinale Pietro Ottoboni e l'utopia dell'artista universale*, in questo stesso volume.

5 N. PIO, *Le vite di pittori scultori et architetti* (ms. Roma, 1724), a cura di Catherine Enggass e Robert Enggass, Città del Vaticano, Biblioteca Apostolica Vaticana, 1977: *vita di Francesco Trevisani*, pp. 37-38.

6 L. PASCOLI, *Vite de' Pittori, Scultori ed architetti viventi, dai manoscritti 1383 e 1743 della Biblioteca Comunale "Augusta" di Perugia*, Treviso, Canova, 1981: *vita di Francesco Trevisani* (1736 c.) a cura di Luigi Salerno, pp. 25-57.

7 Sull'attività di Trevisani per Flavio Chigi e per i Colonna vedi rispettivamente, K. WOLFE, *Francesco Trevisani and Landscape*, cit., e le note 16, 42, 52 e 53.

8 Sul controverso rapporto di Trevisani con l'Accademia di San Luca vedi *ibid.*

9 Sull'inventario dei beni e i circa trecento quadri in esso elencati rinvenuti nel 1765 nell'appartamento romano di Juvarra in palazzo Ornani de Cupis dopo la morte dei suoi eredi vedi T. MANFREDI, *La biblioteca di architettura e i rami incisi dell'eredità Juvarra*, in *Filippo Juvarra. Architetto delle capitali. Da Torino a Madrid, 1714-1736*, a cura di Vera Comoli Mandracci, Andreina Griseri, catalogo della mostra, Torino, Palazzo Reale, 6 settembre-10 dicembre 1995, Torino, Fabbri-RCS Libri, 1995, pp. 286-297.

10 Sulla competenza e gli interessi pittorici di Adami e sui quadri donatigli dal cardinale Otto-

tanta del Seicento come intenditore di pittura e abile consulente nel variegato mercato romano, dedicava cure appassionate alla sua quadreria allestita in un appartamento preso in affitto al primo piano del palazzetto Ermini in piazza Barberini,[11] nonostante egli dopo l'ingresso al servizio di Ottoboni alloggiasse nel palazzo della Cancelleria.[12]

Come fu messo in evidenza da Mercedes Viale Ferrero,[13] Corelli tra i suoi quasi centocinquanta quadri ne possedeva ben ventidue di Trevisani.

Recentemente, nel corso di una ricerca su Trevisani, ho rinvenuto l'inventario dell'eredità del pittore, che si è rivelato fondamentale per delineare molti aspetti della sua carriera.[14] Grazie a tale inventario e ad altri documenti inediti di carattere biografico e patrimoniale è ora possibile fornire nuovi elementi anche sul rapporto tra Trevisani e Corelli; in senso generale, rispetto al contesto ambientale e agli interessi culturali di entrambi; in senso specifico, interpretando la collezione del pittore, finalmente venuta alla luce, come chiave di lettura del nucleo dei quadri di Trevisani appartenuti a Corelli.

Lione Pascoli diceva che Trevisani

> non lasciava però di divertirsi co' suoi amici, e d'andare alle volte a cantare all'improvviso nelle loro conversazioni, dove con ansietà per la grazia, e maniera, ed erudizione con cui lo faceva, l'aspettavano.
>
> Né solamente improvvisava, ma componeva con tant'ordine, dottrina e, gusto, che conforme siccome nato era pittore, con pari ragion dir si poteva che nato fosse anche poeta, che fatto avrebbe nella poesia quanto ché nella pittura, se applicato v'avesse ugual possanza.

---

boni (tra cui la *Danae* di Trevisani conservata in una collezione privata americana) vedi A. LO BIANCO, *Una committenza dell'Arcade Andrea Adami: la decorazione della chiesa di S. Francesco a Bolsena*, in *Atti e memorie dell'Arcadia. Convegno di Studi sul III Centenario dell'Arcadia (1991)*; F. MATITTI, *Il cardinale Pietro Ottoboni*, cit.

[11] A. CAMETTI, *Arcangelo Corelli i suoi quadri i suoi violini*, «Roma», IX, 1927, pp. 412-423. Alle pp. 415-422 è riportato l'inventario dei quadri appartenuti a Corelli, che d'ora in poi sarà citato come 'Inventario Corelli'. Vedi anche M. RINALDI, *Arcangelo Corelli e i suoi rapporti con i pittori contemporanei*, «Atti dell'Accademia Nazionale di San Luca», n.s., II, 1953-56 [1957], p. 24.

[12] *Ibid.*; A. CAMETTI, *Cristina di Svezia, l'arte musicale e gli spettacoli teatrali in Roma*, «Nuova Antologia», 16 ottobre 1911, p. 7. Nella casa abitarono alcuni parenti di Corelli, il quale come scapolo aveva minori esigenze di spazio che probabilmente si riflettevano anche sulle dimensioni del suo alloggio nella Cancelleria. Nel 1687 Corelli risulta abitare ancora nella parrocchia di San Lorenzo in Lucina (Archivio Storico del Vicariato di Roma, S. Lorenzo in Lucina, *Stati delle anime*, 1687, c. 86).

[13] M. VIALE FERRERO, *Arcangelo Corelli collezionista*, in *Nuovissimi Studi Corelliani*, pp. 225-239.

[14] K. WOLFE, *Francesco Trevisani's Last Years in Rome and Unpublished Inventory* (di prossima pubblicazione); EAD., studio monografico citato alla nota 1. L'inventario dei quadri e dei libri appartenuti a Trevisani qui descritto d'ora in poi sarà citato come 'Inventario Trevisani'.

E come allora giovinotto amava estremamente l'allegria sia gli amici suoi non men di lui ugualmente l'amavano, facevan tra loro nel carnevale belle, e sapporite commedie, ed egli più di un personaggio con applauso indicibile vi rappresentava.[15]

Le esibizioni teatrali per le quali il giovane Trevisani era famoso presso gli amici col tempo divennero parte integrante del suo esercizio di artista di corte, prima, occasionalmente, per i Colonna,[16] poi, regolarmente, per il cardinale Ottoboni. Infatti, nel palazzo della Cancelleria egli aveva a disposizione un piccolo teatro ubicato presso il suo studio per la recita di «commedie all'improvviso», come quella annunciata alla data del 29 dicembre 1702 nel *Diario* di Francesco Valesio.[17]

Nel contesto dell'intima contiguità dei vari artisti attivi nei rispettivi alloggi-studi assegnatigli dal cardinale Ottoboni all'interno della Cancelleria, testimoniata da più parti, frequentare queste riunioni domestico-conviviali del Trevisani amatore delle arti poetiche e teatrali e frequentare lo studio del Trevisani protagonista dell'arte pittorica doveva perciò essere la stessa cosa. Corelli poté così entrare nell'intimità di Trevisani condividendone quasi quotidianamente il percorso evolutivo dell'attività pittorica fino alla sua morte avvenuta nel 1713, nell'ambito di un proficuo scambio di suggestioni creative tra professione e diletto, tra pittura e musica. Scambio che si tramutava in una percepibile armonia quando nelle composizioni del pittore comparivano strumenti e musici – "terreni" o "celesti" – come nel concerto di angeli arrangiato su uno spartito ben in vista a contorno della *Madonna con bambino dormiente e San Giovannino* del Louvre, donato da Ottoboni a Luigi XIV (Fig. 1).[18]

A proposito, concorre a confermare le ipotesi su una notevole competenza musicale da parte di Trevisani[19] la notizia che tra i beni della sua eredità fi-

---

[15] L. Pascoli, *Vite de' Pittori, Scultori ed architetti viventi*, cit., p. 29.

[16] L'attività di Trevisani per i Colonna, ancora da porre nel giusto rilievo e da approfondire rispetto a quanto finora conosciuto (vedi alle note 42, 52 e 53), comprendeva, infatti, anche l'allestimento di commedie, come è ora documentato dal pagamento di 84 scudi ricevuto il 13 agosto 1699 da parte di Filippo II Colonna «cioè piastre cinquanta per pagamento di quattro Retratti, e Copie de Quadri, e piastre trenta per regalo per il tempo che fù a Marino nel tempo del Nostro Sposalizio per fare le Commedie», ovvero del secondo matrimonio di Filippo II, con Olimpia Pamphilj, avvenuto nel novembre 1697: C. Strunck, *Berninis unbekanntes Meisterwerk. Die Galleria Colonna in Rom und die Kunstpatronage des römischen Uradels*, München, Hirmer Verlag, 2006 («Römische Studien der Bibliotheca Hertziana», vol. 20), p. 54.

[17] F. Valesio, *Diario di Roma*, a cura di Gaetanina Scano, Milano, Longanesi, 1977-81, vol. II, p. 359.

[18] F. Di Federico, *Francesco Trevisani*, cit., p. 48, cat. 36 (Louvre, inv. 697); A. Brejon de Lavergnée - P. Rosenberg, *Francesco Trevisani et la France*, cit., p. 265 nota 10. Sull'argomento vedi il *post scrittum* di questo contributo.

[19] M. Viale Ferrero, *Arcangelo Corelli collezionista*, cit., p. 230, nota 38; S. La Via, *«Violone»*

gurava un clavicembalo (valutato quaranta scudi), così descritto: «Cembalo d'Ottava stesa del Prete, con cassa levatore, e tastatura di avorio, e fico d'India, con Copertina di Corame, e piedi torniti Cenesini verniciati d'oro».[20]

Questo accenno documentario ci introduce al passaggio dalla scena magniloquente della Cancelleria alla scena domestica delle residenze private dei due artisti, dove, come vedremo, i reciproci interessi culturali si rispecchiavano.

Corelli aveva allestito la sua quadreria con forti connotazioni autorappresentative in funzione della pittura come sua principale passione e come eloquente segno di distinzione culturale e sociale.[21] Nell'appartamento in piazza Barberini che la ospitava lo spazio della musica era concentrato nella prima stanza, dove un clavicembalo attorniato da molte sedie e sgabelli coesisteva con quadri prevalentemente di soggetto profano e con il ritratto del musicista eseguito da Trevisani.[22]

Nella seconda stanza l'allestimento pittorico prendeva decisamente il sopravvento sulla funzione d'uso con ben ottantotto quadri, quasi tutti di soggetto religioso. Tra questi era compreso un ritratto di Ottoboni, opera di Trevisani (Fig. 2),[23] e altri venti quadri dello stesso autore che, come vedremo, costituivano uno studiato riflesso delle tappe principali della sua produzione pittorica.[24]

---

e *«violoncello» a Roma al tempo di Corelli. Terminologia, modelli organologici, tecniche esecutive*, in *Studi Corelliani IV*, p. 173.

[20] K. Wolfe, *Francesco Trevisani's Last Years*, cit. Un cembalo figura anche sullo sfondo dell'antiporta della prima edizione dell'*Opera IV* di Corelli, postuma, disegnato da Trevisani.

[21] A. Cametti, *Arcangelo Corelli*, cit.

[22] La prima stanza, infatti, ospitava un «cimbalo a due registri con tastatura in sesta con suoi piedi intagliati dorati e sua coperta di corame fiorata d'oro» e con esso una ventina tra sedie, sgabelli e sgabelletti, tre tavoli e uno scrittoio contenenti due libri e diverse carte stampate di sonate e concerti. In questa stanza vi era anche un «violoncello vecchio con suo arco di licino», mentre i violini probabilmente erano conservati di solito nella stanza da letto (dove al momento della morte dell'artista erano conservati i due suoi violini, il principale e l'«ordinario» e altre carte da musica manoscritte, stampate e in rami). In questa stanza la pittura aveva un ruolo complementare come sembrerebbero indicare i soggetti pressoché totalmente profani dei quaranta quadri appesi alle pareti, per lo più paesaggi e alcune nature morte.

[23] Il ritratto del Cardinale Ottoboni di Trevisani qui presentato (The Bowes Museum, Barnard Castle, County Durham, England) potrebbe coincidere con il «quadro di tela da imperatore, rappr. il ritratto dell'E.mo Signore Cardinale Ottoboni, opera del Trevisani» descritto nell'Inventario Corelli (n. 42), a esso corrispondente nelle misure (134,3 × 98,5 cm), acquistato da John Bowes a Bologna nel 1874, nonostante i dubbi manifestati a riguardo da F. Di Federico, *Francesco Trevisani*, cit., p. 73, cat. P5. L'appartenenza di questo quadro alla collezione Corelli era già stata ipotizzata da C.M.S. Johns, *Francesco Trevisani*, cit., p. 443.

[24] Il nucleo di quadri di Trevisani quantitativamente era uguale a quello composto da ventidue quadri attribuiti a Gaspard Dughet (1615-1675), ed entrambi costituivano collezioni nella collezione.

Nella terza stanza, quella da letto, si trovavano tredici quadri, evidentemente prescelti per il loro valore affettivo o devozionale, come di consueto accadeva negli ambienti più privati della casa, tra i quali spiccavano una *Madonna* di Giovanni Battista Salvi, detto il Sassoferrato, e una *Madonna con bambino* di Carlo Cignani.

Il ritratto di Corelli, posto nella «stanza della musica», cioè nella prima dell'appartamento, non è attualmente noto, come nessun altro ritratto corelliano di Trevisani, anche se è documentato che egli ne avesse eseguito almeno un altro per la collezione Ottoboni. Hans Joachim Marx ha presentato un ritratto di Corelli conservato nello Schloss Charlottenburg di Berlino come opera dubbia del pittore tedesco von Weidemann (Fig. 3).[25] Sono da notare alcune similitudini tra questo ritratto e l'autoritratto del Trevisani stesso all'età di sessantuno anni, conservato nello Schloss Weissenstein di Pommersfelden (Fig. 4), che il pittore donò al principe vescovo Lothar Franz von Schönborn.[26] I due ritratti condividono la posa, lo sguardo diretto, l'illuminazione di tre quarti e soprattutto la somma degli atteggiamenti e delle espressioni che, secondo Di Federico, riflette in tutti i ritratti di Trevisani una felice unione di informalità e di intimità nei riguardi dello spettatore.[27] È simile anche il modo di mostrare gli strumenti del mestiere, anche se nel ritratto di Corelli il violino è sacrificato dalla riduzione in ovale del formato rettangolare del quadro, che a questo punto non è da escludere possa derivare da uno degli originali ritratti corelliani eseguiti da Trevisani.

Come risulta da nuovi documenti, nel 1733 anche Trevisani, ormai settantasettenne, acquistò una casa per sé. Questa proprietà, comprendente un grande giardino, era situata ai piedi del Gianicolo, nel *Secondo Vicolo Riario* (oggi via dei Riari),[28] presso il palazzo e la villa Riario alla Lungara, già residenza della regina Cristina di Svezia, e come tale frequentati da Trevisani. La villa Riario costituiva un *topos* arcadico che propagava la sua aura anche sulla dimora del pittore (arcade egli stesso con il nome di *Sanzio Echeiano*),[29] come

---

25 H.J. MARX, *Probleme der Corelli-ikonographie*, in *Nuovi studi corelliani*, pp. 15-21, fig. 4. Marx cita un pittore A.C. von Weidemann che tuttavia è da identificare con Friedrich Wilhelm von Weidemann (Osterbourg, 1668-Berlino, 1750).

26 Per gli autoritratti di Trevisani vedi K. WOLFE, *Acquisitive Tourism*, cit.; E. SPACCINI, *Gli Autoritratti di Francesco Trevisani: un'aggiunta al catalogo*, in *Scritti in onore di Alessandro Marabottini*, a cura di Gioacchino Barbera, Teresa Pugliatti, Caterina Zappia, Roma, De Luca, 1997, pp. 289-292. Il principe von Schönborn era uno dei numerosi illustri committenti internazionali di Trevisani (F. DI FEDERICO, *Francesco Trevisani*, cit., pp. 20-24).

27 *Ibid.*, p. 21.

28 Vedi K. WOLFE, *Francesco Trevisani's Last Years*, cit.; EAD., *Acquisitive Tourism*, cit.

29 A. GRISERI, *Francesco Trevisani in Arcadia*, «Paragone Arte», XIII (1962), n. 153, pp. 28-37; A. ZANELLA, *Francesco Trevisani e il Teatro Arcadico*, in *Carlo Marchionni. Architettura, decorazione e*

sembra confermato dalla descrizione del suo giardino a *parterres* ricolmo di vasi, fontane, e piante ornamentali.[30]

Nell'elenco dei beni ritrovati nelle otto stanze della casa abitate da Trevisani, oltre ai più di trecento quadri che ne ricoprivano le pareti, merita particolare menzione la biblioteca ospitata nella prima stanza.[31]

La stessa funzione autorappresentativa attribuita ai quadri nell'appartamento di Corelli in quello di Trevisani era conferita alla biblioteca, esibita nel *foyer* nel contesto di una galleria celebrativa costituita dal suo stesso autoritratto[32] e da ben ventidue ritratti autografi rappresentanti i principali protagonisti privati e pubblici della sua lunga e prodigiosa carriera di pittore.[33] Le materie dei libri che gli appartenevano: pittura, storia, letteratura epica e di genere, poesia, teatro, musica, religione e filosofia, riflettevano una personalità pienamente congruente a quella tramandata dalle fonti coeve.[34]

A scorrere i titoli dei libri elencati nell'inventario (alcuni dei quali non facilmente identificabili) si possono distinguere diverse categorie di interessi. L'*Omo di Corte* del Graziali (Grazioli?), *Il Gentilomo Istruito* del Dorelli, la *Scuola de Principi, e Cavalieri* del Lavaier, il *Cavalier d'onore* e la *Dama d'ono-*

---

scenografia contemporanea, a cura di Elisa Debenedetti, Roma, Multigrafica, 1988, pp. 405-412. Più in generale sui rapporti tra l'Arcadia e le arti vedi S. BENEDETTI, *L'architettura dell'Arcadia nel Settecento romano*, Roma, Bonsignori, 1997; e da ultimi L. BARROERO - S. SUSINNO, *Roma arcadica capitale delle arti del disegno*, «Studi di Storia dell'Arte», n. 10, 1999, pp. 89-178; L. BARROERO - S. SUSINNO, *Arcadian Rome, Universal Capital of the Arts*, in *Art in Rome in the Eighteenth Century*, cit., pp. 47-75.

30 La residenza di Trevisani alla Lungara è descritta anche da Lione Pascoli (*Vite de' Pittori, Scultori ed architetti viventi*, cit., p. 38) come «un bel casino [...] con altrettanto, bel, ed ameno giardino». Non sappiamo se egli avesse trasferito i suoi beni nella casa del Gianicolo dall'alloggio alla Cancelleria già al momento dell'acquisto o solo nel 1740 quando vi si trasferì dopo la morte del suo protettore Ottoboni.

31 La casa era divisa in due appartamenti, di cui il principale al primo piano, abitato dall'artista, consisteva in otto grandi stanze e una cucina.

32 L'autoritratto di Trevisani è uno dei pochi quadri elencati nell'inventario dei suoi beni senza l'indicazione delle dimensioni. È quindi impossibile stabilire la sua eventuale corrispondenza con quelli pubblicati da E. Spaccini (*Gli Autoritratti di Francesco Trevisani*, cit.) e con alcuni altri conservati presso collezioni private che ho individuato di recente.

33 Nella stanza contenente solo quadri di Trevisani, tranne una natura morta di Giovanni Paolo (Castelli) Spadino (1659-1730), si susseguivano le immagini dei suoi familiari (cinque ritratti), del cardinale Ottoboni (due ritratti) e dei suoi congiunti lo zio papa Alessandro VIII Ottoboni e Giulia Ottoboni, duchessa di Piombino. Poi quelle di Benedetto XIII Orsini, del cardinal Annibale Albani, e di numerosi altri principi e aristocratici stranieri: due coppie di ritratti (a mezzo busto e a figura intera) del principe di Baviera e del duca di Beaufort; uno di Clementina Sobiewski, la moglie del Pretendente Stuart, e cinque di personaggi non identificati, uno dei quali un anonimo inglese, rappresentativo dei molti *milordi inglesi* che Trevisani dipinse durante la sua carriera (K. WOLFE, *Acquisitive Tourism*, cit.).

34 Lo scarno mobilio della stanza era costituito da quattro sedie di paglia ordinarie e due «portiere» (paraventi?), una di «Damasco cremisi d'opera antica assai minuta, di quattro teli, longa circa palmi 9 foderata di S. Galla, con suo ferro, et occhietti», e l'altra «piccola di panno verde assai usata e tarlata con suo ferro».

re entrambi del Versaris, riflettevano l'uomo di corte aduso al galateo;[35] le *Glorie del cavallo*, *La caccia dello schioppo* di Nicola Spadoni e *Le caccie delle fiere* di Eugenio Raimondi indicavano l'uomo di mondo, cavaliere e abilissimo cacciatore.[36] Il Trevisani intenditore e autore di poesia, poemi, commedie e melodrammi si rispecchiava in un nutrito elenco comprendente celebri autori dell'epoca antica, rinascimentale e barocca, ma anche altri meno noti, tutti comunque espressione di una raffinata selezione critica. L'elenco comprende anche autori particolarmente vicini alla corte ottoboniana come Domenico Bartoli (*Rime giocose*), Giovanni Mario Crescimbeni (*Corona poetica*), Arcangelo Spagna (*Commedie in prosa*) e Pietro Metastasio (*Poesie*), nonché le *Osservazioni per Regolare la Cappella Pontificia* di Andrea Adami, che conteneva due incisioni dei ritratti di Adami e del cardinale Ottoboni tratte da disegni di Trevisani.[37]

Particolarmente intriganti sono i riferimenti nell'inventario a due lotti non meglio specificati comprendenti rispettivamente «cinquanta liberculi tra piccoli, e grandi Poetici» (valutati due scudi), e, soprattutto «Cento libercoli di Drammi diversi» (valutati venti scudi), che costituiscono altri elementi, insieme al citato clavicembalo, ospitato nell'ultima stanza della casa, significativi della concezione pluridisciplinare dell'espressione artistica di Trevisani.

La collezione dei quadri di Trevisani presenti nella sua bottega rappresentava una eccezionale testimonianza dell'intera opera dell'artista documentandone quasi ogni soggetto, dalla prima maniera fino alle ultime prove, spesso mediante diversi esemplari, descritti dettagliatamente nell'inventario, sia come titoli, sia come consistenza e misure: *abbozzi, pensieri, macchie, macchiette, studi, quadri terminati, non terminati e copie*.

Questa collezione è da considerare soprattutto una raccolta repertoriale, la cui ricognizione critica è fondamentale da una parte per ricostruire le singole fasi del processo creativo e produttivo di Trevisani, dall'altra per ripercorre la sua carriera, comprendendo testimonianze di quasi tutte le opere da lui prodotte, fra le quali diverse finora nemmeno venute alla luce.

---

35 Così come la *Vita di Mecenate*, di G.M. CENNI (*Della vita di Gaio Cilnio Mecenate*..., Roma, 1684), l'*Istoria della Regina di Svezia*, *I Reali di Francia* esprimevano l'attenzione di Trevisani verso i patroni antichi e moderni.

36 N. SPADONI, *La caccia dello schioppo*, Bologna, Longhi, 1673; E. RAIMONDI, *Le caccie delle fiere armate, e disarmate e degl'animali quadrupli volatili e aquatili, opera nuova e curiosa*, Brescia, Bartolomeo Fontana, 1621.

37 Tra i molti autori delle opere di materie umanistiche elencate nell'inventario dei libri di Trevisani (di prossima pubblicazione) si segnalano Ovidio, Virgilio, Petrarca, Ariosto, Tasso, Caporali, Testi, Celà, Graziani, Peresio, Bartoli, Fagnelli, Tesauro, Marcellino, Crescimbeni, Martello, Groto, Moniglia, Metastasio, Spagna, Salvadori, Scala, Mercuri, Vuzzini, Tremigliozzi.

Ritornando al nucleo dei ventidue quadri di Trevisani presenti nella collezione di Corelli, è ora possibile rilevare come anch'essi rispecchino le tappe fondamentali della carriera del pittore, almeno fino al 1713, data della morte del musicista. Infatti, dal riscontro con le nuove informazioni sulla collezione Trevisani, emerge la considerazione che il nucleo appartenuto a Corelli potesse rappresentarne quasi un microcosmo, composto meticolosamente con tasselli il cui passaggio dalle mani del pittore a quelle del musicista riflettesse un significato profondo. Soprattutto alla luce di quanto detto a proposito della consuetudine del pittore di conservare presso di sé anche le più minute testimonianze dell'intero arco della sua attività, «finite» e «non finite», dagli schizzi alle varianti.

Circoscrivendo l'analisi del nucleo Trevisani nella collezione Corelli agli esempi più significativi, iniziamo con il quadro dei *Santi Quattro Martiri*,[38] corrispondente nel soggetto all'opera commissionata a Trevisani nel 1688 dal cardinale Flavio Chigi per il Duomo di Siena (Fig. 5) che rappresentò il primo grande successo della carriera romana del pittore, proponendolo per le maggiori imprese del mecenatismo cardinalizio. A conferma del prestigio dell'opera, e quindi dell'importanza del fatto che se ne trovasse un riflesso nella collezione del musicista, è da segnalare la presenza di altri due quadri di simili dimensioni, uno nella collezione dello stesso Trevisani, valutato ottanta scudi,[39] e un altro (Fig. 6) nella collezione del ricco marchese di Exeter, che nel corso degli almeno tre viaggi a Roma effettuati nell'ultimo ventennio del seicento, non badò a spese per acquistare quanto di più prestigioso e rappresentativo offrisse il mercato, tra cui ben sei quadri di Trevisani.[40]

Tranne, forse, un *Noli me tangere*, di cui non si conoscono altri esemplari autografi nel suo catalogo, i quadri di Trevisani entrati in possesso di Exeter

---

[38] Inventario Corelli, n. 47, con misure «da testa».

[39] Inventario Trevisani, n. 128: «Altr'Originale del sud.o Trevisani in misura da Testa grande, con Cornice intagliata dorata rappresentante il Martirio de Santi quattro Coronati - scudi 80».

[40] John Cecil, 5th Earl of Exeter (1648-1700), grande amatore dell'arte italiana e uno dei precursori del Grand Tour, poiché sono documentati quattro viaggi in Italia, sebbene morto precocemente nell'agosto 1700, si colloca come uno dei maggiori collezionisti internazionali di opere di Trevisani. Nella collezione Exeter della Burghley House, secondo informazioni cortesemente fornitemi dal curatore Jon Culverhouse, oltre il bozzetto dei *Santi Quattro Martiri* (cat. 5; 50,8 × 35.5 cm), sono attualmente conservati altri cinque quadri di Trevisani: *Cristo deriso* (cat. 21; 85,3 × 109,5 cm), *Flagellazione di Cristo* (cat. 22; 116,8 × 72 cm), *S. Andrea in Croce* (cat. 28; 52,1 × 36,8 cm), *Noli me tangere* (cat. 34; 97,8 × 72,4 cm), *Madonna con bambino dormiente* (cat. 62; 82,5 × 69,8 cm). Il *Cristo deriso* e il *Noli me tangere* sono descritti in *Italian Paintings from Burghley House*, a cura di Hugh Brigstocke e John Somerville, Alexandria, Virginia, Art Services International, 1995, pp. 142-143, cat. 54; pp. 144-145, cat. 55. Brigstocke desume, senza sicuri riscontri documentari, che i sei quadri di Trevisani furono acquistati da Exeter al principio del suo ultimo soggiorno a Roma, iniziato il 23 dicembre 1699, e, comunque, entro i primi del 1700 (*ibid.*, p. 36, nota 8).

non erano frutto di apposite commissioni ma furono scelti nella bottega del pittore tra i bozzetti e le varianti, o repliche 'commerciali', delle opere più importanti della sua prima attività.[41] In base agli stessi criteri selettivi, quadri di analogo soggetto, ma di minore valore commerciale, entrarono in possesso di Corelli. A questo proposito è significativo notare che sia il marchese di Exeter, sia la famiglia Colonna possedevano versioni di grande dimensione di alcuni soggetti del ciclo di cinque tele della cappella del Crocifisso nella chiesa di San Silvestro in Capite, eseguito nel 1695-96,[42] che consacrò Trevisani come uno dei più grandi talenti pittorici di Roma, spalancandogli le porte dell'Accademia di San Luca, nel 1697.[43] Dello stesso ciclo Corelli possedeva due bozzetti raffiguranti la *Flagellazione* e il *Cristo che porta la croce*, analoghi nel soggetto e nelle dimensioni ai due donati dallo stesso Trevisani al momento della sua ammissione in Accademia (Fig. 7).[44] Nell'inventario di Trevisani non sono segnalati altri bozzetti per la cappella del Crocifisso, ma solo quattro *pensieri*

---

[41] Lo studio di Trevisani, come consuetudine a Roma, aveva anche connotazioni commerciali di "bottega", anche per quanto riguarda l'esposizione di opere di altri artisti di genere (paesaggi, battaglie ecc.) con i quali collaborava per gli aspetti figurativi (K. WOLFE, *Francesco Trevisani's Last Years*, cit.; EAD., *Francesco Trevisani and Landscape*, cit.; EAD., *Acquisitive Tourism*, cit.

[42] Sul *Cristo deriso* di Exeter vedi alla nota 40, sul quadro di analogo soggetto del cardinale Colonna (221 × 171 cm) vedi F. DI FEDERICO, *Francesco Trevisani*, cit., p. 44, cat. 23. Nell'inventario del cardinale Girolamo II Colonna (gennaio 1763), p. 614, n. 25, risulta un quadro (alto palmi 11,5) raffigurante un «S. Francesco rapito in Estasi con due Angeli opera del Trevisani, con Cornice a due Ordini dorata stimato 50 (scudi)»; nel successivo inventario del principe Filippo III Colonna (1783), p. 675 n. 1151 risultano «Due quadri di 4 per traverso = uno la Flagellazione alla Colonna, l'altro la Coronazione di Spine = Prima maniera del Trevisano»: Collezione dei dipinti Colonna. Inventari 1611-1795, scheda di Eduard A. Safarik, con l'assistenza di Cinzia Pujia, a cura di Anna Cera Sones, in *The Provenance Index del Getty Art History Information Program. Documenti per la Storia del Collezionismo. Inventari italiani 2* (per cortese comunicazione di Christina Strunck). «Due [quadri] del Trevisani della passione grandi» sono segnalati oltre a «il Lazzaro di Trevisani», in una «nota dei quadri grandi», senza data ma precedente ai suddetti inventari: N. GOZZANO, *La quadreria di Lorenzo Onofrio Colonna*, Roma, Bulzoni, 2004, pp. 264, 268-269.

[43] Per il progetto della cappella del Crocifisso vedi F. DI FEDERICO, *Francesco Trevisani*, cit., pp. 42-44, cat. 11-23; ID., *Francesco Trevisani and the Decorations of the Crucifixion Chapel in San Silvestro in Capite*, «The Art Bulletin», LIII (1971), pp. 52-67; I. FALDI, in *L'Accademia Nazionale di San Luca*, Roma, De Luca, 1974, p. 124; G. FALCIDIA, in *Bozzetti, modelli e grisailles dal XVI al XVIII secolo*, catalogo della mostra (Torgiano), Perugia, Electa, 1988, pp. 70-71; O. FERRARI, *Bozzetti italiani dal Manierismo al Barocco*, Napoli, Electa, 1990, pp. 247-250, illustra altri esempi di bozzetti non considerati da Di Federico come anche G. SESTIERI, *Repertorio della Pittura Romana del Seicento e del Settecento*, cit., pp. 175-176.

[44] Sui bozzetti conservati presso l'Accademia di San Luca vedi la bibliografia alla nota precedente. I bozzetti, citati dal pittore Giuseppe Ghezzi come appartenenti a Corelli nell'elenco dei quadri esposti nella prestigiosa rassegna tenuta in San Salvatore in Lauro (*Mostre di quadri a San Salvatore in Lauro (1682-1725)*, a cura di Giulia De Marchi, Roma, Società Romana di Storia Patria, 1987, p. 154) dovrebbero coincidere con i «Due quadretti laterali da tre palmi (cm 67,02) rapp[resentanti] uno la Flagellazione e l'altro il Portare della Croce di N.S.» così descritti nell'inventario del musicista (Inventario Corelli, nn. 43-44).

dell'intero ciclo conservati gelosamente dal maestro nella propria stanza da letto, tra le memorie più care della gloria giovanile.[45]

Corelli possedeva testimonianza anche di altre importanti commesse pubbliche di Trevisani. Per esempio un bozzetto «da mezza testa» della *Pietà* ordinatagli nel 1690 per la chiesa delle Anime del Purgatorio in Messina,[46] soggetto presente con le stesse dimensioni nell'inventario di Trevisani,[47] e un bozzetto «da testa» del *S. Andrea in Croce*, eseguito prima del 1697 per il coro della chiesa di Sant'Andrea delle Fratte, soggetto presente anche nella collezione del marchese di Exeter, in formato simile.[48]

Quest'ultimo quadro è uno dei cinque di Trevisani appartenuti a Corelli i cui soggetti non trovano corrispondenza nella collezione del pittore. Gli altri sono un *Martirio di Santo Stefano*[49] e una *Resurrezione di Lazzaro*,[50] entrambi riferibili a note commesse private, e una coppia con la *Madonna* e *S. Angelo Gabriele*.[51] Sul soggetto della *Resurrezione di Lazzaro* qui si presenta il quadro eseguito per conto del cardinale Carlo Colonna, ancora conservato nel palazzo

---

[45] Inventario Trevisani, n. 70: «Tre pensieri per traverso e l'altro per alto, rappresentanti l'Orazione all'Orto, la Corona di Spine, et il portar della Croce, con altro quadro con quattro pensieri di Putti, della Cappella di S. Silvestro, originali del Trevisani scudi - 20».

[46] Inventario Corelli, n. 49. M. Viale Ferrero (*Arcangelo Corelli collezionista*, cit., p. 230, fig. 2) pubblica una *Pietà* attribuita a Trevisani, conservata in una collezione privata torinese, come corrispondente a quella posseduta da Corelli, senza tuttavia indicarne le misure. A. Griseri (*Un impegno dinastico: Juvarra e la cappella sotterranea della basilica di Superga*, «Paragone Arte», XLV (1994), nn. 47-48, p. 88, tav. 60), accoglie con certezza questo accostamento, sul quale tuttavia non vi sono sicuri elementi, considerato il gran numero di bozzetti e varianti delle sue opere prodotti, e spesso conservati, da Trevisani.

[47] Inventario Trevisani, n. 96: «Due quadri con Cornice, di mezza Testa originali del sud.o Trevisani, rappresentanti uno la Pietà, e l'altro S. Caterina Ricci, che Riceve il Bambino della Madonna - scudi 10».

[48] Inventario Corelli, n. 48. Sulle misure del quadro del marchese di Exeter vedi nota 40. Nell'inventario di Trevisani (n. 140) è riportato un quadro «in misura di mezza figura» intitolato *S. Andrea Apostolo*. Tale quadro, comunque, non si deve confondere con il suddetto *S. Andrea in Croce*, come fece F. Di Federico (*Francesco Trevisani*, cit., pp. 45-46, cat. 28) a proposito di un quadro oggi nella Pinacoteca Comunale di Deruta (Perugia) già nella collezione di Lione Pascoli, sul quale nel frattempo è stata rinvenuta la firma di Sebastiano Conca. Di Federico cita altri due quadri dello stesso soggetto con lievi varianti rispetto al modello: quello già segnalato della collezione del marchese di Exeter, e quello già nella Brinsley Ford Collection di Londra, che corrisponde per dimensioni (47 × 34,8 cm) al quadro appartenuto a Corelli. Non sono invece note le dimensioni del quadro presentato da M. Viale Ferrero (*Arcangelo Corelli collezionista*, cit., p. 230, fig. 1) come corrispondente al n. 48 dell'inventario Corelli.

[49] *Ibid.*, p. 40, cat. 3; A. GRISERI, *Francesco Trevisani in Arcadia*, cit., p. 31.

[50] Inventario Corelli, n. 93: «altro di palmi tre p. traverso rappr. Lazzaro che esce dal monumento».

[51] Inventario Corelli, n. 88: «Due quadri da testa grandi rappr. uno la Madonna e l'altro S. Angelo Gabriele, opera del Trevisani». A uno dei due elementi della coppia potrebbero riferirsi tre versioni, quasi identiche, di una *Maria annunziata* già segnalate nella collezione del Duca di Richmond, Goodwood House, n. 226 (62,9 × 33 cm), a Sanssouci (64 × 48,6 cm) e in un'asta di Christie's London del 13 dicembre 1996 (63,2 × 48 cm).

familiare ai Santi Apostoli (Fig. 8),[52] e un bozzetto, raffigurante una scena più ampia, apparso ultimamente sul mercato antiquario di Roma (Fig. 9), vicino per dimensioni a quello della collezione Corelli e quindi, probabilmente, con esso identificabile.[53]

Come una significativa eccezione si pone la presenza nella collezione di Corelli di una *Maddalena* in tela da imperatore,[54] che finora risulta il quadro più grande fra i molti noti di questo soggetto assai replicato in più versioni da Trevisani, il quale paradossalmente ne mantenne solo un abbozzo,[55] quadro finora avvicinabile per dimensioni solo a quello conservato presso la Galleria Nazionale d'Arte Antica di Roma (98,5 × 136 cm).

Nell'inventario dei quadri di Trevisani appartenuti a Corelli è impossibile distinguere quali fossero repliche finite o opere preparatorie come schizzi o abbozzi di cui, come detto, Trevisani aveva molti esemplari in casa. L'inventario Corelli specifica solo un caso di un quadro descritto come «non finito» riferendosi al soggetto della *Strage degli Innocenti*, finora riscontrabile in tre esemplari: il grande quadro (250 × 464 cm) eseguito per Ottoboni, già nella Gemäldegalerie di Dresda distrutto durante la seconda guerra mondiale, un bozzetto (74,9 × 135,9 cm) conservato al Fogg Art Museum (Harvard University Art Museums) e un quadro «non finito», oggi al Fitzwilliam Museum di

---

[52] Corelli lasciò per legato testamentario un paesaggio del Breughel al cardinale Carlo Colonna (A. CAMETTI, *Arcangelo Corelli*, cit., p. 412). Esiste inoltre un ritratto di Carlo Colonna eseguito da Trevisani firmato e datato «Roma 1691» (98 × 71,6 cm) (F. DI FEDERICO, *Francesco Trevisani*, cit., p. 72, tav. 98), apparso sul mercato antiquario londinese (Christie's, 27 maggio 1983). La presenza del soggetto della *Resurrezione di Lazzaro* nell'inventario Corelli è stata considerata da F. Di Federico (*Francesco Trevisani*, cit., pp. 78, 80) come l'unica testimonianza di questo soggetto nel catalogo di Trevisani, ignorando l'esistenza del grande quadro dello stesso soggetto nella collezione Colonna (Roma, Palazzo Colonna, Sala dei Palafrenieri), segnalata da Eduard Safarik (*Palazzo Colonna*, Roma, De Luca, 1999, pp. 239-240).

[53] Come nota E. SAFARIK, *Palazzo Colonna*, cit., il quadro della *Resurrezione di Lazzaro* nella collezione Colonna (di cui non sono fornite le misure) potrebbe essere stato tagliato o ripiegato. In questo caso il bozzetto costituirebbe la testimonianza della sua composizione originaria. Il quadro già nella Galleria Gasparrini a Roma, è probabilmente lo stesso, di formato orizzontale (47 × 65 cm) segnalato nel 1999 dallo stesso Safarik (*ibid.*) in una collezione privata romana. Un altro quadro dello stesso soggetto e di simili dimensioni (48,5 × 64 cm) è stato venduto a New York da Sotheby Parke, Bernet (14 marzo 1980, cat. 39), come «Circle of Francesco Trevisani»; un altro ancora, attribuito a Trevisani nella collezione privata Marshall Spink (48,2 × 66 cm) era oggetto di una segnalazione pubblicitaria all'interno del Burlington Magazine del dicembre 1961.

[54] Inventario Corelli, n. 82.

[55] Inventario Trevisani, n. 47: «L'Abbozzo d'una Madalena in misura di palmi tre, originale senza Cornice... 4». A dimostrazione del persistente successo commerciale di questo soggetto figurativamente piuttosto ardito vi è la vendita documentata nel 1739 di un quadro (99 × 76,2 cm) da parte di Trevisani a James Clerk, oggi conservato nella Clerk collection, Penicuik, Midlothian, come risulta dalla scritta sul verso «Original by Fran. Trevisani Roma 1739 bought by my son James Clerk». Su questo argomento vedi K. WOLFE, *Acquisitive Tourism*, cit.

Cambridge (Fig. 10), che sembrerebbe coincidere proprio con quello descritto nell'inventario del musicista.[56]

È da escludere che Corelli potesse avere acquistato un tale numero di quadri con caratteristiche 'commerciali' dal pittore più ricercato e valutato di Roma. D'altra parte, i pochi casi documentati riferibili a doni fatti da Trevisani di suoi bozzetti o repliche hanno carattere eccezionale, come quello del *Marcantonio con Cleopatra* del 1702 mandato in dono al granduca Ferdinando de Medici.[57] Quindi anche l'ipotesi più riduttiva che i quadri corelliani fossero in gran parte bozzetti (come sembrerebbe dalle dimensioni riportate nell'inventario) attesterebbe almeno una straordinaria familiarità tra il pittore e il musicista. Inoltre, il possesso da parte di Corelli di cinque quadri di Trevisani raffiguranti quattro importanti soggetti della sua carriera, di cui il pittore non aveva mantenuto traccia, fa cadere l'ovvia ipotesi che il pittore avesse ceduto al musicista solo opere di cui possedeva più di una testimonianza.

Il nucleo di quadri Trevisani nell'inventario corelliano, piuttosto che a una casuale raccolta di doni dipendente dalla contingente disponibilità quantitativa della raccolta del pittore, fa pensare a una attenta selezione critica. Forse addirittura concertata tra i due nell'ambito di un rapporto dialettico di competenza pittorica che maturò già prima del loro ingresso nella corte ottoboniana. Quindi autonomo dall'influenza del gusto del cardinale, al quale generalmente viene ricondotta la formazione della collezione di Corelli.

Una conferma di questa ipotesi viene dal fatto che Corelli come intenditore di pittura faceva parte dei consiglieri (con Andrea Pozzo, Francesco Marucelli, Carlo Maratti, Paolo Falconieri, Sebastiano Resta) interpellati nel tempo da monsignor Pietro Gabrielli per la formazione della collezione che doveva arredare il suo appartamento al piano nobile di palazzo Orsini a Montegiordano acquistato nel 1688.[58] Con ogni probabilità proprio il musicista consigliò l'amico Bonaventura Lamberti da Carpi (1652-1721) per l'esecuzione degli affreschi della Galleria e di molte tele, a riprova della stima goduta da

---

[56] Sul piccolo schizzo non finito nel Fitzwilliam Museum di Cambridge vedi *Acquisitions in British Museums and Galleries Made with the Help of the Heritage Lottery Fund and the National Heritage Memorial Fund since January 1995*, «Burlington Magazine», CXXXVIII (1996), n. 1125. La *Strage degli Innocenti*, già a Dresda, citata da L. Pascoli (*Vite de' Pittori, Scultori ed architetti viventi*, cit. p. 32), nell'inventario del cardinale Ottoboni risulta valutata ben mille scudi: E.J. OLSZEWSKI, *The Painters in Cardinal Pietro Ottoboni's Court*, cit., p. 24.

[57] F. DI FEDERICO, *Francesco Trevisani*, cit., p. 47, cat. 32. Vedi anche M. CHIARINI, *I quadri della collezione del Principe Ferdinando di Toscana*, «Paragone Arte», 1975, n. 305, p. 83, fig. 56, per un altro quadro di Trevisani per il granduca raffigurante un *Crocifisso con Maria Maddalena*.

[58] D. FRASCARELLI - L. TESTA, *Il «vizio naturale di far sempre dipinger qualche tela»: la collezione di Pietro Gabrielli nel Palazzo di Montegiordano a Roma. Arte, Arcadia ed erudizione alla fine del Seicento*, «Storia dell'arte», n.s., 2002, n. 102, pp. 47, 50-52.

parte del monsignore, anch'egli conoscitore di pittura. L'amore per la pittura e la pratica dilettantesca della musica univano Gabrielli a Corelli nell'ambito di un rapporto di amicizia proseguito a distanza anche dopo l'arresto del prelato nel 1690 e la sua successiva condanna all'ergastolo, nel 1692, a causa delle presunte teorie eretiche professate nell'Accademia dei Bianchi da lui fondata, sotto l'influsso del discusso avventuriero Antonio Oliva.[59] In questo contesto non costituisce una sorpresa la presenza nella collezione di Corelli di due «quadretti da testa p. traverso uno un Baccanale e l'altro Diana con Calisto gravida» probabilmente bozzetti delle opere di uguale soggetto nella collezione Gabrielli, né la presenza in entrambe le collezioni di autori come Sebastiano Ricci, monsù Rosa, Daniel Seiter, Giacinto Brandi, Paul Brill, Pier Francesco Mola.[60]

Un altro esempio piuttosto eloquente degli autonomi orientamenti culturali presenti nella collezione di Corelli è costituito dal cospicuo nucleo di quadri esplicitamente descritti come *Madonne con bambino* o *Madonnine*, che, denota la presenza di opere di alcuni tra i maggiori interpreti dei canoni rinascimentali, come lo Scarsellino (Ippolito Scarsella),[61] e, più specificamente orientati sui modelli raffaelleschi e correggeschi, il Sassoferrato,[62] Carlo Cignani, Carlo Maratti e lo stesso Trevisani. Corelli aveva una predilezione per Cignani di cui aveva posseduto un'altra *Madonna con il bambino*, oltre a quella già segnalata nella sua stanza da letto, donata al cardinale Ottoboni dopo averne fatte fare due copie da Bonaventura Lamberti, allievo di Cignani (che ne trattenne una per sé).[63] Inoltre Corelli possedeva la copia di una *Madonna con il bambino in braccio* di Cignani eseguita da Trevisani,[64] e una *Madonna con il bambino*, opera del Prete, un altro dei tanti allievi dello stesso

59 Ancora in una lettera del 2 novembre 1700 indirizzata dal carcere di Perugia al fratello Angelo a Roma, monsignor Gabrielli scriveva: «Per altro non si meravigli se del quadro del Bonesi i pittori di costì v'appuntino mille cose [...] intanto lo faccia un poco vedere al P.re Resta della Chiesa nuova, al Ventura, ad Arcangelo del Violino, al Sig.re zio Pauolo che non sono pittori, ma s'intendono» (*ibid.*, p. 56, 77 nota 141).

60 *Ibidem.*

61 Inventario Corelli, n. 127: «altro da mezza testa piccolo rappr. una Madonnina con il Bambino, opera del Scarsellino di Ferrara».

62 Inventario Corelli, n. 141: «una madonna da testa, opera di Sassoferrato».

63 L'episodio è raccontato da Pascoli nella vita del Cignani (L. PASCOLI, *Vite de' Pittori, Scultori ed architetti moderni*, I, Roma, 1730, pp. 158, 161). Nell'inventario Corelli, redatto dallo stesso Lamberti, è presente «un quadretto da testa p. alto rappr. la Madonna opera del d.o Ventura Lamberti», che non mostra riferimenti a un originale del Cignani, come invece nel caso di Trevisani (vedi nota seguente) (cfr. M. VIALE FERRERO, *Arcangelo Corelli collezionista*, cit., pp. 229-230).

64 Nell'inventario Corelli, come detto redatto in base alle precise indicazioni di Bonaventura Lamberti, al numero 94 è descritto: «un quadro da quattro palmi p. alto rappr. la Madonna con il bambino in braccio, copia del Cignani fatta dal d.o sig. Trevisani».

Cignani.[65] Di Maratti il musicista possedeva «due Madonnine da mezza testa»,[66] e di Trevisani, una *Madonna con il bambino in braccio* (da «mezza testa») e una *Madonna con il bambino in braccio che dorme* (di «quattro palmi per altezza»).[67]

Nessuno di questi quadri è stato finora identificato. Ma una scritta apposta sul retro della tela raffigurante proprio una *Madonna con bambino e due angioletti adoranti*, conservata a Stourhead (The Hoare Collection, The National Trust) (Fig. 11), con attribuzione alla maniera di Guido Reni, apre una interessante prospettiva di ricerca: «This P[icture] was in The Collection of Carlo Marat: he gave it to Corelli, whose Widow sold it». Infatti, nonostante la palesemente inesatta citazione circa una vedova di Corelli, appare evidente che la scritta, contenente anche giudizi critici sull'opera,[68] ne testimonia la provenienza dalla collezione del musicista, e con ogni probabilità l'autografia 'marattesca', anche se le sue dimensioni (48,26 × 38,1 cm) non coincidono con quelle delle due «madonnine» di Maratti da lui possedute.

Comunque questo documento crea una interessante connessione con un altro quadro conservato a Stourhead raffigurante una *Madonna con Bambino dormiente* (Fig. 12), in passato attribuito a Cignani e oggi a Trevisani,[69] da identificare con il quadro del medesimo soggetto e dimensioni posseduto da Corelli, che con ogni probabilità fu acquisito contemporaneamente a quello 'marattesco' dagli eredi di Corelli.[70] Anche in questo caso Corelli condivideva lo stesso soggetto con il marchese di Exeter, poiché nella Burghley House è conservata una replica con lievi varianti apportate successivamente (Fig. 13), entrata in possesso di Exeter entro il 1700 (anno della sua morte),[71]

---

[65] *Ibid.*, n. 41: «altro quadro di palmi tre p. traverso, rappr. la Madonna con il Bambino, opera del Prete allievo del Cignani».

[66] *Ibid.*, nn. 84-85.

[67] *Ibid.*, n. 50: «la Madonna col Bambino in braccio [...] opera del med.o Trevisani», da «mezza testa»; n. 124: «un altro di quattro palmi p. altezza rappr. la Madonna con il bambino in braccio che dorme, opera del d.o Trevisani».

[68] «It appears by Carlo's Madonna that he study'd it. The learned conjecture that This Holy Family is a Study from a painting by Hannibal Carrach». Ringrazio Alastair Laing, Adviser on Paintings to the National Trust, per avermi segnalato il quadro e la scritta retrostante. Per ulteriori versioni di questo quadro vedi la scheda relativa redatta da Laing.

[69] Stourhead, The Hoare Collection (The National Trust), cat. 462 *The Madonna and Child* (84,5 × 65,5 cm). Come mi ha cortesemente comunicato Louise Newstead, House Steward di Stourhead, il quadro non appare nell'inventario della collezione del 1742, ma solo in quello del 1800. Quindi si può supporre che esso fu acquistato da Henry Hoare II (1705-84), detto il "Magnifico".

[70] Le connessioni tra la collezione di Corelli e quella di Stourhead saranno ulteriormente sviluppate nel mio prossimo studio monografico (vedi alla nota 1).

[71] Sul confronto tra i due quadri, basato su un'analisi diretta, vedi K. WOLFE, *Acquisitive Tourism*, cit.

che dunque si pone come data *ante quem* anche per la definizione del tipo della *Madonna* di Stourhead.

I raffinati modelli estetici rappresentati dalle due *Madonne* della collezione di Stourhead ci mostrano così per la prima volta un riflesso della passione collezionistica di Corelli per questo soggetto manifestata dal possesso di originali, bozzetti e copie, acquistati e avuti in dono, sotto l'immaginario figurativo di Cignani, di Maratti e di Trevisani e l'influenza di Correggio.

Considerando che Cignani e Maratti certamente costituirono uno dei tramite di Trevisani per la codificazione del tipo della Madonna sul modello di Correggio, e che Corelli possedeva anche tre copie di soggetti diversi da originali dello stesso Correggio (eseguite da Maratti e Annibale Carracci), è possibile ipotizzare attendibilmente un ruolo non subordinato svolto dal musicista in una fase decisiva del processo creativo del pittore. In questo senso può essere interpretata la prova offerta dalla *Madonna* di Stourhead circa il raggiungimento dell'apice di astrattezza formale da parte di Trevisani in questo ricercatissimo e frequentatissimo soggetto entro il termine del Seicento, molto prima di quanto finora creduto.[72]

Tutti questi indizi inducono a pensare che Corelli orientò decisamente la selezione dei quadri di Trevisani che entrarono nella sua collezione, nel contesto di un processo critico-artistico iniziato molto presto e interrotto solo dalla sua morte, che, altrimenti, è da credere avrebbe documentato anche la successiva evoluzione del linguaggio dell'amico pittore che gli sopravvisse per ben trentatrè anni.

Post Scriptum

In risposta alla domanda di Franco Piperno se siano noti altri quadri di Trevisani raffiguranti musicisti, posso rispondere con la segnalazione di alcune sue opere comprendenti musicisti "celesti" e "terreni". Per quanto riguarda i primi, oltre il citato quadro della *Madonna con bambino dormiente e S. Giovannino* con concerto di angeli suonatori di liuto e flauto, conservato al Louvre (Fig. 1), va ricordato il *San Francesco confortato da un angelo* che suona la viola nella cappella Savelli in Santa Maria in Aracoeli a Roma, e due varianti dello stesso soggetto, una conservata a Dresda (74 × 61 cm, Gemäldegalerie Alte Meister) (F. DI FEDERICO, *Francesco Trevisani*, cit., p. 64, cat. 86-87), l'altra apparsa sul mercato antiquario a Parigi (44 × 26 cm, Asta della Casa Tajan all'Hôtel Drouot, 28 giugno 2003). Per quanto riguarda i secondi segnalo le fotografie di due quadri raffiguranti suonatori di liuto, ora attribuiti al pittore. Di uno

72 Il quadro di Stourhead è datato intorno al 1710 da F. DI FEDERICO, *Francesco Trevisani*, cit., p. 47, cat. 62.

Fig. 1 – FRANCESCO TREVISANI, *Madonna con bambino dormiente e concerto di angeli*, olio su tela, 151 × 126 cm, Paris Musée du Louvre (incisione di Nicolas Pigné). Fig. 2 – FRANCESCO TREVISANI, *Ritratto del Cardinale Pietro Ottoboni*, olio su tela, 134,3 × 98,5 cm, The Bowes Museum, Barnard Castle, County Durham, England. Fig. 3 – Friedrich Wilhelm von Weidemann (?), *Ritratto di Arcangelo Corelli*, olio su tela, Berlin, Schloss Charlottenburg. Fig. 4 – FRANCESCO TREVISANI, *Autoritratto all'età di sessantuno anni*, 1717, olio su tela, 81 × 64 cm, Pommersfelden (Bamberg), Schloss Weissenstein, collezione Graf von Schönborn.

5

7

Fig. 5 – FRANCESCO TREVISANI, *Martirio dei Quattro SS. Coronati*, 1688, olio su tela, 401 × 263 cm, Duomo di Siena. Fig. 6 – FRANCESCO TREVISANI, *Martirio dei Quattro SS. Coronati*, olio su tela, 52 × 38 cm, Stamford, Lincolnshire, Burghley House, collezione marchese di Exeter. Fig. 7 – FRANCESCO TREVISANI, *Flagellazione di Cristo*, olio su tela, 36 × 42 cm, Roma, Accademia Nazionale di San Luca.

8

9

Fig. 8 – Francesco Trevisani, *Resurrezione di Lazzaro*, olio su tela, Roma, Palazzo Colonna, Sala dei Palafrenieri. Fig. 9 – Francesco Trevisani, *Resurrezione di Lazzaro*, olio su tela, già nella Galleria Gasparrini, Roma.

Fig. 10 – FRANCESCO TREVISANI, *Strage degli Innocenti*, olio su tela, 53,3 × 37,5 cm, Fitzwilliam Museum, Cambridge.

12

13

Fig. 11 – CARLO MARATTI (attr.), *Madonna con il bambino in braccio*, olio su tela, 48,26 × 38,1 cm, Stourhead, The Hoare Collection (The National Trust). Photograph: Photographic Survey, Courtauld Institute of Art. Fig. 12 – FRANCESCO TREVISANI, *Madonna con il bambino in braccio dormiente*, olio su tela, 84,5 × 65,5 cm, Stourhead, The Hoare Collection (The National Trust). Photograph: Photographic Survey, Courtauld Institute of Art. Fig. 13 – FRANCESCO TREVISANI, *Madonna con il bambino in braccio*, olio su tela, 82,5 × 69,8 cm, Stamford, Lincolnshire, Burghley House, collezione marchese di Exeter.

14

16

Fig. 14 – ANONIMO, *Suonatore di liuto*, olio su tela, 70,5 × 58,5 cm, Christie's Londra, Astley-Corbett Sale, 8 luglio 1927. Fig. 15 – FRANCESCO TREVISANI, *Allegoria della Musica*, olio su tela, 61,3 × 74 cm, Christie's Londra, 10 dicembre 1993. Fig. 16 – FRANCESCO TREVISANI, *Suonatore di liuto*, olio su tela, Inghilterra, collezione privata. Fig. 17 – FRANCESCO TREVISANI, *Allegoria della Musica*, olio su tela, 100,3 × 77,5 cm, Christie's Londra, 13 dicembre 1985.

rimane solo la foto nella collezione fotografica della Witt Library, Courtauld Institute, di Londra (Fig. 14), essendosene perse le tracce dal 1927 (quando è stato venduto in un'asta di Christie's [Astley-Corbett Sale, 8 luglio 1927]). L'altro quadro, raffigurante un musicista con uno spartito sul tavolo, è conservato in una collezione privata inglese (Fig. 16, da GIANCARLO SESTIERI, *Repertorio della Pittura Romana*, cit., n. 1074). Come mi ha gentilmente fatto notare Stefano La Via, è da rilevare la scorretta posizione delle mani sullo strumento nel primo quadro, a confronto di quella ineccepibile nel secondo, incongruente con le conoscenze musicali di Trevisani. Il che, insieme a considerazioni di carattere stilistico, mi induce a scartarne l'autografia.

Una figura femminile allegorica della musica è raffigurata in due quadri apparsi sul mercato antiquario di Londra nel 1985 e nel 1993 (Figg. 17, 15). Il primo dei quali è da identificare probabilmente con il «quadro di p.mi 4 rapp.te la Musica del d.o [Trevisani]-scudi 15» oppure con il «quadro in misura di palmi quattro rappresentante la musica copia-scudi 6» indicati, rispettivamente, al n. 45 e al n. 37 nell'Inventario Trevisani.

Discussione

Careri: Certamente tutti costoro sono accomunati da una grande passione per l'arte: ma ho capito bene o anche nel caso di Corelli a questa passione si aggiungeva anche l'aspetto del business, ovvero era anche un investimento di tipo finanziario?

Wolfe: Non saprei dire in verità quanto per Corelli il collezionismo rappresentava anche un modo per investire. Certo si sa che lui aveva litigato per ottenere un quadro a prezzo più basso. Chiaramente lui non aveva i mezzi, né si sentiva in grado di valutare quanto potesse effettivamente valere un quadro o un'opera d'arte. Ma, in ogni caso credo (ed è questa la mia personale convinzione dopo aver esaminato il rapporto tra Corelli e Trevisani) che con questa collezione di Trevisani Corelli abbia cercato di ricostruire l'intera carriera di questo artista e per questo io sono convinta che Corelli e Trevisani si conoscevano fin da prima perché ci sono altre occasioni di incontro: Trevisani lavorava già per Cristina di Svezia e lavorava anche per la famiglia Colonna.

Io credo che Corelli fosse orgoglioso di fare la parte del critico e di mostrare che nella sua casa c'erano questi quadri importanti. Gli altri collezionisti di opere di Trevisani, come lo stesso Ottoboni o il re di Francia che aveva ben venticinque quadri di Trevisani, non avevano una selezione di quadri tale da ricostruire anche le tappe giovanili e poi la maturità dell'esperienza pittorica di Trevisani.

Careri: Mi viene in mente una testimonianza che riguarda Geminiani in cui si racconta che un giovane musicista va a trovare Geminiani a Londra in casa sua, desideroso di sapere e porgli alcune domande ovviamente inerenti la musica, e invece Geminiani non disse una parola di musica, mentre mostrò per tutta la durata della visita, i suoi quadri, aggiungendo che della musica non gli importva nulla, ma che il suo vero amore era proprio l'arte. Non mi ricordo se questa testimonianza si deve a Hawinks o a Burney.

Assessore alla Cultura Lino Costa: Ci piacerebbe molto poter fare una mostra di questa raccolta di quadri di Trevisani appartenuta a Corelli.

Wolfe: Sarebbe bellissimo, ma manca la maggioranza dei quadri. In effetti, lavorando su un quadro di Trevisani ho scoperto questo inventario e questo mi ha fatto capire che ancora poco si sa di questo pittore e non è escluso che i prossimi studi possano portare alla luce nuove scoperte.

Rasch: Lei ha parlato dei libri di musica appartenuti a Trevisani. Si conoscono i titoli di questi libri?

WOLFE: Si, i titoli sono presenti nell'Inventario. Trevisani aveva più di 110 lotti di libri e aveva una bellissima collezione che comprendeva anche libri di musica e libri antichi.

LINDGREN: Also Haym was a great collector of prints, paintings and of many artworks. Geminiani bought and sold paintings (that was one way he survived), but Corelli collected. He was known for collecting paintings from Raffaello to Carlo Maratta. My understanding is that its total was 250 but I don't know where I got that number and Ottoboni inherited them. Is that true?

WOLFE: No, we really don't know what happened to Corelli's pictures. He owned 150 pictures. I have the list and I brought the original article by Cametti where the 'elenco' was published.

LINDGREN: And that was made after his death?

WOLFE: Yes, his three brothers took over his inheritance, but then one doesn't know what happens to the pictures. Speculations are possible.

LINDGREN: So there were 150 totally and you don't know how many Trevisani there were?

WOLFE: Yes, 22. It was really the outstanding nucleus of the collection.

LINDGREN: And were they 'bozze', sketches?

WOLFE: Only one is identified as 'non finito', but what my argument was, is that it is highly unlikely that Corelli owned 22 large finished paintings by Trevisani, as these pictures would have been too costly for him in the first place, and secondly, Trevisani was constantly engaged with other commissions for more important patrons, such as Ottoboni. Moreover, as Pascoli notes, Trevisani was also working for important international patrons such as the Prince-Bishop Schönborn from 1708, for whom alone he painted 16 pictures. It seems to me that Corelli probably acquired, or was given, works by Trevisani representative of his artistic output, but in the form of sketches and replicas. This can be documented by Ghezzi's description of the two Trevisani paintings owned by Corelli which were exhibited publicly at San Salvatore in Lauro as "due bozzetti" – clearly two sketches, rather than finished works.

PETROBELLI: Volevo commentare la bellissima relazione di Karin Wolfe, estremamente interessate. Da quello che salta fuori è la modernità della figura di Corelli, una modernità per certi versi sconvolgente. Nel suo atteggiamento nei confronti della pittura. È chiaro che visto che sappiamo che egli aveva non solo le copie dei quadri di Trevisani, ma anche opere di Correggio, si capisce che non è più l'argomento del quadro che interessa, ma interessa l'opera d'arte in sé e per sé.

Stavo pensando al caso di Debussy in cui l'arte figurativa ha svolto un ruolo essenziale sulla sua opera, ma bisogna arrivare a Petrassi per arrivare a qualcosa di analogo al rapporto che aveva Corelli con l'arte figurativa. Per quanto ne so io e per quanto si sappia nell'intera storia della musica, un interesse così attento all'arte figurativa e non al quadro come rappresentazione di un tema o di un soggetto, non si conosce.

Parte terza

L'OPERA QUINTA. PROBLEMI DI CRITICA TESTUALE, ESEGESI, PRASSI ESECUTIVA

Thomas Gartmann

RESEARCH REPORT OF A NON-EDITION: DIFFICULTIES IN EDITING CORELLI'S OP. V*

Why have musicians and musicologists been waiting decades for Volume III of the complete Corelli edition? There are university-related reasons that have also delayed the other volumes, but, in this case, there are problems inherent to the source material itself, which has proven extremely complex. Given this state of affairs, it is inconceivable that any approach will ever be able to fulfil everyone's demands and expectations.

Leo Schrade launched the complete historico-critical edition of the musical works of Arcangelo Corelli at the University of Basel during the dynamic 1960s. At the time, no one would have suspected how long the project would take. A grant application was submitted to the Swiss National Science Foundation in 1963, and the cornerstones for the Corelli edition were laid by Prof. Schrade and his students at the university's Institute of Musicology. Hans Oesch, who succeeded as department chair after Schrade's death, assumed overall responsibility for the project in 1967. During this time, Hans Joachim Marx's catalogue raisonné progressed rapidly (it was published in 1980) and eventually listed all known sources up to 1800. In 1968 guidelines for the Corelli edition were laid down and the editors of the individual volumes selected. Schrade's students soon graduated and scattered in all directions. Only after these editors of the various volumes had established themselves in university teaching posts did they resume their work. Further delays were caused by the acquisition of Arno Volk Verlag by Laaber Verlag, which had little previous experience with publishing musical scores, and by a new change in the overall editorship (Wulf Arlt has held the Basel chair of musicology since 1991). The volumes containing works without opus numbers (Hans Joachim Marx 1976),

* Three years after this contribution and round table, the missing volume was finally edited: Arcangelo Corelli, *Gesamtausgabe. Band 3: Sonate a Violino e Violone o Cimbalo, Op. V.* Cristina Urchueguía (Hrsg.), unter Mitarbeit von Martin Zimmermann, 211 Seiten mit 11 Faksimileabbildungen und einem Kritischen Bericht (Arcangelo Corelli, Historisch-kritische Gesamtausabe 3), Laaber: Laaber 2006.

Op. VI (Rudolf Bossard 1978), Op. II and IV (Jürg Stenzl 1986), and Op. I and III (Max Lütolf 1987) followed one another (planned) in swift succession. What remained were the volumes of Solo Sonatas Op. V and another of selected arrangements. And for these volumes, too, work had begun concretely, but now at the Institute of Musicology of the University of Zurich under the direction of Prof. Ernst Lichtenhahn, to whose team I myself belonged.

In Zurich, emphasis is traditionally placed on the welfare of the numerous students and the stewardship of the institute's large library. This leaves little time for research projects, which tend to be pursued in one's unpaid spare time. And with assistantships limited to a fixed period, there is little continuity besides. Consequently, editing a volume exceeds the scope of a single assistant's period at the institute. (My own post expired in 1994.) At the initiative of Antonio Baldassarre, following Prof. Lichtenhahn's retirement, responsibility for the Corelli edition was transferred to his successor, Prof. Hinrichsen, in 1999, since 2001 together with Laurenz Lütteken. 2003, the Swiss National Science Foundation approved further support for the project, which is now finally scheduled for resumption after a lapse of several years. The present editors are Cristina Urchueguía and Martin Zimmermann.[1]

Apart from the difficulties arising from university and staffing policies, Corelli's Op. V poses problems of content not encountered in the other volumes. Corelli's Op. V is a recognised 'classic'[2] and has set off a flood of editions equalled only by Haydn's Op. XXXIII; this means we are confronted with an overwhelming number of sources (including pirated editions). Moreover, in terms of their reception, the Sonatas were regarded as *the* model and textbook example par excellence during the eighteenth century. We may also add that single movements, above all the *La Follia* movement of the final sonata, have inspired composers down to the present day. Not long ago I heard Martin Wettstein's «La Follia: Farinelli's Flight to the Stars», a composition for violin and marimbaphone written in 2002.

The Sonatas gained their status as exemplary models for performers because they could be used to demonstrate and document the art of diminution and ornamentation as practised by Corelli, his students and their students after that. But other violinists, too, notated or indicated ornaments, sometimes for individual movements, and sometimes for whole cycles. At the same time, the Sonatas popularly served as objects and models for figured-bass realisations and arrangements for harpsichord. In short, is probably the only cy-

1 The start of work by the new team took place only after the Fusignano Symposium of September 2003. The edition was finished in 2006.

2 See H. Danuser, *Gattungen der Musik und ihre Klassiker*, Laaber, Laaber-Verlag, 1988.

cle of works in the history of music to have survived in so many different 18th-century realisations.

Once the groundwork had been done by H.J. Marx, with his catalogue raisonné, David Boyden was the first, in 1972, to give a systematic account of the ornamented versions by Corelli, Geminiani, Dubourg, Tartini and the Walsh Anonymous.[3] In 1975, supplementing his own findings, Marx introduced Manchester and Cambridge 7059 as new sources in «Some unknown embellishments of Corelli's violin sonatas».[4] Twenty years later, scholarship on Corelli's Op. V took another step forward with Neal Zaslaw's comprehensive summary in his «Ornaments for Corelli's Violin Sonatas, op. 5».[5] His survey additionally takes account of Tenbury, Galeazzi, Pez, GB-Lbl 17,853,[6] Roman, GB-Lbl 38,188 and the variations by Walther. Zaslaw was also able to present a number of new discoveries: the Eastman Anonymous (notes in a copy of Cartier), plus three handwritten ornaments added to Walsh editions in the Forlì and d'Andrea collections (Martin Madan and Anna Sophia Gipen). And as a supplement, Johnstone gave us «Yet more ornaments for Corelli's Violin Sonatas, op. 5»,[7] which presented Michael Festing (GB-Lbl Add. Ms 71,244), the John Reading harpsichord arrangement and London manuscript Add. Ms 71,209. In his comments on performance practice, Peter Walls touches on a further source: handwritten entries in a copy of the Walsh edition of 1711 in the Alexander Turnbull Library, Wellington.[8] In the course of my own editorial preparations, I have been able to make small corrections and additions to the assessment or interpretation of known sources, which I shall present at the end of this report.

Seletsky provided the first comprehensive survey of 18th-century variations in a 1996 article that discusses not only Manchester, Dubourg, Walsh Anonymous, Roman and Walther, but the divisions by Cateni, Valentini

---

[3] D. Boyden, *Corelli's Solo Violin Sonatas 'graced' by Dubourg, Festkrift Jens Peter Larsen*, ed. by Nils Schiørring, Henrik Glahn and Carsten E. Hatting, København, Wilhelm Hansen, 1972, pp. 113-125; and Id., *The Corelli Solo Sonatas and their Ornamental Addition by Corelli, Geminiani, Dubourg, Tartini and the Walsh Anonymous*, «Musica Antiqua, Acta Scientifica», III, Bydgoszcz, 1972, pp. 591-606.

[4] «Musical Quarterly», LXI, 1975, pp. 65-76.

[5] «Early Music», XXIV, 1996, pp. 95-115.

[6] In this context, a minor addition is useful: I agree with David McLachlan (British Library, Department of Manuscripts) in identifying the writer as *Martin* Blakeston instead of *William* Blakston, the writer of the first part of that manuscript. In a letter to me, dated 6 January 1993, McLachlan writes: «I think... it is possible that f. 43, 43*v* is in the hand of Martin Blakeston and the 'diminutions'... are probably in his hand».

[7] «Early Music», XXIV, 1996, pp. 623-633.

[8] P. Walls, *Performing Corelli's Violin Sonatas*, op. 5, «Early Music», XXIV, 1996, pp. 133-142, p. 137.

and others in the Blavet, Bremner, Tartini and Cartier collections as well.[9] Surprisingly enough, the continuo or harpsichord versions have never been dealt with systematically; some information can be found in Zaslaw, and Lars Ulrik Mortensen comments on Tonelli in «'Unerringly tasteful'?: harpsichord continuo in Corelli's op. 5 sonatas».[10] Also, Johnstone presents some harpsichord arrangements (the John Reading and the Mary Nicholson manuscripts).[11] The fact that Rameau transcribed the whole of Op. V in tablature for the realisation of the figured-bass – unfortunately, only the first movement of Sonata III has survived – emerged only in 1995.[12]

This much reviews past research on the sources, which is obviously still a work in progress. In the course of the practical editorial work, one central question quickly arose: should we create a synoptical edition, and, if so, how should we go about doing it. This question has continually posed itself anew; the more successful the source research was, the more pressing and complex the problem became.

A synoptic presentation had already been decided on in the 1960s. The instructions for «Corelli Op. V, preliminary work» set forth in conjunction with the editorial guidelines of September 1968 included «213 Determination of the respective number of staves and width of notes in comparison with the ornamented versions», «23 Transcription of the ornamented versions» and «231 Synoptic score».[13] Moreover, the edition was to include a volume V b, which would take the arrangements into account.[14] In accordance with this, Marx noted them in a separate index of his catalogue.

Various influences supported the preparation of a synopsis:

1. The influence of positivist musicology in the 1960s: The fascination of making everything available at the same time, of being able to take home all the knowledge there was on a subject has had a strong attraction for editors. Richard Erig had, in association with Basel, just prepared a synopsis of diminution practice,[15] and this volume exerted a strong influence on the discussion, so as to justify a synopsis.

---

9 *18th-century variations for Corelli's Sonatas, op. 5*, «Early Music», XXIV, 1996, pp. 119-131.

10 «Early Music», XXIV, 1996, pp. 665-679.

11 H.D. JOHNSTONE, p. 631, and n. 24.

12 *Dissertation sur les différentes méthodes d'accompagnement*, Paris, Boivin-Leclair, 1732. See J.-Y. HAYMOZ, *French thorough-bass methods from Delair to Rameau, Annexes II and III*, «Basler Jahrbuch für historische Musikpraxis», XIX, 1995, pp. 33-54, nn. 34 and 35.

13 Typescript, archives of the Institute of Musicology of the University of Zurich.

14 Editorial guidelines, p. 3.

15 Italienische Diminutionen / Italian Diminutions. Die zwischen 1553 und 1638 mehrmals bearbeiteten Sätze / The pieces with more than one diminution from 1553 to 1638, Herausgegeben von / Ed. by Richard Erig unter Mitarbeit von / with the collaboration of Veronika Gutmann, Winterthur, Amadeus, 1979.

2. The chance to compare: Ornamental patterns and styles can only be recognised and compared on the basis of a synopsis. Indeed, a 'structural' perspective probably supplies the primary motivation here. In this regard, Fikentscher's dissertation offered the most convincing demonstration of this approach.[16]

3. The study of musical reception, which came into vogue in the 1970s, played a major role in the treatment of more recent scholarship. Corelli as seen by his contemporaries and successors, and the development of various schools were the central perspectives here.

4. The popularity of instructional aids to historically-informed performance. Certainly this practical aspect also owes a debt to the ever more influential-performance-practice movement, above all that of the Schola Cantorum Basiliensis, with its exemplary intermingling of research, teaching and practical music-making. Performers undoubtedly felt a need for an edition; and yet, historically-informed violinists do not necessarily require transcriptions, often preferring facsimile editions in the mould of the A-R Editions instead. And besides, a synopsis would require too much page-turning to be of practical use in performance. So one compromise considered was to couple a synoptic edition with a performing edition of the most important versions, and later even a CD-ROM version (where the interpretation is left to the individual musician).

5. Finally a very prosaic consideration: A volume containing Corelli's version alone would simply be too slim. As a result, the ideas of publishing an edition in two half volumes was also discussed at one point.

All of these factors figured in the considerations of the Zurich team. Simultaneously, Neal Zaslaw and a group of students at Cornell University (who were exchanging ideas and material with Zurich) were making a start of their own. There, too, synopses of the various versions of the individual movements were sketched. (Zaslaw had been thinking about an additional facsimile edition as well, but subsequent to his important Corelli paper, he withdrew from the Corelli project in 1997 because of his involvement in the new Köchel-Verzeichnis.) In their respective articles, Boyden, Marx and Zaslaw presented their findings in synopsis form as a matter of course.

Despite all this, the preparation of a synopsis was called into question in Zurich for the following reasons:

1. The combination of a performing and a scholarly edition is by definition problematic.

2. In a complete edition, the focus is on the sources, not their reception (however great the temptation may be). And yet, if the Roger edition of 1710,

---

[16] S. Fikentscher, *Die Verzierungen zu Arcangelo Corellis Violinsonaten Op. 5. Ein analytischer Vergleich unter besonderer Berücksichtigung der Beziehung von Notation und Realisation*, «Quaderni di musica/realtà», XXXV, Lucca, Libreria Musicale Italiana, 1997.

with Corelli's own ornaments, were denied authenticity,[17] it, too, would have to be excluded for merely documenting the reception of the works and would, for consistency's sake, be ineligible for treatment as a primary source. In effect, this would mean going back to an edition even less comprehensive than that of Joachim-Chrysander.[18]

3. A synopsis distorts and suggests more than it clarifies. Every decision made during transcription is an interpretation; but caution and scepticism were one of the principles of Schrade's class.

4. Moreover, a synopsis suggests the comparability, even equality, of sources of entirely different value and intention (hybrid though they may be) – documentation, testimony, examples for students (with suggested alternatives), instruction manuals, models to be imitated, variants, variations, arrangements, suggestions, compendia of possibilities, notebooks, sometimes fragmentary sketchbooks, experiments – it is difficult to find a common denominator.

5. The types of ornaments are fundamentally different from each other (even if they often appear in combination): 'willkürliche Veränderungen' i.e. Italian diminution-style divisions (many short notes, 'improvised' embellishments,) vs. 'wesentliche Manieren' i.e. graces and signs/conventional ornaments/necessary ornaments. Moreover, the fast movements often tend to be arrangements rather than ornamental versions.[19]

Further objections originate in the problems that arise once a synopsis is actually ventured: the more sources that were discovered, the more tempting – but also the more complicated and problematic – the project became. This led to the idea of a slim volume plus a facsimile of all known versions; and, as an alternative or supplement, a CD-ROM capable of generating all of the versions. This would amount to a compromise that would at least offer general access to the greatest possible amount of material.

The most recent discussions of the Zurich editors reveal a tendency to discard the idea of a synoptic presentation and to aim for a scholarly edition based on the Gasparo Pietra Santa print from 1700,[20] and separately, Roger 1710 as the first print with ornaments (supposed to be authentic) and, as an appendix, the Roger Edition of 1709 «Nouvelle Edition mise en Meilleur ordre et Corrigée d'un Grand Nombre de Fautes» including several corrections and additional bass figures.[21]

---

17 See S. FIKENTSCHER, pp. 33-35.

18 According to the instructions in the 1968 guidelines, photocopies of Chrysander were to be the point of departure for the edition.

19 See also S. FIKENTSCHER, p. 26, n. 2.

20 RISM C3800.

21 RISM C3808: SONATE / à Violino e Violone o Cimbalo / Da / ARCANGELO CORELLI / Da /

On the other hand, there is the project of an internet platform for the most important ornamented sources, both in facsimile as well as in a transcription versions:[22] so we have on the one hand the real edition, in a little hybrid form, and, separated by media and presentation, an anthology of the reception sources as important items of 18th century performing practise.[23]

Should the many reservations be overridden and a synopsis turn out to be the form of choice, a host of very different questions arise. For instance, should the versions be arranged rhythmically or structurally one below the other (as in Marx, Boyden, Zaslaw, Fikentscher)? How are notes of imprecise duration to be grouped? Or in plain terms: where are all those notes going to be put? What sort of coordinational grid should be used? Do we use a grid of crotchets or quavers to go with changes of harmony or bass? How are repetitions to be treated? Countering the cliché of unornamented *prima volta*/ornamented *seconda volta*, Manchester shows an ornamented version followed by an even more richly ornamented one – if this is not simply interpreted as a sequence of technical exercises arranged according to increasing virtuosity.[24] Should both options be integrated on a separate staff? Should doubles (this applies above all to fast movements) or complete variants be treated as independent sources? Should actual graces (or signs), like the almost stenographic abbreviations in Tenbury, be taken into account? Should they perhaps even be written out to facilitate comparison? Or should they simply be listed, as in Geminiani and other scholarly works up to and including the *New Grove Dictionary*?

What does one do with the excessive embellishment of a Roman? An exception in every way, it sometimes looks more like an improvisational sketch that has been written out.[25] (But John Holloway's recording proves that it is playable.[26]) What does one do with the various levels of essential and auxiliary notes, of small and very small notes (for which the customary small typography requires further differentiation), or with hollow note-heads – and other notational idiosyncrasies

---

Fusignano / OPERA QUINTA / Parte Prima / SECONDE EDITION / Corrigée avec toute l'Exactitude possible / A Amsterdam / Chez ESTIENNE ROGER Marchand Libraire [1709].

[22] http://www.corelli.ch./

[23] C. URCHUEGUÍA, *Vom Barock ins Internet - Neue Wege der Editionspraxis*, «Schweizer Musikzeitung», VI/12, 2003 p. 52. These principles were presented and discussed for the first time at the «Wissenschaftlich-musikalisches Expertengespräch», a symposium held in October 2004 in Zurich.

[24] S. FIKENTSCHER, p. 28.

[25] J. HOLLOWAY, *Corelli's op. 5: text, act ... and reaction*, «Early Music», XXIV, 1996, pp. 635-640, p. 637: «as a means of retaining good ideas resulting from improvisation ... keep and develop good ideas».

[26] CD Novalis 150 128-2, 1996.

in other sources, many of which served primarily as informal manuscripts for personal use? How far should everything be standardised or individual peculiarities respected? Is there perhaps a case for diplomatic transcription?

What should be done with variants/alternatives, such as those that Roman himself notates as *ossia* versions (some marked as footnotes with asterisks, others double-stemmed with subvariants)? How does one treat cadenzas, *perfidie* and other *fuori tempo* passages? (In Dubourg, for example, these embellishments necessitate a broad *tempo rubato* between the beats – and not only in cadences. This results in almost independent compositions.) The same problem occurs in other sources, where ornamentation is sparse and variants occur, for example, in cadential repetitions.

A more general question would therefore be: How does one deal with the overwhelming mass of available information? Completeness without practicality is pointless, likewise the duplication of sources devoid of additional information. Could these versions perhaps be treated like the timpani part in an orchestral score, appearing only where they have something relevant and independent to say? Or should they be banished to an 'index of possible readings' and to the commentary?

Should arrangements also be taken into account? And does that include arrangements for flute, recorder and harpsichord? Zaslaw's survey includes Pez, the Walsh Anonymous and Tenbury, but leaves out both the Johnson edition of 1754 (which has mutated into a harpsichord arrangement because of its handwritten ornaments and chord supplements)[27] and LeClerc's printed arrangement for transverse flute, which appeared the same year. Despite this, Zaslaw includes Galeazzi's divisions, which, although dating from after 1800, are still entirely in the spirit of the 18th century.

How are we to handle variations? Zaslaw includes Manchester and the Walsh Anonymous. The criterion for including such variations is the occurrence of further ornaments. But what about Tartini and Veracini's «Dissertazioni»? Should they go into a second appendix because they are arrangements rather than graced versions?

And finally, how are the various sources to be presented among themselves? Should they be arranged according to the text's proximity to the original? According to dependence or filiation? According to the richness of embellishment? According to their assumed date of origin? Whichever way we might choose, the individual criteria once again threaten to become blurred.

The complexity of the matter is already revealed by the fact that the table of candidates itself is a work in progress. Even Zaslaw's table, with its exemp-

---

27 CamU = Marx A No. 29.

lary list of known sources, requires a further critical review. My own update of the sources shows the following differences in interpretation:

Roman: In IV2 there is also an embellished final cadence on f. 57*r*.
In V3 Zaslaw overlooked a further, fragmentary version on f. 60*r*.[28]
X1: As Roman occasionally [version p. 14] suggests further alternatives, one could actually speak of a fragmentary fourth version.
X2: Here Zaslaw did not consider the second and third version on p. 13 (an interpolation marked with a hand).
XI 1: Here Zaslaw overlooked the third version on f. 61*v*.[29]
Tenbury: There are also a number of signs in V4, whereas V3 and X4 each appear in only one version.
In *Manchester*, X1 remains to be added.
Pez: I do not recognise any ornaments in IV2 and IV4;[30] Marx, on the other hand, detected some in X2 and X3 – which I cannot discover either.
Walsh Anonymous: VII3 should be added to the list; on the other hand, in VIII3 the second version is merely a more richly embellished repetition; variation movement XI5 also contains free ornamentation.

Whatever the ultimate approach chosen for the edition, a minimum requirement should be that all the sources known today should be made generally available.[31] In my opinion, this includes all the diminutions and ornamented versions up to 1800. To these, I suggest adding the following: Galeazzi 1817 (because he belonged to the same tradition of violin-playing and is particularly interesting), all the 19th-century realisations and arrangements, and likewise the 18th-century variations. And, in fact, I would aim altogether for an overview of ornamented versions, arrangements, variations and thorough-bass realisations, preferably differentiating between them. In the hope that this symposium will provide the crucial final impulses, I look forward to a fruitful discussion of creating a critical edition of Corelli's Op. V.

(*Translation: Eileen Walliser*)

*(*) ornamented version(s) – C: closes/cadenzas – V: variations – BC: realizations of the basso continuo.

---

[28] It breaks off in bar 30, that is, seven bars before the end.

[29] The version on f. 61r, which he did take account of, is distinct from the other Roman sources because it has its own notational idiosyncrasies (unbeamed passages, corrections, cleffing of each brace) and a style of notation revealing even greater speed than the rest, giving it a sketchier character than other pages.

[30] S. FIKENTSCHER, too, only arrives at four slow movements for Sonatas II and IV (p. 30).

[31] This also, and urgently, includes Dubourg, only half of which exists on microfilm in the Berkeley library (cf. S. FIKENTSCHER, p. 31, n. 32). The archive of the Institute of Musicology of the University of Zurich possesses a photocopy of the whole manuscript formerly in the possession of Cortot-Pincherle, which has been lost since 1975. Recently, it was thought to be in the Paris Bibliothèque Nationale, but this is unconfirmed.

Sources

Pez Anon: Transcription for flutes by Christopher Pez, Walsh London [1707, RISM C3883].

Lute: French lute tablature of 1712, according to Marc Pincherle, not to be found.

Corelli: SONATE / à Violino e Violone o Cimbalo / De / ARCANGELO CORELLI / Da / Fusignano / OPERA QUINTA [...] Troisième Edition ou l'on a joint les agréemens / des Adagio de cet ouvrage, composez par / Mr. A. Corelli comme il les joue / A AMSTERDAM / Chez ESTIENNE ROGER Marchand Libraire [1710, RISM C3812].

BL 17,853: British Library, Add. Ms. 17,853, several hands; Corelli items with some signs, c. 1713.

Dubourg: Matthew Dubourg, Geminiani's pupil, apparently before 1721.

Roman: Stockholm, Kungelige Musikaliska Akademiens Bibliotek, Roman Collection Mss. 61 and 97, by Johan Helmich Roman, c. 1715-21.

Walsh Anon: Ms. Bound into a London re-edition of op. 5 by Walsh & Hare (c.1711), formerly owned by David Boyden, for keyboard solo, c. 1720.

Geminiani: published by John Hawkins in his "A General History of the Science and Practice of Music", London 1776, written c. 1740.

Festing: London British Library Add. Ms. 71,244, Ornaments by Michael Festing, c. 1731-1740.

Tartini: Padua Biblioteca Antoniana, Ms. 1896, probably used in his violin teaching, c. 1730.

Tenbury: Formerly St. Michael's College, Tenbury, Ms. 752, now Oxford, Bodleian Library, ornamented arrangements for the keyboard solo, mid-18th century.

Cambridge: Cambridge University Library, Add. Ms. 7059, f. 67*r*: ornamented version of the IX 1, f. 91*v*-93: ornamented version of the VII 1, manuscript, c. 1730-1740.

Manchester: Manchester Public Library Ms. 130, perhaps teaching material by Pietro Castrucci, c. 1750.

Galeazzi: Francesco Galeazzi, Elementi teorico-pratici di musica... Editione seconda ricorretta, e considerabilmente dall'autore accresciuta coll'aggiunta di molte, e nuove tavole in rame, e specialmente di quattro gran prospetti concernenti l'arte dell'arco, Ascoli 1817.

Eastman Anon: Eastman school of music, Rochester, written into a copy of Jean-Baptiste Cartier's "L'art du Violon", c. 1803.

Forlì Anon: Forlì, Biblioteca communale, written into a copy of a Wash edition of op. 5 from c. 1711.

Walther: Johann Gottfried Walther, "Alcuni variationi sopr'un basso continuo del Sigr Corelli", Berlin, Deutsche Staatsbibliothek, Ms. 22541, c. 1740.

BL 38,188: London British Library Add. Ms. 38,188, a learner's notebook, c. 1740s.

Madan: Private library of Michael D'Andrea, written by (or for) Martin Madan, into a copy of op. 5 by Walsh & Hare (c. 1711).

Gipen: Private library of Michael D'Andrea, written by (or for) Anna Sophia Gipen, into a copy of op. 5 by Walsh & Hare (c. 1711).

Reading: Dulwich College Library, Ms. 92b, keyboard arrangement by John Reading, c. 1730.

Nicholson: National Library of Wales, Ms. 10929D, keyboard arrangement, written for Mary Nicholson, c. 1732.

BL 71,209: London British Library Add. Ms. 71,209, formerly owned by Lady Susi Jeans, copied by William Babell, c. 1713.

Le Clerc: I ere Partie du cinquième œuvre, arrangements for flute, 2 mouvements, Paris 1754, RISM C3874.

CamU: Cambridge, University Library, handwritten ornaments and additional chords within a copy of the Johnson print from 1754 (= arrangement for the harpsichord), c. 1760.

Turnbull: Wellington, Alexander Turnbull Library, written into a copy of op. 5 by Walsh & Hare (c. 1711).

Cateni: The Favorite GIGG in CORELLI'S 5th SOLO with Divisions by Sigs Cateni and Valentini, adapted for the Violin and Harpsichord, London: John Preston, c. 1780.

Valentini: see above.

Bremner: Robert Bremner, The Harpsichord or Spinnet Miscellany, London 1761.

Blavet: Recueil de pièces, [...] par M. Blavet, [...], Paris: M. Blavet, 1744.

Tartinivar: Nouvelle Etude pour le violon [...] par Mr. Pétronio Pinelli [...], Augmenté d'un Gavotte de Corelli, travailliez et doublez Par Mr. Giuseppe Tartini, Paris 1745.

Rameau: Tablature for the realization of the figured-bass, in: Jean-Philippe Rameau, Dissertation sur les différentes méthodes d'accompagnement, Paris 1732, p. 16.

LondonCM: London, Library of the Royal College of Music, without signature, f. 60, with Basso continuo realization of IX.

I ABLE 1 – *Extant sets of free ornaments for Corelli's op. 5*

Parte Prima. Sonate a violino e violone o cimbalo ... Opera quinta

	Pez Anon	Lute	Corelli	BL 17,853	Dubourg	Roman	Walsh Anon	Geminiani	Festing	Tartini	Tenbury	Cambridge	Manchester	Galeazzi	Eastman Anon	Forlì Anon	Walther	BL 38,188	Madan	Gipen	Reading	Nicholson	BL 71,209	Le Clerc	CamU	Turnbull	Cateni	Valentini	Bremner	Blavet	Tartinivar.	Rameau	LonCM
Sonata I (D major)																																	
1 Grave-			*							*					*																		
Allegro-																																	
Adagio-			*							*					*																		
Grave-			*							*					*																		
Allegro-																																	
Adagio			*							*					*				C														
2 Allegro. [Fuga]-																																	
Adagio																																	
3 Allegro																																	
4 Adagio			*																														
5 Allegro. [Fuga]-																																	
Sonata II (F major)																																	
1 Grave			*																														
2 Allegro [Fuga]-																																	
Adagio						cc																											
3 Vivace																																	
4 Adagio			*																														
5 Vivace [Fuga]-																																	
Sonata III (C major)																																	
1 Adagio	*		*																					*								BC	
2 Allegro. [Fuga]-																																	
Adagio																																	
3 Adagio	*		*				*							**																			
4 Allegro-																																	
Adagio																																	
5 Allegro																																	

Sonata IV (F major)																						BC*											
1 Adagio	*		*			*																	*									
2 Allegro. [Fuga]-																																
Adagio						C																										
3 Vivace						*																										
4 Adagio	*		*			*																										
5 Allegro																																

Sonata V (G minor)																						BC*											
1 Adagio			*		*	**			*		*																					
2 Vivace. [Fuga]-																																
Adagio						CCC																										
3 Adagio			*		*	**			*		*																					
4 Vivace											*																					
5 Giga. Allegro											*												*				V	V					

Sonata VI (A major)																																	
1 Grave			*			*																										
2 Allegro. [Fuga]-																																
Adagio						CCC																										
3 Allegro																																
4 Adagio			*																													
5 Allegro. [Fuga]																																

Parte Seconda. Preludii, Allemande, Correnti, Gighe, Sarabande, Gavotta e Follia

Sonata VII (D minor)																																	
1 Preludio. Vivace							*		*		*	*	**						*				*									
2 Corrente. Allegro													*										*									
3 Sarabanda. Largo				*	*		*	V	*	*			**						*		*BC											
4 Giga. Allegro											*																					

Sonata VIII (E minor)																																	
1 Preludio. Largo					*		*		*	*			*						*													
2 Allemanda. Allegro					*		*						*																			
3 Sarabanda. Largo		*?			*		*		*	*			***																			
4 Giga. Allegro.					*		*																									

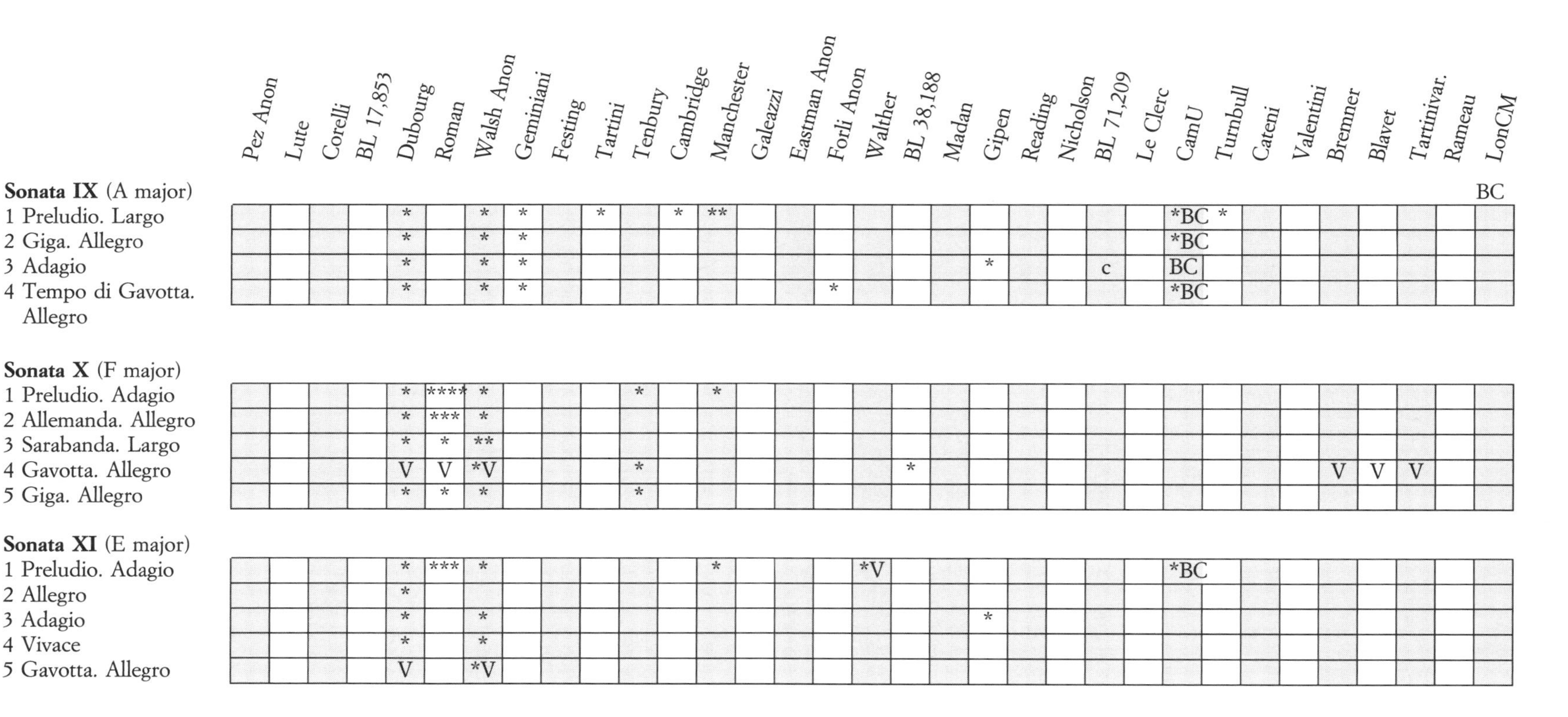

	Pez Anon	Lute	Corelli	BL 17,853	Dubourg	Roman	Walsh Anon	Geminiani	Festing	Tartini	Tenbury	Cambridge	Manchester	Galeazzi	Eastman Anon	Forli Anon	Walther	BL 38,188	Madan	Gipen	Reading	Nicholson	BL 71,209	Le Clerc	CamU	Turnbull	Cateni	Valentini	Bremner	Blavet	Tartinivar.	Rameau	LonCM
Sonata IX (A major)																																	BC
1 Preludio. Largo					*		*	*		*		*	**												*BC	*							
2 Giga. Allegro					*		*	*																	*BC								
3 Adagio					*		*	*												*			c		BC								
4 Tempo di Gavotta. Allegro					*		*	*								*									*BC								
Sonata X (F major)																																	
1 Preludio. Adagio					*	****	*				*		*																				
2 Allemanda. Allegro					*	***	*																										
3 Sarabanda. Largo					*	*	**																										
4 Gavotta. Allegro					V	V	*V				*							*											V	V	V		
5 Giga. Allegro					*	*	*				*																						
Sonata XI (E major)																																	
1 Preludio. Adagio					*	***	*						*				*V								*BC								
2 Allegro					*																												
3 Adagio					*		*													*													
4 Vivace					*		*																										
5 Gavotta. Allegro					V		*V																										

(Sonata XII, D minor: Variations on La Follia)

DISCUSSIONE

PETROBELLI: Ti siamo tutti immensamente grati per la chiarezza e precisione con cui ci hai raccontato la storia, esemplare e paradigmatica, di questa "non-edizione". Da un lato vi è l'atteggiamento tradizionale e un po' rigido di chi, come Leo Schrade, è pronto a superare ogni ostacolo possibile per ottenere "il testo definitivo". Sul fronte opposto vi è invece chi parte dalle fonti testuali e dai problemi che esse, in se stesse, pongono all'editore moderno: applicando un simile approccio critico al caso di Corelli, come a quello altrettanto emblematico di Palestrina, quel che cambia non sono tanto le risposte quanto semmai le domande, molte delle quali sono così complesse da essere destinate a rimanere fatalmente aperte. Prima di avviare la discussione vera e propria, passo ora la parola ai due principali controrelatori, Michael Talbot e Niels Martins Jensen.

TALBOT: The present reflections arise partly from my experience over the past twenty-five years as a member of the editorial team responsible for bringing out the New Critical Edition (*Nuova Edizione Critica*) of the works of Antonio Vivaldi. Like the editors of the Corelli collected edition, we began, in 1979, with the painstaking – I might almost say painful – construction of editorial norms designed, in theory, to cover any eventuality that might arise. These were published in the second volume of *Informazioni e studi vivaldiani* (1981). Not surprisingly, the passage of time has revealed omissions and weaknesses in the original norms. While we have, understandably, a bias towards maintaining as far as possible what was originally agreed, if only for the sake of visual uniformity, we have on many occasions revised the norms (usually tacitly) in order to make our editions more user-friendly or more rigorous in approach. Let me give merely two examples. Whereas the norms of 1979 stated categorically, "Non devono essere usate pause col punto" – which, be it noted, adopted the most conservative position within standard modern notational practice – this injunction soon became honoured more in the breach than in the observance. Amusingly, Vivaldi himself on occasion used dotted rests of short value, and had we adhered to our original position, we would have been *plus royaliste que le roi*. The other change, more recent, concerns the numbering of bars. In 1979, naturally, engraving with a computer was not on the agenda, and the Editorial Committee decided to number bars in tens, following the common practice of that time. This was fine for the sonatas and solo cantatas that initially rolled off Ricordi's presses, but when we came to publish editions requiring large systems fitting only one to a page, it often happened that no bar numbers were visible on a given opening, causing great inconvenience to the user. Latterly, we have moved to automatic bar numbering at the head of each system, taking advantage of the computer's infallibility in this operation.

Although the generic similarities between the Vivaldi and Corelli collected edition projects are obvious, account has to be taken of one important difference. With rare and limited exceptions (Op. 3, *L'estro armonico*, and perhaps also Op. 8, *Il ci-*

mento dell'armonia e dell'inventione), Vivaldi's music was not, and is not, 'exemplary'. It founded no school, no fixed point of reference for contemporaries and successors such as Corelli's oeuvre succeeded in creating. To state the matter simply: a Corellian *Opera omnia* serves not only Corelli but also the wider phenomenon of Corellianism – the works themselves cannot be prised loose from their reception history without being diminished. For Vivaldi, and for most composers, it is enough for a critical edition to provide a text. For Corelli, a context is needed in addition.

Of course, it is not merely musicological considerations that feed into the decision-making process. Practical, pragmatic and commercial factors are also – and why not? – relevant. For example, it may be commercially advantageous to make the physical bulk of a volume containing Corelli's Op. 5 comparable with that of earlier volumes. Since violin sonatas, by their very nature, occupy less space than *concerti grossi* or *sonate a tre*, this may provide an incentive and an opportunity to provide more "additional" material than in the earlier volumes. Indeed, because Op. 5 was, and remains, the most didactic of all Corelli's *opera* – having importance not only for the art of composition but also for that of performance – a golden opportunity exists to reflect that situation in the volume containing it.

But how much, and what kind of material, should be added? The most parsimonious critical edition would contain the text of the sonatas themselves based on a *codex optimus* (presumably, the *editio princeps* of 1700), a critical commentary, a description of the sources (up to 1800?) and very little else. The most generous would include a score or scores based on more than one source, with the opportunity to present plain and ornamented versions in superimposed, "synoptic" fashion, a complete, illustrated account of the works based on, or inspired by, Corelli's Op. 5 and an exhaustive discussion of performance practice issues associated with them.

Such an *embarras de richesse* makes it hard to come to a decision on where to draw the line. But there are certain guiding factors. First, there must remain, despite the long time that has elapsed since the project was inaugurated and since the last volume appeared, a bias towards retaining the original concept of the series, so that it maintains a minimum of visual and *wissenschaftlich* unity. Second, the interest (in both senses) of the expected user community – which may be a little wider for Op. 5 than for the other *opera* – needs to be borne in mind at all times. If some users are unclear about how to arpeggiate chords notated for the violin in "block" fashion or whether to use extra slurring or to take notes off short in order to negotiate "polyphonic" passages in double stopping, it is the editor's job to enlighten them. In my personal opinion, which I know is not universally shared, "no go" areas in musical editing do not exist. To adopt an abstentionist position towards questions of performance practice is to defeat a large object of the edition itself: the successful performance of the music.

Central to the parsimony-versus-generosity debate is the question of whether all, some or none of the embellished versions of the violin line and of the realised continuo parts should be included. My own position on this matter is intermediate. Since there is a high likelihood, as argued elsewhere in the present proceedings, that the ornamented versions of the violin line in slow movements supplied in the Roger edition of 1710 originate from the composer himself, these should, at the very least, earn a place – as they already did in the Joachim-Chrysander edition. None of the other embellished (or realised) versions has authorial sanction, and although it is desirable that users, scholars and performers alike, should have easy access to them – or, at least, to those among them that are most complete, most satisfying artistically, most historically important, most revealing on performance practice etc. – they should preferably not form part of the edition proper. Instead, I would propose that selected items be included in an anthology in facsimile reproduction (accompanied by a separate commentary) either at the end of the volume containing the edition itself or in a separate volume. The vast majority of potential users will be able to make musical sense of facsimiles, and the removal of any need to interpret and perhaps "correct" irregular rhythmic groupings removes one potential editorial headache. Selectivity inevitably provides scope for endless argument among members of an editorial team. I have always found it best in similar situations to start, as it were, from the result: to fix in advance how many items are to be included (ten, in the present case?), and then to invite team members to propose, and argue for, a list. The final decision can be made on the basis of a simple vote after all the cases have been put.

So much for broad issues. Before closing, I would like to draw attention to one interesting, but tricky, special aspect of the editing of Corelli's Op. 5. We are fortunate to possess in the *editio princeps* a text as close to the composer's intention as one could hope to have (the edition was private, and Corelli retained the plates up to his death). As is common in Italian solo sonatas of the time reproduced in two-stave score, the bass is only lightly figured. But in Roger's editions and those by other publishers based on them extra bass figures start to creep in, reflecting the greater need in northern Europe for this additional assistance. What should the status of these extra figures, whose connection with Corelli himself is unlikely, be in the edition? One could act the purist and say that all should be discounted and omitted. But they have, at least, the merit of being contemporary with the composer, of being (on empirical examination) well conceived – albeit perhaps from a specifically transalpine perspective – and of being helpful to the modern continuo player. My inclination would be to retain them for the edition, provided that some means can be found of distinguishing the figures of the *editio princeps* from those of subsequent editions and, moreover, of differentiating different "layers" of the latter.

A critical edition of Corelli's Op. 5 is undoubtedly as important a task to be accomplished as has ever been set before scholars working with baroque music. But one should not become overawed by it. In fact, in some ways – given the good state and easy accessibility of the primary material – it is a very easy task, so long as one is prepared to resist the blandishments of utopian ambition. No one will ever be able to include within the two covers of a volume everything of interest connected with this document of central importance to musical and cultural history. My advice is: set sensible, workable boundaries and "finish the job".

JENSEN: In my opinion it is of fundamental importance that Op. 5 be published in a critical edition as vol. III in the complete edition of Corelli's works, launched many years ago, in order to fill the gap between vols. II and IV. The volume should respect the homogeneity of the complete edition, be faithful to its original plan (I do not know the guidelines of 1968), and at the same time bring solutions to problems specific for an edition of Op. 5.

I was surprised to realize from Gartmann's paper how strong the fascination is for all the ornamented versions of Op. 5 from the 18th century. It is my firm belief that none of them should be included in a new critical edition of Op. 5, and this for at least two main reasons: (1) it is not music by Corelli and therefore does not belong to an edition of his works; (2) the ornamented versions mirror the reception history and the *Wirkungsgeschichte* of Corelli's music – they will fit into histories of ornamentation, of performance practice, of violin playing and its technique, of the reception of Corelli's music etc., but not into a critical edition of his works; and they are far from being authentic.

What might be included is the Roger edition from 1710 of Op. 5 with *"les agréemens des Adagio de cet ouvrage, composez par Mr. A. Corelli, comme il les joue"*. If there is strong evidence for their being authentic, which seems to be the case according to information about negotiations between Corelli and the publisher, they should be included as a second main text (no. 2). If doubt still exists, they should be added as an appendix to the main text. A list like Gartmann's list of sets of ornamented versions of Op. 5 could be included in the introduction or the critical report of the volume. Worthwhile considering is also the possible addition in the appendix of Geminiani's concerto grosso arrangements of the first six sonatas (Smith & Barret, London, 1726ff), corresponding to the inclusion in vol. I of the complete edition of Geminiani's arrangements of six trio sonatas from Opp. 1 and 3.

As main text (no. 1) I would recommend the first print of Op. 5 by Gasparo Pietra Santa, Rome, 1700. This should be the *codex princeps* and *optimus*. The argument for this choice should of course be based upon a stemmatic filiation with a family tree of the contemporary printed sources (i.e. sources from the composer's lifetime; no autographs of the sonatas from Op. 5 exist, as far as I remember). Other contemporary sources and some posthumous sources as well should be taken into consideration as secondary sources for comparison and in order to check for misprints etc.

To be considered is also the layout of these sonatas "a violino e violone o cimbalo" (I would not call them "sonate a violino solo" as does Marx in his *Catalogue raisonné*, p. 165). I would prefer a two-stave notation corresponding to the partitura-edition of the first print with the thoroughbass figures placed above the lower staff (*i.e.* between the staves): it would make it easier for the bass or harpsichord player to take them in.

Last but not least: All the best for your efforts to complete the *Gesamtausgabe* with Corelli's Op. 5.

GARTMANN: I am very grateful to the chairman, Prof. Petrobelli, and to both the main discussants, Professors Talbot and Jensen. I found particularly helpful their common suggestion of separating the "reception" part from the one devoted to the actual critical edition: this would be, indeed, the simplest and most effective way to solve one of the main problems. It is also true that fascination for the reception history, far from reflecting my personal attitude, has always been a quite widespread feeling, shared by at least two generations of scholars; while the ideological cult of synopsis, I believe, comes from the great authority of Schrade – from his strong, charismatic personality. I should also point out that my tendency to create problems instead of giving them pragmatic and definitive solutions is typical of the whole German and Swiss musicological tradition. What still remains to be discussed and clarified, however, is the central problem of Roger: his edition not only includes the added embellishments, but also provides us with figures in modern notation and similar clues; nor should we forget that there are substantial improvements in the text itself. Once we accept the embellishments as authentic, then we have to take the whole source into serious consideration.

TALBOT: What we have still to determine is also the format of the edition. My advice is to go backwards, starting from the results, and to take a target of ten versions. I am suggesting, concretely, that each of us should establish his/her own "hit list" of ten sources; then we can compare each "top ten", debate about the choice, come to a final solution.

WAISMAN: But do we really need a performing edition? Most players would rather use facsimiles of Pietrasanta, Roger or Walsh; most of them, after all, are available in print. As for the problem of the synoptic edition, it can be easily solved by means of technology: that is, by putting the whole material onto a single CD ROM. This would include: (1) all the versions of each edition, ornamentation, or arrangement; (2) a program that enables the user to print his own study of performing edition by selecting, superposing, or combining as many of the above as he/she wants; (3) all the facsimiles we need. The volume itself, in turn, might just contain: (4) a relatively standard edition based mainly on Pietrasanta, collated with other important sources; (5) a thorough description and evaluation of all sources; (6) perhaps, recommendations on performance practice and comments about the possible criteria by which to choose one or another version.

ALLSOP: I still think that the volume should include everything: providing all the sources in a book format would be of enormous help, above all, for the performers.

RASCH: Corelli's Op. 5 is such an exceptional work that its critical edition, as well, has to be exceptional. A normal edition, like the others, would not make any sense. We have to do as much as we can. The CD ROM medium is too limited and ephemeral; better to do both, paper and CD. Facsimile is certainly the lazy way. Let's not forget, however, that Corelli had ad agent in Amsterdam, the merchant Jacob Schelkens the contract of 1712 makes quite clear that the ornamentations are authentic.

MARIN: The longer you think about the more complex it becomes. I would like to have a comprehensive and accumulate critical report but this is a endless story.

JENSEN: The Edition of the Work – that is what you are looking for. And besides, a good commentary would be very welcome as bridge between musicology and musical practise.

PIPERNO: Bisogna però differenziare la sfera della tradizione orale da quella della tradizione scritta; se non si parte da questa distinzione di base, il rischio è di incappare in un filologismo esasperato.

GARTMANN: Nel caso di Corelli, evidentemente, la scarsità di fonti e testimonianze scritte è il sintomo che la tradizione orale ha funzionato benissimo, almeno in ambito romano ed italiano. Più si procede verso la periferia, invece, e più emerge la necessità di fissare per iscritto anche i minimi dettagli dell'ornamentazione: proprio come han fatto, rispettivamente, Geminiani a Londra, Dubourg a Dublino, Roman a Stoccolma, tutti notevoli insegnanti del violino.

WALLS: I take a rather conservative view of what should be included in a critical edition of Corelli Op. 5 and think that it would not be appropriate for such a volume to include an anthology of all extant examples of written-out embellishment – however useful such a resource might be to performers. Only the Roger graces have any claim on the kind of authority that inclusion in a critical edition would appear to bestow. All the other examples have a provenance that is quite remote from Corelli himself and they all need careful contextualising. It is clear that, in many cases anyway, they reflect very different musical priorities from those that inform the Roger graces. Moreover, as I hope my own paper demonstrated, there was a real division in the 18th century about the appropriateness of any kind of free embellishment of these sonatas. For a critical edition to include examples of such embellishment originating outside Corelli's immediate circle would be to privilege a view of Corelli performance that has always been contested. It is for this reason that I would greatly prefer to see a separate anthology of the kind proposed by Waisman.

PETROBELLI: Può essere utile anche il confronto con le metodologie analitiche già applicate alle ornamentazioni di altri repertori, non solo strumentali. Penso, ad esempio, all'ornamentazione della musica operistica di Rossini, e a quanto illustrato in particolare da Damien Colas nella sua analisi comparata (cfr. DAMIEN COLAS, *Les annotations des chanteurs dans les matériels d'exécution des opéras de Rossini à Paris (1820-1860). Contribution à l'étude de la grammaire mélodique rossinienne*, Thèse de doctorat, Université François Rabelais, Tours, 1997). Per quanto riguarda la pubblicazione delle fonti sull'ornamentazione, non ritengo valga la pena di farne un'edizione in volume cartaceo. Una loro riproduzione in CD-ROM, oltre ad occupare uno spazio minimo, può essere estrapolata – e stampata – da chiunque desideri servirsene, quando lo ritenga opportuno; e il risparmio complessivo, di costi oltre che di spazio, sarebbe notevole. Ben venga dunque il CD-ROM, ad accompagnamento e integrazione dell'*editio major*.

NIELS MARTIN JENSEN

WHEN IS A SOLO SONATA NOT A SOLO SONATA? CORELLI'S OP. V CONSIDERED IN THE LIGHT OF THE GENRE'S TRADITION

Corelli's Op. V was published for the first time in Rome in 1700 with the composer's dedication to the princess Sophie Charlotte of Hannover, Electress of Brandenburg, dated the first of January. She was married to the elector Frederic of Brandenburg, on whom was bestowed the title «King in Prussia» the following year. No direct relations seemed to have existed between Corelli and Sophie Charlotte, but we know that she was one of «the clever women» of the Hohenzollern dynasty and that she was a keen supporter of the human sciences and arts.

What is supposed to be the first issue of Op. V is a richly decorated score edition, engraved by Gasparo Pietra Santa, with the front page designed by Antonio Meloni and engraved by Girolamo Frezza and with the title page to part 2 engraved by P. Cerrini (Fig. 1a-c);[1] two other similar prints also came out in 1700 in Rome and Bologna,[2] and in the same year appeared the first Dutch and English editions. The front-page illustration (Fig. 1a) is an allegory with Minerva protecting the escutcheon of the electress and looking fondly upon a music book in the same format as Corelli's Op. V; in the background stands the temple of Minerva. The music book is presented to

---

[1] Among several facsimile editions of Op. V, I refer to the one published by *Archivum musicum*, Florence, Studio per edizioni scelte, 1979 (*Collana di testi rari*, 21). For further bibliographical information, see C. SARTORI, *Bibliografia della musica strumentale italiana stampata in Italia fino al 1700*, I-II, Firenze, Olschki, 1952-68 (in the following abbreviated as *Sartori I* and *II* with sigla), *II* 1700a; and H.J. MARX, *Die Überlieferung der Werke Arcangelo Corellis: Catalogue raisonné*, Cologne, Arno Volk Verlag, 1980 (in the following abbreviated as *CoWV* with page and entry number added), pp. 172-173, 1. Cfr. also A. CAVICCHI, *Contributo alla bibliografia di A. Corelli. L'edizione bolognese del 1700 dell'opera 'Quinta' e la ristampa del 1711*, «Ferrara. Rivista del Commune», II, 1961, pp. 3-7; and C. SARTORI, *Sono 51 (fino ad ora) le edizioni italiane delle opere di Corelli e 135 gli esemplari noti*, «Collectanea Historiae Musicae», II, 1957, pp. 379-389.

[2] *Sartori I*, 1700a and b, *II*, 1700a bis, b, and v; *CoWV* 172-73, 2-4.

Fig. 1a.

her by a humbler goddess (*Harmonia*?) or one of the muses (*Euterpe*?), who seems to ask for the acceptance of the music within the universe of Minerva, so that a concord can be established between the sciences, the letters and the arts – a concord characterized in the person of the electress according to Corelli's dedication. In the right corner two *putti* caress the instruments that the composer has prescribed for the performance of his Op. V.

The first of the title pages says *Parte prima. Sonate a violino e violone o cimbalo* (Fig. 1b), and after the first six sonatas the second title page appears: *Parte seconda. Preludii, allemande, correnti, gighe, sarabande, gavotte e follia* (Fig. 1c). It is remarkable how few alterations the title of Op. V underwent in the numerous reprints during the next century. According to *CoWV* there are only two examples of the designation «solos» up to 1740 and one reprint which specifically acknowledges the thorough-bass: an edition by Walsh & Hare in London from *c.* 1711 has *XII Sonata's or Solo's for a Violin a Bass Violin or Harpsicord* (this is the one with «ye Graces to all ye Adagio's and other places where the Author thought proper»).[3] Another reprint by Walsh

[3] *CoWV* 177, 14.

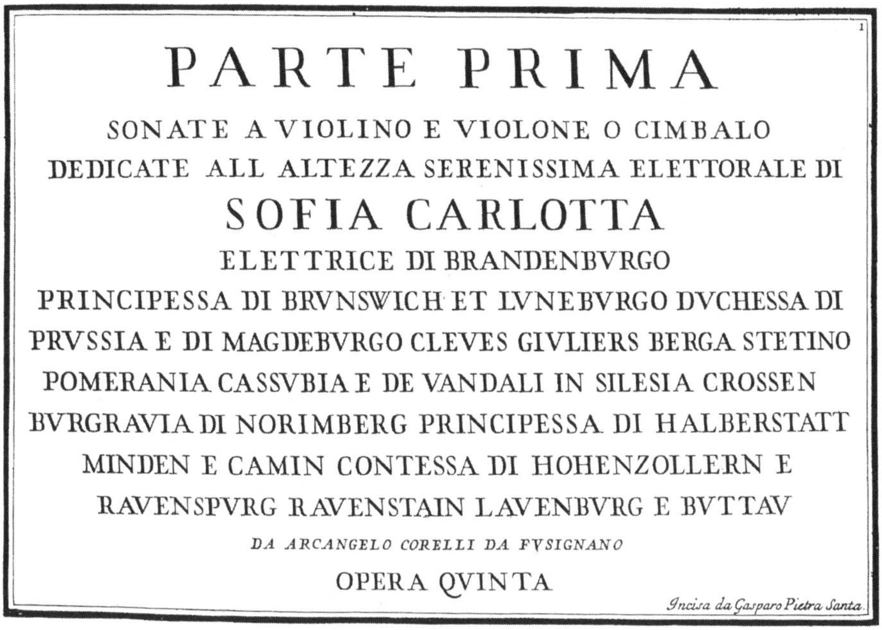

1

PARTE PRIMA
SONATE A VIOLINO E VIOLONE O CIMBALO
DEDICATE ALL ALTEZZA SERENISSIMA ELETTORALE DI
SOFIA CARLOTTA
ELETTRICE DI BRANDENBVRGO
PRINCIPESSA DI BRVNSWICH ET LVNEBVRGO DVCHESSA DI
PRVSSIA E DI MAGDEBVRGO CLEVES GIVLIERS BERGA STETINO
POMERANIA CASSVBIA E DE VANDALI IN SILESIA CROSSEN
BVRGRAVIA DI NORIMBERG PRINCIPESSA DI HALBERSTATT
MINDEN E CAMIN CONTESSA DI HOHENZOLLERN E
RAVENSPVRG RAVENSTAIN LAVENBVRG E BVTTAV
DA ARCANGELO CORELLI DA FVSIGNANO
OPERA QVINTA
Incisa da Gasparo Pietra Santa.

Fig. 1b.

from 1740 says *XII Solos for a Violin with a Thorough Bass for the Harpsicord or Violoncello* with the additional information: «These Solos are Printed from a curious Edition Publish'd at Rome by the Author».[4] Otherwise the reprints keep the original wording *sonate a violino e violone o cimbalo* or just *sonatas*[5] or *opera quinta.*[6] All of the reprints up to approximately 1740 came out in score except for one edition from Roger in Amsterdam around 1716 that was published in two partbooks, one for the violin, the other for the cello «pour la Commodité de ceux qui jouent de la Viole de Gambe ou de la Basse».[7]

In the first edition of Op. V the sonatas are numbered in succession from 1 to 11, and *La Follia* with 23 variations brings the collection to an end. The title pages give us no information about the date and place of publication, and

[4] *CoWV* 181, 26.

[5] *CoWV* 174, 5.

[6] *CoWV* 179, 18-19.

[7] *CoWV* 178, 17.

Fig. 1c.

although the bass is figured, the titles do not specifically mention a *basso continuo* nor do they have anything like *a voce sola* or just *solo* attached to *violino*. However, the title page offers another kind of information. It is beyond doubt that we should read the designation *violone o cimbalo* literally: *o* meaning 'or' and not 'and'; that means, with the option of performing these sonatas either with a violone or a harpsichord together with the violin[8] – unless we should put a comma after violone, saying that they were to be performed either as string duos or on the harpsichord. This may be a far-fetched interpretation, but as a matter of fact, in an English manuscript Corelli's sonatas in score are bound together with harpsichord sonatas by Domenico Scarlatti, Durante, G. Muffat, Pasquini and others.[9] And there were precedents in the Italian tra-

---

[8] In the ongoing debate about 'violone', 'violoncello' and 'double bass' – the terminology and the type of instrument – Stefano La Via has pointed to similarities and differences between 'violone' and 'violoncello' in Rome in the times of Corelli, and part of his study is based on iconographical sources, among them the front page of Corelli's Op. V, see S. LA VIA, *'Violone' e 'violoncello' a Roma al tempo di Corelli*, in *Studi corelliani IV*, pp. 165-191, esp. pp. 177-178.

[9] *CoWV* 185, 17.

dition, too, as regards such a choice of ensemble or keyboard performance: Cazzati's Op. XXX, published in Bologna 1662 in score with a partbook for a second violin *ad libitum*, has as its title *Correnti, e balletti per sonare nella spinetta, leuto, ò tiorba; overo violino, e violone, col secondo violino à beneplacito*;[10] and Pietro Degli Antonii's score with *Balletti, correnti, & arie diverse*, Op. III, Bologna 1671, is scored for violin and violone *& anco per suonare nella spinetta, & altri instromenti.*[11] To cite one further case, even if the *Balletti, correnti, gighe, e sarabande da camera* by Pietro Degli Antonii's brother Giovanni Battista, printed in score in Bologna 1677, says on the title page *a violino, e clavicembalo ò violoncello*, the composer specifies in his dedication that these small *balletti* are *per violino, ò spinetta.*[12]

But the designation *violone o cimbalo* on the title page of Corelli's Op. V is now normally (if not unanimously by musicians) interpreted as the choice of a bass violin or a harpsichord. Such a choice had become a well-established tradition in collections with instrumental music since the late 1660s, especially in Bolognese and Modenese circles among composers such as G.B. Vitali and G.M. Bononcini. Examples are numerous and without exception we find this optional scoring in collections with music *da camera*: sonatas, dances, arias, *trattenimenti*, etc.[13]

Corelli's Op. V is printed in score, that is, in double-staff notation with a figured bass-line. If you were to perform these sonatas simply as duos for violin and cello without the realization of the thorough-bass you would have ample support for this option as far back as the beginning of the seventeenth century in Italy.[14] The ritornellos of Monteverdi's *Scherzi musicali* and some of Salamone Rossi's instrumental pieces with a melodically independent bass-line sound entirely satisfactory without a thorough-bass realization. In the instrumental pieces by Rossi the bass-part seems to have a double function being both a melody instrument that could participate in the melodic interplay and an instrument that should play «con piene, & soavi consonanze».[15]

---

10 *Sartori I*, 1662.

11 *Sartori I*, 1671c.

12 *Sartori I*, 1677a.

13 For G.B. Vitali, see e.g. *Sartori I*, 1667f, 1668e, 1682c, 1683e, 1684b, 1685j; for G.M. Bononcini, see e.g. *Sartori I*, 1667d, 1671e, *II*, 1673i. All of these have one partbook for *violone o spinetta*.

14 On the CD *Novalis 150 128-2, Corelli, 12 sonate a violino e violone o cimbalo op. 5*, the *Trio Veracini* (John Holloway, David Watkin, Lars Ulrik Mortensen) tries out all three possibilities of performance practice of Op. V: Violin and violoncello, violin and harpsichord, and harpsichord solo.

15 All of the the four books with instrumental music by Rossi, including the trio settings, have only one partbook for the bass instrument. The first book (*Sartori I*, 1607c) has the designation *un*

Giovanni Battista Buonamente published collections with three-part sonatas and dance music in 1626, 1629, and 1637[16] that are pure string trios with an unfigured bass-line for a bowed instrument. And around the middle of the century we find the *musico, et sonatore di violino, et di violone* at the court of Mantova Francesco Todeschini publishing his Op. I, *Correnti, gagliarde, balletti, et arie* with two capricci *da sonare con un violino solo e col basso se piace* and two capricci *da sonare à basso solo, col violino se piace* without continuo.[17] Giovanni Maria Bononcini's Op. IV from 1671, *Arie, correnti sarabande, gighe, & allemande*,[18] uses the same instrumentation as Corelli's Op. V and bears on the title page the indication *a violino, e violone, over spinetta*. However, the partbook for the violone or harpsichord advises that «si deve avvertire, che farà miglior efetto il violone che la spinetta per essere i bassi più proprii dell'uno, che dell'altra»,[19] and the manuscript copy of the partbook for the bass in the *Biblioteca Estense*[20] has no figures.

Among the manuscript holdings of the *Biblioteca Estense* there are also two unpublished collections by Vitali: one is entitled *Sonate [...] a violino e basso*, which has two partbooks, including a nearly unfigured partbook

---

chittarrone o altro istromento da corpo; the second book (*Sartori I*, 1608h) *un chittarrone*; the third (*Sartori II*, 1613k, *I-II*, 1623a) and fourth book (*Sartori I*, 1622b) *un chitarrone, o altro stromento simile*. AGOSTINO AGAZZARI does not mention the chitarrone in his small treatise *Del sonare sopra'l basso con tutti li stromenti e dell'uso loro nel concerto*. Siena, 1607, but he classifies the theorbo both as an instrument of foundation and of ornamentation (p. 3); and in a letter attached to A. BANCHIERI, *Conclusioni nel suono dell'organo*, Bologna, 1609, from where the quotation in the text above is taken, he places theorbo and chitarrone on the same footing. Cfr. the discussion of the function and performance of Rossi's bass-parts in T. BORGIR, *The Performance of the Basso Continuo in Italian Baroque Music*, Ann Arbor, Michigan, U.M.I. Research Press, 1987 (*Studies in Musicology*, 90), pp. 51-54; P. ALLSOP, *The Italian 'Trio' Sonata*, Oxford, Clarendon Press, 1992, pp. 107-11; and D. HARRÁN, *Salamone Rossi. Jewish Musician in Late Renaissance Mantua*, Oxford University Press, 1999, pp. 159-163. Rossi's instrumental music is published in a critical edition, ed. by D. Harrán: S. ROSSI, *Complete Works*, IX-XII, American Institute of Musicology, Neuhausen, Hänssler Verlag, 1995 (*Corpus mensurabilis musicae*, 100).

16 *Il quarto libro de varie sonate [...] per sonar con due violini, & un basso di viola*, Venice, 1626 (*Sartori I-II*, 1626d); *Il quinto libro de varie sonate [...] per sonar con due violini, & un basso di viola*. Venice, 1629 (*Sartori I-II*, 1629a); *Il settimo libro di sonate [...] a tre, due violini, & basso di viola, ò da brazzo*. Venice, 1637 (*Sartori I-II*, 1637d). Five sonatas from *Il quarto libro* are ed. and publ. by P. Allsop as n. 5a in the *New Orpheus Editions. Italian Seventeenth-Century Instrumental Music*, Chapel Downs House, Crediton, Devon (England), 1993.

17 *Sartori I-II*, 1650b.

18 *Sartori I*, 1671e.

19 «One should bear in mind that the *violone* will produce a better effect than the *spinetta*, since the basses are more appropiate to the former than the latter instrument.» The translation is taken from P. ALLSOP, *The Role of the Stringed Bass as a Continuo Instrument in Italian Seventeenth Century Instrumental Music*, «Chelys (Journal of the Viola da Gamba Society) United Kingdom», VIII, 1978-79, pp. 31-37: 37.

20 I-MOe, MUS F 108.

for the violone;[21] the other collection bears the title *Partite sopra diverse sonate*, and it, too, is two-part string music for violin and violone that has no continuo figures at all in the bass-part.[22] Finally, in the many unpublished *libri* by Giuseppe Colombi in the Estense library we find a varied selection of music for one unaccompanied string instrument, and for two and three strings without a thorough-bass. And here we may also note his *libri* 15-20 with pieces for solo violin without accompaniment,[23] his first book with *sonate e toccate a violino e basso* with two partbooks and no figuration,[24] and his book 13 with *Brandi diversi a violino e violone*, which are duos for strings without a *basso continuo*.[25]

However, a performance of Corelli's Op. V for violin and cello with the realization of the figured bass is certainly also a possibility. Recent research has brought to light much evidence that bears witness to the fact that the cello about 1700 was also considered to be a chordal instrument and that the possibilities of chordal playing on the cello are considerable. According to David Watkin: «[t]he possibilities [...] fall into two categories: the lateral description of harmonies by the addition of arpeggios and passing notes or figuration; and the simple addition of chords and double-stopping».[26] In the last decades of the seventeenth century in Italy music for the cello and the technique of playing the instrument were in a state of rapid development. Composers like Giovanni Battista Degli Antonii and Giuseppe Maria Jacchini published unaccompanied pieces for the instrument. In Domenico Gabrielli's and Giuseppe Colombi's manuscript collections in the Estense library we find ricercars, a long toccata, dances and ostinatos for *violone solo*. The cello virtuoso came to the fore. In 1715 J.F.A. von Uffenbach visited Italy and wrote of Jacchini (who in the 1690s published two collections including music for *vio-*

---

[21] I-MOe, MUS F 1250. The bass-part has two pages with thorough-bass figures which may be an indication for the violone to play chords.

[22] I-MOe, MUS E 244.

[23] I-MOe, MUS F 284, 285, 286, G58, 59, 57. Cfr. the work-list of Colombi's instrumental music in J.G. SUESS, *Giuseppe Colombi's Dance Music for the Estense Court of Duke Francesco II of Modena*, in *Marco Uccellini. Atti del Convegno 'Marco Uccellini da Forlimpopoli e la sua musica'*, ed. by M. Caraci Vela and M. Toffetti, Lucca, Libreria Musicale Italiana, 1999 (*Strumenti della ricerca musicale*, 5), pp. 141-162: 143-145. See also J.G. SUESS, *The Instrumental Music Manuscripts of Giuseppe Colombi of Modena: A Preliminary Report on the Non-Dance Music for Solo Violin or Violone*, in *Seicento inesplorato. Atti del II Convegno internazionale sulla musica in area lombardo-padana del secolo XVII*, ed. by A. Colzani, A. Luppi, M. Padoan, Como, A.M.I.S., 1993, pp. 387-409.

[24] I-MOe, MUS E 34.

[25] I-MOe, MUS F 282.

[26] D. WATKIN, *Corelli's op. 5 sonatas: 'Violino e violone o cimbalo'?*, «Early Music», XXIV, 1996, pp. 645-663: 654.

loncello solo)[27] that he was an excellent virtuoso on a simple bass or violoncello and famous in all Italy.[28]

Connected with the question of instruments and musicians necessary for performing Corelli's Op. V arises the problems of genre as regards his eleven sonatas. To which genre do they belong according to their musical structure, brought to life in a well-considered performance? Are they solo sonatas as they are often labeled (as in the first paragraph of Henry Mishkin's article on *The Solo Violin Sonata of the Bologna School*[29] and in Franz Giegling's introduction to the volume with *Die Solosonate* in *Das Musikwerk*-series)?[30] Or are they duo sonatas primarily for violin and violone as Peter Allsop claims in his excellent book on Corelli and his music?[31]

During the first half of the seventeenth century a composer writing instrumental pieces *a una* (*i.e.* compositions for only one melody instrument and a *basso continuo*) faced the problem of working out the relationship between the *continuo* part and the melody voice. To do this he had a number of options. He could give the thorough-bass an independent linear shape in order to create tension through long, stepwise passages:

Ex. 1 – B. MARINI, *Sonata terza variata per il violino solo*, m. 89-95, from *Sonate [...]*, Op. 8 (1629).

He could let the thorough-bass take part in imitative interplay with the melody instrument:

27 Cfr. *Sartori I*, s.a. ant. al 1695 and 1697c.

28 Cfr. E. PREUSSNER, *Die musikalischen Reisen des Herrn von Uffenbach*, Cassel and Basle, Bärenreiter-Verlag, 1949, p. 73; and the preface to G.M. JACCHINI, *Sonate a violino e violoncello e a violoncello solo per camera*, ed. and pref. by M. Vanscheeuwijck, Bologna, Forni, 2001 (*Bibliotheca musica bononiensis*, sezione IV, n. 91).

29 «The Musical Quarterly», XXIX, 1943, p. 92.

30 F. GIEGLING, ed., *Die Solosonate. Mit einer geschichtlichen Einführung*, Cologne, Arno Volk Verlag, 1959 (*Das Musikwerk*, 15), p. 11.

31 P. ALLSOP, *Arcangelo Corelli. 'New Orpheus of Our Time'*, Oxford University Press, 1999, p. 120.

Ex. 2 – I. Vivarino, *Sonata prima*, m. 1-15, from *Il primo libro de motetti* (1620).

Or he could even use the *continuo* part as a more static, harmonic foundation opposed perhaps to an idiomatic development of the melody instrument where for instance quasi-concertante imitations may be present only in the beginnings of the sections:

Ex. 3 – D. Castello, *Sonata prima*, m. 1-13, from *Sonate concertate, libro secondo* (1629).

Possibilities like these were left open for the composers to decide. And it is their individual solutions during those decades that can now be used to point to characteristic structural features in the emergence of the Italian solo sonata.

In 1635 Frescobaldi published a canzona collection that came out in Venice as *Canzoni da sonare a una, due, tre, et quattro con il basso continuo [...] Libro primo.*[32] It includes seven canzonas for one instrument and *basso continuo*: four *per canto solo* and three *per basso solo.*[33] Frescobaldi's collection seems to be a turning point in the history of the solo sonata. With its contrapuntal texture in the sonatas for a soprano instrument and *basso continuo*, the reworking of the *basso per l'organo* towards a harmonically oriented *basso continuo* in the sonatas for a bass instrument and *basso continuo*, and the expressive instrumental *affetti* of the *stile moderno*, Frescobaldi's collection is a summary and an exploration of many of the possibilities of the few-voiced sonata genre up to his time. The collection was perhaps planned as a *secondo libro*, but turned out to be a heavily revised edition of the two issues of his first book of canzonas from 1628, *Il primo libro delle canzoni a una, due, tre, e quattro voci.*[34] Janus-headed it looks both to the past and to the future. As a composer of solo sonatas Frescobaldi studied the few works of his predecessors and then summed up the important features of the genre.

There were only a few composers whose production of solo sonatas come close to Frescobaldi's in quantity: Innocentio Vivarino, Gabriello Puliti, Tomaso Cecchino, Biagio Marini, – and Giovanni Battista Fontana, too, if we include his posthumous collection of *Sonate* from 1641.[35] The organist from Adria, Innocentio Vivarino, published eight solo sonatas in his *Primo libro de motetti* in 1620.[36] These are short pieces that are characterized by a typical use of motivic dialogue between the solo instrument and the *basso continuo* (cf. Ex. 2). This use of motivic interplay gives Vivarino's sonatas a more quasi-polyphonic structure in comparison with the canzonas of Frescobaldi. Frescobaldi did not take this kind of structure and shape as a model, nor did he

---

32 Frescobaldi's dedication is dated 10 January 1635, so that '1634' on the title pages of the collection is most likely *more veneto*, cfr. G. Frescobaldi, *Opere complete*, VIII. *Il primo libro delle canzoni*, I-II, ed. by E. Darbellay, Milan, Suvini Zerboni, 2002 (*Monumenti musicali italiani*, 22), II, p. 10.

33 *Sartori I*, 1634 has an incomplete table of contents.

34 *Sartori I-II*, 1628i (score) and j (partbooks); the 1628-collections is included in the critical edition by E. Darbellay, cfr. note 32.

35 *Sartori I-II*, 1641b.

36 *Sartori I*, 1620j.

adhere to the brilliant and *concertato*-like solo sonatas in the *stile moderno*. This latter style of sonata was cultivated by Marini, Castello and Fontana, and we begin to find traces of it around 1620 in the cornetto player Giovanni Martino Cesare's collection *Musicali melodie*.[37]

Gabriello Puliti's *Fantasie, scherzi, et capricci da sonarsi in forma di canzone, con un violino solo overo cornetto*, Op. XIX, of which only the partbook for violin or cornetto is extant in a reprint from 1624,[38] is the first printed collection known to us that exclusively contains solo music for the violin. Even if Pulitis's violin music seems to be non-idiomatic pieces of modest dimensions that are cast in the traditional repetitive canzona-form, the appearance of his Op. XIX is nevertheless decades ahead of the two prints that are normally considered to be the first extant collections with nothing but soloistic violin music on Italian soil: Marco Uccellini's Op. V from 1649 and Giovanni Antonio Leoni's Op. III from 1652.

The composer who came closest to Frescobaldi in his conception of the relationship between a melody-part and a bass-part was Tomaso Cecchino. He published seven solo sonatas in his *Cinque messe a due voci* in 1628.[39] In some of them we find the abandonment of the duo sonata-structure in favor of a genuine solo sonata-type.[40] This means the use of a texture that – instead of emphasizing virtuoso *concertato*-elements or the static, harmonic function of the *basso continuo* – stresses a well-balanced relationship between the melody-part and the continuo, which in spite of its opening motivic interplay with the melody instrument in most of the sonatas also has a melodic and rhythmic vigour of its own:

Ex. 4 – T. CECCHINO, *Sonata sesta*, m. 1-7, from *Cinque messe*, Op. 23 (1628).

[37] *Sartori I*, 1621b.

[38] Cfr. *Sartori II*, 1624l.

[39] *Sartori I*, 1628e.

[40] The last of the eight sonatas is for two soprano instruments and basso continuo, cfr. *Sartori I*, 1628e.

But not all contemporary composers thought that way. In 1617 Biagio Marini published his Op. I, *Affetti musicali*, containing sinfonias, canzonas, sonatas, *balletti, arie, brandi, gagliarde* and *correnti* for one, two and three instruments.[41] Of the two sinfonias *a uno*, «La Orlandina» has a *basso se piace*. Through this optional melody bass it obtains a duo structure in two of its sections. A comparison with the duo sonata «La Ponte» from the same collection makes the difference between a real melody bass in a two-part sonata and a *basso se piace* quite obvious: the bass-part of the sonata *a due* is fully integrated into a two-part texture. The only genuine solo piece in Marini's *Affetti musicali* is the sinfonia «La Gardana», which has a slow moving continuo-bass below a more brilliant solo part for the violin or cornetto.

The title of Marini's Op. I, *Affetti musicali*, attests to the composer's attempt to give to the few-voiced instrumental music in the *stile moderno* the same emotional expression which characterized vocal monody of the time.[42] Although Marini has no text to cling to and interpret, his use of the instruments in an idiomatic manner with all their technical possibilities enables him to bring the new instrumental medium to an equally high level of emotional expression and to transplant the *affetti* of vocal monody to instrumental music.

In the five solo pieces of his Op. VIII, published in Venice 1629 with the preface dated Neuburg 1626, Marini's occupation with the solo sonata for the violin reached its apex as regards technical virtuosity.[43] Of the five pieces, four are sonatas and one capriccio intended for *violino solo* and their titles bear witness to Marini's inventiveness and technical demands including double- and triple-stopping, *scordatura* and rapid passages in semi- and demisemiquavers: *Sonata d'invenzione*, *Sonata variata, Sonata per sonar con due corde* and *Capriccio per sonare con tre corde a modo di lira*. The *basso continuo* is present in these pieces, but is subordinate to the virtuoso display that may or may not be influenced by Marini's acquaintance with contemporary German violin music.[44]

---

41 *Sartori I-II*, 1617c. A new critical edition is B. MARINI, *Affetti Musicali, Opera Prima*, ed. by F. Piperno, Milano, Suvini Zerboni, 1990 (*Monumenti musicali italiani*, 15).

42 An illuminating discussion of the meaning of *affetti* can be found in F. Piperno's introduction to his edition of Marini's Op. I, pp. XXVI-XXXVIII (cfr. note 41).

43 A recently published critical edition of Op. VIII is B. MARINI, *Sonate, sinfonie [...]. Opera VIII (1629)*, ed. by M. Zoni, Milan, Suvini Zerboni, 2004 (*Monumenti musicali italiani*, 23). Thomas D. Dunn includes the four sonatas for solo violin with a different transcription of the *scordature* in B. MARINI, *String Sonatas from Opus 1 and Opus 8*, transcribed and ed. by Th. D. Dunn, continuo realization by W. Gudger, Madison, WI, A-R Editions, 1981 (*Collegium Musicum: Yale University*, s. II, vol. X).

44 See P. ALLSOP, *Violinistic Virtuosity in the Seventeenth Century: Italian Supremacy or Austro-German Hegemony?*, «Il Saggiatore musicale», II, 1996, pp. 233-258.

Although Marini's sonata production continued beyond the middle of the century with his Op. XXII (1655), no solo sonatas occur in his later collections.

In the preface to his first book of *Sonate concertate in stil moderno*, first published in Venice 1621 and reprinted 1629,[45] Dario Castello had explained what he meant by the designation *in stil moderno*:

> M'è parso, per dar satisfatione à quelli che si deletterano di sonar queste mie sonate, avisarli; che se bene nella prima vista li pareranno difficili; tuttavia non si perdino d'animo nel sonarle più d'una volta: per che faranno prattica in esse, e all'hora esse si renderano facilissime: perche niuna cosa è difficile a quello che si diletta: dechiarandomi non haver potuto componerle più facile per osservar il stil moderno, hora osservato da tutti.[46]

Castello included only two solo sonatas in his pioneering two books with sonatas *in stile moderno*. They are both found in the beginning of book two from 1629 and are printed in score with two staves in the partbook for the *basso continuo*. Apart from introducing the opening motives in some of the sections, the *basso continuo* is a typical harmonic foundation with many sustained whole and half notes below a melody instrument in a virtuoso showpiece. However, the two sonatas pose questions as regards the performance of the *basso continuo*. In both sonatas the bass-line is unfigured as is the bass in the continuo-score to the last sonata (n. 17) for two violins and two cornettos. All of the other sonatas in the continuo partbook have figures for a thorough-bass realization. Is the thorough-bass to be harmonized according to the upper voice in the score, or could it be that the continuo-player in his accompaniment should double the solo instrument?[47]

---

[45] *Sartori I*, 1621n, *I-II*, 1629e. The 1621 edition was regarded as lost during the Second World War, but is extant in the *Biblioteka Jagiellonska*, Cracow, cfr. A. DELL'ANTONIO, *Syntax, Form and Genre in Sonatas and Canzonas 1621-1635*, Lucca, Libreria Musicale Italiana, 1997, p. 24. I quote from the preface to the reader from the second edition of Castello's collection.

[46] «For the benefit of those who will take pleasure in playing my sonatas, it has been my intention to advise them, that even if they may seem difficult at first sight they will nonetheless not lose their spirit if they are played more than once; because by being practised they will turn out to be easy. Nothing is difficult for him who enjoys himself: I declare that I could not have composed them to be more easily played if I should consider the *stil moderno*, which is now taken into consideration by everyone».

[47] The question is discussed in W. APEL, *Italian Violin Music of the Seventeenth Century*, ed. by T. Binkley, Bloomington and Indianapolis, Indiana University Press, 1990, pp. 37-38. Sonata 17 is published in D. CASTELLO, *Selected Sonatas*, I-II, ed. by E. Selfridge-Field, Madison, WI, A-R Editions, 1977 (*Recent Researches in the Music of the Baroque Era*, 23-24), II: pp. 81-102. A modern edition of the two solo sonatas from Castello's second book is D. CASTELLO, *Two Sonatas (Libro Secondo) for Soprano Instruments and Continuo*, ed. by B. Thomas, London, Pro Musica Edition, 1998 (*Chamber Music of the Seventeenth Century*, 17).

When Giovanni Battista Fontana's only book with sonatas for one, two and three instruments came out in Venice 1641, its author had probably been dead for about ten years.[48] Thus this repertory, including six sonatas for solo violin and *basso continuo*, belongs to the first formative decades of sonata production in northern Italy. The six solo sonatas bear some resemblance to the *concertato* style and to the innovations of the *stile moderno* represented by composers like Marini and Castello, but the rhythmic drive and well-balanced structure of the continuo-bass and its interplay with the solo part in many places give these pieces a strong affinity to a duo sonata structure.

The heyday of the solo sonata in the first half of the century occurred in the course of the 1640s. In 1645 Giovanni Antonio Bertoli published nine sonatas for solo bassoon «[...] mà che puonno servire ad altri diversi Stromenti, e delle quali anche le voci possono approfittarsi»,[49] which was printed in score with the *basso continuo* on the lower staff as a slow-moving harmonic foundation.[50] In the same year Gasparo Zannetti published an important tutor for the violin, *Il scolaro*.[51] Marco Uccellini's Op. V, *Sonate overo canzoni*, appeared in 1649 with all but one piece being sonatas for solo violin, and in 1652 Giovanni Antonio Leoni produced a collection made up entirely of solo sonatas, thirty-one in all, entitled *Sonate di violino a voce sola*, Op. III.[52] These are but a few of the most remarkable publications during the hectic years of sonata production.

When Uccellini published his Op. V in 1649, several collections of his instrumental music had already appeared, among them dances for solo violin 1639 and 1642. Uccellini's total output makes him one of the most prolific composers of instrumental music in 17th-century Italy. In 1645 he published his Op. IV, which contained six sonatas for solo violin among other solo pieces, and by this time the solo sonata had gained a considerable length. The many virtuoso sections and the technically demanding violin part make

48 An available modern edition is G.B. FONTANA, *Sonatas for One, Two, and Three Parts with Basso Continuo*, ed. by Th. D. Dunn, Madison, WI, A-R Editions, 2000 (*Recent Researches in the Music of the Baroque Era*, 99).

49 «[...] but which are also suitable for other instruments and even for voices».

50 *Compositioni musicali di Gio: Antonio Bertoli fatte per sonare col fagotto solo [...]*, Venice, 1645; *Sartori I*, 1645c.

51 *Sartori I*, 1645e. Cfr. D.D. BOYDEN, *The History of Violin Playing from its Origins to 1761 and its Relationship to the Violin and Violin Music*, Oxford, Oxford University Press, 1965, p. 154 *passim*.

52 *Sartori I-II*, 1652b. The article by E. MCCRICKARD, *The Roman repertory for violin before the time of Corelli*, «Early Music», XVIII, 1990, pp. 563-573, clarifies the wrong numbering of the sonatas in the print and includes a transcription of the first sonata.

Uccellini's Op. V real solo sonatas and the violinist the protagonist compared to the continuo player; but a genuine duo structure in some of the sections in these sonatas with the violin and the *basso continuo* sharing the motivic material on an almost equal footing counterbalances the virtuosity and assimilates traits from both Castello and Fontana:[53]

Ex. 5 – M. UCCELLINI, *Sonata seconda*, m. 121-126, from *Sonate overo canzoni*, Op. 5 (1649).

Little is known about Giovanni Antonio Leoni who worked and published his instrumental collection in Rome. Perhaps his and Frescobaldi's common Roman background explains why his sonatas seem to be connected to the canzonas of Frescobaldi. It appears as though the Roman composers of instrumental music shared some remarkably conservative features. Even if we find both modern ornamentation and *affetti* in a sonata by Leoni, his compositional style contrasts strongly with those of Marini, Castello, Fontana and Uccellini.

Compared to the steadily increasing publications with instrumental music from the second half of the century in Italy, the number of collections exclusively dedicated to the solo sonata as this scoring was understood in the first half of the century may seem scanty. In table 1 are listed the titles of printed collections between 1649 and 1699 by Italian composers as far as we know of them. All are scored for violin and *basso continuo*. Some were issued in partbooks – these are Uccellini's Op. V, Leoni's Op. III, Degli Antonii's Op. IV, Viviani's Op. IV and Veracini's Op. II – and others were printed in *partitura*:

[53] Cfr. M. UCCELLINI, *Sonate over canzoni da farsi à violino solo, e basso continuo. Opera quinta*, ed. by P. Wilk (ID., Opera omnia, *edizione critica*, 4), Lucca, LIM Editrice, 2002; and the article by P. WILK, *Le 'Sonate over Canzoni' (1649) di Marco Uccellini: La prima raccolta di sonate a violino solo*, in *Marco Uccellini. Atti del convegno 'Marco Uccellini da Forlimpopoli e la sua musica'*, ed. by M. Caraci Vela and M. Toffetti, Lucca, Libreria Musicale Italiana, 1999, pp. 51-72.

TABLE 1 – *Collections entirely with solo sonatas by Italian composers 1649-1699*

Marco Uccellini	*Sonate over canzoni da farsi à violino solo, e basso continuo. Opera quinta.* Venice 1649 (2 vols.: *Canto, Partitura*)
Giovanni Antonio Leoni	*Sonate di violino a voce sola. Libro primo, opera terza.* Rome 1652 (2 vols.: *Violino, Partitura*)
Giovanni Antonio Pandolfi Mealli	*Sonate à violino solo, per chiesa e camera. Opera terza.* Innsbruck 1660 (1 vol. [*Partitura*])
Giovanni Antonio Pandolfi Mealli	*Sonate à violino solo, per chiesa e camera. Opera quarta.* Innsbruck 1660 (1 vol. [*Partitura*])
Angelo Berardi	*Sinfonie a violino solo. Libro primo, opera settima.* Bologna 1670 (1 vol.: *Partitura*)
Pietro Degli Antonii	*Sonate a violino solo con il basso continuo per l'organo. Opera quarta.* Bologna 1676 (2 vols. [*Violino*],[*Organo*])
Giovanni Bonaventura Viviani	*Sinfonie [...] per violino solo. Opera quarta.* Rome 1678 (2 vols: *Violino solo, Organo ò gravicembalo*)[54]
Pietro Degli Antonii	*Suonate a violino solo col basso continuo per l'organo. Opera quinta.* Bologna 1686 (1 vol. [*Partitura*])
Antonio Veracini	*Sonate da camera a violino solo. Opera seconda.* Modena [*ca.* 1695] (2 vols.: *Violino solo, Cimbalo ò violone*)

Perhaps more interesting, however, are collections with an instrumentation that is similar to or identical with Corelli's Op. V with the option of a bowed or a keyboard instrument for the bass-part. Among these are: G.M. Bononcini's Op. II (1667),[55] *Sonate da camera, e da ballo* with *spinetta ò violone*; Pietro Degli Antonii's Op. I (1670)[56] *a violino e violone ò spinetta*; G.M. Bononcini's Op. IV (1671)[57] *a violino e violone, over spinetta*, all with one partbook for *violone* or *spinetta*; and Giovanni Battista Degli Antonii's Op. III (1677)[58] *à violino e clavicembalo ò violoncello*, printed in *partitura.*

The appearance from the late 1650s and onward of the increasing number of collections with the option of «violone o spinetta» and the like for the bass-part seems to signify a shift in the function of the thorough-bass. It seems to be a shift from a primarily harmonic and rhythmic accompaniment to a bass-part with a more pronounced double function, fluctuating between its original rôle as a harmonic and rhythmic foundation and its participation and in-

[54] Another edition of Op. IV was published in the same year in Venice as *Capricci armonici, da chiesa, e da camera*, cfr. *Sartori II*, 1678f and *I*, 1678c.

[55] *Sartori I*, 1667d.

[56] *Sartori I*, 1670b.

[57] *Sartori I*, 1671e.

[58] *Sartori I*, 1677a.

tegration in the motivic and contrapuntal interplay in a two-voiced texture. This fluctuation or double function often takes place within the very same section or movement, so we are left to wonder when we have a solo sonata and when a duo sonata.

Peter Allsop is certainly correct, when he «observes the not insignificant fact that [Corelli's Op. V] are duo sonatas for violin and violone»;[59] but what then are Legrenzi's sonatas *a due* for violin and *viola da brazzo* (*i.e.* violoncello) from his Op. X, *La Cetra*, in which a *basso continuo* is added together with the violin and the cello in many places to make up a three-part texture?[60] Are both Corelli's and Legrenzi's sonatas to be considered as duo sonatas? Are we to classify sonatas with one or two bass-parts, one of them being a *basso continuo*, according to the linear (i.e. melodic/contrapuntal/soloistic) function of the parts involved (as did most *Seicento* composers), or shall we simply let the number of parts decide whether we have a duo or a trio sonata? Let us take an example from a collection for one melody instrument and thorough bass with no *ad libitum* possibility: the beginning of the *Sonata prima* from Pietro Degli (1676), vedi es. a p. 228.[61]

This piece exemplifies the rôle of the bass-part in a two-voiced texture scored for solo violin and thorough-bass (in Degli Antonii's case an organ). We find a slow introduction with the violin as the dominating part above a slow-moving bass. Two bars before the *Aria posata* and the change of time signature, the semiquavers in the bass create both a conclusion and a bridge passage to the next section, in which violin and organ, now on equal footing, share in an almost canonic beginning of the aria.[62] This testifies to the fact that in collections with sonatas for a solo instrument and *basso continuo* from the second half of the century one seldom finds such an 'old-fashioned' difference between the upper part and the bass as is the case in Leoni's sonatas, Op. III.

---

[59] P. ALLSOP, *Arcangelo Corelli. 'New Orpheus of Our Time'*, p. 120.

[60] See *The Instrumental Music of Giovanni Legrenzi: La Cetra. Sonate a due, tre e quattro stromenti. Libro quattro, opus 10, 1673*, ed. by S. Bonta, Cambridbge, MA, Harvard University Press, 1992 (*Harvard Publications in Music*, 17), pp. 16-31.

[61] *Sartori I*, 1676c with an incomplete title page.

[62] Another way of creating an introduction where it unfolds as a *perfidia* over pedal points in the bass can be seen in the beginning of the first sonata of Corelli's Op. V and in some of the sonatas from Bartolomeo Laurenti's *Suonate per camera à violino, e violoncello [...]*, Op. I (1691) (see sonata n. 7, edited by P. Allsop in B. LAURENTI, *Suonate per Camera Nos. 7-12*, Chapel Downs House, Crediton, Devon (England), 1993 (*New Orpheus Editions. Italian Seventeenth-Century Instrumental Music*, 8b), pp. 1-2. See also Lonati's lost 1701-edition, ed. by F. Giegling from a handwritten copy as C.A. LONATI, *Die Violinsonaten, Mailand 1701*, Winterthur, Amadeus, 1981 (*Prattica musicale*, 3).

Ex. 6 – P. DEGLI ANTONII, *Sonata prima*, m. 1-26, from *Sonate a violino solo con il basso continuo per l'organo*, Op. 4 (1676).

The title of this paper is meant to convey more than a superficial allusion to titles such as David Boyden's *When Is a Concerto not a Concerto*[63] or Neal Zaslaw's *When Is an Orchestra not an Orchestra*.[64] Questions like these reflect

63 «The Musical Quarterly», XLII, 1957, pp. 220-232.

64 «Early Music», XVI, 1988, pp. 483-495.

some of the fundamental problems music historians have to face when they are dealing with ambiguous concepts and terminologies such as 'genre' and 'scoring' in order to establish a unity out of diversity. A 'genre' may be understood as a repertory of music with certain characteristics of style, scoring, social function, etc. that separate it from other repertories. It cannot be given a definition once and for all. Often we run the risk of defining instead of describing and interpreting such a repertory, which is part of a historical process where birth, change, decline and fall take place. If we broaden our view in order to look for the 'idea of a genre', as William S. Newman did in his monumental work on the history of the sonata idea (which he based on the coining of a term), not much is left to unite such a repertory through the ages, and much relevant material is left out because of the terminological bias.

For those who in recent times have dedicated some of their research to Italian instrumental music of the seventeenth century, there has been a great satisfaction to realize a certain order and consistency in this repertory as regards contemporary terminology and genre – a consistency which earlier historians seemed to have failed to notice. But this consistency, which is to be found in the contemporary musical sources, must not be extended beyond the historical facts, and it is my present view that this consistency seems to fall apart when we examine the Italian solo sonata in the second half of the *Seicento* within the repertoires of few-voiced instrumental music. The term 'solo sonata' is a later term not to be found in any musical sources of the period known to me. Designations like *a voce sola* or *solo* attached to an instrument in titles, tables of contents, partbooks and *partituras* were used. However, in Corelli's Op. V we find no such designations; we are only told that these are sonatas for two instruments in a two-voiced texture where harmonies can be supplied according to the figures of the bass-part. Are we mislead by the consistency we find in designations such as *a 1*, *a 2*, *a 3* in the repertory from the first half of the century to think that the same consistency exists in the following decades, too? Given that we do not find any unaccompanied sonatas for one instrument in the printed collections from the second half of the century, should we then limit the use of the term 'solo sonata' to pieces in which the composer has designated one of the instruments *solo*, *a voce sola*, etc.? Or should we talk of 'accompanied solo sonatas', where there is *one* melody instrument and an accompanying instrument designated *basso continuo*, *basso continuo per l'organo* etc.? And if the bass-line of such a continuo-instrument in a sonata is contrapuntally integrated into a two-voiced texture, how do we distinguish such a sonata from those for two instruments with options of the bass-part like Corelli's Op. V? Are the latter duo sonatas and the former solo sonatas? And what can analysis contribute? What is 'more integrated' and 'less integrated', and when is the bass-part reduced to a mere accompaniment?

Perhaps we have better give up rigid genre terms like 'solo sonata' and 'duo sonata' when we are dealing with this few-voiced repertory in this specific period of Italian instrumental music, that is, the last decades of the seventeenth century. Peter Allsop, an expert of Italian instrumental music of the seventeenth century, felt himself forced to put both 'trio'sonata and 'solo'sonata in inverted commas in his books on the Italian trio sonata and on Corelli, but how long can we do with genre terms in inverted commas? Perhaps we sometimes have to abandon the concept of unity in favour of the acceptance of diversity.

DISCUSSIONE

ALLSOP: I believe firmly that we do have distinct genres, and that's why I believe that the very concept of the duo sonata for two treble instruments and continuo is quite different from that of two treble instruments, melodic bass instrument and continuo. It was treated so. And furthermore, I believe that this sort of difference is even more pronounced in the relationship between the solo sonata and the duo sonata for violin and melodic bass. I think that composers saw them as totally different genres and that is what Corelli meant when he wrote to Laderchi who had asked him for a sonata for violin and lute. Corelli wrote back saying that he had never done anything like that before because all of the sonatas that he had written were for the violin alone, but that he would set about composing for violin and lute in which the two parts would be equal. And when he eventually sent that, he said, "the lute part will just go with the violone". I believe that was the origin of the duo sonata of Opus V. I believe that the whole history of the solo sonata is virtually unknown to us for the simple reason that it was impossible to publish it using movable type, as the Italians did. That is the whole point. In Buonamente's letters he says quite clearly that he is writing solo sonatas, but none have survived because he simply couldn't publish them. We therefore have two histories: a history of the violin sonata as published and something else that we are never going to know because it was never published.

JENSEN: One thing struck me in your book that may be in accordance with your view upon Op. V as duo sonatas: You said in your book that they are primarily for violin and violone (or violoncello). You mean, then, that he intended them secondarily for violin and harpsichord. Why do you have that priority for two seemingly equal options?

ALLSOP: Yes, I do think Corelli's first option is for violin and violone. I have to tell you on a recent recording of Op. V I was consulted about that, and I said that I thought the unaccompanied performance was probably the most usual one. Then, on this particular performance, the cellist decided that he was going to realize the continuo. But when you look at the sonatas that don't give the option for keyboard performance, like the Laurenti's Op. 1 (1691), they don't have figures. You only put the figures if you want to sell it to both markets. Corelli, of course, had ties to Laurenti. I think that violin and violone was really the first option.

LINDGREN: Did you say that the violone is a double bass?

JENSEN: No, I didn't say that it was a double bass. I agree with the view of Stephen Bonta that at the time of Corelli it was more like a violoncello.

Peter Walls

CONSTRUCTING THE ARCHANGEL: CORELLI IN 18th-CENTURY EDITIONS OF OPUS V

Corelli's Op. V violin sonatas have probably never been out of print. They went through an exceptional number of editions in the 18th century. For the past few decades, however, it has been the 1710 Estienne Roger print that has dominated musicians' imaginations.[1] This, as the pirated Walsh version of the following year put it, «has ye advantage of haveing ye Graces to all ye Adagio's and other places where the Author thought proper».[2] Peter Allsop observes that «in present-day performances the Roger and Walsh editions have almost usurped Corelli's own 'urtext' version as published by Pietra Santa».[3]

Right from its first appearance, however, the 'Roger' graces provoked scepticism. The note in Roger's 1716 *Catalogue* inviting the curious to inspect the relevant correspondence proves that.[4] The most vehement expression of

---

I am grateful to the Musikwissenschaftliches Seminar der Rupert-Karls-Universität in Heidelberg for permission to reproduce illus. 1, to the British Library for fig. 2 and 4, and to the National Portrait Gallery for fig. 3. In the following notes, editions of Corelli Op. V are identified by their numbers in *Répertoire international des sources musicales: Einzeldrucke vor 1800* vol. II, Kassel, Bärenreiter, 1972; and in H.J. Marx, *Die Überlieferung der Werke Arcangelo Corellis: Catalogue raisonné*, Cologne, Arno Volk Verlag, 1980.

[1] A. Corelli, *Sonate a violino [...] troisième edition ou l'on a joint les agréemens des adagio de cet ouvrage, composez par Mr. A. Corelli, comme il les joue*, Amsterdam, Estienne Roger, [1710], [*RISM* C3812; *Catalogue Raisoné* 11].

[2] Id., *XII Sonata's or solo's for a violin, a bass violin or harpsicord compos'd by Arcangelo Corelli, his fifth opera*, London, John Walsh & John Hare, [1711], [*RISM* C3816; *Catalogue Raisoné* 14], title page.

[3] P. Allsop, *Arcangelo Corelli: New Orpheus of Our Times*, Oxford, Oxford University Press, 1999, p. 135. The first edition of Op. V referred to here is *Sonate a violino e violone o cimbalo*, Rome, Gasparo Pietra Santa, 1700.

[4] «Those who are curious to see M. Corelli's original together with his letters written on this subject may view them at the Roger establishment». The full entry in the Roger catalogue reads as follows: «40. Corelli Opera Quinta, nouvelle édition gravée du même Format que les quatre premiers ouvrages de Corelli, avec les agréments marquez pour les Adagio, comme Mr. Corelli veut

disbelief came from Roger North: «vpon the bare view of the print any one would wonder how so much vermin could creep into the works of such a master. [...] Judicious architects abominate any thing of imbroidery upon a structure that is to appear great, and trifling about an harmonious composition is no less absurd».[5]

Like most, I have long been fascinated by the Roger graces as a model for embellishing Italianate Adagio movements in general and Corelli in particular. In this essay I have tried to develop a stronger sense of how large (or otherwise) the graced editions loomed in 18th-century musicians' imaginations in the hope that this would help explain the contemporary resistance to accepting their authenticity or value – a resistance that is so at odds with our own age's apparent enthusiasm. I should stress that this is about trying to understand 18th-century attitudes to Corelli. It will not, unfortunately, bring us any nearer to verifying Roger's claims in respect of the Adagios to have known «how he plays them» («comme il les joue») or how he wanted us to play them («comme Mr Corelli veut qu'on les joue»).

* * *

The image of Corelli spontaneously elaborating his slow movements goes hand in hand with that of the artist transported into another world evoked by François Raguenet (and explicitly identified with Corelli by Raguenet's English translator):

> [...] the Imagination, the Senses, the Soul, and the Body it self are all betray'd into a general Transport. [...] The Artist himself, whilst he is performing it, is seiz'd with an unavoidable Agony, he tortures his Violin, he racks his Body; he is no longer Master of himself, but is agitated like one possest with an irresistable Motion.[6]

Neal Zaslaw reminds us that this is, in fact, a *topos* applied to one musician after another through history and that there is «another *topos* that could be documented: Arcangelo Corelli as archangel».[7] In other words, opposed to the image of the possessed spirit is that of the dignified classicist who understands form, harmony, counterpoint, and beauty.

---

qu'on les joue & ceux qui seront curieux de voir l'original de Mr. Corelli avec ses lettres écrittes à ce suject, les peuvent voir chez Estienne Roger». H.J. MARX, *Catalogue raisonné*, p. 176.

5 *Roger North on Music*, ed. by J. Wilson, London, Novello, 1959, p. 161.

6 Quoted by N. ZASLAW, *Ornaments for Corelli's Violin Sonatas, op. 5*, «Early Music», XXIV, 1996, p. 109. Raguenet is not talking here about Adagios, of course, but he goes on (less quotably, alas) to talk about the Italians' treatment of calmer passages still very much in terms of both artist and audience being transported out of their mundane surroundings. See below pp. 251 and 476.

7 *Ibid.*, p. 112.

Perhaps in keeping with the progressive rationality of the age, this second *topos* seems to have spawned a more down-to-earth third category: Corelli as the teacher who provides a foundation for well-grounded violin technique and compositional order. On the first day of the new century[8] Corelli already enjoyed sufficient eminence internationally to support any (or all three) of these images. Privileging one over the other has implications for the way in which we expect to hear or to perform Corelli's music.

As a way of contextualising this issue of the aural consequences of competing images, I would like, briefly, to make an observation about one of the foremost Corelli performers of our own time. Andrew Manze (whose fine recording of Corelli Op. V features his own embellishments) is repeatedly likened in the media to a 'gypsy' – a tribute to the fervid imagination that he exhibits in performance. A London *Times* article previewing his 2003 Proms performance of big-band Corelli Op. VI read:

> Given Manze's reputation as a maverick dancing gypsy of a violinist – not for nothing has he been called the Grappelli of the Baroque – feathers will fly as well. He's notorious for sudden improvisation: how much does he really leave to the spur of the live moment?
>
> «As much as I possibly can. I prepare possibilities. I make myself a map, if you like, and choose the route at the very moment of performance, in response to that moment, that audience. [...] It takes courage to add in melodies and ideas spontaneously. And you have to lead by example. But I try to immerse myself in the music so much that I'm almost convincing myself I *am* Corelli. Then I go by instinct, which is, after all, our main performance source».[9]

Manze's improvisation is genuinely impressive. For the moment, however, I am not concerned with his abilities so much as with the way the gypsy image seems to fit our present-day fascination with Italianate Baroque ornaments. It obviously conforms to some preconceived notion of the nature of inspiration and it comes very close to the Raguenet/Galliard picture of Corelli as a man possessed. The gypsy fiddler and the demonically inspired artist (the violinists of «The Devil's Trill» and *The Soldier's Tale*) are first cousins in an iconographic tradition.

Here, for example, is what Franz Liszt (or his ghost writer) had to say in *The Gipsy in Music*:

> When once he rests his violin upon his chest as if he would outpour into it his heart's feeling and make it the echo of its beatings, he concerns himself so little with

[8] The dedicatory letter to Sofia Carlotta, Electress of Brandenburg in the first edition of Op. V is dated «il primo Gennaro 1700».

[9] *Captain of Corelli*, «The Times» (Proms supplement), 16 July 2003, T2.

the outer world that he finishes by being quite unaware of any audience. We sometimes, for instance, meet players who go on for a long time in a sort of concentrated fury whilst their features remain impassive. But by and by swollen tears will escape from their eyes [...] and it is with difficulty that he is returned to reality.[10]

It is good to know that the image of the violinist as wild man is alive and well with Andrew Manze. In real life, of course, Manze is a Cambridge educated, quietly spoken, and intellectually articulate musician (a good candidate, were we not living in such a secular age, for promotion to the choirs of angels and archangels).

Would Roger North have been any happier with Manze's graces than he was with Roger's? Or was his disquiet prompted by a totally contrasting view of Corelli – not as a person possessed but as a disciplined, well-mannered classicist? Remember that he writes «Judicious architects abominate *any thing* of imbroidery upon a structure that is to appear great».

* * *

The Rome edition of the *Sonate a violino e violone o cimbalo* was immediately considered a prestige publication. Volumes of sonatas by other composers asserted an affinity with Corelli Op. V by imitating physical features of the Rome edition. The most beautiful and striking example of this was Michele Mascitti's Op. I *Sonate a violino solo col violone ò cemballo* (Paris, 1704). This has an elaborate engraved frontispiece that derives from Corelli's. Mascitti was clearly trying to assert his patrimony as a reliable exponent of the Corelli style.[11]

But the first actual French edition of Op. V, that published by Charlotte Massard de la Tour in 1708,[12] also closely imitates the (oblong quarto) format and engraving style of its exemplar. The most obvious instance of the Massard edition striving for a complete identification with the Rome first edition is the title page, which is closely modelled on the subsidiary title page that precedes the Parte Seconda (see Fig. 1).[13]

---

[10] F. LISZT, *The Gipsy in Music*, Engl. trans. E. Evans, 2 vols., London, W. Reeves, 1926, II, chapter 31. I have substituted «impassive» for Evans's «impassable», which I presume is a mistake. I am grateful to Roger Savage for drawing my attention to this passage.

[11] I compare the two frontispieces in *'Sonade, que me veux tu?': reconstructing French identity in the wake of Corelli's op. 5*, «Early Music», XXXII, 2004, pp. 27-29; the two frontispieces are reproduced as illus. 1 and 2.

[12] *Opera quinta da Arcangelo Corelli*, Paris, Charlotte Massard de la Tour, 1708, [RISM C3810]. Compare with the secondary title page to the *Seconda parte* in the 1700 Santa edition of Op. V (reproduced as plate 4 in P. ALLSOP, *Arcangelo Corelli*. The Massard edition has a privilege dated 24 December 1707. The Foucault edition (See *Catalogue raisonné* 18, RISM C 3821) has exactly the same pagination. It has a privilege dated 4 March 1719.

[13] Charlotte Massard even uses more Italian than the original, replacing the «Sonata I» (etc.)

AUS DER
HEDWIG MARX-KIRSCH-STIFTUNG

OPERA QUINTA
DA ARCANGELO CORELLI
DA FUSIGNANO
PARTE Iª

Fig. 1 – Title page to *Opera quinta da Arcangelo Corelli* (Paris, Charlotte Massard de la Tour, 1708).

Something similar – though less elegant – was going on in England. The first John Walsh edition, which was advertised for sale in August 1700, copies both the principal and secondary title pages and the dedicatory letter from the original edition. Walsh's principal «Parte Prima» title page is a messy imitation of Pietra Santa's careful engraving with a tell-tale English 'h' in the given names of both Corelli and his dedicatee (Fig. 2).[14] When Walsh reissued this edition in 1701, he added the Meloni frontispiece copied (very exactly) by P.P. Bouche. This plate was then adapted as the title page to William Topham's *Six Sonatas or Solos, for the Flute* (1701).[15] As with the Massard edi-

titles with «Sonata Prima» (etc. including the quaintly-spelled «Sonata Secunda», «[...] Diecima» and «[...] Undiecima». Massard also spells «Folia» thus. (The original has «Follia».)

[14] The title page to the 1700 Santa edition is reproduced in H.J. MARX, *Catalogue raisonné*, p. 171.

[15] (RISM C 3804). See W.C. SMITH, *A Bibliography of the Musical Works Published by John Walsh During the Years 1695-1720*, London, The Bibliographical Society, 1948, pp. 13 (n. 31)

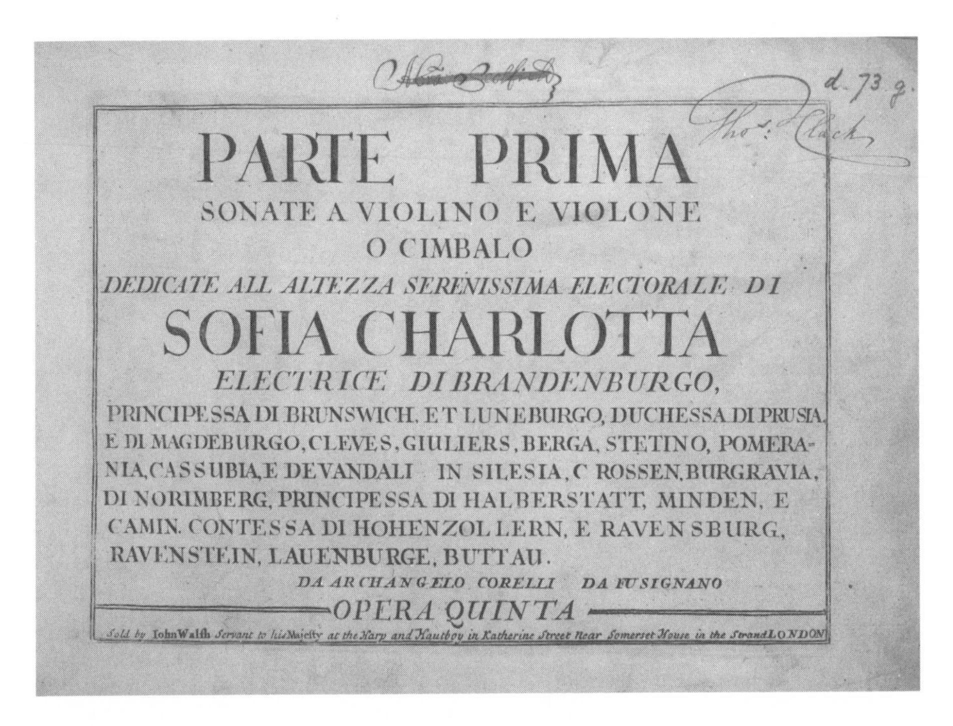
PARTE PRIMA
SONATE A VIOLINO E VIOLONE
O CIMBALO
DEDICATE ALL ALTEZZA SERENISSIMA ELECTORALE DI
SOFIA CHARLOTTA
ELECTRICE DI BRANDENBURGO,
PRINCIPESSA DI BRUNSWICH, ET LUNEBURGO, DUCHESSA DI PRUSIA, E DI MAGDEBURGO, CLEVES, GIULIERS, BERGA, STETINO, POMERANIA, CASSUBIA, E DEVANDALI IN SILESIA, C ROSSEN, BURGRAVIA, DI NORIMBERG, PRINCIPESSA DI HALBERSTATT, MINDEN, E CAMIN. CONTESSA DI HOHENZOLLERN, E RAVENSBURG, RAVENSTEIN, LAUENBURGE, BUTTAU.
DA ARCHANGELO CORELLI DA FUSIGNANO
OPERA QUINTA
Sold by John Walsh Servant to his Majesty at the Harp and Hautboy in Katherine Street near Somerset House in the Strand LONDON

Fig. 2 – Title page to *Sonate a violino e violone o cimbalo da Archangelo Corelli* (London, John Walsh, [1700]).

tion, Walsh's publication communicates something of the prestige of the first edition of these long-awaited Corelli sonatas.

Estienne Roger's first edition (advertised about the same time as the Walsh) shares the oblong quarto format and the exact pagination. The sense of prestige this time is communicated most strongly in the dedication to «Monsieur Jacob Klein, Famous Dancing Master of Amsterdam». («[...] In fact, Sir, I believed that the work of someone so distinguished in music as M. Corelli would be very suitable for someone as distinguished in dancing as you are»).[16]

and 21 (n. 60), and Plate 6. I am grateful to Dr Richard Hardie for drawing my attention to Walsh's use of the Bouche engraving.

[16] «Monsieur: Ayant toujours cherché l'occasion de pouvoir vous marquer l'estime que j'ay pour vostre personne, le cinquiéme ouvrage de Monsieur Corelli qui vient de paroistre m'incite à vous la tesmoigner publiquement. En effet Monsieur j'ay creu qu'un ouvrage d'un homme aussi distingué dans la Musique que l'est Monsieur Corelli, pouvoit trés bien convenir à un homme aussi distingué dans la Danse que vous l'estes [...]».

Roger's «second edition» followed in 1708. The «third» edition – the one with the *agréments* for the adagio movements – followed hard on the heels of Pierre Mortier's «new» edition that he claimed to have been «put in better order and corrected of a large number of mistakes».[17]

Roger was clearly on to a good thing. The graced «third edition» of Op. V was quickly pirated by John Walsh (as already noted) and by Mortier (who had the audacity to call his the «4th edition [...] [which is] more correct than its predecessors»).[18]

Roger's (graced) edition was reissued by his son-in-law (with a Roger & Le Cène imprint) about 1723. But that is the last we see of the «*agréments* [...] composed by Mr. A. Corelli as he plays them».[19]

* * *

Roger kept the unornamented Op. V in print. His 1712 *Catalogue* advertised an edition that was «quite newly corrected with ultimate exactness without having left in any mistakes in the figuring of the bass line, engraved in score *but without the embellishments*».[20] This edition reappeared with the Roger & Le Cène imprint *c*1723 (and was advertised in exactly the same terms in Le Cène's 1737 *Catalogue*).[21] These two catalogues (1712 and 1737) offered customers the choice between two different editions of Op. V – one «sans» the other «avec les agrémens».[22]

A new English strand of Op. V editions seems to have begun about the same time as, or very shortly after, the Roger/Walsh decorated versions. These are publications with an engraved portrait of Corelli as a frontispiece. This story, however, does not start with Op. V. The John Walsh and John Hare

[17] To my knowledge this is the first edition to number the variations in the Follia.

[18] See *Catalogue raisonné* 12 (RISM C 3815). «Quatriéme Edition [...] Cette Edition est plus Correcte que les précédentes». It was on this edition that Chrysander based his Joachim and Chrysander 'urtext' edition of 1890.

[19] *c*1716 Roger published an edition of the *Sonate a violino e violone o cimbalo* in parts «ou l'on a grave la Basse & le Dessus chacun à Part pour la Commodité de ceux qui jouent de la Viole de Gambe ou de la Basse». Rudolph Rasch pointed out to me that this edition was produced as a companion to Roger's editions in parts of Opp. I-IV (possibly to facilitate purchasers binding all the first violin and violone parts together). In Chapter 4 («What's the Score?») of *History, Imagination and the Performance of Music*, Woodbridge, Boydell, 2003, I consider the relationship between publication format and actual use in performance in this repertory.

[20] My italics. This was probably the same as the Roger edition of 1708. See *Catalogue raisonné* 9 (RISM C 3808), described in the Roger *Catalogue* of 1712 as «Corelli opera Quinta, édition corrigée tout nouvellement avec la derniere exactitude sans même y avoir laissé aucunes fautes de chiffres dans la Basse continue, gravée en partition mais sans les agrémens».

[21] See *Catalogue raisonné* 23 (RISM C 3809).

[22] Compare the entries 22 and 23 in the *Catalogue raisonné*.

edition of the Op. I *Sonate a tre* included (as the advertisement in the *Post Man* put it) «[...] the Author's Effigies from a copper plate».[23] At the foot of this engraving the information is given that «H. Howard pinx. W. Sherwin sculp».[24] In other words, the engraver William Sherwin has worked from the painting of Corelli by Hugh Howard, an Irish portrait painter who had gone with the Duke of Pembroke to Italy in 1696. There, according to Sir John Hawkins, he was commissioned by Lord Edgcumbe (who was studying with Corelli) to paint a portrait of his illustrious teacher. Since Howard returned to England in 1700, he must have completed his original portrait somewhere between 1697 and 1699, though he went on to paint two other versions of the picture (one of them, at least, after he had left Italy).[25] Of these three versions, two depict Corelli from the waist up and holding a music manuscript, and this image was beautifully copied in a mezzotint by John Smith (Fig. 3) that bears the inscription "H. Howard ad vivum pinxit..." ("Hugh Howard painted from life"). Smith's mezzotint was in turn copied by William Sherwin and then by various other engravers.[26] As Marx points out, the music in Corelli's hand transforms a portrait pure and simple into a genre piece: Corelli as musician, like Haussman's portrait of Bach or Hudson's of Handel.[27]

We might note here – as others have observed before – that the Howard portrait depicts a sophisticated 18th-century gentleman of noble bearing and a rather serene (I hesitate to say angelic) expression. The versions that have music in the hand of the composer, reinforce the sense that this is a representation of a learned musician, while a Latin epigraph at the foot of the Smith mezzotint (and repeated by William Sherwin) feeds in another persistent to-

---

23 *Catalogue raisonné*, p. 61.

24 This engraving is reproduced as Plate 2 in P. ALLSOP, *Arcangelo Corelli.*

25 The National Portrait Gallery in London gives the following information about Howard's portraits of Corelli: "Half length portrait by Hugh Howard in the collection of the National Gallery of Ireland, Dublin (acc. no.773), probably a copy of the portrait by Carlo Maratta formerly in the collection of the Earl of Mount Edgcumbe. Other versions in collections of the Royal College of Music, London, the Royal Society of Musicians, London, and the Faculty of Music, Oxford". See http://www.npg.org.uk/live/mellonsmith3.asp. The Oxford Music Faculty version of the Howard portrait (the only version that is widely known within the musicological community) is reproduced as the frontispiece to the *Catalogue raisonné*. Since completing the present essay, I have written an article (to be published in *Early Music* XXXV, n. 3, November, 2007) examining the relationship between the three Howard portraits and, in particular, pointing out the musical significance of the National Gallery of Ireland version.

26 The Oxford Music Faculty version is a chest-up portrait and lacks the music manuscript. The National Portrait Gallery in London lists locations of the John Smith mezzotint on its website (see note 25 above).

27 The E.G. Haussman and Thomas Hudson examples are given by Marx (*Catalogue raisonné*, p. 61), but the genre was well established by Corelli's time and numerous earlier instances could be cited. The self portrait of Nicholas Lanier – also in the Oxford Music Faculty – is just one of many.

Fig. 3 – Arcangelo Corelli: mezzotint by John Smith after Hugh Howard.

pos – that of Corelli as Orpheus incarnate in modern times (a conceit that seems to have begun with Angelo Berardi in 1689):

> We believe now that Orpheus has departed the abode of the Underworld and dwells on Earth in this shape and form: the divine Orpheus himself is open to view, so long as under his worthy authority a Briton skilfully composes modes or strikes the strings, and allows him every praise and his well-deserved honours.[28]

Orpheus, as a classical deity, is a kind of first cousin to the archangel that Corelli was inevitably compared to (thanks to his parents' preference in Christian names). Both conceits imply an apotheosis (an idea that was further developed by François Couperin in *Le Parnasse, ou l'apothéose de Corelli* (Paris, 1724)).

None of this sits very easily with the distorted countenance and rolling eyeballs that Raguenet and his translator claimed to have encountered.

* * *

This portrait – complete with music manuscript – enters the Op. V publishing history with Richard Meares' 1712 edition.[29] This volume features a differently engraved copy of the Corelli-as-musician portrait that this time is credited to T. Cole. (A miniature and unintentionally comic version of this engraving appears in a lozenge at the top of the edition's title page.)

The Meares edition had considerable currency. It was reissued by Benjamin Cooke in *c*1735, John Johnson *c*1754, and Preston & Son towards the end of the 18th century. All of these publications use the same plates. They even retain the tell-tale misspellings on the title page («Violono» and «Corelle») and all conclude with an acknowledgement that «the Whole [was] Engraven by T: Cross» (Fig. 4).

In 1740 Walsh brought out an edition of Corelli's *XII Solos for a violin.*[30] This edition also carries a copy of the Howard portrait (plus music), this time engraved by a Mr van de Gucht (presumably Gerard Vandergucht) – a plate that first appeared in Walsh's *Score of the Four Operas, Containing 48 Sonatas Compos'd by Arcangelo Corelli.*[31] Van de Gucht's Corelli looks to the right

---

[28] "Liquisse Infernas, iam Credimus Orphea Sedes | Et terras habitare, huius sub imagine formae. | Divinus patet Ipse Orpheus, dum numine digna | Arte modos fingit, vel chordas mulcet utramque | Agnoscit Laudem meritosque Btirannus honores". Translation by Peter Gainsford, Victoria University of Wellington. For Berardi see ALLSOP, *Arcangelo Corelli*, p. 40.

[29] *Sonate a Violino e, Violono o Cimbalo da Arcangelo Corelle da Fusignano*, London, Richard Meares, 1712, [RISM C3823; *Catalogue raisonné* 16].

[30] *XII Solos for a violin with a thorough bass for the harpsicord or violoncello.*

[31] GB Lbl g. 39. b *The Score of the Four Operas, Containing 48 Sonatas Compos'd by Arcangelo*

SONATE
a Violino e, Violono o Cimbalo
DA
ARCANGELO CORELLE
DA
Fusignano
OPERA QVINTA
Parte Prima,

LONDON.

Printed for and Sold by Benjamin Cooke, at
the Golden Harp in New-street, Covent Garden.
where may be had most of this Authors works in the same Character:—
Also Corellis 4 Operas & 12 Concertos in SCORE Corected by Dr. Pepusch

Fig. 4 – *Sonate a Violino e, Violono o Cimbalo da Arcangelo Corelli da Fusignano* (London, Benjamin Cooke, c1735).

and has the music in his right hand – suggesting that this engraving may have been copied from Cole's (since it must derive not just from a left-looking model but from one that has Corelli holding music). The 1740 Walsh edition has a note on the title page saying that «these solos are printed from a curious edition publish'd at Rome by the author». This might be read as a claim for reasserting the importance of an Urtext version over his own interpretative edition (with embellishments).

* * *

The editions with the Howard-derived frontispiece are interesting; they project an image of elegance and learning. Meares went into the market with an Op. V devoid of graces very shortly after the 1711 Walsh graced edition. And Walsh's response indicates that he was not prepared to miss out on any traction that his competitors might have gained from this approach.

In the later 18th century, what I described earlier as a third category (or sub-category of the 'archangel' *topos*) comes more sharply into focus. Corelli was regarded as the master who had laid the foundations for really polished violin playing and who, a century after his heyday, was still capable of providing students with the basis of a sound violin technique and an understanding of the best practice in relation to figured bass, harmony, and compositional structure. This view of Corelli had always been there, of course. The expectation that he had (or claimed) authority in compositional matters underlies the rather squalid debate over parallel fifths with the Bolognese *Accademia* in the late 1680s. It is, however, explicit in the editions that appeared in Naples and Venice in the 1790s. The following statement appears at the foot of the title page of Antonio Zatta and sons' Venetian edition of *c*1790:

> The above sonatas are the most famous and renowned among such as have been brought into the light for being very useful and necessary for forming a perfect performer whether it be on the harpsichord, violin, violoncello, or double bass. It is for such a purpose that they were composed by that famous author and then adopted as essential by all the nations of Europe, acclaiming Corelli with one voice and with impartial justness as the Master of Masters.[32]

Corelli. For two Violins and a Bass. N.B. The First and Third Opera being Compos'd for a Violoncello and Thorough Bass, of which the Variation being but little, they are put on the same Stave for the greater Facility in reading.

These Compositions as they are now Printed in Score, are of great advantage to all Students and Practitioners in Musick. they also make compleat Lessons for the Harpsichord. The whole Revis'd and Carefully Corrected by Dr. Pepusch.

[32] «Le Sonate suddette sono le più celebri e rinomate fra quante comparvero finora alla luce, per essere utilissime, e necessarie a formare un perfetto Suonatore tanto di Cembalo, che di Violino,

Something of the same impulse seems to lie behind Clementi's *New Edition of Corelli's Twelve Solos [...] to which a simple method is adopted for facilitating the reading of the tenor clef.*[33]

The Archangel and the Perfect Pedagogue *topoi* seem to come together in the extended preface that Jean-Baptiste Cartier attached to his «Quinzième édition» published *c*1800.[34] Cartier's perspective is unashamedly evolutionary (seeing Pierre Gaviniés as a worthy bearer of the mantle handed down from Corelli). Here are just a few sentences:

> Corelli appeared and his genius discovered in the violin all the resources that the art could draw from it, assigned to it for all time the place that it has kept, that is to say, the first place. It is he who learned the true position of the hand and the manner of using the bow with dexterity and grace. It is he who founded the first school of the violin from which emerged the Tartinis, Locatellis, Geminianis, Somis, and following them the famous artists of our times [...]
>
> Corelli has not only promoted the art of performance, but has further contributed much to the perfection of composition. 'His brilliance', says a noteworthy writer, 'his knowledge, his taste are such that his discoveries have assured him a place forever among the most distinguished geniuses that have influenced the progress of his art. His fame has no boundaries. Several theoretical writers have drawn from his music as from an overflowing spring, and they have taken from it examples that they have always acknowledged as his'. In fact, what could be greater, broader and at the same time more natural than his Adagios; what more coherent or more tasteful [senti?] than his Fugues; what more naive than his Gigues! It is hard to know what to admire more – the natural movement of his bass lines, or the purity of his style, or the orderliness of his modulations, or the beauty and simplicity of his motifs! [...] If the number of editions of a work demonstrate its worth, then the excellence of this opus would be demonstrated, since this is the fifteenth [...][35]

Violoncello, o Contrabbasso [*sic.*] A tale oggetto furono composte dal detto celebre Autore, e come necessarie del detto studio adottate da tutte le Nazioni di Europa, chiamando ad una voce il Corelli *Maestro dei Maestri* con imparziale giustizia».

[33] London, *c*1800 [RISM C 3840].

[34] *XII Sonates à Violon seul et Basse, par Arcangelo Corelli da Fusignano. Ouevre V. Quinzième Edition. Par J.B. Cartier Auteur de la Division des Ecoles de Violon &c. Dédiée A P. Gavinies.*

[35] Corelli paroîît, et son genie lui découvrant toutes les ressources que l'art pouvoit en tirer, il lui assigne à jamais la place qu'il conservée depuis parmi les instrumens de musique, c'est-à-dire la première. C'est lui qui a enseigné la véritable position de la main et la manière de se servir de l'archet avec dextérité et avec grace; c'est lui qui a fondé la premiere [sic] école du violon: de cette école sont sortis les Tartini, les Locatelli, les Geminiani, les Somis, et par suite les célèbres artistes de nos jour [...]

Corelli a, non seulement servi l'art d'éxécuter, mais encore contribué beaucoup au perfectionnement de la composition. 'Son génie, dit un auteur estimable, sa science, son goût ainsi que ses découvertes lui ont assuré à jamais une place des plus distinguées parmi les génies qui ont influé sur les progrès de son art: sa renommée n'a pas de bornes; plusierus auteurs théoriques ont puisé dans sa

Adagios that are «broad» and «natural», a style that is «pure», and motifs that are beautiful in their simplicity: none of this seems to recognize that the art of spontaneous embellishment might be one of Corelli's remarkable virtues.

* * *

This was written at the dawn of the 19th century, but it gives eloquent voice to a view that has some continuity right through the 18th century. True, the anti-ornamentation strand in the publishing history is largely non-Italian (associated with publishers in England, Holland, and France), but then so too is the evidence of written-out embellishment for Corelli sonatas. Moreover, as far as printed sources are concerned, the emphasis on embellishment is also relatively short-lived, surfacing around 1705 and effectively disappearing by about 1716 (with the reprints of the 1710 Roger edition).

Alongside this we should give due weight to the initial scepticism, the contemporary and explicit maintenance of alternative editions «sans agréments», and the general predominance of editions that present a more serene view of the composer or, at least, of editions that ignore the possibility of transforming the violin line in the Adagios into something more elaborate.

The images of Corelli explored here (archangel, pedagogue, and possessed spirit) are all supported in parallel strands of external fact and anecdote. Here, I want to focus on some of that as it relates to the anti-embellishment view.

First, Charles Burney's reporting what an English traveller had told him about the annual Corelli memorial services held in the Pantheon:

> During many years after his decease, there was a kind of commemoration of this admirable musician in the Pantheon, by a solemn service, consisting of pieces selected from his own works, and performed by a numerous band, on the anniversary of his funeral. A solemnity which continued as long as his immediate scholars survived, to conduct and perform in it. The late Mr. Wiseman, who arrived at Rome before the discontinuance of this laudable custom, assured me that his works used to be per-

musique comme dans une source abondante, et en ont rapporté des exemples qu'ils ont toujours donnés comme de lui'. En effet, quoi de plus grand, de plus large et en même tems de plus naturel que ses *Agadio!* quoi de plus suivi et de mieux senti que ses *Fugues!* quoi de plus naïf que ses *Gigues!* on ne sait ce qu'on doit admirer le plus ou de la marche naturelle et savante de ses basses, ou de la pureté de son style, ou de la régularité de ses modulations, ou de la beauté et de la simplicité de ses motifs! Mais je m'arrête et me contente de renvoyer le lecteur à l'ouvrage lui-même, avec d'autant plus de raison que je sense mon insuffisance pour exprimer ce que j'éprouve d'admiration pour ces belles productions. Si le nombre d'éditions d'un ouvrage prouvoit sa bonté, l'excellence de celui-ci seroit démontrée, car voici la quinziéme [...]».

formed on this occasion, in a slow, firm, and distinct manner, just as they were written, without changing the passages in the way of embellishment. And this, it is probable, was the way in which Corelli himself used to play them.[36]

Burney (or perhaps Wiseman) seems committed to the idea that Corelli himself, and certainly Corelli's students, would have played without embellishment. He goes on, in fact, as to attribute the continuing currency of Corelli's works to the fact of their unembellished simplicity.[37]

Sir John Hawkins repeats the Pantheon anecdote.[38] But Hawkins also narrates another about a supposed encounter between Corelli and Nicolas Adam Strunck. This story would have Corelli participating in the construction of the idea that, as an artist, he exhibited the qualities implied by his given name, Arcangelo. After demonstrating his considerable prowess on the harpsichord, Strunck

took up the violin, and began to touch it in a very careless manner, upon which Corelli remarked that he had a very good bow-hand, and wanted nothing but practice to become a master of the instrument; at this instant Strunck put the violin out of tune, and, applying it to its place, played on it with such dexterity [...] that Corelli cried out in broken German, 'I am called Arcangelo, a name that in the language of my country signifies an Archangel; but let me tell you, that you, Sir, are an Arch-devil'.[39]

If, as Hawkins asserts, the Strunck story starts with Walther it must have originated about 1730. And it persisted: François Fayolle repeats it in 1810 where it is preceded by yet another elegant engraving of the composer.[40]

* * *

In conclusion: there were parallel and opposing traditions of performance in the 18th century. Nowadays the options seem to have narrowed. Few vio-

---

36 C. Burney, *A General History of Music from the Earliest Ages to the Present Period* (1789), ed. by F. Mercer, London, G.T. Foulis, 1935; rpt. New York, Dover, 1957, II, p. 441.

37 «The plainness and simplicity of Corelli have given longevity to his works, which can always be modernised by a judicious performer, with very few changes or embellishments»; *ibid.*, p. 443.

38 J. Hawkins, *A General History of the Science and Practice of Music* (1776), 2nd ed. London, Novello, 1853; rpt. New York, Dover, 1963, II, p. 676. Hawkins does not name Charles Wiseman as his informant. The dominant impression that is given by Hawkins' account of Corelli is similar to Burney's, though Hawkins makes specific reference to the ornamented editions and the scepticism they provoked, and mentions the Raguenet description of Corelli.

39 Id., *General History*, II, p. 676. There is another *topos* to be explored here: a similar encounter between angel and devil was perceived as taking place at more or less the same time in France with Marin Marais and Antoine Forqueray.

40 F.J.M. Fayolle, *Notices sur Corelli, Tartini, Gavinié, Pugnani et Viotti*, Paris, Imprimerie Littéraire et Musicale, 1810, p. 5.

linists claiming to be historically informed would have the nerve to play the Adagios unadorned – yet it is clear that a fair proportion of 18th-century musicians concluded that that was exactly the right thing to do. The fact that we seem to have so privileged one strand in performance history over others brings me (somewhat reluctantly) to acknowledge the strength of Richard Taruskin's argument that HIP is a modernist phenomenon in which we embrace performance features that chime with our own preconceptions and preferences while ignoring others. In «The Modern Sound of Early Music» Taruskin writes

> [...] as we are all secretly aware, what we call historical performance is the sound of now, not then. It derives its authenticity not from its historical verisimilitude, but from its being for better or worse a true mirror of late-twentieth-century taste. [...] So forget history. What Early Music has been doing is busily remaking the music of the past in the image of the present (necessary because we unfortunately have so little use for the actual music of the present), only calling the present by some other name.[41]

Let's hope that's not the case. Interestingly, Taruskin is complaining here about what he saw as an unhistorical reluctance on the part of early music performers to improvise. It could surely be argued that improvising (or appearing to improvise, which is pretty much the same thing) would have offended more listeners in the 18th century than playing Corelli's Adagios unadorned. As so often, history does not prescribe. It teases us with possibilities. But to performers with open minds, that might well translate into an expanding range of ways in which being historically-informed has the potential to stimulate the imagination.

---

[41] R. TARUSKIN, *Text and Act*, New York & Oxford, Oxford University Press, 1995, pp. 166 and 169. This chapter originally appeared in 1990 as a *New York Times* article.

DISCUSSIONE

PIPERNO: A proposito della questione della preferenza per la versione non ornamentata degli Adagi. Noi ovviamente non sappiamo come Corelli suonasse questi Adagi: non ci sono rimaste testimonianze purtroppo. Riallacciandomi anche a questioni di origine estetica e culturale che sono state toccate ieri, osservo che un tipo di musica arricchita di abbellimenti era un tipo di musica che non doveva rientrare nelle estetiche dell'Arcadia. Essa infatti si pone contro quegli eccessi che in Italia vengono definiti generalmente 'barocchismi', naturalmente in campo letterario in prima istanza e storico-artistico in seconda istanza. Possiamo assumere che i musicisti, soprattutto quelli più colti, aderissero a questo tipo di istanze e se questo è vero, possiamo immaginare relativamente alle grammatiche musicali, che l'ornamentazione potesse essere un elemento di esuberanza 'barocchistica' non gradita agli ambienti arcadici romani. Solo sulla base di questo posso immaginare che Corelli potesse eseguire i suoi splendidi Adagi senza bisogno di sedurre l'ascoltatore con l'arricchimento dell'abbellimento. Le edizioni citate sono tutte dell'Europa del Nord, sono tutte di epoche pienamente settecentesche, dunque sono tutte di epoche sostanzialmente "classicistiche". Allora a me pare che si possa fare un collegamento tra le prassi editoriali ed esecutive da un lato, e dall'altro, a livello di estetica e di cultura, col concetto generale di "classicismo", concetto che comunque è familiare anche all'Italia dell'epoca arcadica. Questo atteggiamento qui segnalato della preferenza di Adagi non ornamentati mi pare di poterlo definire un atteggiamento esteticamente "classicistico"; ciò lascia supporre che anche a Roma ci fosse questa tendenza – e chissà che proprio questo sia stato uno dei motivi per cui Corelli veniva così apprezzato – in contrapposizione ai sicuramente numerosi strumentisti meno capaci di sedurre il pubblico con la composizione, ma soprattutto con l'esecuzione particolarmente brillante. Secondo questa prospettiva, Corelli sembrerebbe dunque assumere la posizione di un "preclassico" per aver preferito in prima istanza gli Adagi non ornamentati come alcune, se non molte, edizioni posteriori sembrano dimostrare.

WALLS: One of the things that struck me about your paper yesterday is the way it chimed with the Roger North comment: it does actually suggest an association between not decorating things in the extreme and a kind of classical appreciation. So, I think that kind of aesthetic link is there. All I was really trying to do in this paper was to understand the resistance to those things, not to deny the whole performing tradition that is quite obviously there in performing Corelli. So I am very interested in what you had to say about that kind of aesthetic ambience and the way it explains a kind of resistance to it.

Something else I found interesting is this: I was given the assignment of writing the Italian section of the ornaments article for the revised New Grove, and the first thing I came up against is what I describe as a policy of reticence. Actually the Italian aesthetic seems to have been that it is wrong to start spelling ornamentation out. If you need it spelled out then you shouldn't be in this business. This means within the editing tradition that having unembellished adagios would not necessarily mean, in Italy anyway, that you expect them to be played in that way. However, I do think in the English tradition, as it goes on, that there is the implication of unembellished playing, particularly when you get these funny anecdotes being enshrined in literature that are very much against embellishment.

ALLSOP: I'd like to say that my reading is that Roger North was not against gracing, but against the writing out of gracing. He is quite clear when he says that it is the hardest thing to pen the manner of artificial gracing. That is what he was against.

Concerning continuo accompaniment, there is important evidence about the lack of such accompaniment in seventeenth-century Italian instrumental music that I came across in my most recent work on Giovanni Battista Buonamente. I argue conclusively in my Buonamente book that all the surviving works of Buonamente were written for the Viennese court and probably for specific performance. They are for 'gamba' not for 'cello', and they are unaccompanied, that is without continuo. In a letter of 1627, Buonamente wrote to his patron, the Prince of Guastalla, Cesare Gonzaga, that he was enclosing two sonatas, one on the *Romanesca* and the other on *La Scatola*. Then he says: "Sometime later I am going to sit down and write a keyboard part for them, but at the moment, please, play them unaccompanied, which is how I intend them". And he adds: "the keyboard part will add greater harmony". That tells you the exact relationship between unaccompanied performance and the keyboard part.

I presume that they are the two works that are included in Buonamente's 1637 set, which was published when he was in Assisi. And yet, the keyboard part was never printed. Now, it is almost beyond doubt that Buonamente's teacher was Salomone Rossi, and Rossi's trios are some of the only early music that has no keyboard continuo part. Therefore, I believe that there was a tradition, a Mantuan tradition for unaccompanied playing. Tracing this tradition further, I am almost 99% sure that Uccellini was pupil of Buonamente. The first surviving collection of Uccellini, his Op. II, is remarkable among Italian prints for having no keyboard continuo part, although there is a figured part, which is also a bass part, which is extremely unusual. Uccellini later moved to Modena, so when you see these unaccompanied parts in Modenese composers of the next generation, you see that there might have been the tradition stretching right from Salomone Rossi. Uccellini actually borrows one of Rossi's pieces in his Op. IV. It is very striking, so I am absolutely certain that Buonamente taught Rossi's music to Uccellini. Also when you get Bononcini in Modena, it is so clear in his *arie* that he included a part for *spinetta* but in actual fact the bass part is for *violone* and they are better played on the *violone*. So there was already a strong tradition in that area for unaccompanied performance, and that was what Corelli inherited.

LINDGREN: The only correction to what Peter said is about the Raguenet's book. It was published in 1702 and then reprinted in London. And I think it was Stoddard

Lincoln who first attributed the translation to Galliard. The reason he did that is because Galliard translated Tosi's 1723 treatise in 1742, which was a long way after 1708/9. And in 1710 there is a biography of the tragedian Thomas Betterton by Charles Gildon and there is a comment that says that the notes in the Raguenet are by Senior Haym. They can only be by Haym because it was somebody who was in Rome. And these comments about Corelli, whatever it says in the footnotes under Raguenet, were probably written by someone who knew Haym very well.[1]

WALLS: This is very interesting. Thank you.

MARIN: A short question mainly for Peter, but also perhaps other experts of Op. V can shed some light here. I recently found a print copy of Op. V in a Spanish archive in the Malaga's Cathedral in the south of Spain. The first page is the Sonata I (we don't have the frontispiece, we don't have preface, we don't have anything but music). I have compared that with the facsimile edition of the Rome 1700 edition and they are absolutely identical. Because I haven't gotten myself very much into the whole technical process of music printing, I don't know whether we can assume that the Malaga copy is one of the copies of the Rome 1700 edition, or whether is it possible that someone got the Rome edition and produced a new edition from it, exactly reproducing the original edition.

WALLS: It is quite striking that a number of different newly engraved editions do try to mimic the exact pagination of the original. This is quite interesting because the point came up this morning about how practical (or not practical) the original print is. I know from using the facsimile that the original edition is very carefully planned because you can always turn pages in it. The only exception is the Folia, which is of course too long, but even there I think there are only two spots where it wouldn't be feasible to have a tiny pause to turn the page.

GARTMANN: It's true. Both the Walsh edition and the Roger edition (I have not consulted the French edition) are, what I call, copies. They are copied stave by stave, line by line, measure by measure. They have the same slurs, the same figures. They have everything the same.

MARIN: It is absolutely identical?

GARTMANN: No, because you can distinguish them by their engraving styles.

JENSEN: Could it be that the same copperplates were used by Roger in Amsterdam?

GARTMANN: They were still in Corelli's estate when he died.

[1] See below, p. 476.

CARERI: Volevo riprendere il discorso di Franco Piperno con il quale per la prima volta non mi trovo d'accordo. In realtà, è verissimo che virtuosismo ed eccessi erano sicuramente estranei allo spirito dell'Arcadia, però l'ornamentazione deve essere considerata non solo qualcosa "di più", così come nei secoli successivi è stata considerata, ma qualcosa di virtuosistico, in cui il virtuoso riusciva a dimostrare la sua straordinaria capacità. Piuttosto era il principale veicolo, come documentano i molti trattati dell'epoca (non solo quelli di Geminiani, ma anche di Tartini, ad esempio), perché la musica strumentale potesse avere un significato. Così nei primi due trattati di Geminiani sul *good taste* era semplicemente legato alla espressione, agli affetti. Dunque ogni particolare abbellimento in un particolare luogo esprimeva rabbia, timore, etc..Esistono varie interpretazioni di tutto questo. O Geminiani parla fuori dal coro (e questo è sempre possibile), oppure i suoi trattati sono una importante fonte per capire anche nei periodi precedenti il significato che i compositori davano alle "grazie", cioè agli abbellimenti.

Michael Talbot

«FULL OF GRACES»: ANNA MARIA RECEIVES ORNAMENTS FROM THE HANDS OF ANTONIO VIVALDI

A written-out improvisation is almost a contradiction in terms. Whatever is truly improvised does not outlive the performance in which it occurs and therefore has no need of a notated state. However, a less strict interpretation of the concept of improvisation can tolerate the existence of a narrow border strip separating the territories of improvised and composed music. Its inhabitants are specimens of improvisation fixed in notated form either for didactic purposes or in order to create the aural illusion of improvised performance by aping its mannerisms – thus sparing the performer the need to invent music on the spot. In extreme cases, as we know from the examples of Beethoven and Rossini (and the same may have been true, earlier, of J.S. Bach), written-out embellishment – or 'gracing', to give it its traditional English name – can be used by the composer as a device to pre-empt genuine improvisation and thereby to secure a greater degree of control over the outcome. However, once embellishment enters the realm of notation, it becomes subject to the same ordinary compositional processes as the rest of the music, and by virtue of this ceases to be merely ornamental. Perhaps it was this transformation of the transient and incidental into the permanent and integral to which Johann Adolph Scheibe took greatest exception in his criticism of Bach's style.[1]

Most surviving samples of gracing for the violin dating from the earlier part of the eighteenth century occur in manuscripts that did not achieve wide circulation. These passages must have served different purposes, depending on the situation. Some were doubtless written down as reminders for expert players who preferred (as many players still do today) not to construct the whole of an improvisation *ex novo*. Others were destined for their pupils, introducing them not only to the traditional style of such improvisations but

[1] J.A. Scheibe, *Der critische Musicus*, 14 May 1737, pp. 46-47.

also to technical devices such as the unmeasured *tirata* that were almost a peculiarity of that idiom within Italian music.

On two notable occasions, however, improvisational practice as it related to the art of gracing an adagio for the violin achieved the status of being set down in print and thereby made accessible to the untutored general public. Significantly, both publications appeared in northern Europe, where, since the Italian style was non-indigenous, its techniques of improvised embellishment could not so easily be transmitted by informal methods.

The first and best-known instance is that of the special edition of Corelli's Op. V violin sonatas (with the plate number 40) brought out in Amsterdam by Estienne Roger in 1710. In this engraved edition the two slow movements of the first six sonatas – those in 'da chiesa' style – all present their violin parts on two staves: the lower stave gives the violin part in its original, plain form; the upper stave an ornamented version of the same line. Roger had already produced two editions of Corelli's violin sonatas – the earliest in 1701, a year after the original edition had appeared in Rome. He was perhaps induced to bring out this new edition, with its conspicuous 'added value', by the price war that was then raging in Amsterdam between himself and Pierre Mortier, whose own edition of Corelli's Op. V had appeared in May 1709.

In the advertisement for the 'graced' Op. V that appeared in the Amsterdamsche Courant on 22 May 1710 the collection was billed (translating from the Dutch) as «Corelli *opera quinta* with ornaments to show how an adagio should be played that have recently been composed by Corelli for the purpose of publication».[2] The title page of the edition goes a little further by claiming that the ornaments represent what Corelli himself played («comme il les joue»). However, the description of the edition in Roger's catalogues issued during the period 1712-1716 reverts to the more plausible proposition that the ornaments were composed for the benefit of purchasers of the edition rather than as a record of the composer's own practice. This is followed by an interesting detail: to convince the sceptical, Roger invites his customers to inspect at his shop the originals of the graced versions and his correspondence on the subject with the composer:

> [...] nouvelle édition gravée [...] avec les agrémens marquez pour les adagio, comme Mr. Corelli veut qu'on les joue, & ceux qui seront curieux de voir l'original de Mr. Corelli avec ses lettres écrittes [sic] à ce sujet, les peuvent voir chez Estienne Roger.[3]

---

2 «Corelli opera quinta met manieren hoe men d'Adagio moet spelen door Corelli onlangs gecomponeert om gedrukt te werden». Transcribed in F. LESURE, *Bibliographie des éditions musicales publiées par Estienne Roger et Michel-Charles Le Cène (Amsterdam, 1696-1743)*, Paris, Heugel, 1969, p. 48.

3 Transcribed from the 1716 catalogue in F. LESURE, *op. cit.*, p. 64.

Until quite recently the authenticity of the embellishments has not been taken seriously by most scholars. However, a series of studies by Rudolf Rasch has provided forceful arguments for tilting the balance of doubt in Corelli's favour. Rasch points out that in 1710 Corelli was still alive and could easily have disputed the claim, damaging Roger's reputation.[4] As Rasch later showed in a revealing article, the fact that firm arrangements were made between Roger and Corelli for the publication of the latter's *Concerti grossi*, Op. VI, argues for a previously harmonious relationship.[5] Also, the entrusting by Corelli of a new composition (for such one may almost call the embroidered version) directly to the Amsterdam publisher conforms perfectly to the emerging trend among Italian composers of instrumental music (such as Vivaldi, for his Op. III, and Albinoni, for his Op. VI), which it may even have inaugurated.[6]

To Rasch's arguments I can add a couple of my own. The advertisement inviting callers to the shop to verify the evidence for Corelli's authorship does not have the look of a mere bluff, and the consistency and high quality of the embellished versions bespeaks a master composer.

One may hypothesise an origin for the new edition of Corelli's Op. V as follows. Embroiled in his struggle for market share with Mortier, Roger conceived a plan that would simultaneously relaunch his publication of this strongly selling work, restore his prestige (damaged by imputations against the elegance and accuracy of his editions) and open up a new niche within the market: that of violinists, professional as well as amateur, who wished to learn the craft of embellishment *all'italiana* but had no opportunity to do so save through the study of notated examples. He wrote to Corelli, asking for sample embellishments for the slow movements. Corelli was willing to oblige, terms were agreed, and the result we know.

Example 1, the first twelve bars of the second Adagio of the third of Corelli's 'solos', will remind the reader of this refined style.

Exactly the same didactic function, albeit with relevance for London in 1762 rather than Amsterdam in 1710, is present in the collection of twelve graced adagios entrusted by the Milan-based violinist Carlo Zuccari to the publisher Adolf Hummel (most likely, a relative of Burghard Hummel and Jo-

[4] R. Rasch, *Arcangelo Corelli en het jaar 1700*, in *De eeuwwende 1700, Deel 3: De kunsten*, ed. by A. Kluckhuhn, Utrecht, Bureau Studium Generale, 1991, pp. 9-32: 29.

[5] On the publication of Op. VI, see Id., *Corelli's Contract: Notes on the Publication History of the* Concerti grossi ... Opera sesta *[1714]*, «Tijdschrift van de Koninklijke Vereniging voor Nederlandse Muziekgeschiednis», XLVI, 1996, pp. 83-136.

[6] Id., *Arcangelo Corelli*, cit., p. 64.

Ex. 1.

hann Julius Hummel, the well-known continental music publishers). The title page says everything:

> THE true METHOD of PLAYING / an Adagio / Made Easy by twelve Examples / First. In a plain Manner with a Bass / Then with all their Graces / Adapted for those who study the / VIOLIN / Composed by / Carlo Zuccari / OF MILAN / LONDON Printed for & sold by A. Hummell at his Music Shop facing Nassau Street in King Street S.t Ann's Soho [...][7]

[7] Advertisements for the *Method*, which was priced at 4 shillings, appeared in the *Public Advertiser* of 18, 22 and 23 March 1762. The title page is transcribed from the example in the Rowe Library, King's College, Cambridge. Hummel's plates were later acquired by Robert Bremner, who reissued the *Method* with a new imprint.

Zuccari (1704-1792) was a second-generation member of the Corelli 'school', one of his teachers having been the latter's former pupil Gasparo Visconti. His single published set of violin sonatas (Milan, *ca.* 1747), to which the lessons learned from study of the graced adagios in the *True Method* can appropriately be applied, offers in effect supercharged versions of the formulae used for the 'church' sonatas in Corelli's Op. V. As Corelli (via Roger) had done, Zuccari presents the ornamented and plain versions on separate staves, at once facilitating comparison between them and aiding co-ordination with the bass. Example 2, the opening of the eleventh adagio, gives a sample.

Although, as one would expect, the *stile galante* has left its mark on both the plain and the graced versions, the extent to which the Corellian inheritance remains intact is remarkable. Quite clearly, an unbroken tradition of gracing adagios has successfully been maintained through the decades.

The force of this tradition can be demonstrated most convincingly if an intermediate link mid-way between Corelli and Zuccari is inserted. It is the purpose of this paper to provide one from an unexpected source: the violin concertos of Antonio Vivaldi. The chosen example, unparalleled in Vivaldi's

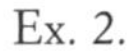
Ex. 2.

surviving music on account of the purity and consistency with which it implements the Corellian techniques of improvised (or quasi-improvised) ornamentation, reveals an unexpected side to the Venetian composer as well as supplying valuable raw material for a comparative study of the graced adagio.

In general, Vivaldi is not especially known either for the ornamental detail in his slow movements or for the opportunities he gives the performer for its insertion. A recent exhaustive study of his slow movements by Rebecca Kan concludes:

> Unlike Bach, who occasionally took written-out ornamentation to extreme degrees, Vivaldi adopted a more restrained approach. He chose to conform to the tradition of his Italian forbears: the Adagio generally assumed a simple outline, with the odd 'discretionary embellishment' inserted intermittently.[8]

This 'discretionary embellishment' is what I have elsewhere called, when speaking of Albinoni, by the name of the 'semi-ornamented' style.[9] Kan describes Vivaldi very aptly as «speaking, as it were, on the performer's behalf» in these brief spurts of quick notes. The 'restrained approach' to which she refers arises in large measure from Vivaldi's fondness for regular patterning, which is evident in melody and accompaniment alike. When a melody is patterned in relatively short note-values, it upsets the symmetry to introduce extensive ornamentation, and, besides, the usable gaps between notes are few. When the accompaniment is patterned (a classic instance is the opening of the slow movement of the «Spring» concerto, RV 269), lavish melodic embellishment is inadvisable, since it risks disrupting the rhythmic co-ordination between melody and accompaniment and obscuring what may be an interesting musical discourse in its own right. As Kan correctly observes, where Vivaldi frequently does introduce written-out embellishment is in reprises of the main theme, where he prefigures, so to speak, the *veränderte Reprisen* of early classical instrumental music.[10] But these examples are already moving out of the orbit of improvisational practice, with which we are concerned here.

It should come as little surprise that the Vivaldian counterpart to the ornamented Corelli adagios comes in a work written for a pupil. This was Anna Maria (*ca.* 1795/6-1782), the principal violinist at the Ospedale della Pietà in Venice. It was she who took the solo part in concertos from at least the early 1720s up to 1737, when, on promotion to the rank of *maestra di coro*, she

---

[8] R. KAN, *The Concerto Adagios of Antonio Vivaldi*, unpublished Ph.D. diss., University of Liverpool, 2002, p. 377.

[9] M. TALBOT, *Tomaso Albinoni: The Venetian Composer and His World*, Oxford, Clarendon Press, 1990, p. 150.

[10] R. KAN, *The Concerto Adagios*, cit., p. 377.

passed on this responsibility to her colleague Chiara (1718-1796: also known as Chiaretta).[11] Among the fragments of the repertory of the Pietà that survive in the Conservatorio Statale di Musica «Benedetto Marcello» in Venice is a partbook bearing Anna Maria's name that contains the principal violin part for thirty-one concertos dating approximately from the years 1723-1726.[12] This falls within a period, 1723-1729, when Vivaldi was regularly supplying the Pietà by special contract with two concertos a month.

The thirtieth of the parts contained in the volume is for RV 581, a concerto for solo violin and two string orchestras («in due cori»), already well known from the autograph score in Turin, where the work is labelled «Con[cer]to in due Cori p[er] la S[antissi]ma Assontione di M[aria] V[ergine]».[13] The concerto appears to have been written originally for the composer to play: a cadenza in the first movement of the Turin source takes the soloist up to *g''''*, a pitch that only he, it seems, could reach. In the version of the part copied into Anna Maria's partbook this ultra-high passage disappears, and there are many further changes of detail in the two fast movements (the first preceded by a slow introduction). The most extraordinary change comes, however, in the central slow movement. This is cast in Vivaldi's favourite 'frame ritornello' form. The orchestra – here, a 'double' orchestra – plays an initial and a concluding ritornello. Sandwiched between them is an extended solo with a simple *bassetto* accompaniment that, in the present movement, occupies bars 15-48. In scoring and style this is indistinguishable from a sonata adagio and therefore exactly comparable with the adagios by Corelli and Zuccari already discussed. As it appears in the Turin score, this movement, a Largo in 3/4 metre, has the character of a chaconne. In its 'solo' portion the bass (on first violins) moves in regular crotchets, with hints of *basso ostinato* treatment, while the violin line uses *alla francese* dotted rhythms freely and has the 'patterned' quality that, at first sight, would make extensive embellishment an unlikely proposition. When we turn to the partbook, however, we discover that the part has dissolved, from beginning to end, into the kind of tracery familiar from the examples already discussed – only, perhaps, with even more fantasy and elaboration.

---

[11] For a short biography of Anna Maria, see the author's entry in *New Grove 2001*, vol. I, p. 691.

[12] This partbook is the object of a detailed description and analysis in M. TALBOT, *Anna Maria's Partbook*, in *Musik an den venezianischen Ospedali/Konservatorien vom 17. bis zum frühen 19. Jahrhundert*, ed. by H. Geyer and W. Osthoff, Rome, Edizioni di Storia e Letteratura, 2004, pp. 23-79. It appears that the order of the concertos in the volume reflects, approximately if not precisely, the order in which they entered Anna Maria's repertory. Its shelfmark is: Venice, Conservatorio Statale di Musica «Benedetto Marcello», fondo Correr, B. 55 n. 133.

[13] I-Tn, Giordano 34, ff. 43-64.

Who was responsible for setting down these arabesques? Unlike some of her fellow *figlie di coro*, Anna Maria is not known to have been a composer, and this graced version is certainly not the work of an unpractised hand. One can only conclude that, as with the alterations in other movements, this conversion was made by Vivaldi himself. Perhaps the extravagance of the embellishment, which occasioned its setting down in notation, was intended to match the festive character of the work. Perhaps the ornamented version was meant to serve as a model for Anna Maria to follow in the future. Either way, the result is something quite unique in Vivaldi's oeuvre: a comprehensively graced adagio.

Example 3 presents the opening of the solo section. To form the example, the ornamented solo line in Anna Maria's version has been placed above its plain version in the Turin score.[14]

A consideration of the three examples, dating in their finished form from 1710, 1726 and 1760, respectively, will enable us to establish the commonalities of the Italian tradition (more precisely: the Corellian tradition) of gracing an adagio, as well as identifying the peculiarities of Vivaldi's practice belonging to his idiolect.

Let us first imagine that we had the task of producing, within the framework of modern terminology, a set of written guidelines, based on observation, for would-be 'gracers' to follow. These might look like this:

1. Construct the solo part as a single line. Do not use chords (i.e., multiple stopping), and limit severely the use of broken-chord shapes.

2. Retain the original notes as the scaffolding upon which the ornamentation is erected. Two licences are permitted: (a) to displace individual notes rhythmically, and (b) temporarily to exchange a note or short group of notes for one(s) occupying a different position within the same chord.

3. Fill in the gaps between the original notes with shorter note values, moving in a predominantly linear (scalewise) fashion. Such 'inessential' notes as passing notes, auxiliary (neighbour) notes and appoggiaturas are the basic ingredients, but these may be mixed, for variety and effect, with changing notes and *notes échappées* (both of which introduce wider intervals). Slur the groups of shorter notes in order to maximise the *legato* effect.

---

[14] The solo is transcribed complete in M. TALBOT, *Anna Maria's Partbook*, cit., and also in O. FOURÉS, *Le langage violinistique d'Antonio Vivaldi, plaque tournante de la virtuosité au début du XVIIIe siècle, unpublished Mémoire de Maîtrise*, Université Lumière Lyon II, 2002/03, pp. 132-134. As the solo proceeds, its ornateness becomes increasingly extravagant, culminating in a short cadenza over a pedal-note. The «Anna Maria» version of RV 581 is recorded on WDR CDX-79605 by Giuliano Carmignola (violin) with the Sonatori de la Gioiosa Marca.

4. Avoid regularity and repetition. For instance, disguise melodic sequence.

5. Vary constantly the intensity of the embellishment. The melodic line should oscillate between heavy embellishment, light embellishment and zero embellishment (i.e., the plain version unaltered).

Ex. 3.

The prime underlying purpose is to produce a *cantabile* line similar to, albeit not identical with, one that a singer might extemporise. The improvised (or quasi-improvised) character is paramount: the solo line must be imagined and played differently from comparable passages in 'ordinary' notated music in order to sustain this impression, whether real or feigned.

The first guideline, the one concerning the avoidance of chords, is observed faithfully by all three composers. However, they each find the right, climactic moment at which to introduce a broken-chord shape: Corelli in bar 7, Zuccari in bar 3 and Vivaldi – more flamboyantly – in bars 18 and 29.

The retention of the scaffolding provided by the original notes is similarly in evidence. All three composers take moderate advantage of the two licences. For example, in bar 1 Corelli 'distorts' the rhythm by delaying the arrival of the *f''* until the last semiquaver, and in bar 5 he substitutes the notes *a''* and *c''* for *e''* and *a'*, respectively.

The dominance of scalewise motion is unchallenged, in particular when the movement is very rapid. Slurring is used very abundantly. Vivaldi, who was a pioneer in the sophisticated manipulation of the bow, cannot forbear, however, from introducing his beloved 'syncopated' bowing in bar 24, an idiosyncratic refinement that has no counterpart in Corelli's or even Zuccari's graced adagios.

The avoidance of repetition is clearly discernible as a goal, albeit one occasionally overridden by design or oversight. Most consistent is Corelli, who employs embellishment to disguise the regularities present in the plain version. Zuccari makes a rather laboured effort to do the same in bars 5 and 6 but gives up the attempt in bars 8 and 9. Vivaldi succeeds superbly until bar 27, when he moves into regular triplet semiquavers, which he forms into transparent melodic patterns. Bars 27-30 would not look out of place, in fact, in a *Sarabanda* from one of Vivaldi's «Manchester» Violin sonatas (dating from exactly the same period). All three composers make full use of 'irregular' rhythmic groups, which are sometimes notated inexactly in the manner of *tirate* in contemporary French overtures (but perhaps a better parallel would be the *fioritura* for right hand in nineteenth-century piano music, such as that of Chopin).

Constant switching between zero ornamentation, light ornamentation and heavy ornamentation characterises all three examples. The manner in which it occurs can be shown very clearly by a table in which figures represent bar numbers in the three examples:

Composer	**Zero embellishment**	**Light embellishment**	**Heavy embellishment**
Corelli	4, 10, 12	2-3, 8, 11	1, 5-7, 9
Zuccari	1, 10-13, 15	2, 4-7	3, 8-9, 14
Vivaldi	15, 20, 30	16-17	18-19, 21-29

It emerges from the table that Corelli achieves the most equal balance between the three categories, while Zuccari has a bias towards light embellishment and Vivaldi towards heavy embellishment. Nevertheless, all three composers appreciate the need for 'light' and 'shade' in this respect – and the desirability of allowing performers some moments in which they (and their listeners, too!) can pause from their exertions in preparation for fresh assaults. In a very real sense (despite the apparent paradox), the appearance of unornamented passages alongside the ornamented ones does much to strengthen the identity – real or assumed – of the latter as 'improvised' rather than 'composed' music. The music has to sound capricious, as if its shape could easily have turned out differently. Variation in the level of embellishment is a simple means of expressing this calculated arbitrariness.

Finally, what does this brief comparison tell us about Vivaldi and his relationship to the Corellian tradition? The graced movement specially written for Anna Maria confirms, in a previously unsuspected way, the depth of Vivaldi's rootedness in the Corellian tradition. Not all of Example 3 could be mistaken for an extract from the 1710 edition of Op. V, but some of it (e.g., bars 21-22) would easily pass muster. On the other hand, peculiarly Vivaldian features abound. I have already commented on the showy arpeggiation, the syncopated bowing and the lapse into an ornate 'composed' style. Mention could equally be made of the 'Lombardic' rhythm in bar 19 (which, for Vivaldi in 1726, would have been a recent addition to his rhythmic repertory) and the melodic augmented second in bar 25. There is one interesting harmonic feature closely associated with Vivaldi's idiolect. This is most simply described as the taking back of harmony notes belonging to one chord into a different, preceding chord, a technique that produces a powerful forward-moving impulse. In Example 3, 'anticipating' harmonies of this kind occur in bars 25, 26 and 29. The violin's *g''* sharp in bar 25 anticipates the movement of the bass from *g* to *g* sharp; its *c''* sharp in bar 26 anticipates the descent of the bass's *g* sharp to *g* natural; the *f''* preceded by its appoggiatura *g''* natural in bar 29 belongs (if only as an appoggiatura!) to the second, rather than to the first, beat of the bar.

Like Zuccari, but in different ways, Vivaldi struggles with less than perfect success to maintain the integrity of the Corellian tradition of the graced adagio, even in the act of paying homage to it. For Zuccari, the main problem is to resist the drive towards the symmetrical patterning of the nascent classical style. For Vivaldi, the problem is twofold: to resist importing 'foreign bodies' from the huge lexicon of his violinistic repertory, and to set aside his habit of 'modular' composition, where larger units are formed by stringing together repetitions of a single figure. But of course: the strict maintenance of tradition is not the only value to treasure. We can rejoice that Vivaldi was a 'bad' pupil of Corelli, even if we remain glad that he attended his school. Our admiration must go out equally to Anna Maria, who, on the evidence of this movement alone, must truly have earned her reputation of being, in Baron von Poellnitz's words, «le premier violon d'Italie».[15]

---

15 C.L. von Poellnitz, *Lettres et mémoires [...] concernant les observations qu'il a faites dans ses voyages*, 3rd ed., Amsterdam, Changuion, 1737, 4, p. 113.

DISCUSSIONE

JENSEN: Just two remarks, both of which may be peripheral to your paper. This morning we have talked about Op. V's edition and about graces and ornaments that have given an impression of something perhaps too superficial – something being on the surface of the music for technical, virtuosic and pedagogical reasons. But the composers themselves perhaps didn't think of it in that way. First of all, these graces certainly add something new to the musical expression and were also used for rhetorical affective reasons, just like the repetition of a 'da capo' arias, (which is not just to show off the singers). Listening to a 'da capo' aria by Handel, with the repetition performed in an expressive way, I think it is enormously apt to the musical expression, that is, to the rhetorical expression of music. I think that may be a primary reason that composers accepted ornaments as Corelli did. Regarding Corelli's Op. V, his intention may have been that if you want to embellish, then do something like that. The further or the more distant ornamentation in the 18th century may be from the authentic ornaments by Corelli, the less authenticity, that is, the less they belong to a collection or edition of Corelli's music. But this has more to do, as we already said, with the history of performance reception – the cultural history of Corelli's music. My second remark is about the coining of a term: There was an accepted way of ornamenting or improvising music and of writing down this improvisation as an important stylistic feature of the music. The term for this was, I think, coined by Athanasius Kircher as "stylus phantasticus", which originated as a written-down improvisation and then became a distinguishing characteristic in some pieces. It was a sort of a written down improvisation that became integrated in the musical structure itself as a stylistic and expressive feature of that music.

LINDGREN: I have a simple question arising from my curiosity. This manuscript that contains the graces for Anna Maria does it have all the parts for all the movements, and are the graces only in the second movement? Also, is her name given and, finally, where is this manuscript?

TALBOT: Anna Maria's name is given not only on the cover of the volume itself, but also in connection with every single item contained in it. The Allegro movements that frame the slow movements are essentially the same as in the original autograph in Turin, apart from a manipulation of the cadenza to avoid a particular difficulty and extreme altitude. The manuscript is preserved alongside hundred of fragments from the Pietà's repertoire in the Conservatorio "Benedetto Marcello" in Venice. The good news is that a very large part of the repertoire from about 1725 onwards until the extinction of the Pietà is preserved. The bad news is that practically nothing of it is performable because it exists only in isolated part-books so that you rarely have the full complement of parts to reconstruct the composition.

WAISMAN: Thank you for your really fascinating paper. I was worried about your identification of Vivaldi as the composer, whether it is not a little bit demeaning towards Anna Maria. We heard yesterday what I thought was a very good improvisation by somebody who is not known as composer – Enrico Gatti – and I know of a lot of recordings of performers who elaborate very good embellishments. Wasn't that exactly what they were supposed to be able to do to play with the embellishments very well? I leave this as a question.

TALBOT: I was not intending to be demeaning towards Anna Maria. Far from it: it was I who pressed the editors of the *New Grove Dictionary* to have an article on her, which I myself wrote. However, she has no track record as a composer and, moreover, the appearance of typical elements of Vivaldi's idiolect – as I call it – in the gracing of the movements do bespeak Vivaldi's own composition rather than another hand.

WAISMAN: But she had been playing Vivaldi for twenty years.

TALBOT: Even so, I would think the individuality of Vivaldi – who was of course not the only composer whose music she played – was such that a successful imitation would be extremely difficult. Had she been credited as composer elsewhere, I might consider this possibility more seriously.

WALLS: It just strikes me that if these pieces had been written by Anna Maria, she probably wouldn't have written the ornaments out. That is, the only occasion of writing out gracing is for somebody else. I know myself that any time I have written out graces is when I have been working them out for a student.

Parte quarta

LE SONATE A TRE E LA TRADIZIONE ROMANA

ANTONELLA D'OVIDIO

COLISTA, LONATI, STRADELLA: MODELLI COMPOSITIVI DELLA SONATA A TRE A ROMA PRIMA DI CORELLI

> *Nel vocabolario critico, la parola 'precursore' è indispensabile, ma bisognerebbe cercare di purificarla da ogni connotazione di polemica o di rivalità. Il fatto è che ogni scrittore crea i suoi precursori. La sua opera modifica la nostra concezione del passato, come modificherà il futuro.*
>
> JORGE LUIS BORGES [1]

Roma, Corelli, la sonata a tre: i vertici di un ideale triangolo nel quale si racchiude una parte fondamentale dello strumentalismo italiano seicentesco. Eppure, se dal periodo corelliano ci spostiamo indietro di qualche decennio, l'immagine del repertorio strumentale romano assume agli occhi dello storico tratti più sfumati e contorni meno netti. Difficile, infatti, individuare nella Roma degli anni precedenti l'arrivo di Corelli, compositori che nel campo specifico della musica polistrumentale siano stati in grado di raggiungere il successo e la condizione di *exemplum imitationis* fin da subito riconosciuta al "Bolognese".[2]

Collocate cronologicamente tra le due figure di spicco dello strumentalismo romano seicentesco – Girolamo Frescobaldi e Arcangelo Corelli –, le sonate a tre di Lelio Colista (1629-1680), Carlo Ambrogio Lonati (1645 ca.-1710) e in parte anche quelle di un compositore ben più studiato come Alessandro Stradella (1639-1682), non hanno certo goduto di quella fortuna storiografica tributata ai compositori di musica strumentale di altre aree geogra-

[1] J.L. BORGES, *Kafka e i suoi precursori*, in ID., *Altre Inquisizioni*, Milano, Adelphi, 2000, p. 117.

[2] Sulle ragioni di questo immediato successo e sulle motivazioni che permisero a Corelli di assumere un ruolo predominante nel panorama musicale romano si sofferma il contributo di F. PIPERNO, *Da Orfeo ad Anfione: mitizzazioni corelliane e il primato di Roma*, in questo stesso volume.

fiche (ad esempio quella emiliano-bolognese o veneta).[3] Ad eccezione di Stradella,[4] infatti, per molti anni il contributo di questi compositori – spesso relegati al ruolo decisamente angusto di "precursori" corelliani – è rimasto pressoché escluso dalle diverse ricostruzioni storiografiche volte a precisare le linee di sviluppo della produzione strumentale italiana del XVII secolo.[5]

Solo in tempi recenti tale repertorio ha suscitato maggiore interesse, soprattutto grazie agli studi di Peter Allsop che, nel suo saggio sulla sonata a tre italiana del 1992, dedica alcune pagine all'esame delle composizioni di Colista, Lonati e Stradella. Anzi, proprio ad Allsop va riconosciuto il merito di aver posto l'accento in maniera incisiva su queste sonate, fin quasi a ribaltare la visione storiografica nella quale erano state fino ad allora inquadrate:

> The inaccessibility of these manuscript sources, little researched until recent times, has meant that the outstanding contribution of the Roman school has gone largerly unrecognized and ignored. In reality, the Roman *simfonia* may well lay claim to represent the most substantial, the most ambitious, and the most technically demanding instrumental music of the period, against which the contemporary Bolognese sonata appears small – scale and provincial.[6]

Non che siano mancati negli ultimi anni contributi di carattere biografico,[7] filologico[8] e analitico su questi compositori e sulla loro produzione stru-

---

[3] Si vedano ad esempio i seguenti lavori monografici dedicati a compositori attivi nelle suddette aree: W. KLENZ, *Giovanni Maria Bononcini of Modena*, Durham, NC, 1962, S. BONTA, *The Church Sonatas of Giovanni Legrenzi*, 2 voll., Ph.D. diss., Harvard University, 1964, T. DUNN, *The Instrumental Music of Biagio Marini*, Ph.D. diss., Yale University, 1969, J.G. SUESS, *Giovanni Battista Vitali and the sonata da chiesa with music supplement*, UMI, Ann Arbor, 1969, ID., *The Ensemble Sonatas of Maurizio Cazzati*, «Analecta Musicologica», 19, 1979, pp. 146-185, T.J. MCFARLAND, *Giuseppe Colombi: his position in the 'Modenese school' during the second half of the seventeeth century*, Ph.D. diss., Kent State University, 1987.

[4] In particolare sulla produzione strumentale di Stradella si veda il contributo di E. MCCRICKARD, *Temporal and tonal aspects in Stradella's Instrumental Music*, «Analecta Musicologica», vol. 19, 1979, pp. 186-243.

[5] Una tendenza che traspare in maniera evidente dalla lettura di alcuni dei principali studi storici sull'argomento. In *Music in the Baroque Era*, Manfred Bukofzer, affrontando gli sviluppi della *ensemble sonata* nel Seicento si sofferma, oltre che su Corelli, su altri compositori dell'epoca (Legrenzi, Vitali, Bononcini), non facendo alcun cenno alla produzione romana, mentre nel suo fondamentale studio sulla «sonata in the baroque era», William Newman apre la parte del suo libro dedicata agli sviluppi della sonata in «central and southern Italy» sottolineando laconicamente che "almost nothing can be reported in the way of sonatas by composers resident in Rome". W. NEWMAN, *The Sonata in the Baroque Era*, New York, Norton & Company, 1963, p. 125

[6] P. ALLSOP, *The Italian 'Trio' Sonata. From its Origins until Corelli*, Oxford, Clarendon Press, 1992, p. 210.

[7] Su Lelio Colista vedi il fondamentale studio biografico di H. WESSELY KROPIK, *Lelio Colista. Ein römischer Meister vor Arcangelo Corelli*, Wien, Österreichischen Akademie der Wissenschaften, 1961 (trad. it. *Lelio Colista. Un maestro romano prima di Corelli*, Roma, Ibimus, 2002). Su Alessan-

mentale.[9] Tuttavia, manca a tutt'oggi una sistemazione critica e organica di questo repertorio, spesso studiato in passato *in funzione* dell'*opus* corelliano, al fine di comprenderne meglio il legame con la tradizione strumentale precedente e contemporaneamente precisare gli elementi connotanti dello 'stile corelliano'.[10] Al contrario, gli obiettivi di questo contributo muovono in direzione opposta, lasciando la figura di Corelli volutamente sullo sfondo, per porre al centro dell'indagine le sonate a tre di Colista, Lonati e Stradella al fine di osservare elementi specifici delle rispettive scritture strumentali. L'accento posto su queste musiche certamente consente di comprendere meglio i termini del rapporto tra Corelli e la tradizione romana di sonate a tre, ma soprattutto permette di precisare ulteriormente i tratti stilistici di un repertorio troppo spesso etichettato in maniera assolutamente generica come «Roman school» o «Roman Sinfonia».[11]

Il *corpus* di sonate preso in esame comprende complessivamente quaranta sonate a tre (21 di Colista, 10 di Lonati, 9 di Stradella). Ad eccezione delle sonate di Colista 40 W-K e 41 W-K, formate da successioni di danze,[12] tutte le altre sonate esaminate sono riconducibili al modello della sonata da chiesa. La loro composizione risale presumibilmente – non essendo nota la data esatta di composizione delle rispettive sonate – ad un arco cronologico che va da-

---

dro Stradella, oltre al già citato articolo di E. McCrickard (nota 4), vedi il lavoro monografico di C. Gianturco, *Alessandro Stradella (1639-1682). His Life and Music*, Oxford, Clarendon Press, 1994, e più recentemente, A. Garavaglia, *Alessandro Stradella*, Palermo, L'Epos, 2006.

[8] P. Allsop, *Problems of Ascriptions in the Roman Simfonia of the late Seventeenth Century: Colista and Lonati*, «The Music Review», 1989, n. 53, pp. 34-44. Su Stradella vedi *Alessandro Stradella. Instrumental music*, ed. by E. McCrickard, Köln, Arno Volk Verlag, 1980 (Concentus Musicus V).

[9] P. Allsop, *Le 'Simfonie' a 3 di Carlo Ambrogio Lonati*, in *Seicento inesplorato. L'evento musicale tra prassi e stile: un modello di interdipendenza.* Atti del III Convegno Internazionale sulla musica in area lombardo-padana nel secolo XVII, Lenno-Como, 23-25 giugno 1989, a cura di A. Colzani - A. Luppi - M. Padoan, Como, A.M.I.S., 1993, pp. 21-43, F. Piperno, *Cristina di Svezia e gli esordi di Arcangelo Corelli: attorno all'Opera I (1681)*, in *Cristina di Svezia e la musica*, Atti del convegno internazionale (Roma, 5-6 dicembre 1996), Roma, Accademia Nazionale dei Lincei, 1998, pp. 99-132, P. Allsop, *Arcangelo Corelli, New 'Orpheus' of our time*, Oxford, Oxford University Press, 1999.

[10] In generale sul concetto di stile e di «modello normativo» corelliano cfr. M. Baroni, *Alla ricerca del senso dello stile*, in *Studi Corelliani V*, pp. 19-75, E. Garroni, *Osservazioni sull'uso di 'stile', 'modello', 'barocco', 'classico' e 'classicismo'*, in *Studi Corelliani V*, pp. 1-18, F. Piperno, *Stile e classicità corelliani: un'indagine sulla scrittura strumentale*, in *Studi Corelliani V*, cit., pp. 77-117, S. La Via, *Dalla «Ragion Poetica» di Gianvincenzo Gravina ai «bei concetti» musicali di Arcangelo Corelli. Teorie e prassi del «classicismo» corelliano oltre l'Arcadia*, in questo stesso volume.

[11] Questa impostazione è particolarmente evidente nella recente monografia di P. Allsop, *Arcangelo Corelli*, cit.

[12] La sigla W-K si riferisce al catalogo delle opere di Colista stilato da H. Wessely Kropik nel suo studio *Lelio Colista. Ein Römischer meister vor Arcangelo Corelli*, cit.

gli anni '50 alla fine degli anni '70 del Seicento. Relativamente al repertorio strumentale, il decennio 1670-1680 è caratterizzato da un importante avvicendamento di personalità sulla scena musicale romana: agli inizi degli anni '70 si registra a Roma la presenza di Corelli, nel 1677 Lonati e Stradella lasciano la città pontificia e nel 1680 muore Lelio Colista, ovvero uno dei liutisti e compositori più apprezzati nell'ambiente musicale romano, tanto da guadagnare, ancora prima di Corelli, l'appellativo di «verè Romanae Urbis Orpheus».[13] Questi mutamenti corrispondono anche ad una svolta nelle modalità di diffusione del repertorio sonatistico: affidato precedentemente alla sola circolazione manoscritta, la sonata a tre – a partire dall'Op. I di Corelli – raggiunge finalmente anche a Roma il traguardo dell'edizione a stampa.

La Tabella 1 mostra infatti come solo dal 1681– sulla scia del successo ottenuto dalla prima raccolta corelliana – gli stampatori romani, in particolare Mutii e Komarek, comincino a stampare con una certa regolarità per tutto il decennio successivo sillogi strumentali, soprattutto sonate a tre.[14]

Prima del 1681, invece, l'incontro tra editoria locale e musica strumentale, con la sola eccezione di Frescobaldi, è assolutamente episodico, complici da un lato un generale atteggiamento di prudenza degli stampatori romani verso generi 'nuovi' e non collaudati rispetto alla polifonia vocale, dall'altro il timore nei confronti dell'agguerrita concorrenza di altre città italiane (Venezia e Bologna soprattutto) che avevano acquisito una posizione dominante nella stampa di raccolte strumentali.[15] La circolazione manoscritta dunque costituiva uno dei principali canali di diffusione del repertorio di sonate a tre a Roma prima del 1681, un repertorio ampiamente apprezzato e consumato, come testimonia il numero cospicuo di manoscritti fino ad oggi rinvenuti.[16]

---

[13] Così infatti il padre gesuita Athanasius Kircher definisce Colista nella sua *Musurgia Universalis*: «Restat denique, ut hoc loco specimen quoddam hic apponamus melothesias testudinis, Tiorbis, similibusque instrumentis appropriatum; quod dedit insignis Cytharoedus, & veré Romanae Urbis Orpheus D. Lelio Colista, iuvenis moribus, ingenij, vivacitate spectabilis». Cfr. A. KIRCHER, *Musurgia Universalis sive ars magna consoni et dissoni in decem libros digesta*, Romae, 1650, p. 480.

[14] Sulle circostanze storiche e le motivazioni di natura estetica che favorirono il successo dell'Op. I di Corelli vedi F. PIPERNO, *Cristina di Svezia e gli esordi di Arcangelo Corelli*, cit.

[15] P. FABBRI, *Politica editoriale e musica strumentale in Italia dal Cinque al Settecento*, «Recercare», 1991, pp. 203-214, G. ROSTIROLLA, *L'editoria musicale a Roma*, in *Le muse galanti. La musica a Roma nel Settecento*, a cura di B. Cagli, Roma, Istituto dell'Enciclopedia Italiana, 1985. C. SARTORI, *Bibliografia della musica strumentale Italiana fino al 1700*, Firenze, Olschki, 1952-1968.

[16] P. ALLSOP, *Problems of Ascriptions*, cit. Per un esame completo di tutta la tradizione manoscritta delle sonate a tre di Colista e Lonati cfr. A. D'OVIDIO, *La tradizione manoscritta delle Sonate a tre di Lelio Colista e Carlo Ambrogio Lonati: aspetti generali*, in ID., *Alle soglie dello strumentalismo corelliano: Colista, Lonati, Stradella, Mannelli. Studio storico-analitico ed edizione critica delle Sonate a tre*, tesi di dottorato, Università degli Studi di Pavia, 2004.

TABELLA 1 – *Cronologia delle edizioni di raccolte strumentali stampate a Roma: 1652-1692*

Anno	Compositore/Opera	Stampatore
1652	Giovanni Antonio Leoni, *Sonate di violino a voce sola*, Op. III	Mascardi
1669	Giovanni Antonio Pandolfi Mealli, *Sonate, cioè Balletti, Sarabande, Correnti, Passacagli [...] con la terza parte della viola a beneplacito* [senza numero d'opera]	Belmonte
1678	Giovanni Buonaventura Viviani, *Sinfonie, Arie, Capricci, Allemande [...] per violino solo*, Op. IV	Vannacci
1681	Arcangelo Corelli, *Sonate a tre, doi Violini, e Violone, ò Arcileuto, col Basso per l'Organo*, Op. I	Mutii
1682	Carlo Mannelli, *Sonate a tre, dui Violini, Leuto e Basso per l'Organo*, Op. II	Mutii
1685	Giovan Pietro Franchi, *La Cetra Sonora. Sonate a tre, doi violini e violone, ò Arcileuto, col Basso per l'Organo*, Op. I	Mutii
	Arcangelo Corelli, *Sonate da Camera a trè, doi Violini, e Violone, ò Cimbalo*, Op. II	Mutii
1689	Salvatore Mazzella, *Balli, Correnti, Gighe, Sarabande, Gavotte, Brande, e Gagliarde [...] a dui, violino, e viola, o cimbalo*	Mutii
	Arcangelo Corelli, *Sonate a tre, doi Violini, e Violone, ò Arcileuto, col Basso per l'Organo*, Op. III	Komarek
1691	Antonio Luigi Baldassini, *Sonate a tre, doi violini, e violone, ò arcileuto con Basso per l'Organo*, Op. I	Komarek
1692	Carlo Mannelli, *Sonate a tre, doi Violini, lento ò violone, con il Basso per l'Organo*, Op. III	Mascardi

Il presente contributo intende soffermarsi su queste sonate analizzandone in particolare alcuni tratti macro-strumentali per poi proporre un confronto tra le diverse scritture strumentali. Esse saranno, inoltre, inquadrate anche alla luce dei mutamenti stilistici che caratterizzano il repertorio sonatistico di questo periodo. I decenni 1650-80 del Seicento sono assai significativi da questo punto di vista: il processo di «sedimentazione stilistico-agogica» che aveva caratterizzato la produzione degli anni precedenti,[17] favorisce ora, all'interno di parametri ormai stratificati, il diffondersi di logiche compositive differenziate. Logiche compositive che non si nutrono più, o non solo, dell'uso di determinati ingredienti metrico-formali codificati, ma che rivelano, come ha recentemente argomentato Franco Piperno, il maggior "grado di consapevolezza con-

[17] F. PIPERNO, *Modelli stilistici e strategie compositive della musica strumentale del Seicento*, in *Enciclopedia della Musica*, vol. IV, Torino, Einaudi, pp. 430-446, cit., p. 437.

seguito dai compositori nell'allestimento di percorsi sonori atti a incidere, [...] tanto sulla sfera sensuale quanto su quella intellettuale del fruitore".[18] Osservate da questa prospettiva, le sonate che analizzeremo rivelano aspetti interessanti che ci permettono di valutare, al di là di generiche e supposte omogeneità stilistiche, le soluzioni offerte nell'ambito della sonata a tre da ciascun compositore qui considerato.

Le sonate a tre di Alessandro Stradella presentano un impianto formale molto uniforme per quanto riguarda il numero e la disposizione dei movimenti: ciascuna sonata, ad esclusione della 15 MC,[19] è formata da quattro movimenti che si susseguono secondo un'alternanza piuttosto regolare di tempi binari e ternari. Tutte presentano inoltre, il movimento fugato in penultima posizione. Quelle di Colista e Lonati, invece, offrono una maggiore varietà sul piano dell'organizzazione formale: il numero dei movimenti di ciascuna sonata può oscillare da tre a sei e la loro successione agogica non necessariamente prevede sempre l'alternanza binario-ternario (vedi Tabelle 2, 3 e 4).

Tuttavia, se da questa prima ricognizione, per così dire, "esterna", si passa ad osservare la tipologia dei singoli movimenti si noterà come Colista presenti una evidente tendenza all'uniformità riguardo al modo di strutturare la sonata nel suo complesso. Egli, infatti, tende generalmente a organizzare l'intero decorso della sonata intorno a tre movimenti-tipo: 1) il movimento iniziale sempre in tempo binario e per lo più caratterizzato da una scrittura omofonica o moderatamente imitativa, da una lunghezza standard (la media è di circa 15-20 battute)[20] e da un andamento lento; 2) il movimento fugato in tempo binario posto nella maggior parte dei casi in penultima posizione; 3) il movimento finale, in tempo ternario e con struttura bipartita, cui spetta il compito di alleggerire la tensione contrappuntistica accumulata precedentemente, trasfigurandola in ritmi di danza. Si tratta di una logica organizzativa del materiale musicale profondamente diversa sia da quella diffusa in ambiente emiliano-bolognese (in cui il movimento iniziale è poco più che una semplice introduzione al movimento fugato che segue), sia da quella che caratterizza le sonate di Lonati e Stradella. Certo, anche in Lonati troviamo sonate che si concludono con un movimento bipartito basato su ritmi di danza o iniziano con un movimento in tempo binario, ma questi elementi non sono quasi mai inquadrati

---

[18] *Ivi*, p. 438.

[19] La numerazione delle Sonate a tre di Stradella segue quella adottata nell'edizione critica curata da E. McCrickard, *Alessandro Stradella. Instrumental Music*, cit.

[20] Ad esclusione della Sonata 32 W-K e 33 W-K. Per un'edizione critica della sonata a tre di Colista cfr. A. D'Ovidio, *Alle soglie dello strumentalismo corelliano*, cit.

TABELLA 2 – *Sonate a tre di Lelio Colista: struttura formale**

SONATE	I	II	III	IV	V	VI
10 W-K	C Largo	C Canzona	3/2 Affetto	C Canzona	3/4 Allegro	
13 W-K	C [lento]	C [veloce]	C [veloce]	C [veloce]	3/4 [veloce]	
14 W-K	C [lento]	3/2 [veloce]	C [veloce]	3/4 [veloce]		
15 W-K	C Allegro	3/2 Largo	C Canzona	3/2 Largo		
16 W-K	C Grave	3/2 Largo	C Canzona	C Adagio	6/8 Allegro	
17 W-K	C [lento]	C [veloce]	C [veloce]	3/2 Sarabanda	C Canzona	3/2 [lento]
21 W-K	C Largo	3/2 Allegro	C [lento]	C Canzona	– Allegro	
22 W-K	C Largo	3/4 Allegro	3/2 Largo	C Canzona	3/4 Allegro	
25 W-K	C [lento]	3/4 [veloce]	3/2 [lento]	C [veloce]	3/4 [veloce]	
26 W-K	C [lento]	3/2 [veloce]	C [lento]	C [veloce]	3/4 + C [veloce]	
27 W-K	C Adagio	C [veloce]	3/2 [veloce]	C [veloce]	C [veloce]	3/2 [lento]
28 W-K	C [lento]	3/4 + C [veloce]	3/2 [lento]	C Canzona	3/4 [veloce]	
30 W-K	C [lento]	C [veloce]	12/8 [veloce]	3/2 [lento]	C [veloce]	12/8 [veloce]
31 W-K	3/2 + C [lento] + Allegro	3/4 [veloce]	C [veloce]	3/4 [veloce]		
32 W-K	3/2 Adagio	C [veloce]	C Canzona	3/4 [veloce]		
33 W-K**	C/2 Allegro	C/2 Largo	3/2 Allegro	C/2 Allegro		
37 W-K	C [veloce]	3/2 [lento]	C Canzona	C Largo		

Sonate	I	II	III	IV	V	VI
38 W-K	C Largo	3/2 Adagio. Affetto	C Canzona. Affetto	6/4 Affetto		
39 W-K***	C Largo + Allegro	3/4 Allegro	C Largo	C Allemanda. Affetto	3/4 + C [veloce]	

* Nella Tabella non sono state inserite le sonate 12, 18, 19, 24 e 29 W-K perché sono incomplete. Le indicazioni agogiche tra parentesi quadre non sono presenti nelle fonti manoscritte. Lo sfondo grigio indica in ciascuna sonata la posizione del movimento fugato.

** La Sonata 33 W-K presenta delle particolarità formali e stilistiche rispetto a tutte le altre sonate di Colista (l'uso del tempo tagliato in tre movimenti su quattro e l'assenza di un movimento fugato assimilabile a quello presente nelle altre sonate), tali da far ipotizzare, come ha fatto Allsop, una erronea attribuzione al compositore romano, cosa che sarebbe confermata anche dal fatto che tale sonata è attestata solo da manoscritti di provenienza inglese che presentano altri casi di erronea attribuzione. Cfr. P. Allsop, *Problems of Ascriptions*, *op. cit.*

*** Questa sonata si presenta priva di movimento fugato, dal momento che esso è sostituito in penultima posizione da un movimento di danza.

Tabella 3 – *Sonate a tre di Carlo Ambrogio Lonati: struttura formale**

Sonate	I	II	III	IV	V	VI
A1	C [veloce]	C [veloce]	3/2 [lento]	C [veloce]	3/4 [lento]	
A2	C [veloce]	C [veloce]	C [lento]	3/2 [veloce]		
A3	C [veloce]	3/4 [veloce]	C [veloce]	C [lento]	3/4 [veloce]	
A4	C [lento]	C [veloce]	3/2 + C [lento]			
A5	C [veloce]	C [veloce]	C [lento]	3/2 [veloce]	C [veloce]	3/4 [veloce]
A6	C [lento-veloce]	3/2 [lento]	C [veloce]	C [veloce]	3/2 [lento]	3/4 [veloce]
A7	C [veloce]	3/2 [lento]	C [veloce]	3/2 [veloce]		
A8	C [lento]-Allegro	C [veloce]	3/2 lento]	C [veloce]	3/8 [veloce]	
A9	C [lento-veloce]	C [lento]	3/4 [veloce]	12/8 [veloce]		
D1	C [lento]	3/2 [lento]	C [veloce]	C [veloce]		

* Le indicazioni agogiche tra parentesi quadre non sono presenti nei testimoni manoscritti. Lo sfondo grigio indica in ciascuna sonata la posizione del movimento fugato. Le Sonate A7 e A9, pur presentando alcune sezioni a carattere imitativo nei diversi movimenti, sono tuttavia prive di un vero e proprio movimento fugato.

TABELLA 4 – *Sinfonie a tre di Alessandro Stradella: struttura formale**

SONATE	I	II	III	IV	V
MC 13	C [lento-veloce-lento]	3/8 Presto	C [lento]	6/8 [veloce]	
MC 14	C [lento-veloce]	3/8 [veloce]	C [lento]	3/4 [veloce]	
MC 15	C [veloce]	3/8 [veloce]	C [lento]	C [veloce]	3/8 [veloce]
MC 16	C [lento-veloce]	3/8 [veloce]	C [veloce]	C [veloce]	
MC 17	C [veloce]	3/2 [lento]	C [veloce]	6/8 [veloce]	
MC 18	C [veloce]	3/4 [lento]	C [veloce]	C [veloce]	
MC 19	C [veloce]	6/8 [veloce]	C [veloce]	3/4 [veloce]	
MC 20	C [veloce]	3/2 [lento]	C [veloce]	3/8 [veloce]	
MC 21	C [lento-veloce]	3/4+C [veloce]	C [veloce]	3/8 [veloce]	

* Le indicazioni agogiche tra parentesi quadre non sono presenti nei testimoni manoscritti. Lo sfondo grigio indica in ciascuna sonata, ad eccezione delle Sonate MC 14 e MC 17 che ne sono prive, la posizione del movimento fugato.

all'interno di un progetto formale di ampio respiro. Si osservi ad esempio l'estrema disinvoltura con cui, nel caso di Lonati, viene trattata la collocazione di determinati movimenti all'interno della sonata, in particolare quello in stile fugato. Se nelle sonate di Colista (e di Stradella), esso, costantemente in penultima posizione, costituisce il punto fermo dell'organizzazione formale complessiva e il punto di massima accumulazione della tensione contrappuntistica, in Lonati finisce per occupare una collocazione sempre diversa: ora in penultima posizione come nelle sonate di Colista (Sonata A1), ora in posizione centrale (Sonate A3 e A6), ora in seconda posizione (Sonate A2, A4, A5, A8).[21] In un

[21] La sigla A si riferisce alla numerazione delle Sonate di Lonati proposta da P. ALLSOP, *Problems of Ascriptions*, cit. Con la sigla D1 si indica la sonata a tre di Lonati conservata nel manoscritto della Biblioteca Universitaria di Torino nel fondo Giordano 16, fol. 110*v*-114*r* non censita nel contributo di Allsop sopra citato.

caso compare come movimento conclusivo (Sonata D1), mentre due sonate (A7 e A9) sono addirittura prive di un movimento fugato vero e proprio, la cui presenza, tenendo conto delle lunghe sezioni imitative disseminate nel corso dell'intera composizione, rischiava forse di ottenere un effetto ridondante.[22]

Quanto a Stradella, l'uniformità dei parametri metrico-agogici non deve trarre in inganno: come si vedrà a breve, l'estrema varietà di scrittura che caratterizza le sue sonate e le differenti soluzioni adottate in merito al trattamento del fugato finiscono per contrastare con tale regolarità formale, mettendo in risalto l'adozione di logiche compositive che variano da caso a caso.

Queste prime osservazioni sull'impianto formale generale lasciano intravedere l'esistenza di diversi modi di costruire e strutturare il brano strumentale. Colista si distingue dagli altri compositori esaminati per una maggiore sensibilità e una più precisa consapevolezza nell'uso di determinati parametri e nell'adozione di norme strutturali costanti e ricorrenti. Aprire la sonata con un movimento in tempo binario, prevalentemente in stile omofonico e spesso focalizzato armonicamente intorno alle due aree tonali principali (primo e quinto grado), collocare l'apice della complessità contrappuntistica sempre nel penultimo movimento e concludere il brano alludendo a ritmi coreutici, così come fa di solito Colista nelle proprie sonate, significa predisporre un preciso percorso di lettura del brano strumentale. È questo un aspetto chiave dello sviluppo del linguaggio sonatistico seicentesco. Il completo distacco dalla sponda della vocalità, e la conseguente formulazione di una sintassi squisitamente strumentale, avviene proprio grazie all'individuazione di principî intrinseci su cui fondare l'organizzazione del materiale musicale sia all'interno del singolo movimento, sia nell'articolazione dell'intera sonata.[23]

---

22 La diversa collocazione assunta dal fugato nelle sonate di Lonati ha indotto Peter Allsop a spiegare questa scelta ipotizzando che il compositore possa richiamarsi sostanzialmente a due modelli formali differenti: da un lato quello di Colista, dall'altro quello nordico-bolognese in cui questo tipo di movimento compare come primo o, più spesso, secondo movimento (cfr. P. ALLSOP, *Le 'Simfonie' a tre di Carlo Ambrogio Lonati*, cit., p. 39). A dir il vero, si tratta di un'ipotesi non troppo convincente. Sono ancora insufficienti le notizie relative alla formazione di Lonati per poter stabilire eventuali modelli, specie in ambito strumentale. Tra l'altro, l'effettiva aderenza di Lonati, relativamente alla posizione del fugato, ai due modelli di cui parla Allsop non appare poi così evidente: non si riscontra infatti una polarità di scelte, in cui il movimento fugato figura ora in seconda posizione (modello nordico), ora in penultima (modello romano). Anzi, le scelte, come abbiamo visto, riflettono un'estrema libertà e varietà di soluzioni per cui il fugato può occupare praticamente tutte le collocazioni possibili all'interno della sonata. Per una discussione di questi problemi, cfr. A. D'OVIDIO, *"Primo lume dei violinisti": le sonate a tre di Carlo Ambrogio Lonati*, in *Alle soglie dello strumentalismo corelliano*, cit.

23 F. PIPERNO, *Modelli stilistici e strategie compositive*, cit., *passim*. Già William Newman aveva sottolineato l'importanza nella sonata seicentesca del problema del "listener's attention", rimarcando la presenza, nel caso ad esempio delle sonate corelliane, di una "progression from fuller to lighter textures and more solemn to gayer moods" (W. NEWMAN, *The Sonata in the Baroque Era*, cit.

Rivolgiamo ora l'attenzione ad aspetti che riguardano più da vicino la scrittura strumentale. A tal fine, non potendo in questa sede addentrarci in una minuta analisi dei diversi movimenti delle sonate, preferiamo concentrare le osservazioni esclusivamente sul movimento fugato. Esso, infatti, oltre a porsi come il movimento di gran lunga più elaborato di queste sonate, consente di scorgere proprio nella dialettica che si instaura tra la logica endogena della scrittura fugata e le esigenze proprie della scrittura "a tre", le differenti soluzioni offerte dalle sonate in esame.[24]

Nella maggior parte dei casi, i soggetti utilizzati da Colista in questo tipo di movimento – spesso indicato come *Canzona* nelle fonti manoscritte – presentano caratteristiche morfologiche molto omogenee: soggetto breve, prevalentemente costituito da frammenti scalari o arpeggi, ritmo iniziale dattilico con progressiva intensificazione ritmica nella parte finale, scarsa vocazione "tematica". Il richiamo alla tradizione della *canzona* strumentale cinque-seicentesca è chiaramente presente nell'adozione del ritmo dattilico iniziale (in qualche caso associato anche alla figurazione a note ribattute), nell'imitazione rigida delle voci, nel breve fraseggio ritmico-melodico (vedi Es. 1).

Già Allsop ha opportunamente sottolineato come Colista mostri una certa preferenza per un soggetto che sia concepito soprattutto in virtù delle combinazioni contrappuntistiche cui può dare origine, piuttosto che per la bellezza intrinseca della linea melodica prescelta. In effetti, se il profilo melodico dei soggetti si rifà chiaramente ai moduli stilistici della *canzona* strumentale cinquecentesca, la costruzione del movimento fugato si basa non tanto sulla ricerca di una seducente idea musicale – e la tipologia di soggetto utilizzata lo dimostra ampiamente – quanto su una elaborazione musicale assai densa che esalta continuamente il gioco contrappuntistico delle tre parti coinvolte, con una tendenza alla giustapposizione, frammentazione, sovrapposizione e combinazione dei diversi elementi ritmico-melodici.

---

p. 73). In modo più specifico Newman nota come Corelli 'puts the more weighty, polyphonic movements first, while the attention is freshest, and the more songful or tuneful and homophonic movements last, when the interest might otherwise flag'. Sul solco tracciato da Newman, alcuni studi condotti negli ultimi anni su questo tipo di repertorio, secondo una prospettiva strutturalista e semiotica, hanno ben evidenziato come la ricorrenza di determinati elementi (*topoi*) immediatamente riconoscibili per l'ascoltatore costituiscano dei procedimenti largamente utilizzati dai compositori seicenteschi di musica strumentale. Cfr. G. BARNETT, *Church music, musical Topoi and the ethos of sonata da chiesa*, relazione in questo stesso volume.

[24] Sull'analisi dei movimenti fugati nelle Sonate a tre di Corelli cfr. S. DURANTE, *Ancora del 'vero' e 'falso' Corelli. Un confronto con i movimenti fugati di Ravenscroft*, in *Studi Corelliani IV*, pp. 275-301.

Es. 1 – Soggetti dei movimenti fugati nelle sonate a tre di Lelio Colista.

Si osservi a questo proposito il fugato della Sonata 30 W-K (vedi es. 2). Il soggetto è chiaramente basato su una progressiva accelerazione ritmica (dalla minima iniziale si arriva alla semicroma) e da una struttura costituita da due elementi (*a* e *b*):

Es. 2 – Lelio Colista, *Sonata 30 W-K*, batt. 1-2, violino I.

L'intero soggetto è esposto all'inizio del brano in forma completa e poi ricompare sempre in modo frammentario. Tutto il fugato si strutturerà secondo procedimenti di ripetizione e sovrapposizione ogni volta diversa di questi due elementi, creando una trama di intrecci molto fitta in cui lo spazio per momenti di "allontanamento" dal soggetto è ridotto al minimo. All'incirca alla metà del brano (es. 3), la presenza dei due elementi nelle varie voci si infittisce notevolmente: al violino primo troviamo l'unione di *b* + *a*, contemporaneamente l'enunciazione completa del soggetto appare ritmicamente 'spezzata' tra violino secondo e basso melodico (batt. 21), mentre proprio in questa parte troviamo una iterazione della figurazione ritmica derivante da *b*.

Es. 3 – Lelio Colista, *Sonata 30 W-K*, batt. 20-22.

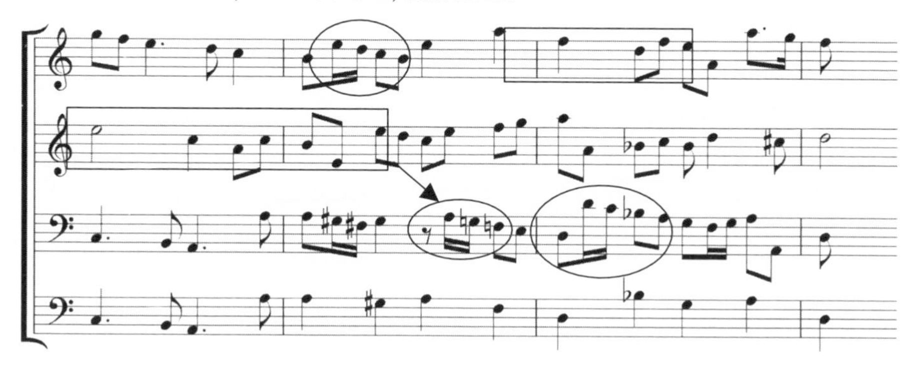

Nelle battute successive si nota una continua sovrapposizione dei due elementi, con una particolare enfasi sempre sul disegno ritmico di *b*, mentre nelle ultime 8 battute la sovrapposizione delle linee si attenua, il ritmo si allenta, la presenza dell'elemento *b* diventa più rarefatta. Compare infatti un'ultima volta alle batt. 33-34 nei due violini, mentre il finale è completamente affidato alla parte *a* del soggetto (es. 4).

Es. 4 – L. Colista, *Sonata 30 W-K*, batt. 37-40.

Il gusto per l'ingegnosa combinazione delle diverse cellule ritmico-melodiche si coniuga in altri casi ad una maggiore ricerca di varietà sul piano motivico, soprattutto nei fugati con doppio soggetto: soluzione contrappuntistica che Colista condivide con Corelli,[25] ma che invece trova scarsa applicazione nelle sonate di Stradella e Lonati.

I due soggetti presentano caratteristiche fondate soprattutto sul contrasto ritmico: in genere il primo è costruito su valori lunghi, il secondo invece su valori più brevi. L'organizzazione interna di questi fugati si basa sulla combinazione variata dei due soggetti, secondo una subordinazione di tipo paratattico. Il fugato della Sonata 13 W-K, è da questo punto di vista particolarmente interessante poiché mostra come la costruzione del fugato avvenga secondo l'accostamento di frasi ben bilanciate, con la presenza alternata ora del primo, ora del secondo soggetto, con moduli prima di quattro e poi di due battute. Tale simmetria non esclude peraltro elementi di varietà, essenzialmente garantita dalla diversità che ogni frase presenta rispetto alla precedente, sia per quanto riguarda il tipo di trattamento del materiale musicale (particolarmente utilizzato l'inversione di entrambi i soggetti alle battute 21-28 sia nei due violini, sia nel basso melodico), sia per quanto concerne la distribuzione del soggetto tra gli strumenti che partecipano al disegno imitativo (vedi es. 5).

Questi procedimenti non sono immuni da un certo schematismo, dovuto soprattutto ad uno scarso uso di progressioni armoniche e ad una eccessiva polarizzazione intorno all'asse primo-quinto grado, ma quello che preme sottolineare è che nei movimenti fugati delle sonate di Colista, assai più che in quelli di Stradella e Lonati, la complessità dell'elaborazione non è mai disgiunta da una manifesta esigenza di ordine ed equilibrio delle parti.

A tale proposito appare assai interessante considerare la funzione assegnata in queste sonate al movimento fugato. Rifacendosi ancora una volta a determinate procedure tipiche della *canzona-variazioni* o all'esistenza di forme col *da capo* presenti in molta produzione sonatistica di metà Seicento, Colista elabora sovente una rete di rimandi interni tra i movimenti, sfruttando il materiale del soggetto/i del fugato. Non si tratta certamente di procedimenti "nuovi", ma, al contrario, di pratiche compositive ampiamente condivise. Quello che però appare significativo e che merita di essere sottolineato è il modo in cui Colista riesce ad utilizzare quegli stessi strumenti al fine di conferire maggiore coerenza al brano strumentale. Se nelle *Sonate over Canzoni* di Merula, nelle *Canzoni* di Cazzati (1642) e nell'Op. II di Legrenzi (1655), l'uso

[25] Le sonate di Colista che presentano movimenti fugati con due soggetti sono le seguenti: 10 W-K, 13 W-K, 25 W-K, 32 W-K.

Es. 5 – Lelio Colista, *Sonata 13 WK*, movimento fugato.

24
6
♯6
6
6
28
6
6
5
32
4
3
36
40
5
♯6
4
3

del 'da capo' finiva per coinvolgere solo l'inizio e la fine della sonata, nelle sonate di Colista la rete dei rimandi tra i movimenti si amplia ulteriormente. Ad essere coinvolti non saranno più esclusivamente il primo e l'ultimo movimento, ma anche i movimenti interni. A volte l'eredità della canzone-variazioni è molto presente, soprattutto quando il soggetto subisce esclusivamente una trasformazione di tipo metrico (Es. 6):[26]

Es. 6 – Lelio Colista, *Sonata 31 W-K.*

III movimento, vl. I, batt. 1-2:

IV movimento, vl. II, batt. 1-2:

In altri casi la rete di connessioni diventa invece più sottile e complessa. L'attenta distribuzione delle medesime cellule ritmico-melodiche nei diversi movimenti conferisce all'intero brano una struttura coesa e unitaria.

Significativo a tale proposito il caso della Sonata 13 W-K, in cui il primo soggetto del fugato (III movimento) viene riutilizzato nel movimento conclusivo della sonata (V movimento), mentre su un disegno strettamente imparentato con il secondo soggetto si costruisce il movimento successivo a quello fugato (il quarto). Inoltre, il profilo melodico del primo soggetto, caratterizzato da un andamento discendente sol-do era già preannunciato all'inizio della sonata nelle prime battute del violino primo del I movimento (es. 7).[27]

Alla luce di queste considerazioni, il movimento fugato si presenta dunque nelle sonate di Colista come il movimento in grado di condensare quegli elementi ritmico-melodici che in maniera quasi centrifuga verranno ripresi e utilizzati nei movimenti ad esso adiacenti. Una tale concezione dei rapporti tra i movimenti di una stessa sonata è decisamente nuova nella produzione strumentale dell'epoca sia rispetto a compositori come Cazzati, Legrenzi, Bononcini, in cui l'uso del "da capo" derivava sostanzialmente dall'impianto formale

---

[26] Un procedimento simile si ritrova anche nelle Sonate Op. I e Op. III di Arcangelo Corelli. Particolarmente evidente a questo proposito, e simile al caso di Colista qui preso in considerazione, il legame tra i primi due *Allegri* nella sonata decima dell'Op. I.

[27] Simili procedimenti costruttivi sono stati riscontrati anche nelle sonate a tre di Corelli. Si veda a questo proposito lo studio di D. Libby, *Interrelationships in Corelli*, «Journal of the America Musicological Society», vol. XXVI, 1973, pp. 263-287. Su un caso particolare molto simile a quello di Colista qui analizzato, quello della sonata n. 2 dell'Op. III di Corelli, si sofferma anche M. Privitera, *Arcangelo Corelli*, Palermo, L'Epos, 2000, pp. 131-138.

Es. 7 – L. COLISTA, *Sonata 13 W-K*. Distribuzione e ricorrenze degli elementi ritmico–melodici del fugato.

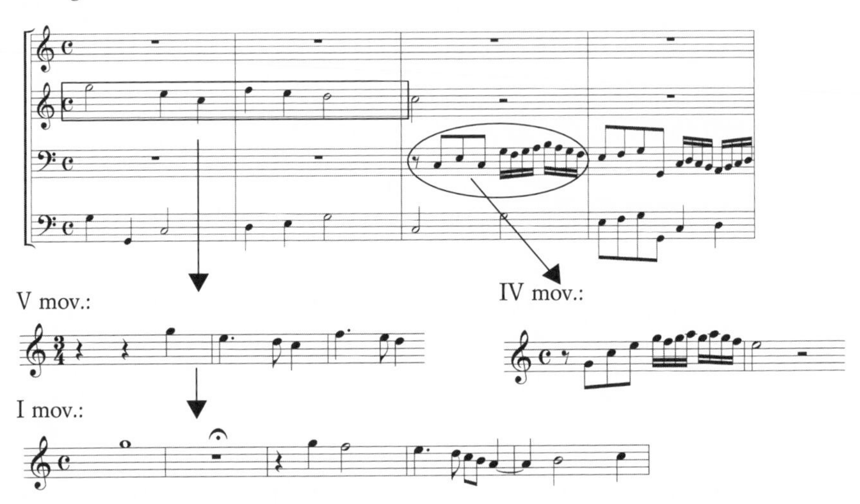

A-B-A della canzona strumentale, sia rispetto ai 'colleghi' romani di Colista (Lonati, Stradella, Mannelli), nelle cui sonate raramente troveremo l'impiego di simili tecniche di correlazione tra i movimenti. Nelle sonate di Colista, infatti, tale tecnica non è finalizzata soltanto a "chiudere il cerchio" e ricondurre la memoria dell'ascoltatore al motivo d'apertura,[28] quanto a creare una sintassie strettamente coerente intorno a elementi specifici che percorrono trasversalmente l'intera sonata.

Osservando i soggetti utilizzati nei movimenti fugati di Lonati, il legame con la tradizione strumentale cinque-seicentesca appare quasi del tutto accantonato. Benché alcuni soggetti presentino caratteristiche morfologiche simili a quelle già riscontrate in Colista, tuttavia la maggior parte di essi mostra una moderata ma spiccata inclinazione verso una scrittura idiomatica, finalizzata ad esplorare le possibilità virtuosistiche del violino. In più di un caso, infatti, il consueto *incipit* dattilico e la scandita progressione ritmica dei soggetti di Colista, lasciano il posto a figurazioni in semicrome veloci in scala o arpeggiate (es. 8).

---

[28] Per uno studio dei meccanismi compositivi finalizzati ad incidere sulla memoria dell'ascoltatore cfr. L.B. MEYER, *Emotion and Meaning in Music*, Chicago, The University of Chicago Press, London, 1956 (trad. it. *Emozione e significato in musica*, Bologna, Il Mulino, 1992).

Es. 8 – Carlo Ambrogio Lonati, *Sonate a tre*. Soggetti dei movimenti fugati.

Il trattamento del materiale musicale avviene secondo tecniche compositive che appaiono diverse rispetto a quelle di Colista. Innanzitutto, si nota un cambiamento nella tavolozza armonica utilizzata, con un allargamento delle aree tonali soprattutto nella direzione del quarto grado. L'uso ricorrente di progressioni armoniche, inoltre, garantisce un maggior grado di libertà nelle imitazioni e allo stesso tempo permette di creare una momentanea sospensione della presenza del soggetto. Nel fugato della Sonata A2, ad esempio, la doppia esposizione di un soggetto estremamente violinistico lascia il posto a diversi episodi – caratterizzati da un disegno in semicrome affidato alternativamente prima ai violini e poi al basso – che allentano così la densità dell'elaborazione, secondo un percorso opposto rispetto a quello proposto nei fugati di Colista (es. 9).

La tendenza a creare all'interno del fugato zone di alleggerimento e temporanea "sospensione" del soggetto trova conferma anche in un altro fugato di Lonati in cui la scrittura contrappuntistica si arresta per lasciare il posto ad una lenta ed espressiva coda finale. Il fugato in questione, quello della Sonata A6, si apre anch'esso come già quello precedentemente analizzato, ovvero con un incisivo soggetto idiomatico. Dopo quattro ripetizioni del soggetto, però, l'arrivo della cadenza sospesa sul quinto grado a batt. 27 determina di fatto la conclusione del fugato con un sensibile stacco rispetto alla coda, ulteriormente enfatizzato dalla pausa di semiminima in tutte le voci (es. 10).

Es. 9 – CARLO AMBROGIO LONATI, *Sonata A2*, movimento fugato, batt. 24-31.

Le ultime otto battute di questo movimento segnano inoltre un cambiamento sia a livello agogico (al 'veloce' del fugato subentra il 'lento' delle battute finali), sia nel tipo di scrittura adottato. Le veloci figurazioni del soggetto (crome e semicrome) lasciano ora il posto ad una sezione più lenta, con un ritmo che procede per minime e semiminime. Il profilo melodico predilige l'andamento per grado congiunto, in cui però si inseriscono in funzione espressiva alcuni intervalli, come la quarta ascendente al violino primo (batt. 28) e quello di sesta discendente al violino secondo della battuta successiva (es. 10).[29]

Il principio che i due fugati di Lonati condividono, pure all'interno di strutture differenti, è quello di una dialettica estremamente attenta a contemperare la complessità contrappuntistica con momenti di distensione, siano essi affidati ad episodi basati sul contrasto timbrico tra gli strumenti, oppure a code conclusive in cui si scarica la 'densità' della scrittura fugata.

[29] L'elemento che unisce la sezione fugata alla breve coda è sostanzialmente individuabile nel percorso armonico. Nelle ultime battute infatti vengono toccate tutte le armonie che avevano caratterizzato la parte precedente del fugato. Dopo l'inizio sul quinto grado, l'armonia si sposta verso do minore e poi verso si bemolle, per poi ritornare alla tonalità d'impianto.

Es. 10 – Carlo Ambrogio Lonati, *Sonata A6*, batt. 27-35.

In altri casi Lonati sembra muoversi in direzione opposta, puntando invece ad infittire maggiormente le potenzialità contrappuntistiche. In questo senso, un posto particolare spetta sicuramente al fugato della Sonata A4, il più ampio (47 battute) e articolato delle sue sonate a tre (vedi soggetto all'esempio 8).

Nelle prime nove battute, il soggetto viene ripetuto con esposizione completa in tutte le voci per ben tre volte. L'effetto di saturazione è presto allontanato tramite l'inserimento (batt. 17 del violino secondo) di un nuovo elemento destinato ad acquistare sempre più peso nella seconda parte del movimento. Si tratta di un frammento scalare caratterizzato da un *incipit* cromatico discendente e seguito da figurazioni di crome e semicrome dalla linea melodica altalenante (*a*):

Es. 11 – Carlo Ambrogio Lonati, *Sonata A4*, batt. 17, violino secondo.

Il resto del brano sarà tutto basato sulla compresenza del segmento *a* e del soggetto. Al contrario di quanto si possa inizialmente pensare, però, l'inserimento di *a* non conduce di fatto verso una più serrata e complessa elaborazione contrappuntistica. Osservando il rapporto tra il soggetto e *a* si deduce che l'interesse di Lonati sia solo parzialmente attratto dalle possibilità offerte dalla combinazione dei due motivi. Una serie di elementi conferma, infatti, come il suo obiettivo sia piuttosto quello di dare risalto alla scrittura violinistica affiancando al soggetto iniziale, un altro elemento ritmico-melodico che si caratterizza soprattutto per la sua veste idiomatica molto pronunciata: il soggetto iniziale e il segmento *a*, infatti, presentano una sostanziale omogeneità ritmica (tutti e due sono strutturati con un andamento per crome e semicrome), entrambi subiscono un numero limitato di modificazioni[30] e *a* si distingue dal soggetto soprattutto per un carattere idiomatico più marcato (si osservi ad esempio la presenza di salti di corda). Il risultato è dunque quello di spostare l'attenzione dell'ascoltatore sulla veste idiomatica e virtuosistica del disegno proposto, ponendo, così, nettamente in secondo piano le esigenze dell'elaborazione contrappuntistica e oscurando quasi lo sviluppo lineare tipico della scrittura fugata.[31]

Benché le sonate a tre di Colista siano state considerate come il modello a cui prevalentemente si ispirano le sonate a tre di Alessandro Stradella,[32] tuttavia una analisi più dettagliata e concentrata in modo particolare sul movimento fugato mette in luce, al di là di generiche similarità, le diverse concezioni strumentali dei due compositori.

Soffermiamoci momentaneamente sull'analisi di alcuni tra i fugati più significativi di Stradella, rinviando a breve il confronto con le sonate di Colista. Cominciamo anche in questo caso osservando più da vicino la conformazione ritmico-melodica dei soggetti prescelti (vedi Es. 12).

Nei soggetti utilizzati da Stradella si mescolano caratteristiche morfologiche già osservate nei fugati di Lonati e Colista. Se, ad esempio, alcuni sembrano richiamare, con la loro accentuata scansione ritmica, quelli di Colista (vedi i soggetti dei fugati delle Sinfonie 13, 15 e 20 MC, altri (Sinfonie 16 e 18 MC), sono costruiti mettendo in risalto soprattutto le linee idiomatiche dei violini, come si osserva nelle sonate di Lonati.

In generale colpisce l'estrema libertà con cui Stradella utilizza gli ingredienti della scrittura fugata, rompendo sapientemente ogni tipo di gerarchia tra soggetto, elementi secondari e materiale derivato dalla loro elaborazione. Inoltre, da un lato, si nota la preferenza per fugati che si articolano grazie alla frammentazione dei soggetti in due parti, come in Colista, dall'altro, la tendenza, già osservata in Lonati, ad attenuare soprattutto nel finale la tensione contrappuntistica. Si veda a tal proposito, la conclusione del movimento fuga-

---

30 L'elaborazione del soggetto iniziale si esaurisce praticamente nel corso delle prime diciassette battute, mentre l'altro motivo viene solo esposto in altre tonalità, mantenendo pressoché intatto il profilo iniziale.

31 Su questo aspetto vedi anche F. Piperno, *Cristina e gli esordi*, cit., p. 117.

32 P. Allsop, *Italian Trio Sonata*, cit., pp. 193-210.

Es. 12 – Alessandro Stradella, *Sinfonie a tre.* Soggetti dei movimenti fugati.

to della *Sinfonia 13 MC*: nelle ultime cinque battute l'elaborazione contrappuntistica si allenta e il brano si conclude su un breve episodio in dialogo tra violini e basso (es. 13).

Una soluzione simile si osserva anche alla fine del fugato della *Sinfonia 16 MC*: qui l'episodio conclusivo, ulteriormente enfatizzato da una cadenza sospesa al quinto grado seguita da una pausa di minima, è affidato al dialogo/contrasto tra violini e basso che sfruttano un elemento del soggetto iniziale (es. 14).

Anche in Stradella però si riscontrano brani caratterizzati da una densa scrittura contrappuntistica. Esemplare in questo senso il lungo fugato della *Sinfonia 15 MC* (65 battute), uno dei fugati più elaborati di Stradella tra quelli presenti nelle sinfonie per due violini e basso continuo (vedi il soggetto del fugato riportato nell'esempio 12).

Una volta completata l'esposizione del soggetto, la maggior parte del brano è interamente giocato sull'inserimento di figurazioni nuove che vanno ad unirsi a quelle del soggetto, dando vita ad una elaborazione motivica incessante. Dopo le prime dieci battute ritroviamo una esposizione del soggetto al violino primo, ma questa volta esso assume un aspetto diverso rispetto all'enunciazione iniziale. A conferirgli questa connotazione è essenzialmente la presenza di una sorta di nuovo controsoggetto che lo accompagna (*b*). A

Es. 13 – Alessandro Stradella, *Sinfonia 13 MC*, III movimento, batt. 35-39.

Es. 14 – Alessandro Stradella, *Sinfonia 16 MC*, batt. 19-24.

questo punto, Stradella ha messo in campo i quattro elementi ritmico-melodici sulla cui combinazione si articolerà l'intero brano da battuta 14 (tabella 5):

Tabella 5 – *Materiali ritmico-melodici utilizzati nel fugato della Sinfonia 15 MC*, batt. 14-54

1) l'*incipit* del soggetto formato da due minime:	
2) il disegno in semicrome che caratterizza il controsoggetto iniziale:	
3) secondo contrasoggetto *b*	
4) le crome ribattute seguite da un intervallo di quinta discendente che derivano dal materiale del controsoggetto	

I rapporti gerarchici tra il soggetto iniziale, il materiale da esso derivato e gli elementi motivici secondari inseriti nel corso del brano vengono in questo fugato di Stradella completamente annullati. A ben guardare, il soggetto non subisce quasi mai una trasformazione vera e propria, ma assume di volta in volta aspetti diversi, grazie all'accostamento inedito ad elementi sempre nuovi. Ogni elemento viene posto sullo stesso piano e la sua ricorrenza nel corso del brano risulta perfettamente funzionale al tipo di elaborazione cui viene sottoposto. Questo modo di gestire il decorso delle linee contrappuntistiche occupa tutta la parte centrale del brano; da battuta 48 in poi, però, la scrittura contrappuntistica, come già nei due fugati analizzati precedentemente, tende ad allentasi a favore del maggior risalto conferito al contrasto tra strumenti acuti e basso. Una sorta di vera e propria mutazione affettiva che trascina l'ascoltatore, fino a quel momento imbrigliato nella ricca e complessa trama contrappuntistica, verso un finale interamente giocato sulla ricerca di effetti timbrici e 'coloristici'. Nella coda posta a conclusione di un fugato così elaborato, infatti, il disegno iniziale del soggetto, enunciato un'ultima volta dal violino primo a batt. 51, diventa una sorta di reminiscenza, presto soppiantato dal vivace disegno in semicrome dei tre strumenti che domina tutta la parte conclusiva del brano (vedi es. 15).

Le strategie compositive adottate da Stradella nei movimenti fugati qui analizzati sembrano essere in apparente contrasto. Da un lato l'estrema atten-

Es. 15 – Alessandro Stradella, *Sinfonia 15 MC*, IV movimento, batt. 55-65.

zione con cui egli bilancia la scrittura contrappuntistica con l'inserimento di code o di episodi che sfruttano la varietà delle combinazioni strumentali, in modo simile a quanto già osservato nei fugati di Lonati. Dall'altro, l'intento particolarmente evidente nel fugato della Sonata 15 MC, a rendere più densa la scrittura attraverso l'inserimento di elementi ritmico-melodici che arricchiscono il tessuto contrappuntistico.

Ma la contraddizione tra queste due tendenze è solo apparente poiché unica è la logica che le sottende. Affastellare il campo con elementi diversi, creando sempre nuove combinazioni, dare risalto nella conclusione del fugato a figurazioni secondarie basate sul contrasto tra strumenti acuti e basso, sospendere all'improvviso il percorso contrappuntistico: tutti strumenti utilizzati da Stradella per rielaborare e manipolare determinati aspetti connaturati alla scrittura fugata. Al continuo e incessante ritorno del soggetto iniziale che contraddistingue buona parte dei fugati strumentali dell'epoca,[33] Stradella oppone, nei casi qui analizzati, una serie di soluzioni che sembrano scardinare questa logica e contraddire continuamente l'andamento lineare del fugato. Tale strategia dunque ben si inquadra in quell'atteggiamento compositivo, condensato nel concetto tutto seicentesco di 'bizzarria', cui spesso lo stile strumentale di Stradella è stato accostato.[34] Osservando i dati emersi dall'analisi dei fugati, la componente 'bizzarra' del suo stile assume ancora maggior rilievo. Infatti, proprio a contatto con la scrittura fugata, ovvero con un tipo di scrittura che si basa principalmente su equilibri e gerarchie prestabilite, emerge con più forza l'obiettivo di giocare con le attese dell'ascoltatore, di manipolare e/o eludere i suoi orizzonti d'attesa, di "creare asimmetrie in un contesto simmetrico preordinato".[35]

Le osservazioni fin qui condotte ci consentono ora di proporre un confronto, sia pur parziale, tra le sonate analizzate. Una prima importante differenza riguarda, come già sottolineato, la diversa concezione dell'impianto formale: Colista, infatti, tende, in misura maggiore rispetto a Lonati e a Stradella, a progettare le sue sonate secondo moduli ricorrenti che si applicano sia ai singoli movimenti, sia complessivamente all'intera sonata. Ulteriori elementi di differenziazione si osservano nel modo concepire la scrittura strumentale, in partico-

---

33 P. WALKER, *Theories of Fugue from the Age of Josquin to the Age of Bach*, Rochester, University of Rochester Press, 2000.

34 G. BARNETT, *Bizzarrie ritmiche nelle Sinfonie di Stradella e le sonate di Corelli*, in *Studi Corelliani V*, pp. 305-328.

35 P. PETROBELLI, intervento a margine della relazione di G. BARNETT, *Bizzarrie ritmiche*, cit., p. 328.

lare nel fugato. La scrittura fortemente idiomatica e tesa al virtuosismo di Lonati e il modo in cui Stradella dirotta la percezione del fugato, manipolandone gli elementi fondamentali, costituiscono le due facce di una stessa medaglia. Entrambi i compositori, infatti, mostrano il medesimo intento: coniugare il linguaggio contrappuntistico con la natura più 'estroversa' del brano strumentale e orientare l'attenzione di chi ascolta verso una scrittura brillante e coinvolgente.

Altri invece sembrano essere i presupposti su cui si basa la concezione strumentale di Lelio Colista. Nelle sue sonate, e in particolare proprio nei movimenti fugati, il virtuosismo strumentale viene messo da parte, mentre dominano il rilievo assunto dall'elaborazione contrappuntistica e il gusto per l'organicità della costruzione formale.

Naturalmente non si tratta di formulare una rigida dicotomia tra l'estro e l'invenzione del "virtuoso" Lonati (e di Stradella) e la sapienza compositiva del "contrappuntista" Colista.[36] Piuttosto i diversi orientamenti messi in risalto dall'analisi palesano l'esistenza di due modi diversi di concepire il brano strumentale, ciascuna dei quali finalizzato a sollecitare modalità di ascolto differenti. Se quella di Colista puntava nettamente sul rilievo conferito ad "artifici [...] sottili di contrappunto" – per usare le parole di Pietro Della Valle, il quale nel 1640 colse importanti distinzioni nel panorama strumentale dell'epoca, tali da poter essere ancora valide negli anni '60-70 – le scelte di Lonati, e in parte di Stradella, sono orientate piuttosto verso la ricerca delle "grazie dell'arte" e della "leggiadria d'imitazioni",[37] con un gusto esibito per una certa teatralità del gesto strumentale. Diversi anche i rapporti che Colista da un lato e gli altri due compositori dall'altro instaurano con la tradizione strumentale precedente. Se infatti le sonate di Lonati esibiscono una tecnica strumentale molto agguerrita e soprattutto 'aggiornata' sulla prassi violinistica corrente, quelle di Colista, caratterizzate da una scrittura violinistica decisamente poco ardita, mantengono piuttosto un dialogo aperto con altri modelli di scrittura contrappuntistica derivati dalla *canzona da sonar*. Tenendo conto del le-

---

[36] Uno schematismo che del resto sarebbe smentito dalla fama che lo stesso Colista aveva a Roma come apprezzato virtuoso di liuto e di chitarra. Si leggano a questo proposito le parole di Stefano Arteaga che, nel suo trattato *Le rivoluzioni del teatro musicale italiano*, ricorda il compositore romano insieme ad altri celebri virtuosi del tempo: "[...] Un nobile Tedesco chiamato Kansperger [sic] dimorante allora in Italia insieme con Galeazzo Sabattini [sic] inventore di nuova sorte di tastatura negli stromenti, con Nicola Ramarini, con Lelio Colista romano, con Manfredo Settali, con Gianmaria Canario, con Orazietto celebre suonatore d'Arpa, e Michel Angiolo del Violino introdussero nella musica strumentale mille chiamate da loro galanterie, che si riducevano a trilli, strascichi, tremoli, finte, sincopi, e tai cose, che accrebbero maggiormente la corruzione". Cfr. S. ARTEAGA, *Le rivoluzioni del teatro musicale*, vol. I, Bologna, Forni, pp. 264-266.

[37] P. DELLA VALLE, *Della musica dell'età nostra che non è punto inferiore, anzi è migliore di quella passata [1640]*, in A. SOLERTI, *Le origini del melodramma*, Bologna, Forni, 1903, pp. 148-185.

game con la tradizione strumentale precedente, la posizione di Colista nel panorama romano assume, dunque, i tratti di un bilanciamento tra 'antico' e 'moderno' in cui rimane essenziale l'assimilazione di modelli strumentali primo-seicenteschi, riletti secondo le esigenze della "moderna" scrittura a tre.[38]

È appena il caso di rimarcare – giacché tale questione potrebbe dal sola costituire l'oggetto di un altro contributo – che proprio nelle sonate a tre di Colista, Corelli poteva trovare tutti gli strumenti necessari per superare, come dichiarerà egli stesso nella celebre lettera al conte Laderchi del 1679, un linguaggio basato sulla sola esigenza di "far campeggiare il violino",[39] a favore di una concezione strumentale improntata invece su criteri di simmetria ed equilibrio tra le parti. Nel cercare di impostare la sonata secondo criteri declinati su larga scala e non commisurati sul singolo movimento, nella ricerca di una scrittura contrappuntistica che efficacemente coniughi "artificio", "vaghezza" e "varietà de' soggetti",[40] nella ricerca di connessione interne a livello strutturale e ritmico-melodico tra i movimenti, risiedono, i principali punti di tangenza tra lo stile strumentale di Colista e il progetto "classicista" di Corelli. In entrambi i compositori è possibile ritrovare, infatti, sia pure in misura diversa e con differenti gradi di consapevolezza, il medesimo orientamento sti-

---

38 Una posizione, quella di Colista, che può essere definita, sia pur con tutte le cautele del caso, con l'espressione di «cinquecentismo barocco» coniata da Frommel, e più recentemente ripresa da Krautheimer, per definire l'orientamento stilistico di Gian Lorenzo Bernini nel decennio 1650-1660. A tal proposito Krautheimer afferma: «Le architetture sono caratterizzate dalla chiarezza dell'impianto: a prima vista esse non appaiono molto sofisticate, e le raffinatezze della composizione e dei particolari restano celate al visitatore occasionale, rivelandosi solo ad un'osservazione attenta. La forma d'insieme è straordinariamente distesa e al tempo stesso poderosa; l'edificio, impostato su volumi nitidi, è saldamente inquadrato entro ordini di paraste e di colonne libere o incassate; l'ornamentazione è ridotta e di forma quasi purista, tanto da dare occasione a qualche critica. Il lessico si discosta con molta discrezione da quello classico, ad esempio nell'uso dell'ordine del gigante e del bugnato, ma evita ogni aperta violazione delle regole [...]: si tratta cioè di un vocabolario derivato da Vitruvio, così come lo avevano riformulato Bramante, Peruzzi e Michelangelo e lo avevano codificato i commentatori, da Serlio a Vignola e a Palladio». Cfr. R. KRAUTHEIMER, *Roma di Alessandro VII*, Roma, Edizione dell'Elefante, 1987 (in particolare il capitolo III, *Gli architetti: barocco maturo e 'cinquecentismo barocco'*, pp. 43-53). Sul concetto di "cinquecentismo barocco" vedi il contributo di C. LUITPOLD FROMMEL, *S. Andrea al Quirinale: genesi e struttura*, in *Gian Lorenzo Bernini architetto e l'architettura europea tra Sei e Settecento*, a cura di G. Spagnesi e M. Fagiolo, Roma, Istituto dell'Enciclopedia Italiana, 1983, pp. 211-253. Sull'estensione del concetto di "cinquecentismo barocco" all'intera politica culturale di Alessandro VII cfr. B. TOSCANO, *Modelli per un papa intellettuale*, in *Alessandro VII. Il Papa senese di Roma moderna*, cit., pp. 17-24. Più recentemente una interessante analogia tra musica strumentale e architettura è stata proposta da F. PIPERNO nel contributo presente in questo stesso volume e in *Modelli stilistici e strategie compositive*, cit.

39 A. CAVICCHI, *Corelli e il violinismo bolognese*, in *Studi Corelliani*, pp. 33-47.

40 Tali espressioni sono utilizzate da Francesco Gasparini nel suo trattato *L'armonico pratico al cimbalo* con riferimento alla "vaghissime sinfonie del Sig. Arcangelo Corelli". Cfr. F. GASPARINI, *L'armonico pratico al cimbalo*, Bologna, Silvani, 1722, riproduzione anastatica dell'esemplare annotato da Padre Martini con introduzione di Luigi Ferdinando Tagliavini, Bologna, Forni, 2001, cit., p. 69.

listico finalizzato a scavalcare una fruizione squisitamente edonistica del brano strumentale,[41] come quella che si ritrova nelle sonate di Lonati e che ancora perdura in altre raccolte coeve a quelle corelliane.[42] A questo punto, riteniamo importante introdurre un ulteriore elemento di analogia tra Colista e Corelli che ci conduce oltre i confini della pagina musicale scritta, per approdare, come ha suggerito Marc Fumaroli, verso "un ordine del conoscere" in cui "il probabile, il verosimile, l'ipotetico, per quanto circoscritti e prudenti intendano essere, rivendicano i propri diritti nell'arte di recuperare non 'fatti', ma modalità dimenticate di percezione e comprensione".[43] Osservando i fenomeni storici e musicali da questa prospettiva, non apparirà irrilevante sottolineare come la figura di Lelio Colista, "eccellente virtuoso" e "compositore di bellissime sinfonie",[44] finiva per rappresentare agli occhi di Corelli, giovane violinista bolognese intenzionato a farsi apprezzare nei più altolocati ambienti culturali romani, un modello di 'compositore strumentale' non soltanto dal punto di vista strettamente tecnico-compositivo, ma anche da quello più propriamente culturale e sociale.

Se, infatti, come è stato sostenuto da Franco Piperno, Corelli riuscì ad essere incoronato come emblema del nuovo corso dello strumentalismo romano soprattutto sulla spinta degli ottimi rapporti che lo legavano a figure di spicco del mondo mecenatizio della città (Cristina di Svezia, Benedetto Pamphilij, Pietro Ottoboni),[45] in questo devono aver giocato non solo la sua accorta gestione dei rapporti sociali, ma soprattutto l'individuazione di precisi modelli 'romani' in campo strumentale cui riferirsi. Da questo punto di vista, Colista rappresentava un modello assai interessante di come un compositore, prevalentemente dedito alla musica strumentale, potesse raggiungere a Roma traguardi importati. Lelio era, infatti, perfettamente integrato all'interno della società romana, avendo intrattenuto rapporti con le famiglie più illustri della città (Barberini, Chigi, Orsini, Odescalchi). Inoltre, fattore di non minor conto, se si considera la posizione sociale occupata allora dalla figura di strumen-

---

[41] Cfr. F. PIPERNO, *Cristina di Svezia e gli esordi*, cit.

[42] Indicativo a questo proposito, benché esuli dai confini del presente contributo, il confronto tra l'Op. I di Corelli e le Sonate a tre dell'Op. II di Carlo Mannelli. Pubblicate a Roma nel 1682, a pochi mesi di distanza da quelle corelliane, le Sonate di Mannelli mostrano un orientamento stilistico opposto rispetto a quello di Corelli. A dominare la sintassi compositiva e a determinare l'assetto complessivo dell'intero brano, in Mannelli, è l'assoluto protagonismo della scrittura violinistica. Per un esame dell'Op. II di Mannelli cfr. A. D'OVIDIO, *Alle soglie dello strumentalismo corelliano*, cit.

[43] M. FUMAROLI, *La scuola del silenzio. Il senso delle immagini nel 17. secolo*, Milano, Adelphi, 1995, p. 15.

[44] G.O. PITONI, *Notizie de' contrapuntisti e de' compositori di musica*, cit., pp. 322-323.

[45] Cfr. F. PIPERNO, *Da Orfeo ad Anfione*, cit.

tista nella gerarchia delle professioni legate alla musica, Colista era riuscito grazie alla sua carriera di compositore ed esecutore, e alle sue doti di oculato gestore del patrimonio familiare, a raggiungere un'invidiabile situazione economica.[46] Ciò si evince soprattutto dal suo lascito testamentario, del quale viene nominato garante il Principe Don Livio Odescalchi, che documenta la presenza non solo di molti strumenti musicali, cosa naturalmente scontata per un musicista di professione, ma anche di dipinti e quadri, gioielli e oggetti d'arte.[47]

Tale *status*, economico e sociale, rendeva la figura di questo compositore completamente diversa sia da quella di Stradella – apprezzato soprattutto in campo vocale e sempre in difficoltà nella gestione economica delle proprie risorse e nel rapporto con il mondo mecenatizio romano – sia da quella di Lonati, abilissimo violinista assunto alla fama di compositore solo più tardi, grazie soprattutto alle sue Sonate per violino solo del 1701.[48] In questo panorama, dunque, Colista rappresentava l'unico compositore che, proprio grazie alla sua professione di strumentista e compositore di musica strumentale,[49] era riuscito a raggiungere una fama ragguardevole sia come virtuoso,[50] sia come compositore e didatta.[51]

Queste considerazioni, e soprattutto i risultati dell'analisi che abbiamo proposto precedentemente, concorrono a disegnare un'immagine assai sfac-

---

46 Cfr. H. WESSELY KROPIK, *Lelio Colista, passim.*

47 La trascrizione completa del testamento e dell'inventario dei beni di Lelio Colista si può leggere in H. WESSELY KROPIK, *Lelio Colista, un maestro romano*, cit., pp. 103-120.

48 P. ALLSOP, *Il gobbo della Regina "primo lume dei violinisti": Lonati's Sonatas of 1701*, in *Italienische Instrumentalmusik des 18. Jahrhunderts. Alte und neue Protagonisten*, hrg von Enrico Careri und Markus Engelhardt, Laaber-Verlag, 2002 (Analecta Musicologica, Band 32), pp. 71-93.

49 Le poche cantate composte (5) e i due oratorii rappresentati a San Marcello rispettivamente nel 1661 e nel 1667, di cui non si conosce né il titolo, né l'autore del testo e la cui musica è andata perduta, costituiscono le sole composizioni vocali del catalogo delle opere di Colista. A far la parte del leone sono invece le sonate a tre e, in quantità decisamente minore, alcune sonate a due, cui si aggiungono brani per chitarra e liuto attestati sempre in testimoni manoscritti. Per un catalogo completo delle opere si veda, H. WESSELY KROPIK, *Lelio Colista, un maestro romano*, cit., pp. 95-99.

50 Kircher lo definì 'verè Romanae Urbis Orpheus' nella sua *Musurgia Universalis*, *op. cit.*, p. 480 e il virtuoso di chitarra Gaspar Sanz lo ricorda come uno dei "migliori maestri di Roma" e come apprezzato virtuoso di chitarra in occasione di accademie musicali:: "[...] y si alguno desea adelantarse, y saber puntear bien la guitarra, le darè las reglas mas principales que vson los mejores maestros de Roma, que por averlos praticado, y concurrido con ellos, en muchas academias, las aprendi de todos, y en particular de Lelio Colista, Orfeo de estos tiempos, de cuyos inmensos raudales de musica, procurè, como quien fue a la fuente, coger el mas sonoro cristal que pudo mi corta capacidad.", G. SANZ, *Instrucción de musica sobra la guitarra espanola*, Zaragoza, 1674, p. 7.

51 Si veda a tale proposito la testimonianza di G.O. Pitoni, qui riportata intergralmente: "Lelio Colista romano celebre suonatore di liuto, e di chitarra, compositore di bellissime sinfonie, fu condotto dal card. Chigi legato a latere in Francia, che fattolo sentire al Re Ludovico XIV, lo applaudì estremamente, ritornato in Roma fece molti allievi, dove finalmente morì". Cfr. G.O. PITONI, *Notizie de' contrapuntisti e de' compositori di musica*, cit., pp. 322-323.

cettata della sonata a tre romana, difficilmente inquadrabile in schemi pre-ordinati e assai meno uniforme ed omogenea dal punto di vista stilistico di quella che la recente bibliografia sull'argomento ci ha consegnato. Come spesso avviene, infatti, la realtà storica si lascia imbrigliare in schemi e prospettive unitarie solo a costo di eccessive semplificazioni. Sarebbe, infatti, quanto meno problematico rintracciare nel repertorio preso in esame tratti distintivi tali da poter identificare un unico stile strumentale "romano" o precisare le coordinate stilistiche di quella che è stata definita come "Roman Sinfonia".[52] Piuttosto, le osservazioni proposte mettono in risalto l'adesione di questi compositori a progetti compositivi di natura diversa e il riferimento a modelli strumentali eterogenei. Negli anni precedenti l'arrivo di Corelli a Roma, il mondo della sonata a tre nella città papale mostra, infatti, proprio nella ricchezza e varietà delle strategie utilizzate una delle sue più importanti peculiarità. Un universo stilistico articolato, dunque, destinato a trovare una nuova formulazione solo di lì a pochi anni nella produzione corelliana con la quale finirà per identificarsi integralmente, in una sorta di osmosi perfetta, il volto dello strumentalismo romano sei-settecentesco.

[52] Vedi soprattutto P. Allsop, *Italian Trio Sonata*, cit., pp. 193-210 e Id., *Arcangelo Corelli*, cit., *passim*.

Discussione

Jensen: Have you looked, for instance, upon Legrenzi in order to see other similarities or differences from "Roman tradition" (Colista, Corelli)? That would be one way to prove a regional tradition and not just the existence of stylistic traits you can find somewhere else.

D'Ovidio: La ringrazio molto per questa domanda che tocca uno dei punti essenziali della questione relativa al modo di individuare le varie tendenze dello strumentalismo italiano sei-settecentesco. A dir la verità, e come del resto era evidente nel mio contributo, io non credo che una lettura, per così dire, "regionalistica" possa essere sempre valida e utile. Nel caso del repertorio romano ad esempio la mia esigenza principale è stata proprio quella di partire da un'analisi dettagliata delle sonate dei singoli compositori, finora assai poco studiate, e soffermarsi su dettagli concreti della loro scrittura strumentale. Questa analisi ha evidenziato che è assai difficile individuare dei tratti stilistici comuni che si possano ricondurre ad uno stile essenzialmente e solamente "romano". Proprio per questo, e come lei giustamente ha sottolineato, dopo aver individuato le caratteristiche peculiari di queste sonate, credo che sia necessario – ma si tratta di un lavoro ancora tutto da fare – confrontare questo repertorio con quello di altre aree geografiche, senza però per questo cedere alla tendenza di accorpare *a priori* – cosa che pure è stata fatta spesso negli studi su questo repertorio – compositori di una stessa area geografica in una comoda, ma fuorviante etichetta di "scuola". Non sempre insomma l'appartenenza geografica coincide con una condivisione di elementi stilistici.

Talbot: Per quanto ne so, Corelli è stato il primo compositore ad utilizzare i disegni arpeggiati in semicrome come materiale di transizione, anche in movimenti piuttosto contrappuntistici. Tale materiale è piuttosto neutro e, per così dire, intercambiabile fra un'opera e l'altra. Vorrei chiedere come si può valutare la presenza di simili figure arpeggiate all'interno di un movimento per altri versi contrappuntistico.

D'Ovidio: Non essendomi occupata specificamente della ricorrenza di disegni arpeggiati in funzione di transizione nei fugati, non saprei confermare o meno il primato di Corelli in questo senso. Certamente all'interno delle sonate di cui mi sono occupata, sono soprattutto Lonati e Mannelli – non a caso entrambi eccellenti violinisti – a fare un uso, direi quasi sistematico, di passaggi arpeggiati in semicrome, raramente però in movimenti fugati o per lo più contrappuntistici. Io credo che per valutare al meglio questi dettagli della scrittura strumentale, vada affrontato più ad ampio raggio un discorso sulla idiomaticità strumentale e sul fatto che spesso l'utilizzo di certe figurazioni sembra più dettato da quella che definirei una consuetudine pratica, esecutiva, piuttosto che da un'esigenza di tipo strettamente compositivo.

PIPERNO: Ho trovato perfettamente convincente la relazione di Antonella D'Ovidio nello sbriciolare il senso di una unitarietà stilistica assoluta della cosiddetta 'scuola romana', come è stato documentato ampiamente, anche se poi in questo 'sbriciolamento' trovo convincente il rapporto ancora più forte che viene stabilito fra il primo e l'ultimo, cioè tra Colista e Corelli, non solo nei fenomeni strettamente compositivi, ma, come è stato ricordato anche alla fine, in quelli di carattere sociale ai quali sicuramente Corelli faceva riferimento. Mi chiedevo soltanto se nell'osservare, mi pare in maniera incontrovertibile, i tre diversi usi del 'soggetto' nei fugati, almeno a proposito di Stradella, sia possibile verificare questa negazione della scrittura del fugato anche in fugati non strumentali, cioè in fugati vocali. Abbiamo infatti la possibilità di esaminare gli spartiti di musica vocale di Stradella per vedere se nella vocalità egli si comportava diversamente o se era un suo habitus compositivo assolutamente acquisito.

D'OVIDIO: Credo che quello suggerito da Franco Piperno sia un indirizzo di ricerca molto pertinente. Tra i fugati inseriti nelle opere vocali, ad esempio ho notato che nel caso della Sinfonia introduttiva della cantata *Il Damone*, il fugato è assai complesso ed è caratterizzato da una coda finale per molti versi simile a quella che caratterizza il fugato della Sinfonia 15 MC. Per ora mi sono limitata ad affrontare il problema del rapporto "fugato strumentale – fugato in opere vocali" solo in maniera episodica, ma è ovvio che si tratta di un argomento certamente da approfondire.

ELEANOR F. MCCRICKARD

DANCE AND STRADELLA'S TRIO SONATAS: IMPLICATIONS FOR CORELLI'S OPP. I AND III

The influence of dance on abstract instrumental music of the seventeenth century is great. The noted dance scholar, Julia Sutton, points out that «the specific rhythmic patterns of the most popular dance types pervaded much vocal and instrumental music that was not necessarily intended for dance»,[1] and musicologist Lorenzo Bianconi points out an «ample degree of contact and coincidence between instrumental music and dance music»[2] in his history of music in the seventeenth century. To be sure, dance infiltrates abstract instrumental ensemble music – the free sonata or *sonata da chiesa* – works that might be heard in either the church or the chamber. What is not so clear is a description of the ways in which dance infiltrates those sonatas and to what extent. Alessandro Stradella, an important composer in Roman circles during the decade of the 1670s, composed music that was permeated with dance. Andrew Porter, the highly respected critic of the *The New Yorker*, recognized that fact in a review of a Stradella oratorio in New York in the late 1980s. After commenting on the brilliance of the music itself, he pointed out that the conductor was «thoughtful, committed, intent» even if the approach to rhythm were «sober, rather than dancing».[3]

The purpose of this article is to investigate elements of dance in Stradella's trio sonatas. A cursory view of the role of dance in the society in which he lived will provide some idea as to Stradella's musical environment, which could account for the incorporation of elements of dance in his works. An examination of dance within the trio sonatas follows. Finally, the composer whose trio sonatas were more popular than those of anyone else was living

[1] J. SUTTON, *Dance: Late Renaissance and Baroque to 1630*, in *New Grove 2001*, vol. VI, p. 888.

[2] L. BIANCONI, *Music in the Seventeenth Century*, Cambridge, Cambridge University Press, 1987, p. 99.

[3] A. PORTER, *Musical Events*, «The New Yorker», 20 March 1989, p. 91.

and working in Rome part of the time when Stradella was there. Could Stradella's trio sonatas possibly have had any bearing on Corelli's trio sonatas of Opp. I and III?

Reconstruction of the social scene with respect to dance is essential in order for us to know what Stradella may have heard or seen at the time. During the fifteenth, sixteenth, and early seventeenth centuries, it was probably Italy that dominated the dance scene. Many of the major publications issued in the late sixteenth and early seventeenth centuries originated in Italy, not France,[4] and lists of dancing masters throughout Europe included numerous Italians.[5] Not so plentiful is information about dance after that time in Italy: treatises, choreographies, personnel lists, and descriptions of the dances.

Stradella was a Roman. Born in the small town of Nepi just outside Rome in 1639, he may have gone to Bologna for instruction possibly as early as 1643 where he remained for ten years at the most. By 1653 he was in Rome where he lived until 1656 at least. His whereabouts for the years following 1656 is not known.[6] Perhaps he went back to Bologna; perhaps he remained in Rome; or he could have been traveling. At any rate, he was definitely back in Rome by 1667 because that year he composed an oratorio, now lost, for the Arciconfraternita del Santissimo Crocifisso of San Marcello.[7] It was during his time in Rome that he composed much of his work for theater, church, and chamber. In February 1677 he left Rome permanently, spending about four months in Venice and about six in Turin. By the beginning of 1678 he settled in Genoa where he remained until his untimely death in 1682.

Since the most important city with respect to Stradella's trio sonatas was Rome, an investigation of its social scene during the century demands an understanding of the attitudes of the various popes toward music and other arts (see Table I). Attitudes could shift as often as the person filling the office. On one hand, Rome of the Barberini pope, Urban VIII (1623-44), was full of lavish spectacle, including dance. Dancing masters found employment in the households of those in the higher social strata. Dances were a part of Jesuit

---

[4] Early dance manuals include F. CAROSO, *Il ballarino*, Venice, Ziletti, 1581, rpt. as *Nobilità di dame*, Venice, Muschio, 1600, and again as *Raccolta di varij balli*, Rome, Facciotti, 1630; C. NEGRI, *Le gratie d'amore*, Milan, Pontio and Piccaglia, 1602, rpt. as *Nuove invenzioni di balli*, Milan, Bordone, 1604. The important French publication from this time was T. ARBEAU, *Orchesographie*, Langres, Guéniot, 1588.

[5] J. SUTTON, *op. cit.*, vol. VI, p. 890.

[6] C. GIANTURCO, *Alessandro Stradella 1639-1682: His Life and Music*, Oxford, Clarendon Press, 1994, pp. 48-49.

[7] *Ibid.*, pp. 20-21.

stage productions by the boys of the Collegio Romano and Collegio Germanico, one production of 1623 employing some 50 dancers.[8] Later in the century Clement IX (Giulio Rospigliosi, 1667-69), who was deeply involved in the arts and literature, fostered humanistic scholarship during his brief two-year tenure.

On the other hand, Alexander VII (Fabio Chigi, 1655-67), a great supporter of the 'visual' arts during the time of Bernini, spoke out on liturgical reform. The *Piae sollicitudinis* of 1657 forbade the use of music suggesting «dance or profane, rather than ecclesiastical melody»[9] in connection with service music. While the edict did not specifically address instrumental music, the pope was clearly opposed to music that was ostentatious and secular in style (as well as the use of non-liturgical texts) in the churches. One can wonder what was happening in the churches to warrant such a statement and especially how far the attitude extended beyond the church. Innocent XI (Benedetto Odescalchi, 1676-89), who disapproved of worldly things, spent much time policing the morality of the Roman populace, not just with respect to music and theater but also with respect to proper attire, especially that emanating from France.[10] Thus, the instability created by the change of the attitude of the pontificate created uncertainty for the artists and musicians.

Since France was at the forefront of dance in the last half of the seventeenth century, one must ask about connections between Rome and France, specifically with respect to how much dance entered Rome by way of France. Members of the Barberini family were clearly francophiles; hence, French influence in activities that family sponsored was strong. Social dance must have been prominent in the Pamphilj and Chigi households also. Giovanni Battista Pamphilj, older brother of the important patron of the arts, Benedetto, kept a dancing master in the 1660s and 1670s.[11] Likewise, in 1683 a dancing master sent a bill to Cardinal Flavio Chigi for teaching a servant new dances.[12] If these particular families retained dancing masters, surely others did also. Socially, Rome must have danced. Queen Christina of Sweden, a person with

---

[8] F. Hammond, *Music and Spectacle in Baroque Rome*, New Haven, CT, Yale University Press, 1994, pp. 193-194.

[9] H. Smither, *A History of the Oratorio, The Oratorio in the Baroque Era: Italy, Vienna, Paris*, Chapel Hill, NC, University of North Carolina Press, 1977, p. 150.

[10] T. Magnuson, *Rome in the Age of Bernini*, I, *From the Election of Innocent X to the Death of Innocent XI*, Stockholm, Amqvist and Wiksell, 1986, p. 284.

[11] D. Bridges, *The Social Setting of Musica da camera in Rome: 1667-1700*, Ph.D. diss., George Peabody College for Teachers, 1976, p. 3. The information is from the Archivio Doria-Pamphilj-Landi in Rome, bancone 99.

[12] *Ibid.*, p. 63, from Archivio Chigi, paco 602.

strong French leanings, was a major influence on the cultural scene after moving to Rome in 1654. Among others, Stradella was a part of her circle and composed works for performance at her palace.[13]

The church of San Luigi dei Francesi in particular catered to the French community in Rome. Church records there indicate that the major Roman instrumental composers were associated with this church at various times: Giovanni Antonio Leoni, Lelio Colista, Carlo Caproli, Carlo Mannelli, Carlo Ambrogio Lonati, and Corelli.[14] Colista, a major figure in instrumental music in the generation before Stradella, accompanied Cardinal Flavio Chigi to Paris in 1664 where he undoubtedly experienced dance and brought ideas back to Rome. Theater music contained dance as witnessed by the word *ballo* in many scores and librettos from Rome, including some by Stradella. To be sure, there was a French presence in Rome, clearly with dance music flourishing in different settings: social dance, dance in the theater, and dance in the instrumental music. Another place where Stradella lived briefly was Turin, at which time the French influence was probably greater than at any other place where Stradella lived. However, Stradella's trio sonatas were most likely composed before that time.

Another way of determining the popularity of dance in Italy is through an investigation of published dance works in places where Stradella lived. Table II shows publication data derived from Claudio Sartori's listing of instrumental music published in Italy to 1700.[15] All places where Stradella lived, even briefly, were considered in this tally: Bologna, Rome, Venice, Turin, and Genoa. The publications date from the year of Stradella's birth (1639) through the publication date of Corelli's Op. III (1689). The first number in the column under each city states the total number of publications of instrumental music in the year to the left, and the second number, the volumes containing dances. Bologna's dance publications were many although the heyday of instrumental publication came well after Stradella left. Rome had the smallest number of dance publications, eight out of a total of thirty-one instrumental music volumes. By and large, much of the Roman instrumental music was not published until the later part of the century. Venice's publishing houses were more active in the first part of the century than later. No instrumental dance

---

13 For more information about Stradella and Queen Christina, see C. GIANTURCO, *Cristina di Svezia scenarista per Alessandro Stradella*, in *Cristina di Svezia e la musica. Atti dei Convegni Lincei*, 138 (Rome, 5-6 December 1996), Rome, Accademia Nazionale dei Lincei, 1998, pp. 45-69.

14 For the personnel associated with that church, see J. LIONNET, *La musique à Saint-Louis des Français de Rome au XVIIIe siècle*, «Note d'archivio», n.s. IV, supplement, 1986.

15 C. SARTORI, *Bibliografia della musica strumentale italiana stampata in Italia fino al 1700*, Florence, Olschki, 1952-68.

publications came from Turin and Genoa, hence, the lack of columns for those cities. What is clear is that even though in this century Italian presses were more inclined to publish sacred vocal music than any other kind, 43 percent of the instrumental publications in the cities where Stradella worked, considered altogether, contained dance music.

Another aspect of the acquaintance with dance opens up yet another study: that is, composers visiting in Rome (or any other city where Stradella lived even briefly), who probably brought with them their music that had been published elsewhere. For example, there was a great deal of publication of dance compositions by composers from the Bologna-Modena area: Maurizio Cazzati, Giovanni Maria Bononcini, Giovanni Battista Vitali, Giuseppe Colombi, and others. While it is difficult to re-create the movement of musicians more than three hundred years after the fact, dance publications emanating from various cities must have circulated throughout the region.

Regardless of where Stradella became acquainted with dance – whether it was as a young boy in Bologna, whether it was in the ever-changing cultural environment of Rome, whether it was through exposure to French culture, whether it was through dance publications circulating where he lived and worked, or whether it was a combination of all – clearly Stradella was acquainted with dance to the degree that it permeates his works, specifically those examined for this study.

An examination of Stradella's trio sonatas reveals how much dance influenced their composition. Only twenty-six instrumental ensemble works by Stradella still exist, though apparently two additional volumes of ensemble music are lost.[16] These extant instrumental works carry a variety of names – *sinfonia, sÿmphonia*, or *sonata*. Sometimes the same work will have differing names in various manuscripts or none at all. Twelve are solo sonatas; in addition, two are solo works with two bass lines, one an elaboration of the other; and three are for larger ensembles in two choirs, one of which is the first known instrumental work with concerto grosso instrumentation. Only nine are trio sonatas.[17] All in all, Stradella composed over 300 works, in addition

[16] A catalogue of Stradella's works compiled around 1682, the year of the composer's death, lists two more collections of instrumental music that are currently unknown: «Piego di Sinfonie à 2 V.V., e Leuto» and «Parti cavate di diverse Sinfonie à 5». Likewise missing are sonatas for cimbalo and organ, Modena, Archivio di Stato, Busta 4, Musica-Bibliografia. A facsimile of this list is in O. Jander, *Alessandro Stradella, Cantatas*, Wellesley, MA, Wellesley College, 1969 (*Wellesley Edition Cantata Index Series*, fasc. 4a), pp. 15-21.

[17] For an edition of the instrumental works, see *Alessandro Stradella, Instrumental Music*, ed. by E. McCrickard, Cologne, Arno Volk Verlag, 1980 (*Concentus Musicus*, 5); hereafter, CM.

to instrumental music, cantatas, serenatas, operas, prologues, intermezzi, oratorios, motets – some of which include introductory instrumental sinfonias. Two of the trio sonatas (or movements from them) served also as introductory sinfonias to vocal works. Since Stradella has a predilection for reusing his material, the introductory sinfonias must not be excluded from a discussion of Stradella's instrumental music in that they are integral to understanding his instrumental style. Thus all instrumental music utilizing the scoring of two violins and continuo are considered in this study, nine sinfonias from the instrumental ensemble music and fourteen introductory sinfonias to vocal works for a total of twenty-three works or sixty-three movements. Since the introductory sinfonias of two of the works double as independent works, fifty-seven 'different' movements are under consideration.[18] Sinfonias within the vocal works, usually shorter, are omitted in this study.

Questions about the instrumental ensemble music and the introductory sinfonias explored for this article went beyond its principal idea: dance infiltrates the abstract instrumental music. Specifically, how many movements show some influence of dance? What are those influences? Can any of the dances be identified? No work names a dance. Or is it the 'spirit' of the dance that is present, and thus one cannot be too specific about what type of dance is being employed? To help determine answers to these questions, in addition to stating the movement, its tonal center, and its length, I reported characteristics that help identify dance as it existed in this period: time signature, use of binary structure, as well as an observation of what happens to the initial theme after the internal bar (is it the same as at the beginning of the movement, or is it inverted?). Since hemiola is useful in identifying dance characteristics, its presence is noted. Finally, a suggestion of the dance from which rhythms could be drawn is noted. A synopsis of the study is found in Table III for trio sonatas and in Table IV for introductory sinfonias.

An examination of these works comes with problems with respect to dating, the size of the body of literature and its characteristics, and the identification of the dance. Since the nine trio sonatas from the instrumental ensemble works come from undated manuscripts, the place of composition cannot be ascertained. Stylistically they appear to be later works dating from at least the 1670s as opposed to the solo sonatas, which seem stylistically to have been composed earlier. If we adopt dates associated with the two vocal works, the

---

[18] The twenty-six different sources involved in this study are housed in eleven different libraries. For a complete listing of the works of Stradella and their sources, see *Alessandro Stradella (1639-1682): A Thematic Catalogue of His Compositions*, compiled by C. GIANTURCO and E. McCRICKARD, Stuyvesant, NY, Pendragon Press, 1991 (*Thematic Catalogue Series*, 16); hereafter, GM.

introductory sinfonias of which double as an instrumental work, then these works are late – 1680 and 1681.[19] These sinfonias, however, were not necessarily composed at the same time as the vocal works; rather, they may have been attached at the last moment so that the vocal work would have a sinfonia. Six of the fourteen introductory sinfonias to vocal works have dates associated with performances and another four works can be dated approximately. All of these works came from Stradella's years in Rome or later. Only two of the instrumental ensemble sonatas have dates, but these are later publications – 1680[20] in the Silvani collection and *ca.* 1700, an engraving printed from almost twenty years after Stradella's death.[21]

Correspondence from Stradella to his friend and confidant Polo Michiel from Venice, dated 11 June 1678, indicates that Polo Michiel wanted him to send some of his sonatas to him. Stradella inquired as to what he wanted: «sonatas for harpsichord, organ, lute, harpsichord, violins in two or three parts, or string concerti grossi».[22] These would be sent from Genoa, where he was currently living, to Venice. The correspondence, however, did not say what kind of sonatas Stradella eventually sent, nor did it say whether Stradella had already composed the works or was currently composing them. If they are some of the surviving sonatas and Stradella was composing them for Polo Michael, then that establishes a time and place. In addition to the problem of dating is the problem of the small size of the body of surviving trio sonatas compared with that of his contemporaries. Stradella's most prolific genre was the cantata, and, to be sure, the amount of his vocal music far surpasses instrumental music.

Other problems have to do with characteristics and identification of the dance. Because practically all of Stradella's works involve counterpoint to some degree, including dialogue between parts, any observation of 'regular' phrase structure, common to many dances, must carry qualifications. In addition, identification of the dance must be considered with respect to the time and place of composition. Specific dances are difficult to identify because the movements reflect mixtures of dances peculiar to a region at a given time, such as may be observed with respect to the *sarabanda* and *corrente*, or the French and Italian forms of the *courante/corrente*. Details with respect to the dance and locations have yet to be thoroughly investi-

19 The latter date comes from the performance of the oratorio *La Susanna*.

20 *Scielta delle suonate*, Bologna, Monti, 1680; CM 14, GM 7.3-2.

21 *Sonata a tre di vari autori*, Bologna, *ca.* 1700; CM 13, GM 7.3-1.

22 C. GIANTURCO, *Alessandro Stradella*, Letter 12, pp. 281-282.

gated in places where Stradella worked later in life, where these works most likely were composed.

Be that as it may, Stradella's sonatas do show evidence of specific dances, as may be observed in Tables III and IV. While binary structure does not always mean dance, just as dance does not necessarily mean binary structure, the tables show that many dances are binary. It is interesting to observe what happens to the introductory theme when repeated after the mid-point double bar – that is, whether it remains the same or is inverted. Any meaningful interpretation cannot be drawn from the few examples here; however, it appears that the better developed works have inverted themes, a factor that helps in dating.

An observation of the use of dance elements in these trio sonatas reveals that a number of movements incorporate dance rhythms: 27 of the 57 movements, 47 percent, almost half of the total number. While the specific dance is not always clear cut for the above-stated reasons, dance is certainly evident. The dance that is most evident is the *giga* – characterized by its compound meter, running or leaping eighth notes, and usually regularity of phrase structure.[23] It is reserved most of the time for last movements but may be found in other positions. An example with characteristics of the *giga* may be found in Example 1. This sinfonia also served as the introductory sinfonia to the oratorio *La Susanna*.

Next in popularity after the *giga* are movements with *corrente* characteristics – ternary meter (usually 3/4 but sometimes 3/2), dotted rhythms, and a cadential hemiola. Some of the movements utilize running figures and possess an iambic foot. Example 2 shows a movement with rhythms from this dance. At this time in Italy the *corrente* and *sarabanda* shared some of the same characteristics: ternary meter, dotted rhythms, and perhaps the use of the cadential hemiola. The three beats of the *sarabanda* movements, as named in the Corelli's Opp. II and IV from around the same time as Stradella's works, are more evenly weighted throughout the movement. Example 3 shows a movement with *sarabanda* characteristics. The rhythm of a couple of compound movements suggests a *siciliana*, as observed in Example 4. This movement also served as the second movement of the introductory sinfonia for the sacred cantata, *Esule dalle sfere*, about the souls in purgatory.

---

[23] Even though the identification of specific dance in Rome is still illusive, of great importance in understanding dance in Italy is W. KLENZ, *Giovanni Maria Bononcini of Modena: A Chapter in Baroque Instrumental Music*, Durham, NC, Duke University Press, 1962, pp. 109-123.

Beyond the trio sonatas and introductory sinfonias, other types of dances can be found – the minuet,[24] a couple of movements marked *aria* with dance characteristics,[25] and many more correntes and gigas. Stradella's dramatic works may call for a *ballo* such as may be found in several of his intermezzi for the Teatro Tordinona in Rome during 1671 and 1672.[26] Other movements or parts of movements, lively in character, have the 'feel' of dance, but identification of the specific dance is illusive. Therefore, the idea that much of the music incorporates the 'spirit' of the dance is a viable one. Stradella's predilection for treating rhythm in general in unusual ways is a fascinating study that challenges any kind of identification of dance rhythms.[27] Categorizing dances was probably far from Stradella's mind, yet his music is full of dance.

One final question remains to be addressed: Could Stradella's works possibly have influenced Corelli's sonatas, specifically the abstract trio sonatas of Opp. I and III? Although these sonatas were published in 1681 and 1689, respectively, undoubtedly they were composed earlier. Some of the music from these two sets probably came from a time when Stradella and Corelli must have known each other in Rome. Publication of Op. II in 1685 in Rome stirred up controversy over some parallel fifths in Bologna, which resulted in the famous Affair of the Fifths. It is interesting to note that in a letter to his friend Don Matteo Zani of 17 October 1685, Corelli explained that his composition had assimilated practices of the excellent masters in Rome.[28] The masters who influenced him are not named, but it is possible that Stradella was one of them.

Where and when could Stradella's and Corelli's lives and works possibly have intersected? Table V presents key dates in the two men's lives. Stradella was the older man by about 14 years, being born in 1639, whereas Corelli was born in 1653. Although the two missed each other in Bologna by at least seventeen years, both had connections with that city long enough for each of them to have been called «Bolognese». For Stradella, the appellation is found

---

[24] CM 22, GM 7.2-1.

[25] CM 26, GM 7.4-3.

[26] These are *Amanti, che credete?* (GM 2.3-1), *Oh, ve' che figuracce!* (GM 2.3-6), *Su su, si stampino* (GM 2-3.9).

[27] For a discussion of unusual rhythms in Stradella's instrumental works, see G. BARNETT, *Bizzarrie ritmiche nelle sinfonie di Stradella e le sonate di Corelli*, in *Studi corelliani V*, pp. 305-328.

[28] For a report of the affair, see P. ALLSOP, *Arcangelo Corelli: New Orpheus of our Times*, Oxford, Oxford University Press, 1999, pp. 35-40. For the document, see M. RINALDI, *Arcangelo Corelli*, Milan, Curci, 1953, pp. 429-430.

Ex. 1 – Giga Rhythms, Trio Sonata, CM 13, and *La Susanna*, mvt. 4, mm. 1-19.

Ex. 2 – Corrente Rhythms, Trio Sonata, CM 20, mvt. 2, mm. 1-15.

Ex. 3 – Sarabanda Rhythms, Trio Sonata, CM 18, mvt. 2, mm. 1-16.

Ex. 4 – Siciliana Rhythms, Trio Sonata, CM 14, and *Esule dalle sfere*, mvt. 2, mm. 1-20.

in early public records and at the time of his death.[29] For Corelli it appears on performer lists after he moved to Rome[30] and on the title pages of both his Opp. I and III as published in Rome (see Table VI).

Clearly Stradella and Corelli were in Rome at the same time in the middle 1670s, and there is no doubt in this author's mind that they knew each other. While Stradella was there at least by 1667, Corelli arrived at least by 1675 because it is likely that he was a member of the orchestra that played for Stradella's oratorio, *San Giovanni Battista.*[31] While Stradella left Rome in February of 1677, Corelli remained there until his death in 1713. Stradella and Corelli had some of the same patrons: Queen Christina,[32] the Chigi family, and Benedetto Pamphilj, to mention a few. Both Stradella and Corelli composed the same kinds of instrumental music in Rome: solo sonatas, trio sonatas, a set of variations above a bass, and larger works including concerti grossi. In fact, Stradella was undoubtedly Corelli's model for concerto grosso instrumentation. Stradella employed that instrumentation in his oratorio, *San Giovanni Battista*, for which an Arcangelo «Bolognese» was a violinist. He also employed that instrumentation for other works performed in Rome in the 1670s.[33] After 1690 Corelli worked in Cardinal Pietro Ottoboni's household in Rome where some of Stradella's music was copied for the Cardinal to be performed by the singer Andrea Adami.[34] These intersections we know about.

An examination of the sonatas in Corelli's Opp. I and III using the same criteria indeed indicates that Corelli also incorporated dance elements within the abstract trio sonatas in much the same way as Stradella did in his trio sonatas. Such a study, however, is a project for the future.

Stradella's trio sonatas were clearly influenced by dance. Was Corelli influenced by Stradella? Stradella was in Rome when Corelli arrived, and there are several areas in which Stradella could have influenced Corelli. With respect to his use of concerto grosso instrumentation, it is clear that Stradella was an influence. Whether or not Stradella's music influenced Corelli in other

---

29 C. GIANTURCO, *Alessandro Stradella*, pp. 16, 61, n. 2.

30 R. CASIMIRI, *Oratorii del Masini, Bernabei, Melani, Di Pio, Pasquini e Stradella in Roma nell'Anno Santo 1675*, «Note d'archivio per la storia musicale 13», 1936, pp. 167-168.

31 *Ibidem.*

32 Corelli's title page of Op. I, published in Rome, gives a dedication to Queen Christina (see Table VI).

33 O. JANDER, *Concerto Grosso Instrumentation in Rome in the 1660's and 1670's*, «Journal of the American Musicological Society», XXI, 1968, pp. 169-180.

34 C. GIANTURCO, *Alessandro Stradella*, pp. 68-69.

ways is a matter of speculation, but circumstantial evidence certainly is present: two men in the same city, working for the same patrons and composing in the same genres. Certainly Stradella's sonatas provided some of the music Corelli heard as a part of his musical environment during those early years in Rome. Just as the environment in which Stradella lived and worked affected him, Corelli's environment, which included Stradella, must have affected him.

Appendix

Table I – *Popes in the Seventeenth Century*

1623-44	Urban VIII	(Maffeo Barberini, b. 1568)
1644-55	Innocent X	(Giambattista Pamphilj, b. 1574)
1655-67	Alexander VII	(Fabio Chigi, b. 1599)
1667-69	Clement IX	(Giulio Rospigliosi, b. 1600)
1670-76	Clement X	(Emilio Altieri, b. 1590)
1676-89	Innocent XI	(Benedetto Odescalchi, b. 1611)
1689-91	Alexander VIII	(Pietro Ottoboni, b. 1610)
1691-1700	Innocent XII	(Antonio Pignatelli, b. 1615)

TABLE II – *Dance Publications in Cities Where Stradella Lived*

	Bologna		Rome		Venice	
Year	**Total**	**Dance**	**Total**	**Dance**	**Total**	**Dance**
1639			1	0	3	2
1640					5	0
1641					5	2
1642			1	0	6	2
1644					6	2
No date					1	1
1645					6	2
1648					1	0
Before 1649					6	2
1649					3	0
1650			1	0	1	1
1651			1	0	2	0
1652			1	0	1	1
1654			1	0	1	1
1655					4	2
1656					4	2
No date			1	1		
1657			2	2	1	0
1658					1	0
1659	1	0			1	1
1660	1	1			1	1
1662	1	1				
1663	1	0			2	0
1664			1	0	2	1
1665	1	0	1	0	4	1
1666	2	2			1	1
1667	4	3			3	3

	Bologna		**Rome**		**Venice**	
Year	**Total**	**Dance**	**Total**	**Dance**	**Total**	**Dance**
1668	3	2			2	
1669	7	4	1	1		
1670	3	1	1	0	2	1
1671	7	4				
1672					1	0
1673	6	4			5	1
1674	5	3	1	0		
1675	2	1				
1676	2	0				
1677	5	3	2	0	3	2
No date	1	1				
1678	3	3	1	1	3	1
1679	2	1			3	1
1680	3	2			1	1
1681	1	1	2	0	1	0
1682	4	2	1		4	1
1683	3	0	1	0	3	1
1684	3	2			2	0
1685	6	4	4	1	4	1
1686	5	2			1	1
1687	8	3			3	2
No date	1	1				
1688	5	1	2	1		
1689	5	2	4	1	1	1
1690	3	2			2	1
Total	**101**	**54**	**31**	**8**	**110**	**42**

Derived from C. SARTORI, *Bibliografia della musica strumentale italiana stampata in Italia fino al 1700*, Florence, L.S. Olschki, 1952-68.

TABLE III – *Stradella's Trio Sonatas*

CM* GM**	Mvt	Time Sig	Tone	Meas	Binary	Theme Same/Inverted	Hemiola	Source of Dance Elements
13 7.3-1	1	C	C	33				
	2	3/8	C	58	Yes	Same		Giga
	3	C	C	39				
	4	6/8	C	50	Yes	Same		Giga (Ex. 1)
14 7.3-2	1	C	D	27				
	2	3/8	D	45				Siciliana (Ex. 4)
	3	C	D to E	26				
	4	3/4	D	58	Yes	Same		Corrente
15 7.3-3	1	C	D	31				
	2	3/8	D	69	Yes	Inverted		Giga
	3	C	D	30				
	4	[C]	D	65				
	5	3/8	D	68	Yes	Inverted		Giga
16 7.3-4	1	C	D	20				
	2	3/8	D	36	Yes	Same	Yes	Giga
	3	C	D	24				
	4	C	D	13	Yes			
17 7.3-5	1	C	F	22				
	2	3/2	F	72				
	3	C	D to C	35				
	4	6/8	F	44	Yes	Inverted		Giga
18 7.3-6	1	C	F	30				
	2	3/4	F	30				Sarabanda (Ex. 3)
	3	C	F	33				
	4	C	F	16	Yes			

CM* GM**	Mvt	Time Sig	Tone	Meas	Binary	Theme Same/Inverted	Hemiola	Source of Dance Elements
19 7.3-7	1	C	G	19				
	2	6/8	G	21	Yes		Yes	Giga
	3	C	G	28				
	4	3/4	G	40				Corrente
20 7.3-8	1	C	a	21				
	2	3/2	a	65			Yes	Corrente (Ex. 2)
	3	C	a	53				
	4	3/8	a	71	Yes			Giga
21 7.3-9	1	C	a	29				
	2	3/4-C	a	23				Sarabanda
	3	C	a	21				
	4	3/8	a	39	Yes			

* CM – Numbers are from *Alessandro Stradella, Instrumental Music*, edited by E. McCrickard, Cologne, Arno Volk Verlag – Hans Gerig KG, 1980 (*Concentus Musicus* 5).

** GM – Numbers are from *Alessandro Stradella (1639-1682): A Thematic Catalogue of His Compositions*, compiled by C. Gianturco and E. McCrickard, Stuyvesant, NY, Pendragon Press, 1991 (*Thematic Catalogue Series*, 16).

TABLE IV – *Stradella's Introductory Sinfonias*

Title or Incipit (GM)	Genre	Date	Mvt	Time Sig	Tone	Meas	Binary	Theme Same/Inverted	Hemiola	Source of Dance Elements
Crudo mar (1.5-4)	Sacred Cantata		1	C	E	31				
Da cuspide ferrate (1.5-5)	Sacred Cantata		1	C	g	16				
			2	3/4	g	46	Yes		Yes	Corrente
Esule dalle sfere (1.5-7)	Sacred Cantata	1680?	1	C	D	27				
			2	3/8	D	45				Siciliana (Ex. 4)
La Circe (1.4-11)	Serenata	1668	1	C	Bb	11				
			2	6/8	Bb	18	Yes	Inverted		Siciliana
La forza dell'amor paterno (2.1-3)	Opera	1678	1	C	E	33				
			2	3/4	E	47	Yes		Yes	Corrente
Le gare dell'amor eroico (2.1-4)	Opera	1679	1	3/4	D	15				
			2	C	D	24				
			3	6/8	D	42	Yes	Quasi-inverted		Giga
Infinite son le pene (1.4-8)	Serenata	Before 1677?	1	C	C	21				
			2	3/4	C	42	Yes	Quasi-inverted		Corrente
Lasciate ch'io respiri (1.4-12)	Serenata		1	C	d	37	Yes			
			2	3/4	d	41				Corrente

Title or Incipit (GM)	Genre	Date	Mvt	Time Sig	Tone	Meas	Binary	Theme Same/Inverted	Hemiola	Source of Dance Elements
Moro per amore (2.1-5)	Opera	1681	1	C	g	34				
Or ch'alla dea notturna (1.4-15)	Serenata		1	C	Bb	13				
			2	6/8	Bb	33	Yes			Giga
Per tua vaga beltade (1.4-16)	Serenata	Before 1677?	1	C	A	20				
			2	3/2-C	A	31			Yes	Corrente
Solitudine amata della pace (1.4-21)	Serenata	Before 1677?	1	C	g	22				
			2	3/2	g	56			Yes	Corrente
La Susanna (3.2)	Oratorio	1681	1	C	C	33				
			2	3/8	C	58	Yes	Same		Giga
			3	C	C	39				
			4	6/8	C	50	Yes	Same		Giga (Ex. 1)
Il Trespolo tutore (2.1-2)	Opera	1679	1	C	C	29				

TABLE V – *Key Dates for Stradella and Corelli*

Year	Stradella	Year	Corelli
1639	Birth in Nepi		
1643, '46, or '48	To Bologna		
1653	In Rome	1653	Birth in Fusignano
1656	Perhaps no longer in Rome		
1667	Definitely in Rome		
		1670	To Bologna
1675	*S. Giovanni Battista*	1675	In Rome, probably violinist for *San Giovanni Battista*
1677	To Venice and Turin		
1678	In Genoa		
		1681	Op. I published
1682	Stradella's death in Genoa		
		1689	Op. III published
		1690	Employment in Ottoboni household
		1713	Corelli's death in Rome

TABLE VI – *Title Pages for Corelli's Op. I and Op. III*

VIOLINO PRIMO / SONATE / A trè, doi Violini, e Violone, ò Arcileuto, / col Basso per l'Organo. / CONSECRATE / ALLA SACRA REAL MAESTÀ DI / CRISTINA ALESSANDRA / REGINA DI SVEZIA, &c. / DA ARCANGELO CORELLI DA FUSIGNANO, / detto il Bolognese, / OPERA PRIMA. / [*stemma*] / In ROMA, Nella Stamperia di Gio: Angelo Mutij, 1681. Con licenza / de Super. / A

Violino Primo / Sonate à tre, doi Violini, e Violone, ò Arcileuto / col Basso per l'Organo / Consecrate all' / ALTEZZA SER.MA DI FRANCESCO II. DUCA / di Modena, Reggio &c. / da Arcangelo Corelli da Fusignano detto il Bolognese / Opera Terza / In Roma per Gio. Giacomo Komarek Boemo, con licenza de Sup. 1689 / Nicolaus Dorigny / Inu. et Sculp.

DISCUSSION

JENSEN: I think that in many of these publications with dance movements, we still find two types of dances: dances *per ballare* and dances *da camera*. That means of course that we have some dances that were made to be danced to and dances that were made to be listened to. It seems that more and more dance movements became accepted as 'absolute' music within the sonata tradition. And we are not talking regionally, but internationally. It is obvious to point to the instrumental tradition in Modena when we are talking about the French influence in Italian instrumental music, and, as you can see, most of the publications of dance music came from Bologna and from composers who certainly had strong connections to Modena (for instance, Bononcini and Uccellini).

MCCRICKARD: I am very well aware of the distinction between danced 'dance music' and listened-to 'dance music', but I think you would be hard pressed to dance to some of Stradella's music, especially with the counterpoint point that he writes.

One thing that I did not mention: there is a connection between Stradella and the court in Modena. In fact, the largest collection of music by Stradella is preserved in Modena, originating as part of the music that was turned over to Francesco II. We also know that Stradella made some trips there and that he composed certain music, like *La Susanna*, for use there. Indeed, *Susanna* is absolutely full of dance music. So there it is coming from that direction too.

I'd like to acknowledge a caution about using music prints to examine trends. Look at Rome: most of that music is not printed at all; it circulated in manuscript. So, printing statistics are there, but what they mean, if anything, is certainly up in the air.

PIPERNO: Thank you very much for your handout and for your presentation. I think that it is very important to investigate what the cultivated people studied in the Roman 'collegia' and 'seminari' where they received instruction as nobles with dance as a part of their instruction. This is obviously an old tradition of the *gentiluomo* that may be traced back, for example, to Castiglione's *Il Cortegiano* – a model for Italian aristocratic culture from the beginning of sixteenth through the end of seventeenth century. In the Roman 'collegia' they learned dancing, and they probably used dance music and also very sophisticated dance music like Stradella's, which may be a possible model. We have numerous descriptions of the final performances at these 'collegia', that is, the final spectacle at the end of the year when they also presented recitations of poetry and other texts and they used to finish the spectacle with dances, with the participation of all the students. So this tradition of dance music in the aristocratic schools is, I think, very important in the Roman environment.

ALLSOP: As far as dance music in Rome is concerned, it seems quite clear to me that the *Piae sollicitudines*, the papal bull, is deliberately aimed at Roman churches and refers specifically to the use of dance music in church. This is quite surprising really, the use of overt dances. We are not talking about things that sound like dance; rather, we are talking about actual dances – far more overt in Roman instrumental music than in the Bolognese, for instance. They are actual dances. So it looks to me as though it was quite normal to use the standard 'da camera' type in music in church (that is another reason I don't think there is any church style).

When I started to work on the French influence in Corelli's dances, I was staggered when I found out by using French dance notation, that you could actually dance the French *corrente* in Corelli's oeuvre. (And we have done it. I will be quite happy to dance a *corrente* here.) When you talk about stylized dances, you should be quite careful about what you say because you actually can dance them.

BARNETT: My comment perhaps addresses this question-and-answer session more than your paper: I don't think we're being careful enough to distinguish actual dance music (a piece that has a courtly dance title) and music that is merely dance-like. I think we need to make that distinction between dance music (whether *per ballare* or *per camera*) and music that simply evokes dance. After all, Stradella didn't write dances; rather, he wrote music that is sometimes remarkably dance-like in his *sinfonie*.

McCRICKARD: Stradella wrote no dance movements; that is, there are no movements that bear dance titles. There is a *sarabanda* in Colista, the one example I know. However, my argument does not concern whether something is actually danced or not.

RASCH: Just a small point that struck me is that the tonalities of these trio sonatas are rather conservative except perhaps for D-major, but tonalities of the sinfonias on the next pages are much wider ranged. Is there a chronological explanation for this?

McCRICKARD: Yes, I think it is a chronological difference because if you were to examine the solo sonatas, which I didn't consider, you would see that they are much more modal. You can see a shift towards major-minor tonality in Stradella, and because these introductory sinfonias are just a few years later, they are remarkable for their tonality. They demonstrate how composers begin to use the keys that one would expect in major-minor tonality.

LINDGREN: Stradella's movements are very regular. I heard two-bar units, two-bar units and two-bar units. With Corelli I hear that the entrances not coming in two-bar units, and it is not nearly as dance-like as the Stradella to my ears. I understand why you say Stradella can't be danced to because its phrases don't end after four bars, and it just keeps going on and automatically you lose it; maybe it has ended by fifteen or twenty-three or some other number of bars. However, it seems much more regular than Corelli. I found it more difficult to find in Corelli's church sonatas such overtly dance-like movements.

McCRICKARD: I think it may have to do with the performances too.

SANDRA MANGSEN

[RE]PLAYING CORELLI'S TRIOS

> When you make a *Second Treble* to a Tune, keep it always below the Upper Part, because it may not spoil the Air: But if you Compose *Sonata's*, there one Treble has as much Predominancy as the other; and you are not tied to such a strict Rule, but one may interfere with the other.[1]
>
> HENRY PURCELL

Whether we consult a music dictionary or rely upon our individual experience with baroque music, the term 'trio sonata' usually suggests a work scored for two equal treble parts and basso continuo. Admittedly the sonata 'a due' or 'a tre' was occasionally scored for other groups, such as treble and bass, or even three basses, but after 1700 scoring for two trebles was by far the most likely. In contrast to the more demanding solo sonata, the trio sonata in the eighteenth century became more and more the province of skilled amateurs, who must have expected and appreciated the opportunity for a dialogue between equals, and we have continued to see it that way. But Corelli's treatment of the two violins in his sonatas is actually a good deal more varied than we might expect – the second violin is often literally demoted to playing second fiddle. Indeed in several collections by his predecessors and contemporaries, the second violin was regarded as optional.[2]

That the two violinists have an unequal role to play in Corelli's trio sonatas is hardly a new idea. At the Corelli conference held a decade ago, William

---

1 Taken from J. PLAYFORD, *Introduction to the Skill of Musick*, 12th edition (1694), The Third Book, which Purcell revised extensively. Facsimile ed. with intro by F. Zimmerman, New York, Da Capo, 1972, p. 166.

2 See S. MANGSEN, *Ad Libitum Procedures in Instrumental Duos and Trios*, «Early Music», XIX, 1991, pp. 28-40; and S. MANGSEN, *The Dissemination of Pre-Corellian Duo and Trio Sonatas in Manuscript and Printed Sources: A Preliminary Report*, «The Dissemination of Music», ed. by H. Lenneberg, New York, Gordon and Breach, 1994, pp. 71-105.

Drabkin had already asserted that the second violin's position in Corelli's trios is often subordinate, as it is in the Viennese string quartet. It may play in a lower register, be allied with the bass part, or act simply as harmonic filler without much thematic importance.[3] Corelli does sometimes treat the two violins with strict equality,[4] but just as often the second violin remains in the shadow of the first. It ventures above the first violin only occasionally and hardly ever introduces an imitative dialogue.[5] In some passages the second violin and bass serve merely to accompany the first violin's prominent individual efforts.[6] Once in a while even the cello takes the spotlight, for instance in the *Allemanda* of Op. IV, n. 7. The second violin, on the other hand, is never given such opportunities.

It may well be true, as Peter Allsop has asserted, that «Corelli's violin parts from Op. II onwards are far more equal than those of most composers of the period»,[7] but the second violin remains the junior partner in this repertoire. Even so, Allsop is quite right to call the composer «delightfully unpredictable in the distribution of parts».[8] In fact, the relation between the two violin parts can shift from movement to movement, and even from moment to moment; it is up to the players to 'know their place' and to act appropriately. Like an actor reading a script, the violinists must determine in each passage how their parts fit into the whole. They must also consider where the parts make important thematic statements, whether they ever interrupt and change the subject of the discourse, or whether they merely restate what has already been mentioned or accompany a more important line. Sometimes the two violins may speak in parallel thirds, as if with a single voice. In the next phrase the second violin may join the bass to accompany the first violin's independent statement. One could easily list the compositional elements that would provide the basis for our analysis of the relation between the two violins 'in the score' – imitation, extremes of range, movement vs. stasis, thematic vs. non-thematic material, homophonic vs. contrapuntal texture, and so on. But the individual violinist's understanding of his or her role depends not only on what is obvious from a pre-rehearsal analysis of his or her part, but also on

[3] W. DRABKIN, *Corelli's Trio Sonatas and the Viennese String Quartet: Some Points of Contact*, in *Studi Corelliani V*, p. 124.

[4] For instance, in some of the preludes in Op. IV (e.g., nn. 3, 7 and 9).

[5] For instance, Op. IV, n. 11 *Preludio*, Op. III, n. 4 *Largo* and Op. III, n. 8 *Largo*.

[6] For instance, Op. IV, n. 12 *Giga*, n. 3 *Corrente* and n. 7 *Giga*.

[7] P. ALLSOP, *Arcangelo Corelli: New Orpheus of our Times*, Oxford, Oxford University Press, 1999, p. 114.

[8] *Loc. cit.*

the behavior of his or her colleagues in the ensemble and in the moment. Musical alliances formed at the outset will be dissolved and re-established in the course of the movement, and performers will choose which aspects of this process to bring out and which to suppress in their collective readings of a work. What seems to be demanded is a certain amount of flexibility and attentiveness, as in any chamber music.

But there is more to this than Corelli's script and the performers' individual and collective analyses of it. The players will bring to the work not only a view of what is musically important or unimportant (which will be renegotiated in rehearsal and even in performance), but also a set of assumptions about the status of first and second violinists in other trio sonatas, in quartets and even in the symphony. They may also consider the relative status of members of the particular ensemble, perhaps knowing in advance or collectively determining before they play a single note who among them will have the right to lead and who should ordinarily follow. The composer's text certainly provides the basis for the players' musical conversation, but that conversation depends equally upon the varied meanings performers may impose on the musical scripts they encounter in the context of the roles they are assigned and help to define. Each trio sonata can yield a polite conversation or something more like a power struggle between the two violinists. In chains of suspensions, for instance, Corelli makes it possible for the instruments to maintain equal status, yet dynamic inflections, ornamentation and articulation can easily shift the balance toward one or the other of the participants. Playing together has to do with negotiating one's position in the ensemble and in the work – what has been 'obvious' in the score may simply not come to pass in the performance itself.

In what follows, I propose to examine performances of several slow movements from the trio sonatas, both as they appear on the page, and in recorded performances issued between 1957 and 1995.[9] I shall be interested in what kind of performance emerges when different violinists read the more or less equal parts. What strategies do they adopt that enhance or subvert their relative status as suggested by the notation? Clearly the recordings that serve as the basis of this study are not the same as live performances: here we have access only to the audible portion of the events. Invisible to us are the silent gestures made by individual players, however much those gestures may have influenced the direction of the discourse. In live performance, we would have much more to go on in our attempt to understand how the final collective reading was achieved.

---

[9] I have closely examined eight movements, most labeled 'Largo', from Opp. I, III and IV.

Moreover, the recording engineers may have had a substantial influence on the end product that is the basis for our discussion. Yet the aural traces on the recordings preserve widely accessible readings of the piece and through them a more or less objective portrayal of the relation between the two violinists in each of these sonatas. Even if we are not in a position to explain the contrasting readings that different ensembles provide, all of their recordings will have had a part in defining not only a particular sonata, but also the entire genre. They are part of the baggage we bring to any of Corelli's trios as well as to the discourse surrounding them. Expecting equality, consistent with the definitions quoted above, will a second violinist Corelli has demoted nonetheless try to play as an equal? Will the first violinist accept or even facilitate such a reading? Or will both accept the unequal relation suggested to them by the score, consistent with their personal experience as players in the orchestra?

I will examine three different movements, in which the apparent relation between the two violins differs considerably. Let us first consider Op. III, n. 8. In the *Preludio*, Corelli has constrained the second violin quite severely. The first violin always leads, except at measure 3, where violin 2 changes the subject and momentarily attains higher status. As the movement progresses, violin 2 has only occasional opportunities to be so assertive – measure 8 (where the leaps might be made especially prominent), measure 16 (where violin 2 rises above violin 1) and measure 18 (where the second violin might treat the imitative gestures either as reinforcements or as echoes). In measure 11, violin 2 is allied with the continuo, accompanying (and imitating) violin 1.[10]

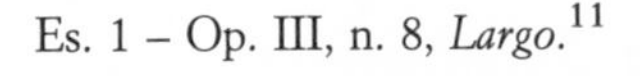
Es. 1 – Op. III, n. 8, *Largo*.[11]

[10] The *Preludio* (*Grave*) of Op. IV, n. 11 might be described in very similar terms, as a movement wherein the second violin has to cope with a decidedly inferior status afforded by the text.

[11] A. CORELLI, *Historisch-kritische Ausgabe der musikalischen Werke*, I, ed. by H. Oesch, Cologne, Arno Volk Verlag, 1976-, pp. 165-166.

In the score, the role of the second violin seems well defined, but what happens in actual performances? Of three recordings analyzed, two make little attempt to overturn the unequal status suggested by the text, while in the third, the performers engage in more of an equal dialogue. Obviously such an attempt at equality might result from the actions of an aggressive second violinist, a reserved first, or a combination of the two.

In the first recording, violin 1 dominates measures 1-2; violin 2 leads the imitative point, and violin 1 goes along exactly, making them briefly equal, but violin 1 surges to the forefront again in measure 4 and stays there by virtue of the higher register and added ornaments.[12] At measure 8, when violin 2 has an opportunity for a strong participation in the chain of suspensions, this performer (Elizabeth Wallfisch) has apparently given up any quest for higher status, since her imitation is very much in the background. Violin 1's (Catherine Mackintosh) ornament in measure 9 confirms her dominant status. Although violin 2 is loud at measure 13 and still relatively strong in measure 15, violin 1 ornaments her part in measure 16 and violin 2 retreats again, despite the high register. Moreover, violin 2 makes no attempt to ornament in measure 18, although violin 1 fills in the leaps in measures 18-19.

Violin 1 (Ingrid Seifert) dominates in the second recording as well, by means of her dynamic level and ornamentation, although violin 2 (Richard Gwilt) makes slightly more aggressive attempts to gain attention.[13] As in the previous recording violin 1 follows violin 2's lead in measures 3-4, but then surges back in measure 4. Violin 2 swells and exactly restates violin 1's second ornament (measure 6), but he can't overturn the established hierarchy as long as violin 1 supports it. In measure 8, violin 2 begins the imitation with some strength, but drops back immediately and remains submerged until measure 13, while violin 1 continues to add ornaments. (The ornament at measure 15 shadowing the second violin line is actually played by the organist.) The perfect fifth in measure 16 (violin 2) is reasonably prominent, but violin 1's ornament once again takes our attention away. Both players end the movement strongly.

In the third recording the players adopt strategies that tend to equalize their contributions.[14] Dynamically, violin 2 (Marilyn McDonald) is strong in

---

[12] *Sonatas for Strings*, vol. IV, THE PURCELL QUARTET (Catherine Mackintosh and Elizabeth Wallfisch, violins; Richard Boothby, cello; Jakob Lindberg, theorbo; Robert Woolley, organ and harpsichord), recorded St. Michael's Church, Highgate, London, November, 1990, Chandos 0532.

[13] *Sonate da chiesa*, Opp. I and III, LONDON BAROQUE (Ingrid Seifert and Richard Gwilt, violins; Charles Medlam, cello; Nigel North, archlute; Lars Ulrik Mortensen, organ), recorded October, 1990, Harmonia Mundi France HMC 901344-45.

[14] *Twelve Trio Sonatas of Opus 3*, THE SMITHSONIAN CHAMBER PLAYERS (Jaap Schröder and

measures 1-2, so that the chord seems more important than the melody, and it is violin 2 that ornaments in measure 2. She backs off in measure 4, rather than using her high register to remain in the forefront. Then violin 1 (Jaap Schröder) makes a decrescendo in measures 5-6, allowing his partner to become more prominent. In measures 8-11, each retreats to listen to the other's moving part and both contribute to the crescendo in measures 11-12. Violin 2 presents a strong *a''* (measure 16), but she doesn't have to shout, since her partner seems to be listening intently.

Es. 2 – Op. IV, n. 9, *Preludio-Largo*, mm. 1-7.[15]

If performers can make such a difference in a movement whose script seems heavily weighted in favor of the first violin, what can they do with movements that offer the second violin somewhat more scope? The *Preludio* to Op. IV, n. 9 may serve to show what can happen when the two violins are given nearly interchangeable parts. Indeed, were the labels on the two violin partbooks exchanged for this movement, we would hardly be disturbed. Here the two violins share the same range in a series of short imitative statements,

---

Marilyn McDonald, violins; Kenneth Slowik, cello; Konrad Junghänel, theorbo; James Weaver, organ), recorded in Oberlin, Ohio, June, 1987, Smithsonian Collection of Recordings ND 035.

[15] A. Corelli, *Historisch-kritische Ausgabe*, II, p. 121.

which are initiated by the second violin. Although the first does provide stronger concluding statements in each half of the binary form, in much of the movement the first violin responds to the second and thus seems likely to play the subordinate role.[16] Four recordings offer interesting comparisons, especially with regard to the articulation in the opening few measures and the decay (or lack of it) in the quarter notes.

In the first recording there is much give and take as the performers seek to contribute equally.[17] Whoever says something new is taken to be the leader (most often violin 2). Thus, when the pattern of figuration changes in measure 2, violin 1 (Catherine Mackintosh) leads and even adds an ornament (on the repeat), which solidifies her status at that point. The two crescendo from the piano in measure 3 until violin 2 (Catherine Weiss) returns the dialogue to a lower register and dynamic level in measure 5, which violin 1 seems graciously to accept. The two violinists add approximately the same amount of ornamentation, which is often initiated by violin 2.

The second recording presents a somewhat less nuanced performance.[18] Although violin 2 (Richard Gwilt) still initiates the conversations, violin 1 (Ingrid Seifert) uses a slightly more detached approach at the outset, which cuts through the richly recorded sonority and helps her to remain prominent. The quarter notes tend to be more sustained here as well, which de-emphasizes the upbeat figures the violins are tossing back and forth. It is on the repeat, however, that we begin to pay even more attention to violin 1: she adds ornaments three times, while violin 2 plays the notes as written. Violin 2 finally becomes more assertive on the repeat of the second half, matching and even outdoing violin 1's ornaments.

The third recording, a long-playing vinyl disc released in 1962, is interesting for the relative equality of the two instruments, emphasized by the extreme stereo separation.[19] Even without the score, the listener will always know who is playing. As in the first of these four recordings (that of the Purcell Quartet), the performers here taper many of their quarter notes, which

---

[16] The preludes to nn. 3 and 7 from the same collection are similar.

[17] *Sonatas for Strings*, vol. IV, THE PURCELL QUARTET (Catherine Mackintosh and Catherine Weiss, violins; other perfomers as listed above), recorded Snape Concert Hall, London, January, 1992, Chandos 0532.

[18] Sonate da camera, Opp. II and IV, LONDON BAROQUE, recorded May, 1990, Harmonia Mundi France HMC 901342-43.

[19] *Twelve Trio Sonatas*, Op. IV. MAX GOBERMAN and MICHAEL TREE, violins; JEAN SCHNEIDER, cello; EUGENIA EARLE, harpsichord. Odyssey 32 26 0006 [mono 32 26 0005], 1967, originally released (by April, 1962) as volume 2 of the Complete Works, Library of Recorded Masterpieces C25 [C2M].

allows the three sixteenths to come through strongly. Thus, the dialogue of the individual players is emphasized over the collective sonority.

In the final recording examined here, sonority again prevails over dialogue.[20] The quarter notes are fully sustained, and we are much more aware of the harmonic progression than of the dialogue in sixteenth notes. The violinists are still equal, but we are less aware of them as individual players.

Es. 3 – Op. III, n. 3, *Largo*.[21]

[20] *Italian Baroque Favourites*. ANNA and QUIDO HÖLBLING, violins; JÁN SLÁVIK, cello; DANIELA RUSO, harpsichord; VLADIMIR RUSO, organ. Recorded Moyzes Hall of the Slovak Philharmonic in Bratislava, October, 1990. Naxos 8.550619.

[21] A. CORELLI, *Historisch-kritische Ausgabe*, I, pp. 132-133.

The movements discussed above stand at opposite ends of a continuum from strong inequality to equality of the two violin parts. In some movements, however, Corelli allows the two violinists' roles to change quite frequently. The third movement of Op. III, n. 3 is a case in point. As in the previous example, the two violins are often in the same range, tossing short ideas back and forth. But in this 'Largo' there are more extended exchanges of leadership. In measure 3, the second violin imitates the first violin's opening statement, at the unison, and manages at least to share the spotlight (measures 4-6), before violin 1 regains the higher register. In measure 8, violin 1 strongly reasserts itself, with an octave leap to the highest register yet heard. But violin 2 contests this space (measures 10-11) and finally initiates a new dialogue in an equally high register (measures 13). Violin 1 then resumes playing in the higher range and leads the discussion for the next few measures (17-20). In the last two measures of Figure 3 violin 1 again concedes a bit of space to violin 2 (where they share material and range), but remains higher at the final cadence. Corelli's script thus provides several opportunities for an exchange of roles.[22]

In the first of our four recordings violin 1 (Catherine Mackintosh) offers to remain in the background at measure 3, but violin 2 (Elizabeth Wallfisch)

[22] The internal 'Largos' from Op. I, nn. 6 & 8 and Op. III, n. 3 are similar.

allows her first two top notes to remain weak, acknowledging her subordinate role in the conversation.[23] Her leaderhip unquestioned, violin 1 returns to dynamic and registral prominence in measure 4. They conclude the phrase as relative equals and continue to converse politely in measures 13-16.

In the London Baroque recording, violin 1 (Ingrid Seifert) treats the line much more lyrically, than does her Purcell Quartet counterpart, and she continues to play strongly and even to add ornaments as the second violin (Richard Gwilt) restates the opening gesture.[24] Violin 1 remains slightly more prominent than her partner in the chain of suspensions that continues this opening section. By the time they reach the brief exchanges at measure 13, they seem accustomed to trying to outdo each other. Each adds ornaments, and violin 1 remains quite strong dynamically in measures 15-16.

Although the players on the Smithsonian recording adopt a slow tempo, close to that of the London Baroque, their performance of this 'Largo' is much more a dialogue between equal partners.[25] For instance, violin 1 (Jaap Schröder) yields to violin 2 (Marilyn McDonald) at measure 3 and the first violin remains soft even as his part rises higher in pitch, so that his partner can finish the phrase in the spotlight. As one might expect based on that passage, they also treat measures 13-16 as an equal exchange of ideas.

In the recording by Europa Galante, violin 1 (Fabio Biondi) again yields the front of the stage when violin 2 begins its opening statement, but as they trade registers, they exchange dynamic levels as well, so that violin 1 again assumes the leadership.[26] Still, they proceed through the script on a relatively equal footing until violin 1 takes the lead by adding a plethora of ornaments (mm. 15-16). The chain of suspensions provided by violin 2 becomes merely an accompaniment to his partner's expressive flourishes. Nonetheless, they complete the movement as relative equals.

In the examples discussed above, we have seen how the text provided by the composer suggests but does not completely predetermine the relations between the two violinists. If violin 2 rarely has anything important (that is, thematic) to say, rarely speaks in a higher register and is frequently allied with the continuo in an accompanying role, it will hardly be able to participate in the

---

[23] *Sonatas for Strings*, vol. III. THE PURCELL QUARTET (Catherine Mackintosh and Elizabeth Wallfisch, violins; other performers as listed above), recorded St. Michael's Church, Highgate, London, November, 1990, Chandos 0526.

[24] LONDON BAROQUE, see n. 13 above.

[25] THE SMITHSONIAN CHAMBER PLAYERS, see n. 14 above.

[26] A. SCARLATTI, *Humanità e Lucifero*, EUROPA GALANTE, FABIO BIONDI, director. Recorded San Gottardo Church, Asolo, Italy, July, 1995, OPS 30-129 Opus 111.

ensemble's conversation in the same way as the first violin typically does. But offered an opportunity to stand out, the second violin may or may not take advantage of it. Similarly, the first violin, accustomed to a higher status, may or may not yield graciously to hear what his or her partner has to offer. Movements in which Corelli's text allows or encourages players to exchange roles reward careful listening, as the recorded performances vary a great deal.[27]

One might assume that the performers are simply ferreting out the meanings inherent in Corelli's parts. But then, why are the recorded performances so varied? It seems that performers bring to their tasks attitudes and habits drawn from their broader experience in the genre and as players in small and large ensembles, as well as their knowledge of the abilities of their ensemble partners, based either on personal experience or reputation. For instance, on the basis of their experience with later chamber music as well as orchestral repertoire, both violinists will expect the part labeled 'first violin' to be of greater importance than that labeled 'second violin'. To the degree that the violinists playing the first and second parts assign higher and lower status to those parts at the outset (i.e., regardless of Corelli's script), the first violinist will endeavor to retain the dominant position and the second violinist to remain subordinate (unless they wish to play against the grain and upset the hierarchy offered by a more 'neutral' reading of the script). They will also have judged their ensemble partners and will conspire to preserve their judgements in their readings of the sonatas. If the second violin expects the first to play aggressively, his or her statements will be heard and responded to in that light. The relations between violin 1 and 2 will also be affected by their status in the other movements – there will be an inertia effect, such that violinists will attempt to maintain a consistent position.[28] For instance, if the second violin's role changes in the course of a sonata or movement, violin 1 may notice and yield some ground, or it may not.[29]

---

27 If these recordings demonstrate anything at all, it is that the behavior of these violinists is not explicable solely on the basis of gender. Both restrained and aggressive playing can be observed in the men and women occupying the first and second violin chairs in the recordings examined for this study.

28 I have taken up this effect in more detail in a study of some quartets by J.F. Fasch, in which an oboist in one recording seems to have assumed that he was the soloist in a chamber concerto throughout a piece, whereas the score seems to suggest that the roles change from one movement to the next. See *Soloists and Accompanists in Six Quartets by J.F. Fasch*, in *Johann Friedrich Fasch und sein Wirken für Zerbst*, ed. by K. Musketa and B. Reul, Dessau, Anhaltische Verlagsgesellschaft, 1997, pp. 219-311.

29 The whole sonata's discourse is less relevant to recordings than to live performance, when a performer might 'remember' a loss or gain of status, a perceived threat, or a cooperative gesture and

In deciding how to play their parts, performers rely on the traditions attached to the repertoire, which have changed markedly in the period under consideration here: 1957-1995. The adoption of period instruments and widespread knowledge of historical performance practice have had their effects on the recordings cited. In particular, a more varied approach to articulation and the willingness of more recent performers to add improvised ornamentation can have a profound impact on the prominence of the individual violin parts. But beyond the changes in performance practice, how the performers play their parts depends on how they regard Corelli and his works. Do they see him as the Apollonian composer, whose polished sonatas are to be transmitted with as little interference as possible from the performers? Or do they recall the descriptions of Corelli as an extravagant and Dionysian performer and seek to imitate his playing in their own readings?[30]

The very same script can yield Apollonian or Dionysian performances, polite or more contentious conversations, an argument collectively presented or one in which individual voices are made quite distinct. The conversations between the violinists in the Purcell Quartet's recordings of Corelli's sonatas tend to be transparent ones, in which each violin has its prominent moments, articulation is clear and varied, and silence is valued. In the London Baroque recordings described above, it is the overall sonority and collective message that seems of interest – the individual performers must join in the collective voice, on which the first violin exerts the most influence. In both recordings, ornamentation helps to determine where our attention is focused.

react to it in a subsequent movement. In a recording situation, we cannot assume that the previous movement the group played is the one presented as such in the sonata, since they may well have been recorded out of order. In a live performance, body language and gestures of performers will contribute to defining their relative status for the audience; but even in a recording studio, the players will ordinarily be able to react to and interpret the physical gestures of their companions. And such gestures, although invisible to the listener, may certainly be assumed to have had audible musical effects.

[30] For instance, the oft quoted, «It was usual for his countenance to be distorted, his eyes to become red as fire, and his eyeballs to roll as if in agony» from J. HAWKINS, *A General History of the Science and Practice of Music*, vol. IV, London, T. Payne, 1776, p. 310. A similar description is found in a 1709 English translation (attributed by Oliver Strunk to John Galliard) of F. RAGUENET, *A Comparison between French and Italian Music*, «The Musical Quarterly», XXXII, 1946, pp. 411-436. The translator's annotation, which presumably served as Hawkins' source, reads, «I never met with any man that suffered his passions to hurry him away so much whilst he was playing on the violin as the famous Arcangelo Corelli, whose eyes will sometimes turn as red as fire; his countenance will be distorted; his eyeballs roll as in an agony, and he gives in so much to what he is doing that he doth not look like the same man» (p. 419, n. 15). Hawkins precedes his Dionysian portrait with one he clearly prefers (and attributes to Geminiani), that of Corelli as «learned, elegant, and pathetic», a Corelli who avoids «extravagances, which [...] disgust the judicious and excite the admiration of the ignorant». For a further exploration of eighteenth-century views of Corelli, see Peter Walls's essay in this volume.

Some of the performers (especially on the earlier recordings) are much more reticent about adding ornaments. Yet, even when they play the text unadorned, the performers (and the recording technology) may resist or intensify Corelli's portrait of their interrelation. The monophonic recordings from Musicorum Arcadia (originally released 1955-57) produce a warm symphonic bath, in which individual voices are absorbed by the collective.[31] In their 1962 recording of Op. IV, violinists Max Goberman and Michael Tree have their very distinct individual voices enhanced by means of the very marked stereo separation. Each ensemble seems to value the 'classic' untouched Corelli, but the effects are quite different. On the Smithsonian recording of Op. III, led by Jaap Schröder, the performers conduct a very civilized conversation among equals, as does Ensemble Aurora, although in Op. IV, n. 3, the first violin breaks free in an extravagant conclusion of the *Preludio* by filling in all of the large leaps in the line (mm. 15-16).[32] There is a similar moment in Fabio Biondi's absolutely classical and even meditative approach to Op. III, n. 3 when the first violin adds elaborate ornamentation at the end of the *Preludio* while the second violin remains in the background (see Fig. 3 mm. 14-17).[33] But in Monica Huggett's recording of Op. III, n. 4, which offers a more Dionysian approach to Corelli, the second violin eventually breaks out of its secondary role by ornamenting the final imitative gesture (m. 18) in a passage otherwise played as notated.[34]

Es. 4 – Op. IV, n. 3, *Preludio-Largo*, mm. 9-18.[35]

[31] The complete trio sonatas were recorded by Musicorum Arcadia and issued in 1955 and 1957 as Vox DL163 and DL 164. Vox reissued those recordings in 1962 as VBX36-37.

[32] *Sonate a Tre*, Ensemble Aurora, Enrico Gatti, concertmaster, recorded 1985, Tactus TC 65030101.

[33] See note 24 above.

[34] *Trio sonatas*, Monica Huggett and Alison Bury, violins; Jaap ter Linden, baroque cello; Hopkinson Smith, theorbo; Ton Koopman, harpsicord and organ, recorded Utrecht, March 1985, Philips 416 614-2.

[35] A. Corelli, *Historisch-kritische Ausgabe*, II, p. 91.

Es. 5 – Op. III, n. 4, *Largo*, mm. 16-23.[36]

Certainly performers of this music must decide – alone or in consultation with other players – how forward to be at any given point in the discourse. They are influenced not only by the composer's text, but also by performance traditions, their understanding of the work and the genre, attitudes toward the other performers and the interpersonal dynamics within the ensemble. That is, both musical and psycho-social considerations help to explain their

---

[36] Id., *Historisch-kritische Ausgabe*, I, p. 138.

actions. Finally, their decision about how to behave certainly depends upon how they see their roles at any given point in the script, but the script cannot determine their behavior. And the meanings we as listeners ascribe to passages in which the conversation shifts quickly and continually between the two violinists will depend to a large extent on the performative elements they choose to employ in reading Corelli's notation.

Discussione

Talbot: Concerning Sandra's excellent contribution, I hope I speak for all of us if I say how valuable I found not merely her paper, but the species of musicology that it represents. Possibly this type of musicology, namely the consideration of performance practice in a rigorous manner is better developed at present in the Anglo-Saxon sphere than in Italy. I may be wrong, but I am pretty sure that this branch of musicology can only develop further. It is perhaps a shame that the conventional format of a book is inadequate to transmit the findings of this kind of research and bring them into light, but I am sure that this is a problem that will be easily overcome in the future. Now I have a comment which I suppose is tantamount to a criticism, and it is this: I didn't hear in the paper, except in one passing reference to the separation of sound, any factoring in of the sound engineering and production of the recordings. Of course in certain respects, these two factors don't influence the end-product if you ornament, as long as the part is audible, the prominence that the ornamentation confers is absolute and cannot be diminished. But if we are talking of the richness of sound and balance *per se*, then the sound engineer, and after him, the producer are the true auteurs in the process. I would like to ask, Sandra, whether in the finished form of her paper for publication, she intends to factor these two elements in and how.

Mangsen: There is a wonderful book which maybe you don't know by Howard Becker called *Art Worlds* in which he argues that any artistic product is the result of a collective effort. The simple example he gives is this: if you don't have the stage swept, then you cannot have dancers on it and therefore no ballet. An exception that proves the rule of collaboration might be Harry Partch building his own instruments. So I think about this repertoire in the same way: there's Corelli script (with no little fuss about establishing a reliable text), then there are the performers, the occasion for which they're performing (are they outside or inside and so how will they play differently depending on that context?). And then, there's the recording situation: is it a recording of a live performance, in which case there is a more-or-less direct transmission of the performance itself?

I did make one comment about the sound engineer on the early stereo recording that people were just carried away with placing microphones everywhere. I don't know if you could hear it through the speakers of our sound system, but with headphones it's obvious exactly who or what part is playing. I couldn't give this paper today without giving you the score, because often you don't know which violin is playing. But in that recording you don't need the score, because you close your eyes and you know which one is playing. I do agree that sound engineering and production are very important issues to talk about. I don't know how I'll do it, but I must do it.

Jensen: Just a short remark. We believe perhaps that the performers accept the results of the recording. Do they go into the studio afterwards to consult with the sound producer?

MANGSEN: Maybe. But it's the same problem as with an edition. Do you know whether it was proofed? Some recordings are rejected; the performers say you must not issue it. Sometimes they win the argument. Sometimes not. But you have this product out there. You must take it for what it is. It's out in the market and it exists and helps us to determine how we hear Corelli – how we interpret those trio sonatas – whether or not those performers proofed the recording. Do you need to worry about whom to blame about what the product is?

WALLS: I think as soon as you start listening to the kind of recordings we listened to today – very interesting – they raise so many other questions about performing practice related to the realization of the bass line, the lack of agreement about whether cadential formulae imply a question of grammar rather than ornamentation, and so on. It always strikes me that in playing trio sonatas the relationship that you have with the other violinist seems to depend much more on personality rather than agreement or script.

Purcell epigraph. It seems to me that that's what Purcell has in mind very explicitly when he's talking about the addition of a second treble-part, and how that might differ from the second violin part in trio sonatas. We might also consider Nicola Matteis and his airs, which of course came out initially in 1673 and then later in 1685: right from the start it was advertised that there was a second treble part available in manuscript, and eventually this came out in published form. The interesting thing about the Matteis is some of those airs are very virtuosic as violin pieces for solo violin. Moreover, amongst the arias of virtuosity and contrapuntal stuff, there are beautifully written fugues for solo violin.

Federico Vizzaccaro

DA SIMONELLI A CORELLI E RITORNO: RIVISITAZIONE DI UN TOPOS MUSICOLOGICO

Arcangelo Corelli, com'è noto, divenne allievo di Matteo Simonelli quando si recò per la prima volta a Roma, intorno alla prima metà degli anni Settanta del Seicento.[1] A darne testimonianza non è direttamente il musicista di Fusignano, il quale, in occasione della famosa "disputa sulle quinte", ci offre alcune informazioni riguardanti gli insegnamenti ricevuti. Scrive infatti nella lettera indirizzata a Don Matteo Zani, nell'ottobre del 1685:

> Io con esatta applicatione di molti anni, e con la Prattica de più valorosi Professori Musici di Roma hò procurato d'apprender i loro documenti, et i loro esempij.[2]

Nella stessa lettera, Corelli cita il nome di Matteo Simonelli, insieme ad altri due maestri dell'ambiente romano, portandoli come esempi di autorità nel campo della composizione:

> Di più per sodisfare Cotesti Virtuosi, e per non fidarmi totalmente della mia opinione, hò mostrato il passo sud.to alli S.ri Fran.co Foggia, Antimo Liberati, Matteo Simonelli, e tutti hanno risposto che sta benissimo.[3]

A fornire la preziosa informazione circa l'apprendistato di Corelli, per la prima volta, è il cantore della Cappella papale Andrea Adami, nel trattato *Osservazioni per ben regolare il Coro dei Cantori della Cappella Pontificia*, edito a Roma nel 1711. Nella seconda parte del trattato vi è un "Catalogo de'nomi,

---

[1] Tradizionalmente la presenza di Corelli a Roma era fatta risalire al 1671-72, cfr. M. Rinaldi, *Arcangelo Corelli*, Milano, Curci, 1953, p. 42 e M. Privitera, *Arcangelo Corelli*, Palermo, L'Epos, 2000, pp. 21-22. In realtà non vi sono notizie certe riguardo la sua presenza nell'Urbe prima degli anni 1675-76.

[2] La lettera, custodita presso la I-Bc, Coll. D1-D2, è citata in diversi testi, tra cui: M. Privitera, *Arcangelo Corelli*, cit., pp. 74-75.

[3] *Ibid.*, p. 74.

cognomi, e patria de i cantori pontifici", con una breve biografia di Simonelli, che costituisce una delle fonti più preziose sul compositore romano, dove si legge:

> egli hà fatti molti scolari, fra' i quali, il più celebre, e famoso si è Arcangelo Corelli virtuoso dell'Eminentissimo Cardinal Pietro Ottoboni, gloria maggiore di questo secolo, di cui parla, e parlerà sempre la fama in cinque Opere date da esso alle stampe, che sono la maraviglia del Mondo tutto, e presentemente stà perfezionando l'Opera sesta de i Concerti, che in breve darà alla luce, e con essa si renderà sempre immortale il suo nome.[4]

È indubbia la veridicità di queste affermazioni: come notava già Rinaldi, infatti, quando venne pubblicato il trattato dell'Adami, Corelli era ancora vivo, per cui avrebbe potuto confutare tale notizia; inoltre lo stesso Adami era in contatto con il violinista di Fusignano, poiché entrambi, in qualità di virtuosi da camera del cardinale Pietro Ottoboni,[5] suonavano insieme in occasione dei concerti organizzati dal facoltoso prelato.[6]

Le asserzioni dell'Adami sono confermate o, meglio, ripetute da Matteo Fornari, cantore della Cappella Sistina dal 1716, nella sua *Narrazione istorica dell'origine, progressi e privilegi dell'antica Pontificia Cappella*, scritta quasi quarant'anni dopo, nel 1749:

> Egli fece molti scolari, fra quali il più celebre è stato Arcangelo Corelli da Fusignano nel Bolognese, Sonatore eccellente di violino e compositore di concerti, di cui parla e parlerà la fama in 6 opere date alle stampe, che resero immortale il suo nome.[7]

È chiaro che in questo passo, come in altri dello stesso lavoro, Fornari copia dall'Adami, fornendo una versione più aggiornata dei fatti; la conferma della notizia da parte di Matteo Fornari, comunque, non è da sottovalutare, poiché egli era il nipote dell'omonimo Matteo Fornari, allievo e amico di Corelli, per cui poteva essere ben informato sulla vicenda.[8]

---

4 A. ADAMI, *Osservazioni per ben regolare il coro de i cantori della Cappella pontificia*, ed. mod. a cura di Giancarlo Rostirolla, Lucca, LIM, 1988, pp. 208-209.

5 M. RINALDI, *Arcangelo Corelli*, cit., p. 44.

6 Per questo, forse, egli era anche a conoscenza del fatto che Corelli stava lavorando all'edizione dei Concerti Grossi.

7 M. FORNARI, *Narrazione istorica dell'origine, progressi e privilegi dell'antica Pontificia Cappella. Con la serie degli antichi maestri e cardinali protettori. Col catalogo dei cantori della medesima. Formato da Matteo Fornari cantore dell'istessa Cappella l'anno 1749. Sotto il glorioso pontificato del regnante sommo pontefice Benedetto XIV*, MS nella I-Rvat, CS 606, pp. 133-134.

8 Lo stesso Fornari *junior*, a quanto sembra, aveva ricevuto dallo zio diversi strumenti appartenuti a Corelli, che gli erano stati lasciati in eredità.

Un possibile segnale che dà credito a quanto sostenuto dagli autori dei due trattati, a conferma che Simonelli e Corelli ebbero contatti non appena ques'ultimo arrivò a Roma, è dato dal fatto che tra i primi impieghi nell'Urbe fin ora documentati, Corelli appare nella lista dei musicisti in occasione degli Oratori eseguiti a San Giovanni dei Fiorentini per il Giubileo del 1675: maestro di cappella era, in quel periodo, proprio Matteo Simonelli, probabile organizzatore dell'evento.[9]

Per quale motivo Corelli scelse Matteo Simonelli come maestro? È mia convinzione che la preferenza per Simonelli non fu assolutamente casuale. La figura di questo musicista, le cui composizioni sono poco conosciute, merita infatti un'attenzione particolare. Egli operò per tutta la vita nell'ambiente musicale romano, del quale divenne uno stimato esponente, e si dedicò esclusivamente alla musica sacra, tralasciando sia la composizione di oratori che di musica di genere profano. Musicista dotato di una solida preparazione, nasce intorno al 1618 ed inizia la sua carriera come putto cantore nella basilica di S. Pietro, sotto la direzione di Virgilio Mazzocchi, che dunque fu il suo primo insegnante. In seguito studia con Vincenzo Giovannoni, maestro di cappella e organista a San Lorenzo in Damaso; in questa chiesa comincia l'attività di organista, che proseguirà in diverse altre cappelle romane, come San Luigi dei Francesi. Il suo impiego come cantore è documentato in un secondo tempo, a partire all'incirca dal 1660, quando la sua formazione doveva essere ormai completa; diverse altre fonti posteriori, infatti, lo indicano come allievo di Gregorio Allegri, in età già adulta, insieme ad Antimo Liberati, che sarà in seguito suo collega presso la Cappella Pontificia; l'apprendistato presso l'Allegri spiegherebbe la padronanza e l'abilità nella tecnica del contrappunto in stile osservato, di cui si dirà in seguito. La notizia riportata dal Baini e da altre fonti successive, secondo le quali Simonelli, alla morte dell'Allegri, continuò gli studi con Orazio Benevoli risulta invece inattendibile.[10]

---

[9] R. CASIMIRI, *Oratorij del Masini, Bernabei, Melani, Di Pio, Pasquini e Stradella, in Roma, nell'Anno Santo 1675*, «Note d'Archivio per la storia musicale», XIII (1936), pp. 157-169. Qualche incertezza, però, riguardo alla presenza di Corelli è stata avanzata da G. ROSTIROLLA, *La musica delle istituzioni religiose romane al tempo di Stradella. Dal diario n° 93 (1675) della Cappella Pontificia e dalle Memorie dell'anno Santo di R. Caetano, con alcune precisazioni storiche sulla stagione di oratori a S. Giovanni dei Fiorentini*, «Chigiana», 39 (1982), pp. 591-592.

[10] Cfr. G. BAINI, *Memorie storico-critiche della vita e delle opere di Giovanni Pierluigi da Palestrina*, Roma, Società tipografica, 1828 - Rist. anast.: Hildeshein, G. Olms, 1966, pp. 50-51 e C. SCHMIDL, voce *Simonelli, Matteo*, in *Dizionario Universale dei Musicisti*, vol. II, Milano, ed. Sonzogno, 1929, p. 513. Antimo Liberati afferma infatti, nella *Lettera in risposta del sig. Ovidio Persapegi*, che "degli scolari di questo inclito maestro [Benevoli, *ndr*], trà viventi siamo rimasti in tre" riferendosi oltre a se stesso, a Ercole Bernabei e Giovanni Vincenti, e non citando Simonelli, ancora vivo in quel periodo. A. LIBERATI, *Lettera scritta dal sig. Antimo Liberati in risposta del signor Ovidio Persapegi*, Roma, Mascardi, 1685, pp. 29-30.

Nel 1661 diviene, come già accennato, maestro di Cappella a San Giovanni dei Fiorentini, dove terrà il posto presumibilmente fino al 1679.[11] Infine, nel dicembre del 1662, vince il difficile concorso per la Cappella Pontificia, ed è ammesso al Collegio dei cantori pontifici in qualità di contralto; presso tale istituzione fu attivo non solo nel ruolo di cantore, ma si distinse pure come compositore di musiche per la cappella, e organista, in occasione delle poche festività in cui era ammesso l'uso di tale strumento per accompagnare il coro.[12]

Per quanto riguarda la sua attività di compositore, ci rimangono più di quaranta titoli, soprattutti messe e mottetti. La parte più consistente della sua produzione è scritta nello stile normalmente praticato in quel periodo, definito "concertato":[13] probabilmente si tratta dei brani composti per San Giovanni dei Fiorentini o per altre cappelle in cui era pratica comune l'impiego di un basso continuo. Un altro gruppo è rappresentato da composizioni policorali, delle quali non si tratterà in questa sede,[14] ma che presentano interessanti caratteristiche, come, ad esempio, una messa a 17 voci reali e un *Miserere* in falsobordone, entrambi giunti a noi incompleti.[15]

Un terzo gruppo di composizioni, infine, sono in stile "antico", a cappella, praticato in quel periodo quasi esclusivamente presso la Cappella Pontificia, sulle quali vale la pena concentrare l'attenzione.

Come è noto Giovanni Pierluigi da Palestrina rappresentò, particolarmente a Roma, un modello di riferimento, ed è ormai assodato che proprio nel Seicento si sviluppò il mito del *princeps* «restauratore e benefattore della musica».[16] Il culto palestriniano fu sostenuto assiduamente dai cantori della Cappella Pontificia, baluardo delle direttive post-tridentine: egli divenne in questo periodo il simbolo più alto dell'espressione musicale e il modello da opporre alle tentazioni delle innovazioni stilistiche.[17] Ma la Cappella Pontificia rappre-

---

[11] H. WESSELY-KROPIK, *Mitteilungen aus dem Archiv de Arciconfraternita di S. Giovanni dei Fiorentini*, «Studien zur Musikwissensschaft», 23-24 (1960), p. 51.

[12] L'uso dell'organo nelle varie occasioni è documentato nei "Libri dei camerlenghi", custoditi presso la Biblioteca Apostolica Vaticana.

[13] La suddivisione della produzione musicale di Simonelli in tre gruppi (composizioni in stile osservato, concertato e policorali) è qui semplificata; vi è in realtà una più vasta gamma di sfumature stilistiche nella produzione di questo compositore e dei suoi contemporanei, argomento oggetto della mia tesi dottorato, *Il mottetto a Roma nella seconda metà del XVII secolo*, in corso di svolgimento.

[14] Un'analisi delle opere di Simonelli è contenuta nella mia tesi di laurea, *Matteo Simonelli e la musica sacra a Roma nel XVII secolo*, Università "La Sapienza" di Roma, aa. 1999-2000.

[15] I-Rvat, CS 192, ff. 2*v*-8 e I-Rvat, CG V70.

[16] L. BIANCONI, *Il Seicento*, Torino, EDT, 1991 (Storia della musica, a cura della Società Italiana di Musicologia 5), pp. 115-116.

[17] Cfr. a riguardo la teoria di Pierpaolo Bellini in *Angelo Berardi: rapporti tra teoria e composizione nella seconda metà del Seicento*, «Rivista Internazionale di musica sacra», 16 (1995), pp. 13-14.

sentò un caso particolare nel panorama musicale romano, che vide invece le altre cappelle romane proiettate verso un rinnovamento del repertorio e dello stile compositivo.

Dunque, non è certamente un caso se la scelta di Corelli cadde in primo luogo su un cantore della Cappella Pontificia, i cui membri erano tutti stimati professionisti,[18] celebri per la loro esperienza nella musica polifonica e nel canto piano, per le loro qualità canore e per la competenza e abilità nell'arte del contrappunto: essi venivano considerati tra i più esperti cultori della musica palestriniana e ultimi depositari di una tradizione compositiva che stava velocemente mutando. Si comprende in tal modo cosa desiderasse ottenere Corelli per completare i suoi studi, e la ragione per cui egli non optò per uno dei valenti maestri di cappella delle altre chiese romane, ove lo stile più rigido era caduto in disuso.

Con questo non si vuole assolutamente intendere che nelle altre cappelle il livello compositivo era diminuito, ma che si era modificato, rinnovato secondo il gusto musicale corrente. Vi sono comunque delle eccezioni relative a maestri che continuarono a coltivare il contrappunto «osservante delle buone regole».[19]

Secondo uno studio condotto da Giancarlo Rostirolla,[20] presso la Cappella Sistina, nel 1675, su quarantadue cantori presenti nella Cappella del papa (tra serventi e giubilati), otto elementi erano anche compositori: oltre Simonelli, si tratta di Marcantonio Pasqualini, Mario Savioni, Domenico Del Pane, Isidoro Cerruti, Giovan Battista Vulpio, Antimo Liberati.

Tra questi, solamente due scrissero opere nello stile osservato, mentre tutti gli altri si dedicarono alla composizione di musica liturgica in stile concertato oltre che paraliturgica e profana; evidentemente, dunque, musica non destinata alla Cappella Pontificia. Matteo Simonelli e Domenico Del Pane furono gli unici cantori pontifici che in quel periodo praticarono lo "stil di cappella".[21]

---

[18] Per sottolineare lo stato di parità che vigeva tra i cantori della Cappella Sistina, tutti ottimi elementi, ricordiamo che il ruolo di maestro di cappella, a differenza delle altre cappelle musicali, veniva assunto a rotazione: l'elezione avveniva su scrutinio segreto dei cantori stessi, e la carica durava un anno. Fa eccezione lo stato dei cantori ammessi inizialmente a "mezza paga". Le altre cariche all'interno del Collegio erano quelle di puntatore e camerlengo, pure a carattere elettivo, e quella di decano, rappresentata dal cantore più anziano.

[19] Ne è un esempio Francesco Foggia, in quegl'anni maestro di cappella a San Lorenzo in Damaso (dunque una cappella minore): alcune sue composizioni furono eseguite anche dal Collegio dei Cantori pontifici.

[20] G. ROSTIROLLA, *Alcune note storico-istituzionali sulla Cappella Pontificia in relazione alla formazione e all'impiego dei repertori polifonici nel Periodo Post-Palestriniano*, in *Collectanea II, Studien zur Geschichte der Paepstlichen Kapelle*, a cura di B. Janz, Città del Vaticano, Biblioteca Apostolica Vaticana, 1994 (*Capellae Apostolicae Sixtinaeque Collectanea Acta Monumenta IV*), pp. 631-788.

[21] Il termine è così utilizzato da A. ADAMI, in *Osservazioni per ben regolare*, cit., p. 209.

A differenza di Simonelli, però, Domenico Del Pane ebbe una carriera sempre divisa tra il Collegio dei cantori pontifici e gli impegni presso l'aristocrazia romana: egli fu un castrato tra i più famosi del periodo, e cantò come virtuoso in occasione di numerose esecuzioni di opere ed oratori. Si dedicò alla composizione in stile osservato solo quando, come scrisse egli stesso nella prefazione al libro di Messe *estratte da esquisiti Mottetti del Palestrina* (Roma, 1687), «ottenuta la giubilazione e perduta l'habilità nel cantare, per non restare infruttuoso, m'applicai alla tessitura delle presenti et altre Messe allo stile della Cappella Papale».[22]

Tra i cantori pontifici, dunque, la scelta più ovvia e naturale sembrerebbe cadere su Matteo Simonelli. Secondo quanto è emerso fino ad ora, in qualità di compositore, egli non solo ottenne più volte l'esecuzione da parte dei suoi colleghi di diverse composizioni, la cui approvazione non era mai automatica, ma sottoposta al *placet* di tutto il Collegio;[23] Simonelli fu uno dei pochissimi musicisti, tra i suoi contemporanei, a cui fu concesso l'onore della 'copiatura' (trascrizione) di un buon numero di composizioni sui grandi volumi corali, e dunque l'annessione di questi alla 'Custodia', ovvero l'archivio musicale segreto della Cappella, le cui opere non potevano essere divulgate, pena la scomunica.

Il repertorio di musica polifonica utilizzato dai cantori della Cappella Pontificia, ancora alla fine del Seicento, era composto in larga parte da composizioni di Pierluigi da Palestrina[24] e per il resto da musiche di altri autori vissuti nel Quattro e Cinquecento o comunque risalenti alla prima metà del Seicento. Solo una piccola parte era rappresentata da compositori più moderni, ancora viventi negli ultimi decenni del secolo: finora sono emersi solo i nomi di Matteo Simonelli, Francesco Foggia, Orazio Benevoli e Domenico Del Pane.[25]

Tre sono le composizioni di Simonelli che fecero parte sicuramente del repertorio fisso di cappella, e che continuarono ad essere eseguite fino ad Otto-

---

22 *Messe dell'abbate Domenico Del Pane soprano della cappella Pontificia a Quattro, Cinque, Sei & Otto voci, estratte da esquisiti Mottetti del Palestrina* [...] Opera Quinta, in Roma. Per il Mascardi, MDCLXXXVII.

23 Nella Congregazione tenuta nel maggio del 1616, si decretò infatti che «il signor maestro di cappella pro tempore non possa far cantare qual si voglia opera in Cappella, se pria non sia sentita dal Colleggio degli signori cantori et che loro l'aprobino per bona cioè dalla maggior parte», cit. in G. Rostirolla, *Alcune note Storico-Istituzionali*, cit., p. 650, in nota.

24 A. Morelli, *Antimo Liberati, Matteo Simonelli e la Tradizione Palestriniana a Roma nella Seconda Metà del Seicento*, in *Palestrina e la sua presenza nella musica e nella cultura europea del suo tempo ad oggi, Atti del Secondo Convegno Internazionale di Studi Palestriniani*, a cura di L. Bianchi e G. Rostirolla, Palestrina, Fondazione Giovanni Pierluigi da Palestrina, 1991, pp. 295-307.

25 Purtroppo non è possibile avere un quadro preciso dei compositori contemporanei i cui brani vennero eseguiti alla Cappella Pontificia, poiché gran parte delle composizioni, se non ammesse alla Custodia, venivano cantate una volta e poi dimenticate.

cento inoltrato: la sequenza *Victimae Paschali laudes* a quattro voci (da non confondere con l'omonima sequenza a cinque voci, che rappresenta invece un caso particolare),[26] e due mottetti rispettivamente a 6 e 5 voci, i cui titoli sono riportati, oltre che dall'Adami, in due importanti diari dei puntatori,[27] relativi al 1695 e 1696: *Cantemus Domino* e *Suscipe verbum*.

Osservando ciò che rimane oggi dell'antica 'Custodia', ovvero il fondo Cappella Sistina della Biblioteca Apostolica Vaticana, si possono individuare facilmente le altre composizioni in stile antico che ebbero il privilegio di essere trascritte nei volumi "ad uso di cappella", tra le quali, oltre a diversi mottetti, due messe e il falsobordone cui si è già accennato.[28] La facoltà e l'abilità di produrre musica "in stil di cappella", cioè di musica intesa dai contemporanei come affine a quella del Palestrina, indica che Simonelli dovesse avere una forte competenza come teorico e come insegnante del contrappunto rigoroso; di una "scuola del Simonelli", però, pur se menzionata in qualche fonte, abbiamo notizie poco certe.[29]

Un ultimo elemento permette di evidenziare quanto potesse sembrare vicina, alle orecchie dei contemporanei, l'opera di Simonelli a quella di Palestrina; mi riferisco ad una curiosa scoperta riguardante uno dei brani del musicista romano, inclusi nel repertorio fisso di cappella: il mottetto *Suscipe verbum*, contenuto nel codice vaticano CS 297, manoscritto realizzato dal copista di Cappella, Domenico De Biondini e datato 1749.

Nel momento in cui mi accingevo a trascrivere in notazione moderna questa composizione, ho potuto constatare che si trattava in realtà dell'omonimo mottetto di Giovanni Pierluigi da Palestrina.[30] Come si può osservare nell'e-

---

[26] Mentre la sequenza a 4 voci, citata pure dall'Adami, presenta tutte le caratteristiche dei brani in stile osservato, l'omonima sequenza a 5 voci è decisamente di fattura artistica inferiore: lo svolgimento delle voci è meno controllato, la tessitura contrappuntistica appare semplificata, come pure le imitazioni e le fioriture, quasi assenti. Nell'ultima sessione della sequenza, infine, è introdotto il basso continuo. È possibile che si trattasse di un brano concepito per essere cantato in occasione dei vespri segreti pasquali, durante i quale era concesso l'uso dell'organo, ma che, non avendone i requisiti, non fosse stato poi annesso alla 'Custodia'. A dimostrazione di ciò si dica che, mentre la sequenza a 4 voci fa parte del fondo "Cappella Sistina", entrambe le copie della seconda fanno parte del fondo "Cappella Giulia". Della prima, inoltre, esistono diverse trascrizioni conservate in vari archivi (I-Rc 2564, D-müs Hs 872, D-BB W1, D-BB L182, GB-Lbl Egerton 2461, etc), mentre della seconda non se ne conoscono altre.

[27] I-Rvat, CS, Diari 114 e 115.

[28] È da sottolineare che i compositori coetanei di Simonelli in questo catalogo sono pochissimi, e tra essi, egli è rappresentato con il maggior numero di composizioni

[29] Tra gli allievi, si citano Giovanni Maria Casini, Giuseppe Vecchi e Francesco Verdoni, sui quali, però, non esiste alcuna documentazione certa. Cfr. G. ROSTIROLLA, *La musica nelle istituzioni*, cit., p. 795 e M. RINALDI, *Arcangelo Corelli*, cit., p. 43.

[30] Il brano fa parte del primo libro dei mottetti, pubblicato a Roma da Dorico nel 1569.

sempio n. 1, sul *recto* del sesto foglio (a p. 7 della numerazione segnata sull'ingombrante volume corale), si legge il nome di *Matthaei Simonelli.*

Es. 1 – Mottetto *Suscipe Verbum*, erroneamente attribuito a Matteo Simonelli, I-Rvat CS 297, ff. 6*r* e 6*v*-7*r*.

È certo che il manoscritto fu utilizzato per studiare ed eseguire il mottetto dai cantori della Cappella Pontificia, in quanto su di esso si trovano dei segni aggiunti per far coincidere le voci in alcuni passaggi più complessi; ma, a quanto pare, i cantori che lo eseguirono non si accorsero dell'errata paternità del mottetto. Ciò sembra quanto mai singolare, dal momento che i cantori pontifici erano in continuo contatto con il repertorio palestriniano.

Si possono proporre delle ipotesi a riguardo, scartando subito quella, poco probabile, che Simonelli si fosse appropriato del mottetto. È possibile che l'equivoco si sia verificato proprio alla metà del XVIII secolo, quando fu approntata la copia del mottetto, ma in realtà l'errore si può far risalire almeno a quarant'anni prima: nel citato trattato di Andrea Adami, è scritto, al Cap. XVIII, che per la Festa dell'Annunziata, «all'Offertorio vi è il Mottetto *Suscipe verbum* di Matteo Simonelli libro 160. carte 29».[31] In seguito ad una ricerca più approfondita, è stato possibile individuare il manoscritto in questione (n° 160), che ora è segnato come CS 72; anche in questo caso il mottetto *Suscipe verbum* è lo stesso del Palestrina, ma il nome dell'autore non è indicato. Dunque già nel 1711, e si può presupporre già qualche tempo prima (alla fine del Seicento), i cantori pontifici cantavano questo mottetto di Palestrina, ritenendolo di Simonelli. Nello stesso fondo Cappella Sistina, infine, esiste una terza copia dello stesso brano, meno pregiata ed in parti staccate, di proprietà del cantore Giovanni Niccoletti. Redatta intorno al 1751, questa trascrizione deriva direttamente dal manoscritto più antico citato dall'Adami,[32] e anche questa volta il nome di Simonelli è indicato come autore del brano di Palestrina.

Ciò che si vuole sottolineare, a prescindere dal periodo in cui fu commesso l'errore, è il significato di tale errore: i cantori, considerati tra i maggiori esperti del repertorio palestriniano, non furono in grado di distinguere lo stile di Palestrina da quello di Simonelli.

Le argomentazioni portate fino ad ora non dovrebbero lasciare dubbi sulle ragioni per le quale Corelli scelse Simonelli come maestro, e cosa effettivamente quest'ultimo potesse insegnare a Corelli. Del resto, ciò che poteva interessare a quest'ultimo era l'apprendere una tecnica contrappuntistica 'osservante delle buone regole', tecnica in uso ormai solo presso la Cappella Pontificia; altrimenti, avrebbe potuto ricevere lezioni di contrappunto da qualunque altro maestro, magari nella stessa Bologna. Simonelli doveva essere la persona più adatta a tal compito: si era creato una sicura fama nel suo ambien-

---

[31] A. Adami, *Osservazioni*, cit., p. 157.

[32] In essa sono infatti presenti le stesse composizioni.

te, guadagnandosi la significativa definizione di 'Palestrina de'nostri tempi' da parte dei suoi contemporanei.[33]

Ma se per i contemporanei la musica "a cappella" di Simonelli poteva risultare analoga e conforme a quella di Palestrina, rimane implicito che, per noi, non è possibile far coincidere lo stile osservato, in uso presso la Cappella Pontificia nel Seicento, con il modello di musica polifonica risalente al secolo precedente. La musica di Simonelli contiene significative divergenze dallo stile palestriniano più autentico, ad esempio nell'impianto modale, reso alcune volte poco chiaro dall'uso di alterazioni estranee, oppure nella condotta delle voci, in qualche caso meno convincente. Inoltre, in alcuni passaggi si notano delle cadute di stile e, anche se saltuari, veri e propri errori di contrappunto.

Ad ogni modo, Palestrina e Simonelli vivono ad un secolo di distanza, e quest'ultimo viene comunque influenzato dal modo di concepire e fare musica del Seicento, che è tutto nuovo.

Ma per il resto le composizioni 'a cappella' di Simonelli si avvicinano al modello cinquecentesco e, soprattutto, si distaccano da quelle in stile concertato per un più rigida osservanza delle regole contrappuntistiche. Ciò appare nell'equilibrio presente sia nella tessitura delle parti, solitamente ben controllate, sia nella singola parte, evidente, ad esempio, nel modo di trattare i salti, sempre preparati e risolti. Lo stesso si dica per l'uso delle dissonanze e dei ritardi, per le fioriture inserite con moderazione, per il complessivo mantenimento dell'impianto modale, e in modo particolare per la declamazione del testo. Si vedano, ad esempio, le battute iniziali del mottetto *Cantemus Domino* (vedi Es. 2, p. 355).[34]

Al contrario, nei brani in stile concertato, Simonelli si allinea al gusto musicale dei suoi contemporanei, assimilando gli influssi e le suggestioni provenienti sia dalla musica profana (vocale e strumentale) che dai generi dell'oratorio e della cantata. L'esempio che segue è tratto dal mottetto *Nativitas est hodie* (vedi Es. 3, p. 356).[35]

In diverse occasioni ci si è sforzati di individuare un legame tra Simonelli e l'allievo Corelli, mettendo a confronto la produzione musicale di entrambi, alla ricerca di tratti comuni riconducibili allo stile del Palestrina. Partendo dalle conclusioni generalizzanti sostenute da alcuni studi precedenti,[36] ho provato a

---

[33] La definizione si trova per la prima volta nella breve biografia inclusa in A. ADAMI, *Osservazioni*, cit. p. 208.

[34] I-Rvat, CS 98, ff. 1*v*-14.

[35] I-Rvat, CG IV 126, cc. 34-40*v*.

[36] Generalmente si tendeva a credere che, attraverso l'insegnamento di Simonelli, Corelli avesse assimilato la polifonia palestriniana, per poi applicarla nei passaggi dove l'abile impiego del contrap-

Es. 2 – M. Simonelli, *Cantemus Domino*, mottetto, batt. 1-15.

rintracciare delle similitudini nella musica dei due autori, basandomi in modo particolare, per ciò che riguarda Simonelli, sulle opere scritte per la Cappella Pontificia (dunque in stile antico), perché in esse si riconoscono le peculiarità di questo musicista.

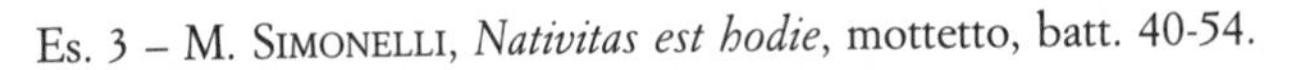

Es. 3 – M. SIMONELLI, *Nativitas est hodie*, mottetto, batt. 40-54.

punto sembrava suggerirlo. Scrive Rinaldi: «Simonelli, profondo studioso della più severa polifonia, gli inculcò esatti principi e lo avviò a un gusto rigoroso, riguardo agli impasti sonori e all'eleganza armonica [...]. Corelli non fu un seguace della scuola palestriniana; pensiamo però che la purezza e la grazia dell'armonia onde sono pervase le composizioni corelliane, siano direttamente derivate dal tradizionale gusto polifonico che egli assorbì frequentando quella mirabile scuola». M. RINALDI, *Arcangelo Corelli*, cit., p. 43.

Ma non è emerso alcun elemento che giustifichi un qualche rapporto tra la musica dei due compositori: mi sono convinto, perciò, che confrontare la musica di Corelli con quella di Simonelli non può portare a risultati certi e oggettivi. Del resto, in un confronto diretto tra la musica dei due autori, le analogie più evidenti si manifestano se consideriamo i brani di Simonelli in stile concertato, nei quali si riconoscono immediate similitudini nell'uso del ritardo, delle fioriture, dell'armonia, e nella condotta delle parti: in alcuni casi, come faceva notare Paolo Teodori, sembra di aver a che fare con delle sonate a tre.[37] La stessa osservazione, però, è valida se confrontiamo la musica di Corelli con quella

[37] P. TEODORI, *Corelli e lo stile rigoroso: la lezione di Matteo Simonelli*, in *Studi Corelliani V*, p. 289.

degli altri compositori di musica sacra in stile concertato; per questo anche un confronto tra la musica di Corelli e le composizioni in stile concertato di Simonelli non ha alcuna rilevanza particolare, e non ci è di alcun aiuto.

La difficoltà nel trovare punti di contatto concreti e obiettivi è dovuta in primo luogo al fatto che si tratta di due generi musicali diversi – strumentale l'uno e vocale l'altro –, con tutte le implicazioni che ciò comporta. È anche da tener presente la cronologia delle opere. Le composizioni di Simonelli scritte in stile antico, ove sia possibile datarle con certezza, risalgono tutte ad un periodo compreso tra il 1684 e il 1690; le fonti che abbiamo a disposizione, dunque, si riferiscono ad un fase posteriore rispetto al periodo in cui Simonelli fu insegnante di Corelli, periodo che si fa risalire intorno alla seconda metà degli anni Settanta.[38]

Infine, credo non sia possibile quantificare ciò che Corelli impara da Simonelli: in fondo non è detto che nella musica di ogni compositore si possa rintracciare per forza il risultato degli insegnamenti provenienti dal proprio maestro. Proporrei invece di incentrare il discorso sulle singolari capacità che dimostra Corelli nell'assimilare, maturare ed elaborare con originalità la lezione di Simonelli, re-impiegando la pratica del contrappunto osservato in un contesto strumentale.

Nel complesso delle esperienze compiute e degli stimoli ricevuti durante il periodo romano, l'apprendimento della tecnica contrappuntistica presso la scuola di Simonelli è solo un singolo fattore, certo non trascurabile: nello stesso lasso di tempo, lo stile di Corelli si perfeziona e si arricchisce attraverso la recezione dell'ampia varietà di musica prodotta ed eseguita a Roma, sia in ambito sacro che profano, sia vocale che strumentale.

Sicuramente, attraverso la partecipazione attiva agli eventi musicali che si susseguono a Roma (nelle occasioni e nei luoghi più vari), il linguaggio musicale corelliano si arricchisce di nuovi elementi più o meno evidenti, attraverso l'influsso di generi e stili diversi.

In generale, rintracciare i risultati derivanti dalla contaminazione di generi e di stili, indagando le combinazioni di esperienze, contatti ed eventi che influiscono sulla formazione musicale e culturale di ogni artista, è certamente difficile; si tratta di un discorso complesso, talvolta sfuggente, che però non deve essere mai trascurato. In una tale prospettiva, nell'analisi della musica dei due autori in esame, è possibile, in un certo senso, provare a teorizzare persino una inversione dei ruoli.

A tal riguardo vorrei mostrare uno dei pochi esempi di musica strumentale di Matteo Simonelli a nostra disposizione: si tratta di due sinfonie auto-

[38] P. ALLSOP, *Arcangelo Corelli 'New Orpheus of Our Times'*, Oxford, Oxford University Press, 1999, pp. 29-30.

grafe, molto brevi, che introducono il Primo *Kyrie* e il *Christe* della messa incompleta a 17 voci.[39]

Nell'analizzare i brani è emersa subito una certa somiglianza con alcuni dei movimenti iniziali delle sonate a tre di Corelli; nell'esempio seguente si propone il confronto delle due sinfonie con i primi movimenti delle sonate n. 3 Op. III e n. 3 Op. I di Corelli (vedi Es. 4 e 5, pp. 000-000).

Simonelli non aveva pratica nel campo della musica strumentale, e si limita a scrivere dei brevi brani strumentali, che hanno la funzione di introdurre alcune composizioni sacre; in tali occasioni egli si basa sugli esempi dei numerosi musicisti che operano o hanno operato a Roma in quel periodo, tra i quali Corelli era certamente uno dei più famosi, avendo già riscosso un enorme successo, in seguito anche alla pubblicazione delle Opere I e II. La messa a 17 voci di Simonelli dovrebbe infatti essere posteriore al 1685:[40] è probabile che Simonelli risenta dell'influsso del musicista che pur essendo più giovane di quasi 40 anni, aveva già raggiunto una fama invidiabile.[41]

Si può supporre che l'ex-maestro, il quale ebbe il merito di insegnare il contrappunto rigoroso a Corelli, abbia poi subito l'ascendenza della musica strumentale dell'allievo.

---

[39] I-Rvat, CG V 70.

[40] Tutta le serie dei manoscritti di Simonelli conservata nel fondo "Cappella Giulia" della I-Rvat contiene musica composta tra il 1685-1689.

[41] Gli altri importanti compositori di sonate e sinfonie, come Lelio Colista, Alessandro Stradella e Carlo Ambrogio Lonati, erano ormai deceduti o avevano lasciato l'ambiente romano. Non dimentichiamo, tra l'altro, che l'Opera I di Corelli fu la prima stampa di sonate a tre mai confezionata a Roma.

Es. 4a – M. SIMONELLI, *Sinfonia doppo il P° Kyrie* contenuta nella messa *Sine nomine* a 17 voci, I-Rvat CG V 70.

Es. 4b – A. CORELLI, primo movimento della *Sonata Op. III n. 3* (Roma, 1689).

Es. 5a – M. Simonelli, *Sinfonia doppo il Christe* contenuta nella messa *Sine nomine* a 17 voci, I-Rvat CG V 70.

Sinfonia doppo il Christe

Es. 5b – A. CORELLI, primo movimento della *Sonata Op. I n. 3* (Roma, 1681).

ENRICO CARERI

ESEMPI DI RIDONDANZA NELLE SONATE DA CAMERA A TRE DI FRANCESCO ANTONIO BONPORTI

Negli scritti dedicati alla musica strumentale del primo '700 è piuttosto frequente leggere che il vocabolario musicale utilizzato da compositori minori quali Castrucci, Barsanti, Bonporti o Valentini è lo stesso che troviamo nelle opere di Corelli, il quale però l'avrebbe sfruttato meglio. Non si specifica tuttavia in cosa consista questa sua capacità di ottenere risultati migliori partendo dallo stesso materiale, o comunque non si va oltre generiche osservazioni. Per trovare una risposta è forse anche necessario mettere a fuoco lo sfondo, studiare la musica dei suoi contemporanei per scoprire cosa eventualmente *non c'è* nelle opere corelliane che troviamo in molte raccolte del tempo e che rende le prime generalmente superiori alle altre. Le sonate da camera a tre di Bonporti, composte e stampate a distanza di pochi anni dall'ultima raccolta di sonate a tre corelliana (Op. IV, 1694), si prestano bene ad un confronto con la produzione da camera per lo stesso organico del Maestro di Fusignano. L'esame di queste sonate consente di individuare un difetto che per l'appunto *non c'è* in quelle corelliane e che invece non è raro nella produzione coeva, l'effetto di ridondanza – sia interno al singolo movimento che tra movimenti contigui – generato dalla ripetizione meccanica di melodie, ritmi, armonie. Mi limiterò ad illustrarne alcuni esempi.

Tra il 1698 e il 1705 Francesco Antonio Bonporti (Trento 1672, Padova 1749) fece pubblicare a Venezia da Giuseppe Sala tre raccolte di sonate da camera a tre, le Opp. II (1698), IV (1703) e VI (1705).[1] Nel 1696 lo stesso

---

[1] Per iniziativa della Società Filarmonica di Trento queste sonate sono state recentemente pubblicate in edizione critica: F.A. BONPORTI, *Sonate da camera per due violini, violone e basso continuo opera seconda - 1703* (trascrizione dalla ristampa Sala del 1703), a cura di Armando Franceschini, Trento, Società Filarmonica di Trento, 1996; ID., *Sonate da camera per due violini e basso continuo Opera Quarta - 1703*, a cura di Enrico Careri, Trento, Società Filarmonica di Trento, 2001; ID., *Sonate da camera per due violini, violone o cembalo Opera Sesta - 1705*, a cura di Enrico Careri, Trento, Società Filarmonica di Trento, 2002. Solo dell'Op. II esiste invece una registrazione in CD (Dynamic, 2000, Accademia I Filarmonici diretta da Alberto Martini).

editore aveva dato alle stampe le sonate da chiesa a tre Op. I, e avrebbe pubblicato in seguito diverse altre opere del musicista trentino, tre delle quali sono andate perdute. In poco più di tre lustri Bonporti fece stampare ben dieci raccolte tra sonate a tre, sonate per violino e continuo, mottetti *a canto solo*, arie, balletti e correnti. Si tratta di una produzione piuttosto considerevole se si confronta con quella di molti compositori italiani coevi, ad esempio con le sei raccolte corelliane, pubblicate nell'arco di un trentennio, o con le opere originali a stampa di Geminiani (escluse dunque le numerose elaborazioni, trascrizioni e ristampe), che in circa quarant'anni si riduce ad appena tre raccolte di sonate, tre di concerti grossi e all'*Inchanted Forrest*. Tale prolificità, come è stato più volte osservato, non si deve solo alla sua facilità di scrittura – che secondo alcuni critici dell'epoca mancava per l'appunto a Corelli e Geminiani –[2] ma anche a ragioni extramusicali: attraverso la musica – lo si evince con chiarezza dalle dediche e dai dedicatari delle sue opere a stampa – Bonporti sperava di far carriera nella sua vera professione, che non era musicale ma ecclesiastica. "Non ebbe – ha scritto il suo primo biografo – che un solo desiderio e tentò di appagarlo con ogni mezzo; un desiderio così modesto che a chi giudica a distanza può veramente far sorridere: volle cioè da beneficiato che era, diventare canonico ordinario della cattedrale di Trento; ma non vi riuscì".[3] In realtà, come ha osservato Antonio Carlini nella sua recente monografia dedicata a Bonporti, si trattava di una posizione molto ambita e di un desiderio niente affatto modesto, ed è comprensibile che il compositore abbia tentato di realizzarlo anche attraverso la musica.[4] L'Op. II è dedicata «all'Illustrissima, e Eccellentissima Signora Adelaide Maria Anna Caterina Giovanelli Nata Contessa di Lodron, Patrizia Veneta, Contessa di Telvana, Morengo e Carpenada, Signora delle Giurisdizioni di Laimburgo Caldaro e di Castel S. Pietro &c», l'Op. IV «all'Altezza Eminentissima di Giovanni Filippo Conte di Lamberg, Cardinale della Sacra Romana Chiesa e del Sacro Romano Impero Prencipe, e Vescovo di Passauia», e l'Op. VI al *Maggiordomo* di Papa Clemente XI, Carlo Colonna, carica di cui era investito il primo prelato palatino nella corte vaticana, dunque un personaggio molto influente. Ai piedi di costoro – come d'uso nelle dediche del-

---

[2] Cfr. E. CARERI, *The Correspondence between Burney and Twining about Corelli and Geminiani*, «Music and Letters», LXXII, 1991 (2), pp. 40-41; ID., *Francesco Geminiani (1687-1762)*, Lucca, Libreria Musicale Italiana Editrice, 1999, pp. 7, 68, 75.

[3] G. BARBLAN, *Un musicista trentino, Francesco A. Bonporti (1672-1749). La vita e le opere*, Firenze, Le Monnier, 1940, p. 9.

[4] A. CARLINI, *Francesco Antonio Bonporti "Gentilhuomo di Trento". La vita e l'opera con catalogo tematico*, Padova, Edizione de "I Solisti Veneti", 2000, pp. 44-46.

l'epoca – Bonporti si inchina umilmente tessendo le lodi delle loro grandi casate, augurandosi al contempo aiuti che non vennero o non sortirono comunque l'effetto desiderato.

La vicenda biografica del compositore trentino è sufficientemente nota perché debba essere ripercorsa in questa sede. È bene però ricordare che dal 1691 al 1695 Bonporti si trovava a Roma per seguire studi teologici presso il Collegio Germanico, dove fu ordinato sacerdote, e dove è probabile ma non documentato sia stato allievo di Corelli e Pitoni. Si tenga anche presente che nel 1705, anno dell'*editio princeps* delle sonate a tre Op. VI, lo stesso Sala dava alle stampe le sonate a tre Op. I. di Antonio Vivaldi.

Le opere di Bonporti ebbero un buon successo editoriale: l'Op. II fu ristampata da Sala nel 1703 e pubblicata in Inghilterra da John Walsh, l'Op. IV sia da Walsh che in Olanda da Estienne Roger. Ciò era dovuto non solo all'enorme favore che, sulla scia della popolarità delle sonate corelliane, incontrava allora in tutta Europa la musica strumentale italiana, ma anche al fatto che Bonporti parlava una lingua relativamente accessibile a quel nuovo pubblico di dilettanti che proprio in quegli anni stava diventando il principale destinatario delle edizioni musicali. Si trattava di dilettanti – non più solo aristocratici, ma anche dell'alta borghesia – con una discreta preparazione musicale, che non erano probabilmente in grado di eseguire le sonate per violino solo e continuo, destinate ai virtuosi (che ne erano spesso gli stessi autori), ma non avevano grosse difficoltà con le sonate da camera a tre, o per lo meno con la maggior parte di esse. Alcune non sono prive di passaggi che richiedono una tecnica piuttosto considerevole, ma il linguaggio della sonata da camera a tre – diversamente da quello di molte sonate coeve per violino – è più spesso caratterizzato da un'arcadica semplicità e naturalezza che rifugge gli eccessi, di qualsiasi natura essi siano (estremi del registro, doppie e triple corde, asprezze armoniche, virtuosismi di vario genere), ideale dunque per esecutori non professionisti. Rispetto alle sonate corelliane, come vedremo tra breve, quelle di Bonporti sembrano tese ad un ulteriore semplificazione, e non solo sul piano della tecnica strumentale, e ciò ne pregiudica talvolta la qualità.

Come è noto le raccolte di Bonporti – con le sole eccezioni dei 6 *Motetti a canto solo* Op. III e dei 100 *Menuetti* Opp. VIII e IX – comprendono ciascuna dieci sonate o concerti e non dodici come era prassi comune. Diversamente dalle sonate da camera di Corelli, in cui viene utilizzato sia lo schema in quattro movimenti che quello in tre, le prime due raccolte di sonate da camera bonportiane (Opp. II e IV) sono tutte tranne una (IV/5) in quattro movimenti secondo la disposizione lento-allegro-lento-allegro tipica delle sonate da chiesa corelliane.[5] L'Op. II, come la seconda raccolta di Corelli, si conclude con una *ciaccona* in Sol maggiore che si apre con la stessa identica figura ritmico-melodica (ottava ascendente del Sol al basso e Si minima puntata-Do croma al violino primo). Nell'Op. VI viene preferito senza eccezioni lo schema in tre movimenti, ossia un preludio seguito da due danze. Alla notevole varietà evidente nella produzione da camera corelliana, per quanto concerne il numero e la disposizione dei movimenti, Bonporti oppone dunque nelle prime due raccolte da camera una regolare alternanza di movimenti lenti ed allegri, e nella terza lo schema in tre che di lì a poco avrebbe prevalso nella produzione strumentale tardobarocca, dove però la disposizione dei movimenti lenti e allegri è meno rigida. Stessa regolarità riguarda la forma dei movimenti, quasi sempre bipartita (A:B:) e salvo rare eccezioni senza ripresa del motivo iniziale nella seconda sezione.[6] Scarso interesse per la ripresa Bonporti dimostra anche nelle due raccolte di sonate per violino solo e continuo Opp. VII (1707) e X (1712): nella prima solo 3 movimenti dei 24 in forma bipartita presentano lo schema A:BA:, nella seconda appena 2 su 24. L'assenza di ripresa deriva dal fatto che i movimenti sono ancora troppo brevi per consentire un ritorno del motto e della tonalità iniziali nella seconda metà della seconda sezione. Per questo il motto, per lo più alla dominante, viene riutilizzato in apertura della seconda sezione per dare nuovo impulso al movimento dopo la breve fermata. Talvolta, sempre perfettamente riconoscibile per la sua struttura ritmica, il motto è riproposto a specchio, secondo una procedura frequente in altri contesti ma piuttosto rara nelle composizioni strumentali da camera. Buoni esempi sono le gavotte di II/2 e VI/2 (vedi Ess. 1-2 a pp. 369-370).

Si tratta poco più di una citazione, come del resto avviene nelle riprese letterali del motto. In alcuni casi, come nelle sarabande di II/5 e VI/9, l'inversione è solo appena accennata. Nelle sonate da camera a tre corelliane si contano pochissimi esempi, tra cui le allemande di II/5 e IV/8, evidenti eccezioni ad una norma osservata in fondo dallo stesso Bonporti.

Nelle danze stilizzate e talvolta anche nei preludi in forma bipartita la seconda sezione è più lunga della prima, talvolta il doppio e in qualche caso il triplo, mentre nelle Opere II e IV di Corelli la disparità tra le due sezioni è molto più ridotta e non è raro che esse abbiano pari durata. Così ad esempio nella corrente della quarta sonata dell'Op. VI la prima sezione è di 15 battute e la seconda di 51. Si tratta in questo caso di uno dei rari esempi di forma

[5] Il numero romano maiuscolo indica l'opera, quello arabo la sonata e quello romano minuscolo il movimento. Così I/2/iii indica il terzo movimento della seconda sonata dell'opera prima.

[6] Sono in forma bipartita con ripresa II/1/iv, II/6/iv, IV/5/ii, IV/9/iv, VI/4/iii, VI/8/iii e VI/9/ii.

Es. 1 – Bonporti, II/2/iv, battute 1-4 e 23-26.

bipartita con ripresa, e l'ampliamento è dunque anche generato dal ritorno della frase d'apertura nella parte centrale della seconda sezione con conseguente realizzazione di una equilibrata struttura tripartita. Ma anche nelle composizioni prive di ripresa la seconda sezione è generalmente più lunga, secondo una tendenza che si accentuerà via via nel corso della prima metà del diciottesimo secolo.

Es. 2 – Bonporti, VI/2/iii, battute 1-3 e 15-18.

Le danze stilizzate delle raccolte bonportiane sono le stesse impiegate da Corelli, dall'allemanda, che segue il preludio, alla sarabanda, che costituisce l'interludio lento tra i due movimenti allegri (ma conclude insolitamente la sesta sonata dell'Op. VI), alla giga e alla gavotta, poste in posizione finale, infine alla corrente, utilizzata sia come primo che come secondo allegro. La tonalità, con le sole eccezioni di II/1/iii, II/3/iii e IV/9/iii, resta invariata in tutti i movimenti, mentre nell'Op. IV di Corelli non è raro che il movimento interno lento sia al tono relativo. Non si tratta evidentemente di un dettaglio, perché anche questo contribuisce a generare quel senso di ridondanza che caratterizza queste prime raccolte.

Il linguaggio di Bonporti è quello stesso di Corelli, semplificato però sul piano della tecnica violinistica, per le ragioni sopra dette, talvolta banalizzato a formule ripetitive poco convincenti, ma soprattutto ridotto ad un vocabolario essenziale che ne compromette le potenzialità espressive. Non mancano, come in tutta la produzione coeva, passaggi riconducibili a Corelli, come l'inizio del preludio della settima sonata dell'Op. IV, che ricorda quello della prima sonata dell'Op. II corelliana (v. Esempi 3 e 4), o l'inizio del preludio della seconda sonata dell'Op. II, simile a quello del preludio della dodicesima sonata dell'Op. IV di Corelli (v. Esempi 5 e 6).

Le scelte strutturali di base ci mostrano dunque un compositore poco incline alla varietà. Nell'Op. VI la regolarità è particolarmente marcata: se si eccettuano le due sonate prive di preludio (la terza e la nona) e la sesta sonata, tutte le altre sono costituite da un movimento a sezione unica seguito da due danze stilizzate in forma bipartita. La disposizione dei tempi è pure piuttosto

Es. 3 – Bonporti/IV/7/i, battute 1-3.

Es. 4 – Corelli/II/1/i, battute 1-3.

Es. 5 – Bonporti/II/2/i, battute 1-4.

[1.] PRELUDIO. Largo

Es. 6 – Corelli/IV/12/i, battute 1-5.

regolare, sebbene la successione lento-allegro-allegro non sia la sola ad essere adottata. La nona sonata ha inizio con un'allemanda in tempo *Comodo*, seguita da una sarabanda in tempo *Largo* e da una giga in *Presto*; la sesta sonata ha invece un movimento interno in tempo allegro (allemanda) preceduto e seguito da movimenti in *Largo*. Sia nelle scelte strutturali di base che nella scrittura bonportiana, sempre tesa a semplicità e chiarezza, si ha l'impressione che l'autore non voglia sorprendere il suo esecutore-ascoltatore, ma venirgli incontro con esercizi di buon livello privi di grandi pretese artistiche. Come già detto, Bonporti si rivolge ad esecutori non professionisti che si dilettano ad eseguire composizioni alla loro portata, e dunque è ben probabile che il carattere talvolta elementare delle sonate dipenda anche dal livello tecnico dei fruitori. La semplificazione del linguaggio, talvolta la sua banalizzazione, non riguarda però la sola tecnica violinistica ma ogni suo aspetto. Il vocabolario ritmico, ad esempio, è piuttosto povero e soprattutto ripetitivo, forse deliberatamente povero visto che il compositore dimostra altrove maggiore ricchezza d'invenzione, come ad esempio nelle sonate per violino Op. X (1712). L'utilizzo di poche formule ritmiche è particolarmente evidente nell'Op. IV, dove ad esempio sono frequenti spostamenti ritmici inizialmente piacevoli all'ascolto, ma che alla lunga diventano scontati, come negli esempi che seguono:

Es. 7 – Bonporti/IV/1/i, battute 1-3, 12-14.

Es. 8 – Bonporti/IV/1/iii, battute 1-16.

Es. 9 – Bonporti/IV/2/i, battute 1-6.

Es. 10 – Bonporti/IV/2/iii, battute 1-14.

Si tenga presente che questi esempi sono tratti dalle sole prime due sonate dell'Op. IV. Analoga situazione riguarda le scelte armoniche, spesso altrettanto prevedibili. La distanza da Corelli, dove semplicità, varietà e complessità son tutt'uno, dove tutto ci appare naturale conseguenza di quanto precede, è evidente. Ciò che manca alle sonate di Bonporti è quella ricchezza di soluzioni che caratterizza l'opera corelliana, ma anche il fatto che spesso le sue composizioni – pur piacevoli all'ascolto e di buona fattura quanto a tecnica compositiva – sono prive di quella caratterizzazione ritmico-melodica che rende ogni movimento del *corpus* corelliano un caso a sé che s'imprime nella memoria, che si riconosce come unico. Sono insomma troppo simili tra loro, come dimostrano gli esempi riportati sopra. L'allemanda e la successiva corrente della quarta sonata dell'Op. II (v. Esempi 11 e 12) illustrano ancor meglio questo senso di ripetitività.

Es. 11 – Bonporti/II/4/ii, battute 1-3.

Le due danze si basano sulla stessa frase iniziale, con un'articolazione ritmica ovviamente diversa in relazione al tipo di danza.

Si tratta di una scelta evidentemente consapevole e di una procedura molto simile a quella che caratterizza il tema con variazioni, ma l'effetto – considerati anche i *da capo* – è decisamente ridondante. Bonporti non sembra in grado di mantenere il senso di derivazione creando al contempo una cosa nuova, e si ha piuttosto l'impressione che sia a corto di idee. È probabile che intenda consapevolmente dare unità alla sonata riproponendo lo stesso materiale nei diversi movimenti, ma tale strategia compositiva – che sappiamo antica e ricca di futuro – viene applicata in modo rigido e poco efficace.

Potrei citare decine di altri esempi senza nulla aggiungere a quanto sopra detto, soprattutto riguardo alla reiterazione di moduli ritmici, all'utilizzo meccanico delle progressioni, al carattere astratto (non sufficientemente connota-

Es. 12 – Bonporti/II/4/iii, battute 1-5.

to) di molti passaggi arpeggiati, alla scarsa varietà nella condotta delle parti. Un caso altrettanto palese di ridondanza come quello appena illustrato semplicemente non si trova nel *corpus* corelliano. Per capire l'eccezionalità di Corelli bisogna dunque tener conto anche di quel che *non c'è* nella sua musica che rende molta produzione coeva non altrettanto eccellente.

CITTÀ DI CASTELLO • PG

FINITO DI STAMPARE NEL MESE DI DICEMBRE 2007